GESCHICHTLICHE DARSTELLUNGEN

BAND IV / ERSTER TEIL

KLASSIK UND ROMANTIK DER DEUTSCHEN

I. TEIL

DIE GRUNDLAGEN DER KLASSISCH-
ROMANTISCHEN LITERATUR

VON

PROF. DR. FRANZ SCHULTZ

Zweite,
durchgesehene Auflage

MCMLII

J. B. METZLERSCHE VERLAGSBUCHHANDLUNG

STUTTGART

Copyright 1952 by J.B. Metzlersche Verlagsbuchhandlung
und Carl Ernst Poeschel Verlag G.m.b.H. Stuttgart-O, Kernerstraße 43
Satz und Druck von H. Laupp jr (Sonderabteilung) Tübingen
Gebunden bei Heinr. Koch, Großbuchbinderei, Tübingen

VORWORT ZUR ERSTEN AUFLAGE

Plan und Anlage dieses Buches, dessen Grundgedanken seit Jahren festliegen, haben in der Zeit seiner Entstehung manche Veränderung und Abwandlung erfahren. Schließlich erschien es aus Zweckmäßigkeitsgründen, mehr aber noch, weil der bedeutende und weitsichtige Gegenstand und seine Zusammenhänge es geboten erscheinen ließen, angebracht, die Darstellung zu zerlegen.

Der Aufbau des Buches rechtfertigt sich aus sich selber. Das Außerordentliche des geistigen und dichterischen Geschehens, das sich mit Klassik und Romantik vollzog, rechtfertigt, daß das hier Gebotene in Beziehung zu der ihm vorausliegenden und folgenden Darstellung der «Epochen» eine gewisse Gipfelstellung anstrebt. Auch der erste Band allein möchte als in sich abgerundet betrachtet werden.

Man wolle es aus den Anschauungen, die sich der Verfasser während seiner wissenschaftlichen Entwicklung gebildet hat, verstehen, wenn er stellenweise die Bahnen eines bloßen Handbuches ebenso verließ, wie er sich vor einem Fluge über alles Gegenständliche hinweg zu hüten suchte. Er verfiel bisweilen in eine «Untersuchung», die hoffentlich nirgends als unorganisch oder als Hemmnis empfunden werden wird. Es war immer sein Bestreben, die Linien der dichterischen Entwicklung unverwischt zu lassen, ja sie durch die Erörterung von Fragestellungen erst recht zu betonen.

Die Anmerkungen wollen keine Bibliographie sein. Die ganze Literatur über Persönlichkeiten und Gegenstände weiß der Forscher anderwärts zu finden. Die Anmerkungen *dieser* Darstellung dienen dem Zwecke, hinzuweisen auf Bücher und Aufsätze, denen der Verfasser verpflichtet ist oder von denen seine Auffassung ausdrücklich abweicht. Nur nebenher und gelegentlich haben sie auch die Absicht, Wege zu weisen, die über das im Text Gebotene hinausführen. Die wissenschaftliche Arbeit über die behandelte Epoche ist schier unermeßlich,

besonders dann, wenn, wie es notwendig ist, an den der Literaturgeschichte benachbarten Gebieten nicht mit geschlossenen Augen vor-
übergegangen wird. Voreilig wäre jedoch der Schluß, daß der Verfasser Arbeiten, die er nicht nennt, nicht kennen zu lernen und für
seine Zwecke zu prüfen sich bemüht habe.

Frankfurt a. M., im Oktober 1934 *Franz Schultz*

VORWORT ZUR ZWEITEN AUFLAGE

Bereits im Jahre 1945 hatte Franz Schultz eine Neubearbeitung seines Werkes vorgenommen, die aber durch Kriegseinwirkung vernich-
tet wurde. Nach Kriegsende begann er eine neue Überarbeitung,
deren Vollendung ihm nicht mehr beschieden war. Seite 1–234 des
ersten Bandes hatte er bereits an den Verlag eingesandt, als ihn ein
jäher Tod mitten aus seinem Schaffen hinwegnahm. Da in den noch
von Schultz bearbeiteten Bogen, abgesehen von stilistischen Verbesserungen, nur wenige grundlegende Ergänzungen, vor allem über
Winckelmanns Bedeutung für den Geist des 18. Jahrhunderts, einge-
schoben waren, erschien es am richtigsten, den Rest des Werkes in
seiner ursprünglichen Fassung zu belassen, zumal es in so ausgepräg-
tem Maße den Charakter des Dahingeschiedenen aufweist. Die notwendigen äußerlichen Verbesserungen, sowie die Überarbeitung der
Anmerkungen wurden durch Fräulein Studienassessor Dr. *Lieselotte
Grund* im Einvernehmen mit Herrn Professor Dr. *Hans H. Borcherdt*
im Sinne des Verfassers durchgeführt.

Stuttgart, November 1951 *J. B. Metzlersche Verlagsbuchhandlung*

Für die freundliche Unterstützung bei der Fertigstellung der 2. Auflage des Werkes meines Mannes spreche ich Herrn Professor Dr. Hans
H. Borcherdt und Fräulein Studienassessor Dr. Lieselotte Grund meinen verbindlichsten Dank aus.

Frankfurt/Main, im November 1951 *Hildegard Schultz*

INHALT

INHALT

EINFÜHRUNG

Die Epoche der deutschen Literatur, um die es sich auf den folgenden Blättern handelt, unterliegt nicht einem bloß geschichtlichen Verstehen. Die Auseinandersetzung mit ihr ist eine entscheidende Angelegenheit des deutschen Menschen, der nach ihr gekommen ist. Die Begriffe «Literatur», «Kunst», «Dichtung», selbst «Philosophie» und «Geist» sagen nicht genügend aus, um die in das Ganze und Wirkliche treffende Strahlenwirkung zu bezeichnen, die von deutscher «Klassik» und «Romantik» für alle Folgezeit ausgeht. Es handelt sich um Grundlagen unseres Seins. Wo immer vom deutschen Kultur- und Geistesleben die Rede ist, stehen dahinter die Werte der klassisch-romantischen Epoche. Im wissenschaftlichen Geschichtsbilde und auch in volkstümlicher Anschauung stellt sich die deutsche Entwicklung in einem Ablaufe dar, der sie in unserer Epoche eine vorläufige Erfüllung finden läßt. Was danach kam, muß in irgendeiner Weise mit ihr in Verbindung gebracht werden. Nicht nur Erfüllung ist sie, sondern auch neue Wegweisung. Sie verarbeitet alle anderen Epochen des menschlichen Geistes in sich, Altertum, Mittelalter, Renaissance, und gebraucht sie bald zur Bestätigung und zur Bestimmung ihres eigenen Selbsts, bald, um im Gegensatz zu ihnen sich schärfer zu erkennen. Über das Geschichtliche und Vorgeschichtliche hinweg geht ihr Blick auf die Formen und Äußerungen eines Urmenschentums und auf gesetzmäßige Veranschaulichung der Menschheit. Nicht nur nach rückwärts setzt sie sich auseinander, sie deutet sich auch im Hinblick auf die Völker, die neben den Deutschen standen. Die innere Verflochtenheit ihrer Einzelfunktionen bezeichnet den inneren Bau dieser Epoche: Geist und Natur, Kunst und Religiosität, Dichtung und Wissenschaft durchdringen sich. Die bedeutenden Einzelschöpfer ziehen den Blick vor allem auf sich, aber die breite Schicht, die sich in den Niederungen des literarischen Lebens ablagert, wirkt geschmackregelnd und geschmackbildend, sei es auch durch Gegensätzlichkeit gegen die Höhenlage der großen Einzelnen. Man erkennt deutlich abgesetzte Generationsstufen und auch wieder die Übereinstimmung vieler, die eben diesem Zeitraume den Ausdruck einer im wesentlichen geschlossenen Weltanschauung und ein epochales Gepräge verleiht. Das Organische geht Hand in Hand mit dem Persönlichen.

Weltbürgertum und Humanität, die sich ihrer und jeder anderen nationalen Eigenform bewußt ist, Christentum und Unchristliches, triebhafte Lebenskraft und bewußt gehandhabtes Spiel der Dichtung, Herrschaft der Erfahrung und schöpferischer Wille der Idee, Stetigkeit und große Gesetzlichkeit wie der Abgrund im Innern eines jeden, der Mensch heißt, die Auseinandersetzung dieses Menschen mit sich selber und die feinsten Aufspürungen seelischer Regungen bei sich und andern, die Überzeugung von der Selbstherrlichkeit und dem Rechte der bedeutenden Individuen wie die aufsteigende Erkenntnis von den naturhaft und geschichtlich gewachsenen Bedingungen der Gemeinschaft, Weltvergangenheit und Gegenwartsmenschentum, Vorzeit und Zukunft bilden ein beinahe unlösliches Geflecht, dessen Entwirrung nicht mit einer oder einigen wenigen Formeln gelingt. Über allem herrscht die Größe Mensch und das Geheimnis des Lebens. Was Jahrhunderte und Jahrtausende zubereitet hatten, schien nun nicht nur als Erbschaft übernommen, sondern in Kraft umgesetzt und als lebendiges Kleid der Gottheit und der Welt gewoben werden zu sollen. Oder gibt es eine Periode in der geistigen Geschichte der Menschheit, die weiter und tiefer vorgedrungen wäre in dem Wissen und Ahnen um Welt, Natur und Kunst, um Diesseits und Jenseits, und die gleichzeitig von der schöpferischen Fähigkeit des Menschen höher gedacht oder sie stärker bekundet hätte? Zum erstenmal tut sich nun ein säkularer Zusammenhang unseres Geistes auf. Er scheint in eine unmittelbare Beziehung getreten zu sein zu einer «Weltseele». Raum und Zeit verlieren nun nicht umsonst ihre objektive Gültigkeit. Das Zutrauen unseres Geistes zu sich selber erweist sich als beinahe unermeßlich – nicht so sehr in den ungezügelten Ausbrüchen erster schöpferischer Fülle während der Geniezeit, als in dem Selbstvertrauen, das er bewies in der Zeit des Hochidealismus. Angesichts der Bewegung von etwa 1770 bis 1830 verliert eine Bewertung, die in ihr einen Aufstieg auf den Gipfel der Weltschau, eine höchste Ausprägungsmöglichkeit geistig-schöpferischen Vermögens sieht, den Charakter des Relativen, Standpunktmäßigen und Intellektualistischen. Mitnichten darf heute in dieser Epoche nur ein gegen die äußere, staatliche und politische Wirklichkeit sich abschließendes, schönes Bildungsstreben gesehen werden. Daß die sogenannte «Romantik» das Staats- und Nationalbewußtsein wiedererweckt und die «Objektivationen» des staatlich-politischen Lebens und der Geschichte in Wissenschaft, Gesinnung und Tat zu allgemeinen Angelegenheiten gemacht hat, ist nie bezweifelte Erkenntnis. Die deutsche «Klassik» steht im Rufe der Wirklichkeitsfremdheit. Solche Verkennung hebt sich auf durch die immer weiter um sich greifende und sich vertiefende Einsicht, daß ihr eine «Neuumfassung» des Menschen und der Wirklichkeit und eine auf organische Ganzheit gerichtete Neubegründung des Bewußtseins verdankt werden.

Klassik *und* Romantik. Das Aufgehen beider so oft in unversöhnlichen Gegensatz gestellter Erscheinungen in ihren höheren Gemeinsamkeiten – unbeschadet ihrer Sonderrechte und ihrer Sonderbetitelung – ist eine Grundvoraussetzung des Folgenden. Übrigens ist eine solche Überwölbung nicht neu. Sie ist aber eine Frage der Durchführung. Die Epoche des deutschen Idealismus, die im Zuge der Literaturgeschichte in den folgenden Blättern steht, hat in der Fähigkeit begrifflichen Denkens Höchstes geleistet. So ist auch die begriffliche Durchleuchtung von seiten der Geistesgeschichte dieser Epoche in besonderem Maße zuteil geworden. Das bedeutet nicht nur die Befriedigung, die von scheinbar letzten und glatt aufgehenden Lösungen ausströmt: es enthält auch eine Förderung des Verstehens der geschichtlichen Wirklichkeit und der sie tragenden Einzelerscheinungen insofern, als die Unterbringung der Einzeltatsachen unter Begriffe und die idealtypische Bezeichnung vorangegangen sein müssen, damit die Nachprüfung solcher Formulierungen an den geschichtlichen Gegenständen von neuem beginne, eine Nachprüfung, die jede sich füh-

lende Zeit von ihrer Sicht und ihrem Standort aus wiederholen muß.
«Sturm und Drang», «Geniezeit», «Klassik», «Klassizismus», «Humanismus», «Idealismus», «Romantik», «Früh-» und «Spätromantik» sind die Kennworte, um die gekämpft wird – leider so oft gekämpft wird als um *Worte*, die erst ihrer Erhellung, der Absteckung ihres Geltungsbereiches, der Deutung ihrer Bezogenheit bedürfen. Auch diese Darstellung läßt die Worte stehen. Aber sie ist sich dabei ihrer Bedeutung als bequemer Rechenpfennige, im besten Falle als arbeitshypothetischer und vorläufiger Hilfskonstruktionen bewußt. Ist der Sinn der neuen Bewegung in Deutschland, ihr innerer Zusammenhang und Aufbau auf eine strenge Stufenfolge und einen Rhythmus zu bringen, in dem eine logische Folgerichtigkeit waltet? Zeigt sich in dieser Bewegung ein Fortgang, der in allen seinen Phasen, Entwicklungsstufen und Äußerungen gewissen ursächlich zu verknüpfenden, gedanklich-begrifflichen Scheidungen, Gegensätzlichkeiten, Parallelitäten, Vereinigungen und Ableitungen entspricht, so daß die Ideenwelt dieser gesamten Bewegung eine systematische und schematische Darlegung von logischer und gliedernder Art verträgt? Den Gegenbeweis zu versuchen, kann nur die Aufgabe einer neuen Zusammenschau sein. Doch von vornherein widerspricht der Sinngehalt dieser Bewegung einer restlos aufteilenden und umschließenden Dialektik, jedenfalls soweit dieser Sinngehalt mit den Mitteln und unter dem Gesichtspunkte der Literaturgeschichte erfaßt werden kann. Was in dieser Epoche enthalten ist, umschließt mehr als den «Irrationalismus» und seine Gegensätze, mehr und anderes als die Antithese von Natur und Geist, von Freiheit und Form, von Bewußtheit und Unbewußtheit, von Naturidealismus und Vernunftidealismus, von Idee und Gestalt, von Endlichkeit und Unendlichkeit oder welche begrifflichen Koordinatensysteme man sonst anführen will. Gewiß, daß alle diese Begrifflichkeiten in der Epoche enthalten sind und aus ihr aufgezeigt werden können: sie bleiben aber kraftlos gegenüber der geistig-sinnlichen Einheit und Vielfältigkeit, der Verbindung und Mischung der Erscheinungen und Ideen, dem Sichlösen und erneuten Sichzusammenballen der geschichtlichen Triebkräfte, den beharrenden Ablagerungen, dem Geschiebe und den Überschneidungen der Schichten,

kurz gegenüber einer «Morphologie» der Epoche. Statt einen bestimmten Taktschritt der Gedanken und Begriffe, ein Zurücktreten und Wiederauftauchen oder eine rückläufige Wendung der Ideen erkennen zu wollen, erscheint es einmal geboten, sie nicht nach logischen Positionen und Gegenpositionen oder nach teleologischen Zielsetzungen, sondern nach vital-geschichtlichen und absichtslosen Gegebenheiten mit allem Einmalig-Unergründlichen, Wechselnd-Farbigen und doch wieder Sinnvollen des Lebens und der Dichtung selber zu erfassen. Bedenklich erscheint es auch, die Epoche, sei es im Längsschnitt oder im Querschnitt, aus einem Zielpunkte zu konstruieren, wie im Hinblick auf die Romantik oder als Vorbereitung auf sie (Hamann, Herder, Lenz, K. Ph. Moritz). Warum denn dies Ziel, das doch historisch gesehen kein Endpunkt und wesensmäßig genommen keine Erfüllung und keine absolute Größe ist? Eine gleich zweifelhafte Sicht bedeutet die Konstruktion aus der Aufklärung heraus. Wieweit auch der Rationalismus zukunftweisende Elemente enthielt und mit ihnen in unserer Epoche aufgesogen und verarbeitet wurde, ist eine andere Frage. Unter allen Umständen wirkte er auch jetzt noch kritikfördernd, d. h. der Zweifel, die Unzufriedenheit, das Besserwissenwollen und Besserwissenkönnen, die Ablehnung bestehender und vererbter Werte und Einrichtungen gehörten zu seinem Element. Er trägt so jedenfalls ein Gesetz des Fortschrittes in sich. Er beherrscht um 1790 den Geschmack des Publikums noch in weitem Maße. Er war noch der regulierende Geschmacksfaktor für die Aufnahme von Literaturwerken, sei es durch Lektüre, sei es auf dem Theater. Adel und Bürgerschaft unterstehen noch in ihrer Mehrheit diesem Geschmack. Er beherrscht auch noch die Lebensführung und das Sittengesetz der breiten Schichten innerhalb und außerhalb des Hauses. An ihm rankt sich der Autoritätsbegriff auf, der in der aufgeklärten Despotie zur Geltung kommt, ebenso wie in den patriarchalischen Verhältnissen, die noch in der deutschen Familie herrschten. Der Rationalismus ist aber vor allem Träger eines wissenschaftlichen Geistes, wie denn wissenschaftlicher Geist ohne ein gewisses rationalistisches Verfahren niemals zu denken ist. Und endlich: auch ohne die Bewegung seit den siebziger Jahren war der Rationalismus, die allgemein verbreitete aufklärerische

Grundhaltung, an dem psychologischen Punkte angelangt, der ihr gebot, ein Persönlichkeitsbewußtsein zu züchten, das Recht der Individualität zum mindesten gelten zu lassen, die Achtung vor dem Wesen «Mensch» zum Allgemeingut zu machen.

Als in weit sichtbarerem Maße die Entwicklung fördernd erweist sich das andere in der Aufklärung enthaltene Element, das empirisch-sensualistische. Es geht mit dem Verstandesmäßigen Hand in Hand, ohne sich mit ihm zu decken. Es enthält einen Gärstoff, der neue Möglichkeiten in sich barg. Zunächst und vor allem ist damit die Alleinherrschaft des Verstandes überwunden. Alle Sinne sind in ihre Rechte eingesetzt. Die Erscheinungen der Wirklichkeit und des Lebens werden willig aufgenommen und bejaht. Der aufklärerischen Neigung zur Kritik und zum Pessimismus treten die Bejahung und der Optimismus zur Seite, denen gemäß das Leben auf dieser Erde wahrhaft lebenswert sei, wenn es nicht nur rein vegetativ und triebhaft gelebt und auf der anderen Seite nicht bloß reglementiert werde, sondern so, wie es ist, bewußt als Wert empfunden wird. Voraussetzung dafür ist aber, daß die intellektuellen Errungenschaften und die geistig-sittliche Höherbildung, die dem Rationalismus verdankt werden, auch in dieser optimistischen Weltansicht ihren Niederschlag finden.

Eine fernere Frage ist die, ob es notwendig ist, bei der Behandlung dieses Zeitalters zwischen den Gegensätzen von Stoff und Geist, Beschreibung und Sinndeutung, Gegenstand und Begriff, Einzelerscheinung und Gesetz in einem Entweder-Oder zu wählen. Ob es nicht etwas zwischen und über diesen Gegensätzen gibt, was – wie allmählich wieder deutlicher erkannt und ausgesprochen wird – den wahren Sinn aller geschichtlichen Wissenschaft ausmacht. Dies ist, um mit einem neueren Geisteshistoriker zu sprechen, das «Verstehenlassen von Zusammenhängen». Auch die Literaturgeschichte schafft dies Bewußtsein des Verstehens hauptsächlich durch das sinnvolle Anordnen von Tatsächlichkeiten und nur in sehr beschränktem Umfange durch das Feststellen strikter Ursächlichkeiten. Auch die Erkenntnis, die die Literaturgeschichte vermittelt, antwortet auf die Fragen: Was? und: Wie? und nur ausnahmsweise auf die Fragen: Wodurch? und: Warum?, obwohl die Illusion entstehen mag, die Antwort gelte den letztbezeichneten Fragen. Auch ihr ist im Rahmen dieses Verstehenlassens das «Nacherleben» eine wichtigere Funktion als die Herstellung eines spinnwebfeinen und doch auch wieder starren Netzes von Begriffen, das Nacherleben im Sinne einer auf suggestivem Wege hergestellten Gemeinschaft mit der Vergangenheit, die auf diesem Wege als «wahr» empfunden wird. «Dieser nicht ganz definierbare Kontakt mit der Vergangenheit ist ein Eingehen in eine Sphäre, er ist eine der vielen Formen des Aussichheraustretens, des Erlebens von Wahrheit, die dem Menschen gegeben sind.» Es ist kein genau bestimmter psychologischer Prozeß. Das gleiche gilt im besonderen Maße von den Periodisierungen und Abgrenzungen, in die wir den Verlauf des geistesgeschichtlichen Geschehens einzufangen gezwungen sind. Wie man sie auch definieren und benennen mag, wie sehr und mit welchen Mitteln man auch danach ringen mag, ihr «Wesen» zu fassen und zu bestimmen – diese Begriffsbestimmung tut nichts für das «Verstehen» solcher Epochen. Der Name ist nicht von entscheidender Bedeutung – es sei denn, daß er durch die Prätension, das Wesen oder die Beschaffenheit ausdrücken zu wollen, dem «Licht, das von dem besonderen Wesen der Dinge ausstrahlt», im Wege steht. Es ist der Haltung der folgenden Blätter völlig gemäß und trifft sich mit dem Verfahren ihres Verfassers in einer überraschenden Weise, wenn er Sätze anführen darf wie diese: «Die einzige Rettung aus dem Dilemma einer exakten Periodisierung liegt in der wohlüberlegten Preisgabe jeder Forderung der Exaktheit. Man gebrauche die Ausdrücke mit Maß und mit Bescheidenheit, wie es der historische Sprachgebrauch mit sich bringt. Man lasse ihnen Spielraum und baue keine Häuser darauf, die sie doch nicht tragen können . . . Wir können dem, was die Kulturäußerungen eines Zeitalters verbindet, einen Namen geben, durch den wir einander verstehen, aber bestimmen können wir es nicht. Auch in dieser Unbestimmbarkeit seines höchsten Objekts offenbart sich der innige Zusammenhang des historischen Verstehens mit dem Leben selbst.» Das könnte als Motto über dem Folgenden stehen.

Literaturgeschichte hat es in erster Linie mit der *Dichtung* zu tun. Die Dichtung und das Dichterische – sie sind in dieser Epoche ein feiner, überall eindringender, alles durchdringender atmosphärischer

«Stoff». Das frühere 18. Jahrhundert, zumal in seiner empfindsamen Seelenlage, hatte ihn gesammelt und verdichtet. Alle geistesgeschichtliche und weltanschauliche Deutung kann für die Literaturgeschichte immer nur die Herstellung einer Grundlage für *die Interpretation der Dichtung und ein Teil dieser Interpretation selber* sein. So auch die Partien dieses ersten Bandes über Klassik und Romantik, die sich, wenn auch nur scheinbar, von der Dichtung entfernen.

Und endlich, um zum Anfange zurückzukehren: Sind Klassik und Romantik Angelegenheiten erster Ordnung für uns Heutige, so soll doch hier zu derlei Auseinandersetzungen nicht Stellung genommen werden. Hier handelt es sich um ein Stück *dienender* und deutender Wissenschaft, die keine Entscheidungen vorwegnehmen, sondern sie nur vorbereiten helfen will. Was wir uns zu eigen machen, was wir beibehalten, was wir verwerfen, was wir als uns wesensfremd empfinden – für solche Entscheidungen von höchster Wichtigkeit und Verantwortlichkeit angesichts eines verpflichtenden Kulturbesitzes will das Folgende nur versuchen, einen nach Möglichkeit «sachenvollen» und wirklichkeitsgerechten Grund herzustellen.

I

DIE NEUE WELTANSICHT UND IHRE ABWANDLUNGEN

In jenen Gesprächen, die HERDER mit dem lakonischen Titel «*Gott*» (1787) versah, sagt einer der Wortführer: «Überall können nur organische Kräfte wirken und jede derselben macht uns Eigenschaften einer unendlichen Gottheit kenntlich. Sie sehen, mein Freund, was hieraus auch für eine schöne Folge auf den inneren Zusammenhang der Welt folge. Nicht durch Raum und Zeit allein, als durch bloß äußere Bedingungen, ist sie verbunden: viel inniger ist sie's durch ihr eigentliches Wesen, durch das Prinzipium ihrer Existenz, da allenthalben in ihr nur organische Kräfte wirken mögen. In der Welt, die wir kennen, steht die Denkkraft obenan; es folgen ihr aber Millionen andere Empfindungs- und Wirkungskräfte, und Er, der Selbständige, er ist im höchsten einzigen Verstande des Worts *Kraft*, d. i. die Urkraft aller Kräfte, die Seele aller Seelen. Ohn' ihn entstand keine derselben, ohn' ihn wirkt keine derselben und alle im innigsten Zusammenhange drücken in jeder Beschränkung, Form und Erscheinung sein selbständiges Wesen aus, durch welches auch sie bestehen und wirken.» In der Gedankenwelt von Herders «Gott» erkannte sich die werdende Klassik. Diese Schrift ist insbesondere ein Denkmal des innigsten Einverständnisses zwischen Herder und Goethe. Goethe nennt sie «die Säule, von welcher an wir nun unsere Meilen zählen können», und ihn versetzte, als er während seines zweiten römischen Aufenthaltes das Werkchen mit der vielsagenden Überschrift erhielt, sein Inhalt in die Zeiten, wo er an der Seite «des trefflichen Freundes über diese Angelegenheiten sich mündlich zu unterhalten, oft veranlaßt war».

In der Tat ist in dieser Schrift enthalten, was den letzten Sinn jener geistigen Haltung ausmacht, durch die der Sturm und Drang mit der

Klassik und auch mit der Romantik verbunden wird. Sie steht im Zeichen jenes Weltbildes, das man ein dynamisch-organisches nennt. In ihm bedingt sich der Organismusgedanke wechselseitig mit der Vorstellung eines dynamischen Prinzips, das am ursprünglichsten in allen *Lebensvorgängen* erscheint. Diese Schrift ist das Sammelbecken für den Herderschen «Pandynamismus». Sie läßt zugleich so viel von mystischen Schauern fühlen, daß die Inbrunst eines religiösen Erlebnisses deutlich wird, dem die deutsche Klassik und der Idealismus in einer letzten Schicht verpflichtet sind. Die Schrift zeigt dieses religiöse Erlebnis an dem Punkte, an dem es sich säkularisiert. Nicht die Bestandteile des Herderschen Spinozaglaubens sind hier wesentlich, sondern im Geiste von Leibniz die Umwandlung des Monismus, der im Grunde ein Ruhendes ist, in ein sinnvolles Gewebe von lebendigen Kräften, deren Wesenheit im Tätigen besteht, deren jede das Universum in sich enthält. Der Ursprung dieser Kräfte, deren Vielheit und Mannigfaltigkeit auf eine Einheit, einen geistig-ideellen Wesenszusammenhang hinweist, ist von dem Verstande nicht faßbar. Er verliert sich in dem geheimnisvollen göttlichen Allgrund.

Diese organisch-dynamisch-vitalistische Weltansicht, durch die die deutsche Klassik und Romantik auf dem Hintergrunde eines Sinngehaltes von säkularer und allgemeingültiger Bedeutung erscheinen, hat ihre lange Geschichte. Sie ist im Altertum durch Heraklit, Pythagoras, Empedokles, Plato, Aristoteles, die Stoiker und Plotin vorgebildet und ausgebildet worden. Sie erlebte ihre Auferstehung in der Theosophie und dem Okkultismus der Renaissance, in der italienischen Naturphilosophie, bei den deutschen Mystikern, bei Giordano Bruno, bei Shaftesbury, Leibniz und Hemsterhuis. Nicht daß sie bei diesen und andern als ein Ganzes, in voller Reinheit und mit allen Auswirkungen erscheint. Aber auf dem Wege, der zu ihrem Durchbruche im deutschen Idealismus führte, bezeichnen die Genannten und noch andere neben ihnen irgendwie eine Stufe und Form in der allmählichen Ausgestaltung und Geltendmachung eines dynamisch-vitalistischen Weltbildes. Nicht auf die begriffliche Scheidung des Organischen vom Dynamischen kommt es hier an, sondern auf die Zusammengehörigkeit, die Vereinigung und das Sichdurchdringen beider

Haltungen innerhalb der hier in Rede stehenden Entwicklung, weswegen denn auch terminologisch hier bald die eine, bald die andere Bezeichnung angewendet werden darf, um die Anschauung vom Wirken lebendiger Kräfte zu bezeichnen. Im Rahmen dieses Weltbildes erscheint die Welt als ein Ganzes, das, von einem inneren Zwecke beherrscht, wohl eine Gliederung, nicht aber eine Zerlegung in Teile oder eine Zusammensetzung aus Teilen zuläßt, wie sie der mechanistischen Weltauffassung sich ergibt als auf Grund von logischen Denkfunktionen erkennbar und der Gesetzlichkeit, Regelmäßigkeit, Gleichartigkeit und Zweckbestimmtheit von außen unterworfen. Die dynamistische Denkweise findet in der Natur das Gegenbild der menschlichen, persönlichen Einheit, ihrer organischen Gestalthaftigkeit, und erkennt die Welt als von den gleichen, innerlich zweckbewußten Kräften und Energien beherrscht, die die Einheit und Eigenheit des persönlichen Bewußtseins ausmachen. Eigene seelische Erfahrung der Persönlichkeit ergibt die Analogie für das Weltgeschehen und führt hinüber zur Vorstellung einer «Weltseele». Erkenntnis aber besteht nicht in logisch-begrifflichen und verstandesmäßigen Vorgängen, sondern ist Sache des bildhaften Vorstellenkönnens und der geheimnisvollen Einfühlung, durch die die tiefverborgenen Verwandtschaften und Übereinstimmungen, wenn nicht die Einheit von Natur und Geist verspürt werden. Daher spielt die Forderung der «genialen Anschauung» eine entscheidende Rolle in der Theorie und in dem schöpferischen Verhalten solcher vom Dynamismus beherrschten Epochen, wie sie denn überhaupt stets im Zeichen des schöpferischen Willens und insbesondere des künstlerischen Hervorbringens stehen. Diese «Organik» enthält in sich Möglichkeiten der Auswirkung, die im geschichtlichen Ablauf scheinbar als selbständige, nach anderen Richtungen weisende geistige Merkmale hervorgetreten sind, während sie sich doch als Begleiterscheinungen der organisch-dynamischen Denkweise und in ihrer Abhängigkeit von einem Mittelpunkte am ungezwungensten erklären. Diese Organik kann infolge der Vorstellung von dem Wirken geheimnisvoller Kräfte zum Numinosen, zur Magie, zum Wunderglauben, zur Mystik mit allen ihren Abwandlungen führen. Sie gelangt zum magisch-dämonischen, zum «faustischen», gegenüber dem rationalen Weltbilde. Diese Organik kann die Form eines Pantheismus annehmen, wenn das System immanenter Kräfte – wozu nur noch ein Schritt ist – in seinen einzelnen wirkenden Atomen wie in seinem Zusammenhange mit dem Göttlichen gleichgesetzt wird. Der Gegensatz zur logisch-kausalgesetzlichen und begrifflich-zergliedernden Betrachtungsweise kann den «Irrationalismus» züchten, zu dem sich die intuitive Anschauung, die mit dem Wesen der organisch-vitalistischen Betrachtungsweise innerlich zusammenhängt, ohnehin neigen muß. Und alle diese Auswirkungen und Abwandlungen konnten sich verschiedene Geltungsbereiche suchen und haben sie sich gesucht: das Gebiet des Religiösen, von dessen besonderer Gestaltung unter den in der Tiefe zu verspürenden Auswirkungen der Organik die deutsche Romantik zu erzählen vermag, das Gebiet des Ethischen und das des Ästhetischen. Des Ethischen: Weil der Dynamismus die Vorstellung eines beseelten Ganzen hat und sich mit dem reizvollen und sinnvollen Spiele der Naturkräfte begnügt, ist ihm Sittlichkeit auch nur freie Ausgestaltung und «Bildung» des Individuums, daher denn Zeitalter, die von dieser Weltanschauung getragen sind, eine durch den Wachstumsvorgang bedingte Seinsethik betonen und die Forderung der sozialen Verpflichtung insoweit kennen, als sie durch den Begriff der organischen Gliederung und Wechselwirkung sich als notwendig ergibt. Das Sittliche, das innerhalb der organistischen Weltanschauung in der Bildsamkeit der Individualität besteht, soll sich harmonisch in das Wachstum größerer Gemeinschaften einordnen, ohne daß Triebhaftigkeit und von außen herangebrachte Forderung sich stören. Man hat erkannt, daß in den ethischen Theorien dieser Richtung die Selbstüberwindung und das gewaltsame Niederkämpfen der natürlichen Neigungen wenig Anklang gefunden hat. In der Auseinandersetzung eines geschichtlich und zeitlich bedingten «Gebotes» mit den nach «Gesetzen» waltenden organischen Kräften besteht ja letztlich die Problematik der Goetheschen «Persönlichkeit», die aus dem Boden dieser Weltanschauung erwuchs. Auch in der Ästhetik ist oberster Grundsatz der dynamistischen Weltansicht, daß jeder Organismus sich selbst setzt, seinen Zweck in sich trägt. So wird denn ein ästhetisches Gebilde nur dahin beurteilt, wieweit es der

Auswirkung einer inneren Eigentümlichkeit zu entsprechen scheint. Es wird immer als Totalität genommen, die Teile sind nur Glieder, die sich auf das Ganze beziehen. Solche harmonische Unterordnung und Wechselwirkung ergibt die ästhetische Forderung des schönen Ebenmaßes und gleichgewogener Gliederung, oder – eine andere, nur scheinbar zu der ersten in Widerspruch stehende Folgerung aus der gegebenen Grundvoraussetzung – es entsteht die Vorstellung einer von innen heraus sich bildenden Form, wobei nicht gesagt ist, ob diese innere Form sich äußerlich als eine sogenannte geschlossene und tektonische oder als eine offene und atektonische Form darstellt: beide Lösungen sind vom Boden des dynamisch-organischen Weltfühlens möglich und sind, die eine in der Klassik, die andere in der sogenannten Romantik, gefunden worden. Die Vorstellung der harmonischen Einheit im Zerstreuten bildete sich gleichermaßen an der Kunst wie an der Natur heraus. Aber die Natur steht voran. *Sie* enthält vorgeformt jene Idealtypen, deren Steigerung das Kunstwerk ist . . . Da diese Weltanschauung schließlich ein Bleibendes in allem Wechselnden zu entdecken bemüht ist, da sie unter der Vielheit und scheinbaren Zufälligkeit aller Einzelerscheinungen ein zugrunde liegendes Allgemeines zu finden bestrebt ist, entstehen aus ihr die Begriffe von «Gestalt», «Typus», «Gesetz». Und fällt der Nachdruck auf die Seite des Dynamischen, Bewegenden und Bewegten, des Sichrührens von Kräften, so ergibt sich als letzter Schluß aller Weisheit eine energetische Lebensanschauung, der als allein wichtig angesehene Drang zu schöpferischer Tätigkeit, zum Funktionellen, wie ihn der späte Faust versinnbildlicht.

Diese dynamisch-organische Weltansicht bedeutet *eine* Art des Weltfühlens der abendländischen Menschheit, der eine *andere* Art gegenübersteht. Nicht also, daß dieses Weltfühlen im Laufe seiner Entwicklung bis ins 18. Jahrhundert hinein überall so, wie es skizziert wurde, anzutreffen wäre. Die dargelegten Grundzüge und Auswirkungen bedeuten idealtypische Formulierungen und eine reine, unvermischte und wesensmäßige Erscheinungsform dieser Weltanschauung, die in der geschichtlichen Wirklichkeit mit anderen Elementen versetzt, durch Gegenströmungen beeinträchtigt, durch irgendwie verwandte

Richtungen bestärkt oder verwässert erscheint oder nur als Unterströmung vorhanden ist, wie im 17. und frühen 18. Jahrhundert, bis sie wieder zum Durchbruch und an die Oberfläche kam. Zu diesem Durchbruch gelangte in Deutschland die dynamisch-vitalistisch-organische Weltanschauung zu Beginn des letzten Drittels im 18. Jahrhundert. Alle Adern der damaligen geistigen Menschheit in Deutschland, ihrer jugendlichen und zukunftweisenden Vertreter, waren bis zum Springen gefüllt mit dem gestauten Blute dieses Lebensgefühls. Hat es einen Sinn, zu fragen, aus welchen einzelnen Quellen die neue Weltansicht in Deutschland geflossen war, und diesen oder jenen Träger dieser Weltschau als allein oder vorwiegend maßgeblich heranzuholen, so etwa Plotin und den Neuplatonismus des Abendlandes oder wen sonst immer? Solche Quellenkunde der Weltanschauung läßt nach Überwindung einer aufwärtsführenden Wegstrecke immer neue Weiser erblicken; hinter dem einen Zeugen tun sich mehrere andere auf; das Licht, das man von dem einen Punkte gewonnen zu haben glaubt, bricht sich in mehreren Strahlen, eine Strömung, die man hinaufverfolgt hat, endet in zahlreichen Rinnsalen und Nebenströmungen. So muß es für Deutschland im letzten Drittel des 18. Jahrhunderts hinsichtlich des neuen Weltfühlens dabei bleiben, daß es hervorgeht aus einer «συμπαϑεια των ὁλων», d. h. es muß bleiben bei der Feststellung einer Sympathie, einem Mitfühlen, einem Mitschwingen mit allem, was im Verlaufe der abendländischen Entwicklung die menschliche Seele im Sinne dieser dynamisch-vitalistischen Weltanschauung berührt, geformt, geschichtet hat, wenn auch natürlich Stärkegrade dieser Resonanz je nach den individuellen und zeitbedingten Bildungsvorgängen bestehen bleiben. Sie dürfen jedoch zurücktreten gegenüber der Gesamterscheinung, die sich mit und im Gefolge der «Organik» über den Horizont erhob. Und nicht, was die einzelnen älteren Vertreter des organischen Vitalismus heutiger Forschung sind, sondern als was sie und wie sie den Damaligen erschienen, ist wesentlich. Hier schon tut sich das Problem der weltanschaulichen Bestimmtheit des zur «Klassik» heranreifenden Goethe auf.

Jedenfalls fand diese Weltanschauungsbewegung in dem Deutschland vom letzten Drittel des 18. Jahrhunderts den denkbar günstigsten

Boden. Das war Sache des deutschen Schicksals und des deutschen Charakters, wie er sich unter diesem historischen Schicksal im 17. und 18. Jahrhundert gestaltet hatte, nachdem der einstweilen nicht zu heilende Bruch mit der älteren deutschen Vergangenheit und ihrer Wesensart eingetreten war. Die große westeuropäische Bewegung der Aufklärung, die der mechanistischen Denkweise zugehört, hatte sich an der Haltung und dem Aufbau der Gesellschaft, die sie in Deutschland vorfand, gebrochen. Ihre großen Absichten und Leistungen im Bereiche der geistig-gesellschaftlichen Wirklichkeit zeitigten in Deutschland nur verhältnismäßig schwächliche Ableger. Dies mag gegenüber einer anderen Auffassung, die die Vollendung der aufklärerischen Ideen in Deutschland finden möchte, festgehalten werden. Staat und Gesellschaft – immer untrennbar von dem Leben der Literatur – förderten die Aufklärungsbewegung in den westeuropäischen Ländern, in England und in Frankreich. In Deutschland paralysierten sie die Wirkung der aufklärerischen Bewegung oder vielmehr: die Tatsache, daß Staat und Gesellschaft hier eigentlich nicht vorhanden waren, ließ die Aufklärung die Stützpunkte und den Nährboden nicht finden, die sie ihrer Wesenheit nach, bedingt durch begrifflich bestimmte Ordnungssysteme, brauchte. So blieb in Deutschland nur ihre Funktion als solche, ihre Maschinerie, die Betätigung eines Vielheit auf Einheit zurückführenden, aber im Analytischen bleibenden Verstandes, die Anwendung der ihm möglichen Kategorien auf die verschiedenen Bereiche des Daseins, auf Denken, Handeln und Dichten. Und es entstand durch sie – ihre entscheidende Tat – die Blickrichtung eben auf den *Menschen*.

Doch was heißt das? Was man «pädagogische Menschenkunde» nennt, wird zum großen Teil der Aufklärung verdankt. Unter ihrem Einfluß vollzog sich der Umschlag von einer pragmatischen, utilitaristischen und realistischen Menschenkenntnis, wie sie das 17. Jahrhundert pflegte, in die höhere Auffassung vom Menschen, der es um die Aufbaugesetze der menschlichen Existenz geht. Sie setzte das ideale Sehen an die Stelle realistischer Auswertung der Erfahrungen um den Menschen. Daß Rousseau innerhalb dieser Entwicklung eine wesentliche Rolle spielt, dürfte unbezweifelbar sein, ebenso daß der allgemeine pädagogische Zug der Aufklärung ihr entgegenkam. Jedenfalls darf die Aufklärung als Grundlage und Ausgang für das Werden einer vergleichenden Menschenkunde gelten, die zum deutschen Idealismus, zur Romantik, ins 19. Jahrhundert und zur Gegenwart hinüberführte. Aber auch diese geistesgeschichtliche Linie hat sich wechselseitig mit den unabweisbaren Tatsachen der äußeren Geschichte verschlungen. Und es trifft in die Mitte, wenn Goethes Freund Knebel einmal meinte, «daß jene mittlere Art von Welt- und Menschenkenntnis, die die Torheiten, Leidenschaften, Intrigen, Schwachheiten und alle kleinen Hebel des Menschengetriebes als die wahre einzige Welt ansieht, und sich mit dieser Erkenntnis wunderbar hoch begabt fühlt, durch die Zeiten der französischen Revolution etwas in Veraltung gekommen» sei.

Die Vernichtung wirtschaftlichen und politischen Gedeihens im 17. Jahrhundert hatte bis weit ins achtzehnte im deutschen Bürgertum, das jetzt der Träger der Literatur war, keine Zier des Daseins aufkommen lassen und jene philiströs-enge Freudenleere eines Lebens gezeitigt, das nur dazu da zu sein schien, um reguliert, normalisiert und wohlanständig zu Ende gelebt zu werden von dem «artigen» Durchschnittsmenschen. Es fehlte der große tragisch-heroische Zug einer Lebensführung und Lebensanschauung, wie er noch bis ins 16. Jahrhundert, ja bis weit ins «Barock», zuletzt in Verbindung mit dem stoizistischen, römisch-französischen Barockhumanismus, bestanden hatte. Es fehlte die Beziehung auf Mittelpunktserlebnisse, es sei denn, daß eine neue, auf das Gefühl gegründete Religiosität hier einer späteren allgemein-geistigen und säkularisierten Haltung voraufging. Eine verstandesmäßige Systematik beugte das Individuum unter abgezogene Normen und Vorschriften und drang nicht bis zum Kern dieses Individuums vor, ebensowenig wie sie selber ihre Berechtigung und ihren Aufbau aus einem lebensmäßigen Zentrum hätte herleiten können. Wie sollte der Sinn für Ganzheit und Fülle gedeihen, wo diese Ganzheit und Fülle weder dem Blick nach innen noch dem nach außen sich zeigte! Wo jede der zahllosen territorialen Grenzen deutscher Vielherrschaft Geist und Sinne vereinzeln mußte! Eine merkwürdige Mischung von grüner Jugend und alter Weisheit, von springendem

Enthusiasmus und unentschlossener Bedächtigkeit, eine Sucht nach Rang und Titeln, innere Unfreiheit, vor allem auch gegen solche, die als Beamte oder Betitelte in vermeintlich höherer Stellung lebten, Scheu vor der Öffentlichkeit und eine auffällige Neigung, das Wesen und Leben anderer grämlich, kleinlich und skeptisch zu beurteilen: dies war der Charakter des deutschen Bürgertums, den der Verfasser der «Bilder aus der deutschen Vergangenheit», Gustav Freytag, feststellt.

Es schlug die Auferstehungsstunde für die dynamisch-organische Weltanschauung, die sich zu der Struktur des die Literatur im frühen 18. Jahrhundert produktiv und rezeptiv tragenden Bürgertums in tiefster Wesensfeindschaft fühlte, aber andererseits an dem aufklärerisch-philisterhaften Charakter den stärksten Brennstoff fand. Der Aufbruch dieser Weltanschauung konnte plötzlich nicht mehr übersehen werden. Er war nicht die Sache einer mehr oder minder erfolgreichen Propaganda und theoretischen Vertretung, nicht die Sache eines bewußten Schöpfens aus den Quellen, in denen diese Weltanschauung floß, oder ein Sichführenlassen und Bestimmenlassen durch diesen oder jenen Weisen älterer Zeit. Es war nicht eine einzelne Beispielgebung. Es war ein Wachsen und Werden von innen heraus, eine Durchblutung aus vielen Adern und Äderchen, ein allmähliches Anschwellen neben und unter der aufklärerischen «Mechanik». Das allmähliche Wachsen des neuen Wesens gehört bereits früheren Kapiteln der deutschen Literaturgeschichte an. Hier aber muß es gelten, die gemeinsame Grundlage der Geniezeit der Klassik und der Romantik und die natürliche, von innen heraus lebendig-gesetzlich sich vollziehende Herausbildung zunächst der Klassik aus dem Weltbilde dessen, was «Sturm und Drang» heißt, und aus einem gemeinsamen Nährboden zu schildern.

Schon hatte der Sensualismus, die Erfahrungsphilosophie, die sich als die andere Seite der Aufklärung darstellt, namentlich von England her, allmählich die Welt der unmittelbaren sinnlichen Wahrnehmung erfassen gelehrt und einem Wirklichkeitssinn und einer « Diesseitigkeit» Vorschub geleistet, die in dem Natur- und Lebensevangelium des Stürmers und Drängers wie des Klassikers Goethe wiederkehren.

Auch die Auffassung des Sittlichen war von dieser mit dem Sensualismus gegebenen Beziehung auf die Wirklichkeit und das Leben nicht unberührt geblieben. Sinnlichkeit und Geist, Trieb und Vernunft waren seit der Anakreontik in der Dichtung einen Bund eingegangen und hatten die strenge orthodox-theologische Zelotik und Sittenrichterei überwinden helfen. Die Vorstellung der platonischen Kalokagathie war auferstanden und hatte sich in den neuen Anmutsbegriff geflüchtet. Wie über anderen Entwicklungen des Jahrhunderts, so steht auch über dieser der Name des Engländers Shaftesbury, dessen Ideen teils unmittelbar, teils in Fortbildungen und Ableitungen in Deutschland seit dem vierten Jahrzehnt des Jahrhunderts wirksam wurden. Geist, so lehrte der Ästhetiker und Harmoniker Shaftesbury, ist der Ursprung der Schönheit; ihn oder seine Wirkung bewundern wir im Schönen. «Denn was ist», so fragte er, «ein bloßer Körper, selbst ein menschlicher, und noch so genau gestaltet, wenn die innere Form fehlt und der Geist ungeheuerlich oder unvollkommen ist, wie in einem Idioten oder Wilden?» Wo uns körperliche Schönheit anzieht, so sagt er ein andermal, würde eine genauere Untersuchung ergeben, «daß, was wir am meisten bewunderten, nur ein geheimnisvoller Ausdruck und eine Art Schatten von etwas dem Gemüte Innewohnenden war». Und wie die Wirkung der Schönheit in letzter Linie von dem Geist ausgeht, so wirkt sie auch nicht äußerlich auf die Sinne, sondern geht wieder zum Geist. Solche Gleichsetzung des Guten und Schönen und solche Vereinigung des Körperlichen und Geistigen in einem höheren Dritten, wie sie bei Wieland erscheint, fand das Symbol der «Grazie» und «Grazien» und beflügelte die Rokokoanmut im Leben und Dichten. Von der geistigen Seite dieses Schönheitsbegriffes führte die Verbindung zu dem «empfindsamen» Menschen des Zeitalters. Die «Empfindsamkeit», die ihre Wellen bis weit in die Romantik hinein warf, bedarf der seligen und beseligenden Bejahung dieses schön-guten Daseins. Aber gewiß laufen in die Empfindsamkeit auch religiöse Fäden aus, und der Begriff und der Ausdruck «schöne Seele» sind zu gleichen Teilen von Plato-Shaftesbury wie von Pietismus und Mystik vorbereitet. So zutreffend es ist, daß die Empfindsamkeit des 18. Jahrhunderts die säkularisierte Form der pietistischen

Frömmigkeit darstellt und sich ihrer psychologischen Struktur nach mit ihr deckt, so ergab sich ihr doch eine tiefenpsychologisch völlig begreifliche Bejahung dieses Daseins dadurch, daß die Sünden- und Unlustgefühle zum Selbstzweck, zum «Genusse», und damit in die «Diesseitigkeit» eingeordnet wurden. «Der Pietismus hat eine Ethik des Selbstgenusses mit negativem Vorzeichen geschaffen: Die Seligkeit des unseligen Selbsts gilt es zu genießen.»

Schließlich konnte der religiöse Spiritualismus mit dem vergeistigten Schönheitsbegriffe sehr wohl paktieren. Schon steht man damit auf dem Boden der Glückseligkeitslehre des Rokokozeitalters. Sucht man für diese optimistische Bejahung von Welt und Leben nach Namen, die für sie «bedeutend» sind, so stellen sich vor allem wieder Shaftesbury und Leibniz ein. Neben die Anmut, das ist die geistige und bewegte Schönheit der Grazien, trat, dem gleichen Boden entwachsend, die «Göttin Freude», das heißt der geistig erhöhte und gemäßigte Genuß der Sinnenlust. Der symbolisch gewordene, beinahe mythologisch aufgesteigerte Begriff der «Göttin Freude» für einen intellektuell-moralischen Lebensgehalt durchzieht seit Hagedorn das 18. Jahrhundert. Er bezeichnet eine Stufe der Gedanklichkeit und der Gefühlsläuterung innerhalb des Aufstiegs zum deutschen Idealismus. Von den Motiven und den Ausdrucksformen der Anakreontik und der die gefällige Lebensweisheit des Horaz nachahmenden Dichtung ist diese Schicht zu scheiden, wenn auch ein gemeinsamer kulturpsychologischer Boden und gewisse Wechselbeziehungen vorhanden sind. Dieser Begriff der «Freude» schreibt sich aus einem umfassenderen und höheren Bereiche her als dem der Anakreontik: er entwickelt sich und nährt sich aus den sensualistisch-lebensphilosophischen und den organisch-vitalistischen Gedankenbildungen des ausgehenden 17. und beginnenden 18. Jahrhunderts und begleitet die allmähliche Umbildung des Menschheits- und Persönlichkeitsideals und der Gesellschaftsvorstellungen bis ins klassisch-romantische Zeitalter. Die Aufklärung mit ihrer vernunftmäßigen Erkenntnis von der wohleingerichteten Ordnung in der Welt und im Menschenleben, von der gütigen Leitung durch eine Vorsehung, mit ihrer Forderung des Geltenlassens und gegenseitigen Verzeihens gab für die Glückseligkeitsphilosophie den günstigsten Nährboden her. Wenn auch im Widerspruch zu harter Strenge der Moral, so doch weit entfernt, einen niederen Sinnengenuß zu verkünden, enthielt der Optimismus den lebensphilosophischen Antrieb zu der Entspannung und Enthemmung, zu dem geistiggetragenen und gelösten Wohlgefühl, was der Daseinsform und dem Dichten in Deutschland vor der Großen Französischen Revolution den eigentlich konstitutiven und durchgängigen Charakter gab. Deutlich wird die durchgehende und sich mehr und mehr über den allgemeinen Horizont erhebende Linie des «εὐδαίμονος» bei Herder und Schiller – auch dies ein Faden, an dem die «Klassik» mit dem früheren 18. Jahrhundert verbunden ist. Bei Herder, in den «Ideen zur Philosophie der Geschichte der Menschheit» wie in den «Humanitätsbriefen», wird das Glückseligkeitssymbol sowohl ins Soziale wie ins Menschheitsgeschichtliche gewendet und gesteigert. Welche verschiedenen Formen das menschliche Gefühl unter den verschiedenen Klimaten, Zuständen und Organisationen auch erhalten mag: allenthalben liegt Glückseligkeit nicht in der Menge von Empfindungen und Gedanken, sondern in ihrem Verhältnis zum wirklichen inneren Genuß unseres Daseins: «Deine Kunst», so liest man einmal in Herders «Ideen», «o Mensch hienieden, ist also Maß! Das Himmelskind Freude, nach dem du verlangst, ist um dich, ist in dir, eine Tochter der Nüchternheit und des stillen Genusses, eine Schwester der Genügsamkeit und der Zufriedenheit mit deinem Dasein im Leben und Tod.» Es ist derselbe Gedanke des sich selbst beschränkenden Daseinsgenusses und des Maßsetzens, der auch bei dem Dichter Goethe in der ersten Weimarer Zeit in bekannten Äußerungen zu Worte kommt, die Idee eines auf sich gestellten Einzeldaseins, das sich aber weder bei ihm noch bei Herder asozial fühlte. Ausdrücklich bestätigt das der Herder der «Humanitätsbriefe». Die Glückseligkeit aller hängt ihm dort von den Bestrebungen aller ab. Die Tendenz der Menschennatur umfaßt ein Universum, dessen Aufschrift ist: «Keiner für sich allein, jeder für alle; so seid ihr alle auch einander wert und glücklich.» Demnach bildet das Menschengeschlecht eine unendliche Verschiedenheit, die zu einer Einheit strebt, die in allen liegt, die alle fördert. So wird der Organismusgedanke auch zu einem Gefühle der Menschheit, und aus diesem Gefühle der organischen Verbundenheit mit allem und allen fließt jene «Freude». Schon hatte inzwischen das menschliche Gemeinschaftsgefühl im Sinne dieser weltbürgerlichen Humanität in Schillers Liede zu dem Freudensymbol gegriffen. Durch ihn und Beethovens Töne wurde es ein ideelles Vermächtnis für nicht absehbare Zeiten. Bei Schiller ist diese «Freude» ein gleiches, einheitliches, bewegendes Prinzip der Natur. Sie ist nicht mehr die «lächelnde» Freude, die dem Rokokostil einen spezifischen Duft verliehen hatte im Sinne eines weisheitsvollen, gütigen und graziös-beseligenden Sichneigens. Die «Freude» empfängt jetzt den ekstatischen und expressiven Ausdruck. Sie wird zur letzten Formulierung des dynamisch-vitalistischen Weltgefühls und eines unbegreiflichen Kräften gehorchenden, organischen Gemeinschafts- und Liebesbegriffes, von dem man auf Leibniz zurückschauen mag.

So führte im 18. Jahrhundert der Weg aus der Anregung und Befruchtung von außen, aus der beglückenden Enge oder aus der bloß spielenden Bewegtheit zum Entscheidungen suchenden und findenden Ernst und zum metaphysisch-moralischen Zusammenhange des Weltganzen in der klassisch-romantischen Bewegung.

Schwer zu entwirren ist das Wechselspiel der Kräfte, die aus einem einheimisch-deutschen, insbesondere religiösen Lebensgefühl strömten, und den Anstößen und Anregungen, die von außen die neue Weltansicht förderten oder bestätigten. Hier ist EDWARD YOUNG zu nennen mit seinen berühmten «Gedanken über die Originalwerke», die, zuerst 1760 ins Deutsche übersetzt, mit der Genielehre des Sturm und Drang zusammentrafen und durch ihre Scheidung zwischen «Originalen» und «Nachahmern» der keinem Vorbild verpflichteten, schöpferischen Selbstherrlichkeit den theoretischen Hintergrund schufen und damit die Voraussetzung für den seit Goethe aufkommenden neuen Dichter- und Künstlerbegriff. Wie tief auch ihr Eindruck gegangen sein mag: selbst bei Hamann ist es zweifelhaft, ob nicht seine Genielehre unabhängig von Young aus dem Boden einer religiös gerichteten Weltanschauung selbständig sich entwickelt habe. Auch Herder brauchte die Hauptgedanken, die Young vorträgt, so sehr das Feuer dieser Schrift ihn schon früh «angeglüht» hatte, nicht aus

21

Young zu lernen. Wenn er Young ausdeutet, ergänzt, erweitert, so geschah es aus einer Grundhaltung, die der des Engländers längst verwandt war.

Bei Lavater ruht der Begriff des Genies auf religiös-mystischer Tiefe, auch bei ihm hat Young nur eine Bestätigung geliefert. Young hatte geschrieben: «Man kann von einem Originale sagen, daß es etwas von der Natur der Pflanzen an sich hat; es schießt selbst aus der belebenden Wurzel des Genies auf; es wächst selbst, es wird nicht durch die Kunst getrieben.» Oder er hatte gesagt: «Das Genie ist von einem guten Verstande, wie der Zauberer von einem guten Baumeister unterschieden; jenes erhebt sein Gebäude durch unsichtbare Mittel, dieser durch den kunstmäßigen Gebrauch der gewöhnlichen Werkzeuge. Deswegen hat man stets das Genie für etwas Göttliches gehalten. Niemals ist jemand ohne eine göttliche Begeisterung ein großer Mann geworden.» Diese aus der dynamisch-vitalistischen Weltanschauung ableitbaren Gedanken von der Inspiration und Intuition des Genies, d. h. des dem Weltganzen und dem Weltschöpfer mikrokosmisch ähnlichen, geheimen, individuellen Kraftzentrums, diese Vorstellung des organisch von innen bedingten Seins und Wachsens solcher schöpferischen Funktion, die gefühlsmäßige Unmittelbarkeit in dem Verhältnis von Schöpfer und Schöpfung und, damit zusammenhängend, die Behauptung der Einmaligkeit und Einzigkeit eines nicht rechnerisch zu erfassenden Vorganges – solche Auswirkungen der Organik spürten sich in den siebziger Jahren im allgemeinen Bewußtsein der geniemäßigen und stürmerischen Generation.

Nicht anders ist das Verhältnis ihrer Weltanschauung zu Rousseau, der so oft als derjenige gegolten hat, der ihr eigentlich das Bewußtsein gegeben und die Zunge gelöst habe. Was Hamann betrifft, so darf man den Einfluß des Philosophen Rousseau auf die Weltauffassung des Magus während seiner Bildungsjahre nur gering anschlagen. Als zu Anfang der sechziger Jahre Rousseaus Hauptwerke ans Licht traten, war Hamanns prinzipielle Lebensansicht längst zu weit gereift und zu sicher gefestigt, als daß sie trotz ihrer fortreißenden Andringlichkeit und heißen Temperatur umgestaltend oder richtunggebend auf ihn hätten einwirken können. Herder wiederum hat sich, die starke gefühlsmäßige Einwirkung immer vorausgesetzt, durch Rousseau mehr bestätigen als führen und bilden lassen. Auch hier wurde für ihn als Bildungserlebnis in Anspruch genommen, was eine tieferliegende Verwandtschaft war oder ihm auch ohne Rousseau aus der geistigen Situation der Zeit zufloß. Herder nahm Rousseau in sich auf, soweit die dynamistische Grundanschauung des Genfer Philosophen in Frage kam; seine Geschichtsphilosophie und Gesellschaftslehre mit ihrem Widerspruche zwischen dem Natürlichen und dem Geschichtlichen, mit ihrer Skepsis gegenüber der menschlichen Kulturfähigkeit, mit ihren schließlichen konstruktiven Lösungen widerstrebte der Herderschen Grundrichtung auf eine Menschheitsgeschichte, deren Ausgangspunkt die organische, berechtigte Gliederung der Menschen war, widerstrebte dem geforderten Zusammenhange von Natur und Geschichte und der Idee eines stetigen Fortschrittes zur Humanität infolge eines harmonischen Ineinanderwirkens aller menschlichen Anlagen und verschieden bedingten Daseinsformen. Lavater unterliegt zwar der Gefühlsstärke und der elementaren Beredsamkeit Rousseaus. Aber abgesehen von den wenig oder nichts beweisenden einzelnen Anklängen, sind bei ihm die religiösen und emotionalen Kräfte, wie sie aus dem Pietismus und von Klopstock herkamen, entscheidender gewesen als die Lektüre der Schriften Rousseaus. Anders steht es um den dichterischen Vortrupp der Sturm-und-Drang-Jugend, an ihrer Spitze der Werther-Dichter. Sie haben den Verfasser der «Neuen Heloise» mit aller Unmittelbarkeit im Ausdrucke der Leidenschaften, mit seinem fortreißenden Gefühlsstil, mit seinen naiven und idyllischen Haltungen, mit seiner Rückkehr zum Ursprünglichen, mit seinem Gottschauen in der Natur auf Herz und Sinne wirken lassen, seine ethischen und gesellschaftskritischen Forderungen und ganz allgemein seine pessimistisch-revolutionäre Grundrichtung geteilt – auch ohne direkt aus ihm zu schöpfen; denn die Zeit war durch viele Adern und Äderchen mittelbar mit seinem Geiste erfüllt. Eine unmittelbare und entscheidende Abhängigkeit von Rousseau gehört auch für den Dichter der «Räuber» in den Bereich der Legende.

So sind für das Aufbrechen der dynamisch-vitalistischen Weltansicht in der Geniezeit und der werdenden Klassik die geistigen Vorgänge, die sich auf dem Boden des einheimischen Geisteslebens, zumal im mystisch-religiösen Bereich, abgespielt haben, maßgebender als Übertragungen von außen oder auch nur als die Verarbeitungen von daher. Aus diesem Bereiche der pietistischen Religiosität war Klopstock hervorgegangen, der unser Zeitalter noch immer weithin überschattet. Auch sein Dichterbegriff und seine Ästhetik sind ableitbar aus einem organischen Vitalismus, der die Säkularisation einer aus dem Innern kommenden Gefühlsreligion war. Wenn seine «Gelehrtenrepublik» von 1774 gegen verstandesmäßige Kunstregeln kämpft, so doch nur gegen solche, die für jeden Fall Gültigkeit haben sollen. Auch für ihn bestehen innerliche Gesetze des Kunstschaffens. Auch er erkennt eine geistig bestimmte, aus dem Innern geholte, d. h. organische Formung des Kunst- und Dichtwerkes – trotz allem gekünstelten Beiwerke und aller in altertümelnden Überlieferungen wurzelnden Verschnörkelung seiner Poetik. Er steht in der Reihe derjenigen, die im 18. Jahrhundert in der Poetik und Ästhetik einer Auffassung zu ihrem Rechte verhelfen wollen, die auf organische Ganzheit als auf das wesentliche Kennzeichen der künstlerischen Schöpfung wie des Schöpfers ausgehen. Solche organische Gänze steht in fester Bindung mit dem Wesen der Individualität, das sich aller logischen Durchsichtigkeit entzieht, und bedingt sich wechselseitig mit dem sogenannten «Irrationalismus», dem Widerspiel gegen Verstandesherrschaft und Vernunftregeln. Der «Irrationalismus» wird so eine Begleiterscheinung der sich entwickelnden neuen Weltanschauung, keineswegs ihr übergeordnetes Prinzip, aus dem alles übrige abzuleiten wäre: Daß dem nicht so sein kann, ergibt sich schon aus der Negativität, die dem Begriffe «Irrationalismus» von Hause aus logisch zukommt.

Doch verweilen wir noch auch unabhängig von der hier zu verfolgenden Linie bei Klopstock. War er für das 19. Jahrhundert oft nur noch ein «ehrwürdiges Fossil», so hoch man seine geschichtliche Bedeutung für die Entwicklung der Dichtersprache, die Verselbständigung des Dichtertums und die Auflockerung des deutschen Gefühlslebens veranschlagen mochte, so hat doch erst das neuerwachte religiöse Bewußtsein unserer Zeit das dichterisch-menschliche Phänomen Klopstock aus der Ganzheit des religiösen Charakters, den er verkörpert, völlig zu verstehen vermocht. Nun wird der Nachdruck gelegt auf Klopstocks «Ergriffenheit» von seinem Gegenstande, von dem ihn nicht die Wahrung einer künstlerischen Distanz trennte. Immer wieder habe er nur die Bewegungen seines Herzens gesungen. Er sei einer der letzten großen Dichter, die eine klare und entschiedene Weltanschauung verkörpern und in ihrem Schaffen darstellend verwirklichen. Seine Art, als Mensch zu sein, sei in jedem Zuge, in jeder Haltung und Bewegung das Leibhaftig-Sein einer bestimmten Weltanschauung, der christlichen. Sein religiöses Grunderlebnis aber sei das Erlebnis des Mittlers. Von dem Mittler-Erlebnis und Mittler-Gedanken sei seine Seele von Jugend auf ganz erfüllt. Und in dieser Beziehung solle das Wort Geltung haben, daß er einer der letzten großen Dichter sei, die eine klare und entschiedene Weltanschauung verkörpern. Als Künder eines neuen christlichen Lebens war er auch, so wird heute gesagt, der Gegner aller Renaissance-Bewegungen im 18. Jahrhundert und habe so das wahre christliche Wort gegen die anti-christlichen Bewegungen innerhalb der Aufklärung ins Feld geführt. Kurz, man findet für ihn heute mit gutem Grunde die Bezeichnung «Wortführer der Gegenrenaissance» im 18. Jahrhundert. Aus solcher Erkenntnis heraus mag sich denn zu einem guten Teile die isolierte Stellung erklären, die er in der zweiten Hälfte des 18. Jahrhunderts einnimmt.

Die neue Weltschau, der wir aber schließlich auch Klopstock zuordnen müssen, enthüllt ihre beiden Seiten in der Vertretung des Organischen und des Persönlichen. Das Bewußtsein des Persönlichen ist in der Geniezeit erst das Gefühl der sich einen Teil und Spiegel des Weltganzen fühlenden «Originalität». Zufolge der unendlichen Möglichkeit der Mischung hatte diese Originalität etwas unaussprechlich Individuelles und Einmaliges und war ein Zentrum dunkler Kräfte wie die Natur und das Leben überhaupt. Im Übergange zur Klassik klärte sich dann dieses dynamisch-naturalistische Originalitätsgefühl zu der Vorstellung der werterfüllten Persönlichkeit mit ihrer statisch-ästhetischen Einheit von Körper und Seele und mit der das Postulat der Kantischen Ethik erfüllenden Behauptung der sittlichen Freiheit gegenüber der dumpfen Naturgebundenheit. Das Organische und das

Persönliche sind die beiden Grundgesetzlichkeiten, die die Geniezeit wie die Klassik und die Romantik gleichmäßig bestimmen. Es muß wiederum bei der Kunstlehre des 18. Jahrhunderts eingesetzt werden.

Den Shaftesbury, Leibniz, Baumgarten und seiner Schule, Herder, K. Ph. Moritz, Goethe wird die Vorbereitung der zur «Kritik der Urteilskraft» hinaufführenden Bahn in der Ästhetik des 18. Jahrhunderts verdankt. Innerhalb dieser Entwicklung wird die «innere», organische Form des Kunstwerkes entdeckt, die, keinem äußeren Gesetze unterworfen, einen eigenen Bereich ausfüllt. Mit dieser Vorstellung steht und fällt die klassische Ästhetik. Nochmals muß da des Klopstockschen Dichterbegriffes gedacht werden. Schaut man näher zu, so fügt sich seine Auffassung vom Dichter dieser Wegbereitung der Klassik ganz natürlich ein. Er kennt bereits die «innere Form», die auch der junge Goethe preist. Wie äußerlich die Grenzen zwischen Sturm und Drang und Klassik gezogen werden, zeigt sich an Klopstock. Es ist ein Werden und Sichentwickeln aus einer Grundhaltung. Freilich gibt sich bei ihm so vieles nur in Andeutungen, Vermummungen oder wenigstens Verhüllungen. Jene soeben erwähnte, aus pietistisch-religiöser Schicht kommende Gefühlsbetontheit Klopstocks fand von sich aus den Weg zur organischen Naturgesetzlichkeit, die der Dichter darstellt. Aber, wie gesagt, es war so vieles unfertig, verpuppt, übersteigert und verkrampft in ihm. Daß er Heilsbringer der deutschen Dichtung sein konnte, mit aller Ichbetontheit, die ihm seine Sendung eingab, mit dem Horchen auf seine innere Stimme, das kam aus seiner emotionalen Natur, die in ihrer schmelzenden Gefühlsseligkeit wie in ihrer pathetischen Härte und akzentuierten Männlichkeit zwei Pole menschlichen Seins umspannt, zwischen denen die Vielfalt und Ganzheit menschlicher Natur eingebettet war. So fügte sich sein Wesen zum Geiste der Geniezeit, ja war für sie ein erstes Muster. «Die einzige Poetik aller Zeiten und Völker, die einzigen Regeln, die möglich sind! . . . Hier fließen die heiligen Quellen bildender Empfindung lauter aus vom Throne der Natur», so ruft der junge Goethe über Klopstocks «Gelehrtenrepublik». Solches tönt bei Klinger und bei anderen weiter. Der Weg zur Kunstauffassung der Klassik führt in gerader Linie über die Klopstocksche Anschauung vom Wesen des Dichtwerkes als eines organisch-gewachsenen Gebildes, dessen äußere Form in restloser Deckung und wechselseitiger Bedingtheit mit seinem Inneren steht und der sichtbare Ausdruck eines Wesenhaften ist. Dem jungen Goethe erscheint in seinem Aufsatz «Von deutscher Baukunst» am Straßburger Münster alles «wie in den Werken der ewigen Natur, bis aufs geringste Zäserchen, alles Gestalt, und alles zweckend zum Ganzen». Nicht «schön» braucht diese Kunst zu sein — wobei er den Schönheitsbegriff des Rokoko im Auge hat und noch weit entfernt ist von dem metaphysischen Schönheitsbegriff der Klassik, zu dem ihn erst die folgende Entwicklung auf der Linie Shaftesbury-Winckelmann führte: «Die Kunst», so sagt er, «ist lange bildend, ehe sie schön ist . . . denn in dem Menschen ist eine bildende Natur, die gleich sich tätig beweist, wann seine Existenz gesichert ist.» Einem «hocherhabenen, weitverbreiteten Baume Gottes . . . mit tausend Ästen, Millionen Zweigen» gleicht das Münster; so ist es gewachsen. Nicht anders erscheint Heinse 1780 die Architektur des Münsters als lebende organische Natur. Der Münsterturm ist wie eine Fichte oder eine Zeder. «Man tritt in das Münster gerad wie in einen heiligen Hain, wie in einen erfrischenden dreifachen Gang von äußerst hohen weitschattigen Bäumen.» «Und dann, was ist Proportion? Besteht sie etwa bloß in Zahlen? Es gibt Proportionen in der Natur, die ihr damit nie werdet ausbuchstabieren können; und jede Art von Wesen hat in seiner lebendigen Vollkommenheit seine eigene Proportion. Woher habt ihr eure Verhältnisse anders her, als von den Sinnen, vom Aug und vom Gefühl? und diese, woher wieder anders, als von der Natur? so unendlich mannigfaltig also die Natur ist, so unendlich verschiedene Arten auch gibt es von Proportion.» Ludwig Tieck schließlich läßt in jenem offenkundig durch den jungen Goethe und das Organismus- und Totalitätsgefühl der Geniezeit eingegebenen Hymnus auf Erwin von Steinbach und das Münster, den der zweite Teil seines Romans «Franz Sternbalds Wanderungen» enthält, sagen: «Was gehen mich Begriffe an? Ich kniee in Gedanken vor dem Geiste nieder, der diesen allmächtigen Bau entwarf und ausführte. Wahrlich! es war ein ungemeiner Geist, der es wagte, diesen Baum mit Ästen, Zweigen und Blättern so hinzustellen ... und ein Werk hinzuzaubern, das gleichsam ein Bild der Unendlichkeit ist.»

Was sich in der Geniesprache abgerissen und rauschhaft, geahnt und aufblitzend als Bekenntnis auftut, ist Grundlage, Voraussetzung und Vorfrucht der klassischen Kunstanschauung, ohne Bruch und Widerspruch und Umlagerung. Es wurde in bewußter Denkarbeit unterbaut, in folgerechtem Weiterschreiten verarbeitet. Es muß sich erweisen, wie die klassische Formidee aus der junggoethischen Anschauung von der charakteristischen Kunst als der einzig maßgeblichen hervorgehen konnte, oder aus der Heinseschen Maxime, die da lautet: «Jede Form ist lebendig, und es gibt eigentlich keine abstrakte. Alle Schönheit entspringt aus Art und Charakter, so wie jeder Baum aus seinem Keim erwächst.»

Geniezeit, Sturm und Drang – mußten sie «überwunden» werden, damit die «Klassik» aufkomme? Trifft es zu, daß keines der Genies die Tendenzen seiner brausenden Jugend organisch und ununterbrochen weiterentwickelt hat, daß alle, sobald die erste Ungeduld vorüber war, in neue Bahnen einschwenkten? Wohl veränderte sich in den Trägern der Geniebewegung das Funktionelle, das Tempo, die Stärke, die Richtung, der Geltungsbereich innerhalb der dynamisch-organischen Weltanschauung, die ihnen die erste Stoßkraft gegeben hatte, nicht aber der Inhalt dieser Weltanschauung. Sie barg in sich eine Verschiedenheit von Lösungen, Weiterentwicklungen, Abwandlungen, Aufbau- und Ausbaumöglichkeiten bis zu einem Maße, daß es scheinen kann, als sei man zu einem Punkte gelangt, der dem Ausgangspunkt logisch-begrifflich direkt entgegengesetzt ist. Aber logisch-dialektische Gegensätzlichkeit oder die Möglichkeit solcher logisch-dialektischen Gegensätzlichkeit bedeutet noch nicht geschichtliches Widerspiel. Und dies findet sich bei schärferem Zusehen in der ganzen, dem Sturm und Drang folgenden Entwicklung bis zum Ende der Romantik im Hinblick auf den Ausgangspunkt, eben die Geniezeit, nirgends, es sei denn in Dingen, die in Außenbereichen liegen. Es handelt sich nicht um Haltungen, die auf begrifflichem Wege zugänglich sind, als vielmehr um Lagerungen und Überbauten, die – nur zum Teil unter Anwendung des Generationsbegriffes lösbar – zum größten

Teil gesellschaftlich-lebensmäßiger und menschlich-ganzheitmäßiger Art sind. «Die literarische Welt hat das Eigene», so schreibt Goethe am 2. März 1797 aus Jena, «daß in ihr nichts zerstört wird, ohne daß etwas Neues daraus entsteht, und zwar etwas Neues derselben Art. Es bleibt in ihr dadurch ein ewiges Leben, sie ist immer Greis, Mann, Jüngling und Kind zugleich, und da, wo nicht alles, doch das meiste bei der Zerstörung auch noch erhalten wird, so kommt ihr kein anderer Zustand gleich.» Nach Maßgabe dieses lebensbezogenen und gesellschaftsbezogenen Aufbaues versteht sich auch das Verhältnis von Sturm und Drang, Klassik und Romantik zueinander. Es handelt sich um ein Schichtungsverhältnis, weiterhin um ein Stufungsverhältnis oder um eine Wellenbewegung. Die Gemeinschaft, die sich mit den sogenannten Stürmern und Drängern darstellt, ist eine bei der Lagerung des geistigen Lebens in den siebziger Jahren als oberste Schicht sich abhebende Vereinigung der Geister. Die jungen Genies sind so etwas wie ein Sturmtrupp, der sich ablöst von der Hauptstärke einer geistigen Front. Innerhalb der Geniebewegung fallen am stärksten die Genies in die Augen, in denen sich das Schöpferische über dem Allgemeingeistigen aufbaut. Immer sucht die schöpferische Kraft, die sich in dichterischen Begabungen regt, in Zeiten geistiger Krisen die Lösung und den Ausdruck eben nur vom Boden dieses Schöpferischen zu finden. Will man ein Gegenstück aus neuerer Zeit, so denke man an das Verhältnis, in dem die Literaturbewegung der achtziger und neunziger Jahre des 19. Jahrhunderts, die man nach einem ihrer äußerlichen Merkmale die naturalistische nennt, zu der Umwertung steht, die sich an die Erscheinung Nietzsches knüpft. Junge Menschen treten auf, geladen mit dem gleichen Generationserlebnis. Sie brauchen nicht selbständig Kenntnis genommen zu haben von den Schriften, in denen ein neuer Geist gegen den alten steht. Durch Hunderte von Kanälen ihres Bildungserlebnisses ist ihnen die Geistigkeit zugekommen, die sich zu dem unabweisbaren Drange verdichtet, nunmehr von der bloßen Theorie zur geistigen Tat überzugehen. Die neuen Vorstellungen werden Gemeinschaftserlebnis und haben etwas Ansteckendes. Sie sind eine geistige Epidemie (obwohl mit einem solchen Bilde Wesen und Ursache eines solchen Gemeinschaftserlebnisses noch keineswegs erklärt werden). Diese Jungen dünken sich ebenso Vollender und Vollstrecker einer alten wie Beginner einer neuen Epoche. Die Wirkung, die sie auf das Publikum ausüben, scheint ihnen recht zu geben, mag diese Wirkung in Zustimmung oder in Ablehnung bestehen. Jedenfalls ist sie da. Geschichtlich gesehen, finden sie nun in Deutschland bereits einen erweiterten geistigen Raum. Sie treten nicht mehr auf einen Schauplatz rein literarischer Enge. Sie suchen Lebens- und Gemeinschaftsprobleme. Sie streben zum Drama und zur Bühne nicht nur deswegen, weil ihnen die Bühne die Möglichkeit eröffnet, das Ganze des Menschenlebens und ihre Auffassung der Geschichte aus sich herauszustellen und nacherleben zu lassen, sondern, weil dies die Ebene war, auf der unmittelbare Fäden sich spannen von dem einzelnen Schöpfer zur Menge. Und bald werden die Ideen, von denen sie sich dunkel getrieben fühlen, zu einer Ideologie, die freilich auch noch nicht in der Helle des Bewußtseins steht, aber doch eine programmatische Übereinstimmung bedeutet. Solch ein Auftreten und Vordringen muß heute auch vom Boden der Erkenntnisse verstanden werden, wie sie die Jugendpsychologie gewonnen hat.

Hält man die Äußerungen der jungen Genies mit den Feststellungen und Erkenntnissen jugendpsychologischer Art zusammen, so ergeben sich greifbare Übereinstimmungen. Nicht nur so, daß einzelne der Stürmer und Dränger gewisse Typen jugendpsychologischen Lebensgefühls darstellten: auch innerhalb des Komplexes der Gesamtbewegung sind — bald hier, bald dort auftretend — alle Züge nachzuweisen, die das Seelenleben der Jugendlichen in besonderem Maße bedingen oder kennzeichnen. Da ist der ästhetisch betonte Enthusiasmus, für den so gut wie alle Stürmer und Dränger Beispiele liefern können, Herder, Goethe, Schiller an der Spitze. Aus ihm vermag sich ein religiös gefärbtes All-Einsgefühl zu entwickeln, das den breitesten Boden hergibt für eine monistisch-organisch-dynamische Weltanschauung. Da ist ferner der ethische Enthusiasmus und das sittliche Forderungsbedürfnis, ein Typus der jugendlichen Seelenhaltung, den die Jugendpsychologie den Fichtetypus genannt hat: «denn das Wesentliche in allen seinen Formen ist der sittliche Wille, der den stumpfen Widerstand der Welt besiegt, an ihm nur stärker wird». Die Forderungen an die Menschheit und Gesellschaft, die die Geniezeit erhob, kommen aus dieser jugendpsychologischen Schicht. Sie sammeln sich im jungen Schiller. Sie gehen Hand in Hand mit jugendlichem Freiheitsgefühl, mit Tatendurst, Kraftschwelgerei, Herrschbedürfnis – seelische Hochspannungen, die den sprachlichen Ausdruck der Geniezeit bestimmen. Damit verbindet sich das jugendliche Ausdehnungsbedürfnis, das ebensowohl zu einer faustischen Icherweiterung im intellektuellen und gefühlsmäßigen Sinne wie zu einer ebenfalls im Goetheschen «Faust» zu Worte kommenden, auf Natur und Welt gehenden Sehnsucht ohne Ziel, ins Blaue hinein, zum romantischen Wandertrieb werden kann. «Ich will mich über eine Trommel spannen lassen, um eine neue Ausdehnung zu kriegen. Mir ist so weh wieder. Oh könnte ich in dem Raume dieser Pistole existieren, bis mich eine Hand in die Luft knallte. Oh Unbestimmtheit! wie weit, wie schief führst du den Menschen!» So spricht der Wild in Klingers Drama «Sturm und Drang» in Sätzen, aus denen der Lebensimpuls der jugendlichen Seele klingt. Der Drang zum Ganzen, das Gefühl dieses Ganzen ist eine Sache seelischer Unmittelbarkeit, die im Rausch und im Wirrwarr sich noch am besten verspürt. Noch ist die «Totalität» der klassischen Welt- und Kunstanschauung nicht begrifflich faßbar. Das Ganze, eben weil es ein Ganzes sein soll, gibt dem jugendlichen Sinn nur unbestimmte Umrisse her. Und diese Unbestimmtheit erregt Lust- und Kraftgefühl, ist aber auch Quelle seelischen Leidens, weil voller quälender Problematik («Wie schief führst du den Menschen!»). So kommt der jugendliche Typus des den Sinn des Lebens zergrübelnden Problematikers und Ekstatikers in Sicht, wie ihn die Geistesgeschichte im Werther-Dichter, in Lenz, im jungen Schiller dem Jugendpsychologen darreicht. Und endlich – damit der Gegenpol solcher Zerrissenheit nicht fehle – erscheint der im Körpergefühl aufgehende Jugendliche. Aber damals wie heute steckte hinter diesem rauschhaften Körpergefühl ein seelisch-geistiges Urphänomen. Für die Epoche der Überleitung von der Geniezeit zur Klassik ist dies durchgeistigte Körpergefühl die Voraussetzung der individuellen leib-seelischen Einheit und Ganzheit, der Verknüpfung des Sinnlichen mit dem Unsinnlichen, der Begriffe von «Schönheit», «Harmonie», «Natur»

und «Natürlichkeit», auf denen die klassische Kunst- und Weltanschauung beruht. Geheimnisvolles und unendlich reizvolles Schauspiel dieses Vernietetseins und Zusammenwirkens geschichtlich-seeli-
scher Kräfte auch in diesem Punkte! Und alles seit Winckelmann über-
schienen vom griechischen Eros. Man erinnert sich der durchglühten
Stelle in Goethes auf Grund alter Aufzeichnungen 1796 verfaßten
«Briefen aus der Schweiz»: «Ich veranlaßte Ferdinanden, zu baden
im See; wie herrlich ist mein junger Freund gebildet! Welch ein
Ebenmaß aller Teile! Welch eine Fülle der Form, welch ein Glanz
der Jugend, welch ein Gewinn für mich, meine Einbildungskraft mit
diesem vollkommenen Muster der menschlichen Natur bereichert zu
haben! Nun bevölkere ich Wälder, Wiesen und Höhen mit so schönen
Gestalten; ihn seh ich als Adonis dem Eber folgen, ihn als Narziß sich
in der Quelle bespiegeln!» In diesen Sätzen traf Winckelmannscher
Kultus der menschlichen Gestalt mit dem eingeborenen Körpergefühl
der Geniezeit zusammen.

Die späteren Altersstufen der Genies bringen ein natürliches Nach-
lassen der ersten Stoßkraft. Neben ihnen wallten die Ideen, die durch
sie ihren Durchzug gehalten hatten, weiter. Es widerspräche der
Beobachtung aller ähnlichen typischen Vorgänge im Leben des Geistes
und der Dichtung, wenn man in der späteren Haltung der Literatur
in den achtziger und neunziger Jahren des 18. Jahrhunderts eine Ver-
leugnung jener vorläuferhaften Bewegung zu sehen geneigt wäre.
Jene erste Explosivität und Intensität hatte ihrer Natur nach keine
Gewähr der Dauer. Die Wirkung der Genies beruhte auf dem Elementaren und Primitiven ihrer Art, darauf, daß ihr Auftreten nicht
Büchersache, nicht Angelegenheit bedruckten Papieres war. Man darf
dabei nicht vergessen, daß das 18. Jahrhundert, beherrscht von dem
Bildungstrieb und Lehrbetrieb der Aufklärung, durch das mit ihm
im Gefolge gehende Bestreben, höhere literarische Bildung mit Hilfe
eines ausgebildeten Apparates der literarischen Übermittlung in die
weitesten Kreise zu tragen – daß dieses Jahrhundert in den der Geniebewegung voraufgehenden Jahrzehnten im Literarischen und Literatenhaften für viele bereits genug und übergenug getan hatte. So
wie die Reformation einen guten Teil ihres Erfolges dem Umstande

verdankt, daß in Luther der humanistischen Bücherwelt gegenüber die Bedürfnisse des Menschen einen Ausdruck fanden, die an dem zivilisatorischen Apparat des in Büchern eingefangenen Geistes sich nicht genügen lassen konnten, so geschah es auch jetzt. Alles bloß wissenschaftliche Verhalten wurde überrannt von dem Erlebnis- und Ausdruckswillen einer jungen Menschheit, die sich im Vorwissenschaftlichen oder Überwissenschaftlichen erkannte. Wenn dann eine Reaktion einsetzte, ja wenn diese Reaktion sofort in Erscheinung trat, so war sie nicht eine, die etwa die Inhalte dieser Bewegung bestritten hätte, sondern die die Wege verneinte, auf denen die Lösungen gesucht wurden, und die das aufreizende Verhalten persönlicher Natur, vor allem und zuerst die den «Geschmack» beleidigende Neuheit, Härte und Ungeschminktheit des Sprachlichen auch dann ablehnte, wenn es sich um eine ältere Generation als die bestrittene handelte. Und die wertvollsten dieser Genies machten sodann, nicht weil äußere Beobachtungen sie zur Einkehr gezwungen hätten, sondern aus innerer Gesetzmäßigkeit eine Entwicklung durch, die das Stadium des Sichbewußtwerdens, ja des Erwachens und der theoretischen Rechtfertigung der Ideen bedeutet, von denen sie sich getrieben gefühlt hatten. Sie wurden sich selbst Objekt der Betrachtung, und sie suchten den Anschluß an die stillere Bewegung des Geistes, die vor ihnen, neben ihnen und nach ihnen nicht aufgehört hatte und in die Richtung wies, in die auch sie mit dunklerer Zielsetzung hinausgewollt hatten.

Zum erstenmal hatte sich nun in der Geschichte des deutschen Geistes der Begriff und die Wesenheit einer «neuen» und «jungen» Generation greifbar deutlich ausgeprägt, so, daß sie in einen entschiedenen Gegensatz zu dem Vorhandenen trat. Seit diesem Durchbruch der organisch-vitalistischen Weltanschauung gibt es bei uns immer wieder «neue» oder «junge» Generationen in der Literatur, die sich als solche verstanden, behaupteten und als solche beachtet wurden. Der Begriff der Generation trat jetzt so, daß er nicht mehr übersehen werden konnte, im Ablauf der Geistesgeschichte zutage. Dabei ist die biologische mit der geistesgeschichtlichen Problemlage einen Bund eingegangen. Denn der Organismusgedanke, der nun zwei Menschenalter hindurch die Zeit beherrscht und noch 1843 in

der Goetheschrift von C. G. Carus eine in gewissem Sinne abschließende Vertretung findet, führt mit einem Schritt zu der Vorstellung
eines Wachsens und Sichausbildens, einer Entwicklung in der Zeit.
Er hängt unlöslich zusammen mit dem von Goethe ausgebildeten Gedanken der «Metamorphose»:

«Werdend betrachte sie nun, wie nach und nach sich die Pflanze
Stufenweise geführt, bildet zu Blüten und Frucht.

Aber einfach bleibt die Gestalt der ersten Erscheinung,
Und so bezeichnet sich auch unter den Pflanzen das Kind.
Gleich darauf ein folgender Trieb, sich erhebend, erneuet,
Knoten auf Knoten getürmt, immer das erste Gebild.
Zwar nicht immer das gleiche; denn mannigfaltig erzeugt sich,
Ausgebildet, Du siehst's, immer das folgende Blatt,
Ausgedehnter, gekerbter, getrennter in Spitzen und Teile,
Die verwachsen vorher ruhten im untern Organ.
Und so erreicht es zuerst die höchstbestimmte Vollendung,
Die bei manchem Geschlecht Dich zum Erstaunen bewegt.»

Damit, daß ausgesprochener- und noch viel mehr unausgesprochenermaßen eine neue oder junge Generation sich als solche empfand und
setzte, ging für die geistige Gegenwart der Genies eine Saat auf, die
aus einer Verquickung Leibnizscher, Montesquieuscher, Winckelmannscher, Hamannscher Gedanken herrührte und sich bereits in Herders
Jugendschriften auf Literaturkritik, Sprach- und Geistesgeschichte
ausgewirkt hatte. Seine Lebensaltertheorie bedeutet die Anwendung
des biogenetischen Grundgesetzes auf die Geschichte der Menschheit
und der Völker: «Wie der Baum aus der Wurzel: so wächset Kunst,
Sprache und Wissenschaft aus ihrem Ursprunge herauf. In dem Samen-
korn liegt die Pflanze mit ihren Teilen; im Samentier das Geschöpf
mit allen Gliedern: und in dem Ursprung eines Phänomenon aller
Schatz von Erläuterung, durch welche die Erklärung desselben *gene-*
tisch wird.» So heißt es schon in Herders «Fragmenten über die
neuere deutsche Literatur». Die neue, die junge Generation hatte

mit dieser Lehre, die den Ansatzpunkt des Goetheschen Gedankens
der Morphologie, d. h. der Anwendung des anschaulichen genetischen
Verstehens auf die Natur hergibt, durch ihr bloßes Auftreten ernst
gemacht. Ein jeder ihrer Vertreter mußte sich dumpf ebenso in seiner
persönlichen Ganzheit und Wesenhaftigkeit wie zugleich als den Inbegriff eines Weltganzen empfinden. Aber ebenso auch als die besondere, generationsbedingte Ausbildungsform aus einem gegebenen
Urgrunde, in welchem noch alles ohne Gliederung und Stufung bei-
einander lag, ebenso auch als zugehörig zu einer eigenwertigen Stufe
der geschichtlichen Entwicklung, nachdem das historische Bewußtsein, das heißt «die Abhängigkeit des Weltbildes von dem Verstehen
der in der Geschichte ausgebreiteten Mannigfaltigkeit menschlicher
Möglichkeiten», durch die Winckelmann, Hamann, Möser, Herder als
Ableitung aus dem allgemeinen Untergrunde der organisch-dynamischen Denkweise sich einzustellen begonnen hatte.

Die stillere Bewegung der Geister neben und nach den Genies –
man hat sie die «deutsche Bewegung» genannt. Sie kam nicht aus
der Wissenschaft. War sie, wie ihr heftigster Pendelausschlag, der
Sturm und Drang, zunächst gegenwissenschaftlich, überwissenschaft-
lich, vorwissenschaftlich – Wissenschaft in der damals nach allgemeiner Überzeugung bestehenden Form und Haltung genommen –, so
regten sich nun alsbald im Lager und im Namen dieser Wissenschaft
in den siebziger Jahren allenthalben die im Rationalismus verwurzel-
ten Gegner der neuen Bewegung. Ihre kritischen Invektiven und Ein-
wände, aus einer statischen Haltung gegenüber der neuen dynamischen herrührend, sind bekannt genug. Sie, die Träger dieser Schicht,
sind Prügelknaben der deutschen Literaturgeschichte geworden; auch
die Nicolai, Lichtenberg, Kästner, geschweige der Geister geringeren
Ranges, entgingen in den Augen einer geistesgeschichtlichen Betrachtung, die das Werden und den Fortschritt im Auge hatte und sich
nicht immer freizuhalten wußte von der Suggestion, die in der Literatur durch das «Neue» ausgeübt wird, diesem Schicksal nicht. Aber
haben sie nicht in die Mitte Treffendes gegen den Radikalismus und
die Ungebärdigkeit der neuen Generation vorgebracht? Bedeutete die
systematisierende, allem Extremen und Revolutionären entgegen-

stehende und auf vorsichtige und wohlgegründete Weiterbildung be-
dachte Haltung mancher Geniegegner wie vor allem Nicolais nicht
auch ein notwendiges Element der weiteren Entwicklung und einen
Fortschritt zu der höheren, wieder im System gebundenen Einheit,
die der neue Geist – wie jede geistige Kategorie belastet mit immanen-
tem Widerspruch – in den idealistischen Systemen fand, für die die
Kantische Philosophie die Voraussetzung war, sie, die sich unabhängig
von der «deutschen Bewegung», ja eher im Gegensatz zu ihr entwickelt hatte? Desselben Kant, der mit einem Seitenblick auf die
junge Literatur gezweifelt hatte, ob der Welt mehr mit kühnen, bahn-
brechenden Genies gedient sei als mit mechanischen Köpfen, die mit
ihrem alltäglichen, langsam am Stabe der Erfahrung fortschreitenden
Verstande vielleicht das meiste zum Wachstum der Künste und Wissenschaften beitrügen. Oder war nicht des jungen Goethe mephistopheli-
scher Freund Merck mit seiner die Schwächen des Genielebens auf-
deckenden kritischen Haltung für ihn erziehlich wichtig und durch
diese seine Art ein wesentlicher Förderer seiner Entwicklung? Setzt
sich nicht heute – zumal im Hinblick auf den Gegensatz Herders zu
Kant – allmählich die Überzeugung durch, daß das Denken nicht sowohl Herders als seiner ganzen Generation noch nicht schlüssig genug
war, so daß mindestens gefragt werden müßte, ob hier nicht etwas
nach seiner gedanklichen Formung tastete, was erst von einem weiter
fortgeschrittenen und vielfältiger ausgestalteten Denken in Klarheit
und Rundheit ans Licht gehoben werden konnte? «Jede Entwicklung»,
so sagt ein treffendes Wort Hofmannsthals, «bewegt sich in der
Schraubenlinie, läßt nichts völlig hinter sich, kehrt in höherem Gewinde zum gleichen Punkt zurück.» Dies gilt auch für die Entwicklung von der Geniezeit zur Klassik, gilt sowohl für die geistige Verfassung, die der Sturm und Drang überwinden wollte, wie für das
Weiterwirken der Sturm-und-Drang-Tendenzen in der deutschen
Klassik, dem deutschen Idealismus, der Romantik. Freilich muß der
Nachdruck darauf liegen, daß solche Rückkehr zum gleichen Punkte
in einem «höheren Gewinde» sich ergab. Dafür ist Herders Entwicklung im Hinblick auf den Begriff des «Genies» aufschlußreich: dies
gehört einem besonderen Kapitel an.

Die neue Sicht, unter der die Epoche seit dem Sturm und Drang steht, läßt sich sogleich und zuoberst gewinnen, wenn die Feststellung genügende Beachtung findet, daß nicht mehr die «Literatur» herrschte, sondern maßgebend die «Dichtung» wurde. Man kann den durch diesen Wortgegensatz eingefangenen neuen Zustand in der Weite und Tiefe seiner Geltungen und in der Grundsätzlichkeit der damit gegebenen geistigen Entscheidungen schwerlich überschätzen. Schon Friedrich Nicolai hat 1810, indem er von dem «starken Fortschritt» spricht, den zu seiner Zeit die deutsche Literatur tat, rückschauend im 18. Jahrhundert zwei Perioden unterscheiden wollen: eine frühere, in der «die Literatur bloß an den Universitäten hing», und eine spätere, in der sich «durch Klopstock, Wieland, Goethe und Schiller Poesie bildete». Der Unterschied zwischen Dichtung und Literatur war ein Grundproblem Herders. Er mußte in dem Augenblick auftauchen, in dem die dichterische Hervorbringung sich nicht mehr an eine Ratio gebunden fühlte, nicht mehr ein Wissen und Können, ein Sammeln und Zusammenfügen aus Teilen darstellte und ihr Vorhandensein und ihre Wesenheit keineswegs mehr mit den technischen Mitteln gleichgesetzt werden konnten, die ihr allgemeines Verständnis bewirken sollten: Schrift, Druck, Papier und die Formen ihrer Verbreitung mit allem Drum und Dran. Jener Gegensatz mußte auftauchen, seitdem das Schrifttum nicht mehr darauf bedacht war, sich zu bewähren im Wetteifer der Nationen und der in ihm tätigen persönlichen Kräfte, um eine verständige und anerkennenswerte, intellektuell zu wertende Gesamthöhenlage zu erzielen; dabei war nicht viel darauf angekommen, wieweit die Literatur im einzelnen nach Stoff, Gehalt und Form Unabhängigkeit und Eigentümlichkeit beanspruchte. Nun aber behauptete jeder dichterische Schöpfer, eine Welt für sich zu sein und eine solche mit ihren Geschöpfen aus sich herauszustellen, nur sich selbst verantwortlich, eigenherrlich, sein Glück und sein Leid als seinen ihm eigentümlichen Besitz betrachtend, unter dem Prometheussymbol leidend und siegend, Gott gleich, aber keiner anderen Persönlichkeit neben sich und vor sich, nur dem göttlichen Zusammenhange der Kräfte des Universums verpflichtet, unwiederholbar, dem bloßen Verstande nicht zugänglich und seinerseits nicht

auf ihn angewiesen. Schon wurde angedeutet, daß dieser neue Dich-
ter- und Künstlerbegriff, wie er in Deutschland auftrat, der folgen-
reichste Vorstoß der dynamisch-vitalistischen Weltanschauung war.
Seit dem 17. Jahrhundert durch das Aufkommen subjektivistischer
Seelenhaltung im religiösen Bereich mystischer und pietistischer Ver-
sponnenheit vorbereitet, durch die Niederschläge des Neuplatonismus,
namentlich in der englischen Ästhetik, theoretisch gerechtfertigt und
unterbaut, durch Klopstock verkörpert und in Gegebenheit umgesetzt,
wurde er nun für die Folgezeit aufgepflanzt, in dem Maße, daß die
schöpferische Unabhängigkeit und Selbstherrlichkeit einen unantast-
baren Besitz des Dichters und Künstlers bildet und ein Mangel in
dieser Beziehung den Dichter und Künstler nicht nur ästhetisch,
sondern auch moralisch unmöglich macht. Die Maßgeblichkeit dieser
Vorstellung für die Folgezeit ward durch Goethe über allen Zweifel
erhoben. In einer vorher nicht dagewesenen Verbindung und wechselseitigen Bedingtheit trifft sich bei ihm die Fähigkeit künstlerischen
Bildens mit einer neuen Einsicht in die Lebensgesetze der Kunst.
Man vermag halbwegs darzulegen, wie seine Vorstellungen von der
Kunst und dem Künstlertum durch die Epoche geformt wurden, der
die berauschende Sicht eines nur sich selbst verantwortlichen Schöpfers aufging. Verwehrt aber bleibt in der Hauptsache der befriedigende
Einblick in den naturhaften Vorgang, der den jugendlichen Dichter
des Prometheus gleichzeitig die Verkörperung dieses neuerkannten
Schöpfertums werden ließ, das keine von außen herangetragenen
Maßstäbe und keine Einmischung der bürgerlichen Welt vertrug. Bereits der «Tasso», dessen Gegenstand «der Künstler» ist, erscheint
als das Erzeugnis eines Wissens um die Kunst, deren Normen Dichtung
und Bildnerei gleichmäßig unterstehen. Schon ist hier die Anschauung
von der organischen Eigengesetzlichkeit des Kunstwerkes, von der
Kunst als Herrscherin in einer nur ihr gehörigen geistigen Provinz,
von dem Gegensatz zwischen Naturwahrheit und Kunstwahrheit in-
stinktiv zur Anwendung gekommen – Anschauungen, in deren dialek-
tischer Ausgestaltung die klassische Ästhetik Goethes und Schillers
mit der Kants, Schellings und Hegels Hand in Hand ging. Von hier
aus führt die Linie zurück auf die dunkle Empfindung und die Er-

lebniskraft solcher Überzeugungen, die mit der neuen Organik in der Geniezeit auftauchten.

Jene bereits von Nicolai festgestellte Loslösung der Literatur des 18. Jahrhunderts von den Universitäten ist ein Symptom für die lebensmäßige Umbildung, die sich vollzogen hat. Die Dämonie des deutschen Dichters hatte mit der logischen Beweisbarkeit und dem geregelten Gange einer Wissensvermehrung und Wissensausbreitung nichts mehr zu tun. Gottsched hatte den Dichter auf die ihm offenstehenden «tausend Büchersäle» verwiesen. Er hatte im zweiten Kapitel der «Kritischen Dichtkunst» gesagt: «Denn man muß notwendig wissen, daß es mit Einbildungskraft, Scharfsinnigkeit und Witz bei einem Poeten noch nicht ausgerichtet ist. Dies ist zwar der Grund von seiner Geschicklichkeit, den die Natur legt; aber es gehört zu dem Naturelle auch die Kunst und Gelehrsamkeit . . . So wird denn ein Poet, der auch die unsichtbaren Gedanken und Neigungen menschlicher Gemüter nachzuahmen hat, sich nicht ohne weitläufige Gelehrsamkeit behelfen können. Es ist keine Wissenschaft von seinem Bezirke ganz ausgeschlossen. Er muß zum wenigsten von allem etwas wissen, in allen Teilen der unter uns blühenden Gelahrtheit sich ziemlichermaßen umgesehen haben. Ein Poet hat ja Gelegenheit, von allerlei Dingen zu schreiben. Begeht er nun Fehler, die von seiner Unwissenheit in Künsten und Wissenschaften zeugen, so verliert er sein Ansehen . . . Daraus folgt nun unfehlbar, daß ein Poet keine Wissenschaft so gar verabsäumen müsse, als ob sie ihn nichts anginge.» Jean Paul aber erzählt von der kraftgenialischen Zeit, daß «kein Geist von einigem Gehalt einen Fuß in eine Universitätsbibliothek setzte». Die Studierenden schieden sich in den siebziger und achtziger Jahren in Anhänger Hallers und in Anhänger Klopstocks, dessen Adepten gegenüber aller Gelehrsamkeit und allem Wissenserwerb voller Verachtung waren. Und mit der Wissenschaft und Bücherwelt fuhren die Professoren schlecht, nicht nur wo sie wirkliche Zerrbilder eines abgestandenen Pedantismus und einer nutzlosen Vielwisserei boten. Auch der Bücherfreund Jean Paul hat für die Größen der Leipziger Professorenwelt nur Spott: «Einen Professor nach dem Leben zu malen! – gewiß, das wäre der zweite Donquichote und sein

Famulus sein Sancho Pansa», so schreibt er 1781. Der Antagonismus zwischen Faust und Wagner kann nun formuliert werden. Es fällt das Wort vom «tintenkleksenden Säkulum». Und Kantische Philosophie wie Französische Revolution haben den Gegensatz zwischen den akademischen Institutionen, der auf den Lehranstalten herrschenden Routine und dem Unvermögen einer geistgeladenen Jugend, von den bestehenden Einrichtungen der Wissenschaft und Lehre für sich eine sinnvolle Anwendung zu machen, erneuert und verschärft. Die Jugendgeschichte der um 1770 geborenen Schelling, Hölderlin und Hegel weiß davon zu erzählen.

Was besagen diese und andere Berichte? Auch sie deuten nur auf den Gegensatz von Wissen und Leben, der sich nun aufgetan hatte. Das Leben als ein sich-immer-neu-gebärendes fragte weder nach überlieferten zivilisatorischen Institutionen, die, mehr oder minder bewiesen, überaltert erschienen, noch nach den Einrichtungen, die in Außenbereichen dem Intellekte zur Herberge dienen sollten. Der Aufstieg der Idee eines *Lebenszusammenhanges*, die allein als maßgeblich erachtete Auswirkung von *Lebensimpulsen* und in einem allumfassenden Wechselspiel stehenden *lebendigen Kräften* – in dem so eröffneten Raume spielte sich die Entwicklung von der Geniezeit zur Romantik ab. Dieser Raum war weit genug, um verschiedene Verlagerungen der geistigen Schwergewichte zuzulassen. Immer bleibt es dabei jedoch bei dem Goetheschen Worte: «Das Lebendige hat die Gabe, sich nach den vielfältigsten Bedingungen äußerer Einflüsse zu bequemen und doch eine gewisse errungene, entschiedene Selbständigkeit nicht aufzugeben.»

Wenn von Verlagerungen der Schwerpunkte in dem Raume die Rede ist, der durch die Vorstellung des Lebenszusammenhanges geschaffen wird, so ist damit gesagt, daß innerhalb der sich nun vollziehenden Entwicklung, wie nochmals hervorgehoben werden muß, keine Brüche und keine Umkehrungen stattfanden und keine Rückkehr zu gegensätzlichen und geistesgeschichtlich überwundenen, d. h. aufklärerischen Haltungen und Ansätzen sich ergab. Schwerlich darf an irgendeinem Punkte dieser Entwicklung, und sei es auch nur vorübergehend, soweit ihre Träger selber in Frage kommen, das Einsetzen einer «neuen Aufklärung» wahrgenommen werden. Hierzu könnte nicht nur die Hegelsche Dialektik mit ihrer Anschauung einer im Dreitakt von Setzung, Gegensetzung und Zusammensetzung sich vollziehenden geschichtlichen Entwicklung verleiten: auch Goethe hat die literarhistorische Entwicklung gerne unter dem Gesetze der Kontrastbewegung gesehen und das siebente, das literarhistorische Buch von «Dichtung und Wahrheit» mit dem lapidaren Satz eröffnet: «Die literarische Epoche, in der ich geboren bin, entwickelte sich aus der vorhergehenden durch Widerspruch». Er hatte für die Erklärung der Periodizität im geistigen Geschehen Grundformen bereit, auf die er alle periodische Bewegung zurückführte: Das war die heraklitisch-platonische Anschauung eines Pulsierens in Gegensätzen, der Wechsel zwischen Zusammenziehung und Ausdehnung, zwischen «Sammlung» und «Entbindung» oder, wie er es nannte, zwischen «Systole» und «Diastole». Diese seine Bezeichnung der Herzbewegung und des Blutkreislaufes, dies Bild aus physiologischem und lebenswissenschaftlichem Bereich, fügte sich zu seinem Vitalismus, entsprach der Vorstellung vom Lebendigen, unter der die Epoche seit der Geniezeit stand. Aber dieses Bild (wenn es ein Bild ist und nicht vielmehr die Gleichsetzung des Vorganges im Geistigen mit dem Vorgange im Materiellen bezeichnet) bezieht sich doch nur auf das lebendige *Tätigsein*, auf das Funktionelle an sich. Es sagt noch nichts aus über die sich wandelnden Inhalte dieser Epoche, in der auf die maßlose Ausdehnung der Geniezeit eine neue «Systolisierung» zur Klassik hin folgte, worauf in der Romantik eine neue «Diastole», ein neues Ausdehnungsstreben ins «Elementarische» gesehen werden könnte, wenn man sich dabei dessen bewußt bleibt, daß auch diese Eingliederungen weder den Mischungs- noch den Beharrungszuständen der geistig-geschichtlichen Wirklichkeit genügend entsprechen.

Was diese Inhalte angeht, so war die auf den Sturm und Drang folgende (oder vielmehr mit ihr sogleich Hand in Hand gehende) Systolisierung begleitet von einem Erfassen der Objektivitäten, die außerhalb des vorher allein maßgeblich gewesenen dichterischen Subjektes bestanden. Gerade dieser Vorgang: die Erkenntnis der im Bereiche des Lebenszusammenhanges waltenden, objektiven Gegebenheiten mußte zu der systolisierenden Einengung der einzelmenschlichen Persönlichkeit führen und ihrer für sich in Anspruch genommenen Lebenseinheit und Lebensganzheit. Im Gefolge dieses Vorgangs verlagerte sich von der dichterischen Schöpfung, die im Sturm und Drang als das oberste, wenn nicht als das einzige Organon zur Erfassung und Bewältigung des Lebens und seiner natürlichen Setzungen galt, der Schwerpunkt auf theoretische Durchdringung der innerhalb und außerhalb des Individuums bestehenden Bekundungen eines organisch-vital durchwalteten Weltganzen. Nicht, daß der Verstand diesen Bekundungen, abgelöst von den Gegenständen, auf die er sich warf, gegenübergetreten wäre wie innerhalb der aufklärerischen Denkweise. Mit den Verhaltungsweisen der «Anschauung» und des «Verstehens», die nun Platz griffen, wurde vielmehr das in den Gegenständen und Objektivationen selber waltende Lebensgesetz gesucht, mochte es sich um den Zusammenhang der Natur handeln oder um die Erscheinungsformen der Kultur und ihrer großen Ordnungen und Bekundungen wie Volk, Staat, Geschichte, Kunst, Wissenschaft, Philosophie. Und erst von hier aus kehrte nun das Individuum zu sich und in sich selbst zurück, um sich als «die individuell erfüllte Totalität des Allgemein-Menschlichen» zu begreifen und sich über seine Stellung im Weltganzen und über die in ihm herrschenden lebendigen Kräfte klar zu werden, die bisher – auf jugendlicher Altersstufe der in diese Bewegung eingetretenen Generation – als treibende und wirkende dumpf gefühlt, in tastenden Selbstdarstellungen und Bekenntnissen zu deuten versucht, aber noch nicht begriffen waren. Dies ist der Sinn des Vorganges, der vom Sturm und Drang zum deutschen Idealismus, zur Klassik und Romantik und zu der wissenschaftlichen Arbeit des 19. Jahrhunderts hinüberführt, die als die «Historische Schule» bezeichnet wird.

Bei dieser Evolution und Stufung blieben von den siebziger Jahren bis zur Romantik und Biedermeierzeit gewisse geistig-seelische Haltungen bewahrt, die es begreiflich erscheinen lassen, wenn die Epoche von den siebziger Jahren des 18. Jahrhunderts bis in das dritte Jahrzehnt des neunzehnten in ihrer Einheit gesehen wird. Die oberste dieser Haltungen ist und bleibt der Vorrang des Lebens vor aller Erkenntnis und Erkenntnismöglichkeit. Es ist von nun an der Gegensatz zwischen Reflexion und Leben nicht mehr wegzudenken aus der Erkenntnislehre; es bleibt für die Ethik die Erhebung über den Nützlichkeitsstandpunkt, und es bleibt die Vorstellung einer höheren Einheit aller Lebensäußerungen. Es bleibt auch die ästhetische Gemütsverfassung einstweilen in erster Linie maßgebend und der Kunst die Mittelpunktsstellung für das neue Verstehen des Lebenszusammenhanges gewahrt. Aber es bleiben auch durchgängige Haltungen nebengeordneter und außenbereichsmäßiger Art; es kommen Weiterbildungen oder Ausweitungen gegenüber den einmal gewonnenen Grundeinsichten, wiederholte Spiegelungen, Vergrübelungen, Verspieltheiten, Verästelungen und symbolhafte Zuspitzungen des neuen Geistes. Es folgen weitergehende Erkundungen neu hervorgetretener Stoffgebiete und – für die Dichtung im besonderen – nicht nur Ausspinnungen neu aufgetauchter Motive und technischer Mittel oder Effekte, sondern die Dichtung wird als Ganzes wiedergeboren aus einem Elemente, das, wie immer man seine Ausprägungen und Schwingungen in den einzelnen Gattungen und im Stil ihrer einzelnen Gebilde auch umschreiben mag, in dem dämonisch-magischen Urgrunde einer letztlich unbegreiflichen Setzung des Selbsttätig-Lebendigen beruht. Immer wieder kommt Goethe in seinen späten Gesprächen mit Eckermann auf dies Dämonische zu sprechen und deutet mit der mystischen Weisheit seines Alters die Kräfte an, die, noch ohne damals ins Bewußtsein zu treten, in ihm und seiner Generation wirksam gewesen waren. «Das Dämonische», so sagte er am 2. März 1831, «ist dasjenige, was durch Verstand und Vernunft nicht aufzulösen ist.» Es wirkt in der Kunst, es wirkt in Wesen und Taten der großen Persönlichkeiten, es wirkt in den Begebenheiten, wie denn bei seiner Bekanntschaft mit Schiller etwas Dämonisches obgewaltet hätte (24. März 1829). «In der Poesie ist durchaus etwas Dämonisches, und zwar vorzüglich in der unbewußten, bei der aller Verstand und Vernunft zu kurz kommt, und die daher auch so über die Begriffe wirkt», heißt es am 8. März 1832. Das Dämonische ist nach ihm ein Selbsttätiges, das außerhalb des Menschen besteht und sich gerne auf bedeutende Individuen wirft: «In meiner Natur liegt es nicht, aber ich bin ihm unterworfen» (2. März 1831); der Mensch muß innerhalb der

43

Einflüsse der Dämonen immer aufpassen, «daß sein leitender Wille nicht auf Abwege gerät». Wieder liegt hier das Kernproblem der Selbstgestaltung des Goetheschen Daseins offen. Dies Dämonische, das in den gebührlichen Grenzen zu halten, die Aufgabe seines späteren Lebens und Dichtens war, ist dasselbe, das der junge Dichter als den Genius angefleht hatte, seiner schöpferischen Kraft so lange gewiß, als *er* den Dichter nicht verließ, und noch ganz ausgeliefert dem beseligenden Bewußtsein dieser Unterworfenheit. Es war eine beinahe abergläubische, aber im Grunde von dem jugendlichen Gefühle der «Besessenheit» nicht abweichende Vorstellung des alten Goethe, der wie sein hochbetagter Faust die Welt vom Geheimnis erfüllt sah, diese Dämonen als außerhalb der menschlichen Persönlichkeit bestehende Elementargeister zu denken, die in auserwählten Menschen wie in dem Geschehen der Kunst und des Lebens eigenherrlich wirken. Zwar die «Urworte Orphisch» von 1817 und ihr Goethescher Kommentar, der mit der Dichtung selber nicht immer in restlose Übereinstimmung zu bringen ist, gleichviel, an welche Vorstellungen der orphischen Kosmogonie sie sich anlehnten, und gleichviel, welche Quellen überhaupt der Geniebegriff bei Goethe hat, setzen das Dämonische mit dem Geheimnis der überzeitlich geprägten Individualität, der «Entelechie», gleich, und die Ananke, die Nötigung, ist nach ihnen die Scheinfreiheit des Willens; denn «aller Wille ist nur ein Wollen, weil wir eben sollten». Daneben aber, und namentlich im höchsten Alter, erscheint das Dämonische bei ihm im Lichte eines mystischen Dualismus. Wie dem auch sei: Für die ganze Epoche ergibt sich, daß aus dieser Vorstellung des Dämonischen, die sich in Goethe früh und spät am sichtbarsten regt, letztlich die Bewunderung der großen Persönlichkeit und die Hochschätzung des Unaussprechlich-Individuellen herrührt. Auch diese Vorstellung fließt aus der organisch-vitalistischen Weltanschauung shaftesburyscher und leibnizischer Färbung und ihrer Idee eines Systems lebendiger und tätiger, der Vervollkommnung fähiger Einzelkräfte. Plutarch gab dieser Hochschätzung der großen Einzelmenschen Stütze und Bestätigung. Ihn liest Karl Moor, und er erfüllt noch Goethes letzte Tage; doch hier wie anderwärts in der Geistesgeschichte des deutschen 18. Jahrhunderts, die zur Klassik und Romantik hinaufführt, bietet das

Altertum nur Beispielgebung und den Ausgangspunkt, nicht den letzten Sinn. In dem Respekt vor der großen Persönlichkeit, die von einer ihr unbewußten, im Innern waltenden Macht getrieben wird, sind sich Sturm und Drang wie Klassik und Frühromantik, die «Horen» wie das «Athenaeum», Schiller wie Friedrich Schlegel einig. Fichte aber, tief von Kant ergriffen, stellte diesem Dämonischen der Persönlichkeit den «Gelehrten» gegenüber, dessen Wert nicht auf der Triebhaftigkeit beruht, sondern durch die freie Unterwerfung unter das Sittengesetz erworben wird; der nach Begriffen denkt und von Besonnenheit und Bewußtheit beherrscht wird.

Daß das Leben, daß Natur und Kunst auf dem Unbegreiflichen beruhen und in ihnen das Geheimnis eines göttlichen Geistes beschlossen sei, das man nur durch symbolische Zeichen andeuten könne, diese Vorstellung liegt auf dem Grunde der Entwicklung von der Geniezeit bis zur Romantik. Kraft des Zusammenhanges, in welchem die Geschichte des Geistes mit der Geschichte des sprachlichen Ausdruckes, ja des einfachen Wortes steht, stellte sich für diese Epoche von Hamann und Winckelmann bis ins dritte Jahrzehnt des 19. Jahrhunderts das Wortsymbol der «Hieroglyphe» ein; und erst die Enträtselung der ägyptischen Hieroglyphen durch Champollion (1822) entwertete diesen Begriff. Es handelt sich um die Vorstellung, die Wilhelm von Humboldt 1789 dahin ausdrückt, daß die Sinnenwelt nichts anderes sei als «Schrift des Gedankens». Diese Vorstellung und dies Bild kamen unmittelbar aus dem Kreise der Hamann, Lavater und Jacobi. Auch diese Idee der Hieroglyphik oder «Chiffernschrift der Natur», ja der Ausdruck selber führt wieder einmal auf Shaftesbury zurück, dessen Ideen in Mendelssohn, Winckelmann, Wieland, Goethe und Schiller wiedergeboren wurden. Birgt doch Shaftesbury, wie man mit gutem Grunde von ihm gesagt hat, «eine Fülle von Lebensbegriffen in sich, aus der sich seine Anhänger bald das eine, bald das andere Prinzip aneignen». Denn seine Philosophie ist neben der des Leibniz «gleichsam die Zeitatmosphäre dieses ästhetischen Jahrhunderts». Daß in ihm platonische Gedanken wirkten und durch ihn dem 18. Jahrhundert und der Romantik übermittelt wurden, darf als bekannt gelten und wurde schon hervorgehoben. Durch das Sinnliche der Einzelgestalt erscheint ihm das Seelisch-

45

Geistige. Und der harmonische Zusammenhang des sinnlich erfaßbaren Weltalls läßt bei diesem «Pantheisten» die Deutung auf einen lebendigen Geist zu, dessen Erscheinungsform die Natur ist. So kommt schon er zu dem Bilde, daß wir in der Welt die Gottheit gleichsam «in Charakteren» lesen. In Hamanns Denken und Ahnen fand das Gleichnis von der Chiffernschrift der Natur seinen besonders wohlbegründeten Platz und erscheint in mehrfacher Anwendung. «Reden», so sagt er in der «Aesthetica in nuce», «ist Übersetzen – aus einer Engelsprache in eine Menschensprache, das heißt, Gedanken in Worte, – Sachen in Namen, – Bilder in Zeichen, die poetisch . . . – historisch, oder *hieroglyphisch* sein können.» «Alle Erscheinungen der Natur», so heißt es in den zu London 1758 entstandenen «Brocken», «sind Träume, Gesichte, Rätsel, die ihre Bedeutung, ihren geheimen Sinn haben. Das Buch der Natur und der Geschichte sind nichts als Chiffren, verborgene Zeichen, die eben den Schlüssel nötig haben, der die Heilige Schrift auslegt und die Absicht ihrer Eingebung ist.» «Hieroglyphen, Hieroglyphen!» so murmelte, an Friederike denkend, der vom Wahnsinn schon halb überschattete Lenz vor sich hin, als er 1778 die Pflege des gütigen Oberlin genoß. Der Bückeburger Herder begreift in der «Ältesten Urkunde» die gesamte Urgeschichte der Menschheit nur als Ausdeutung der natürlichen und mächtigen Zeichen- und Bildersprache, die der menschliche Verstand gefunden habe, um zu symbolisieren: der Hieroglyphe. Die Auswirkungen der Hieroglyphik zeigen sich in der Lehre von der Physiognomik Lavaterscher Herkunft wie in der ihr verwandten Mimik, die mit seinen «Ideen zu einer Mimik» Johann Jacob Engel 1785/86 begründete. Insbesondere aber führt diese Linie als die sogenannte Zeichentheorie über die Ästhetik Winckelmanns, Herders, Karl Philipp Moritzens zu Schiller und der Klassik, zu Wilhelm von Humboldt, Schelling und Hegel und der gesamten Romantik. Auch die Kantische «Kritik der Urteilskraft», soweit sie nicht von der kritischen und transzendentalphilosophischen Absicht geleitet ist, dient einer Auslegung dieser «Chiffernschrift der Natur». Für das Grundgefühl der Epoche ist jedoch nicht die besondere Behandlung so bedeutsam, die die Idee der Hieroglyphik in der Kunstlehre der vorklassischen, klassischen und romantischen Zeit erfährt, als das

metaphysische Erlebnis dieser Einheit des Sinnlichen und Sinnfälligen
mit dem Geistig-Seelischen, welche Einheit auch der rein ästhetischen
Auswertung des Symbols zugrunde liegt. Diese metaphysische Haltung: daß man das Dasein der Gottheit an dem Dasein der sichtbaren
Welt wie an einem Schriftzeichen erkenne, konnte, wie etwa bei dem
späteren Friedrich Heinrich Jacobi, eine Wendung ins Theologische
nehmen. Oder sie konnte in der Form eines mystischen Enthusiasmus
vorgetragen werden, wie von Schiller 1786 in der «Theosophie des
Julius». «Das Universum», damit hebt dieses denkwürdige und viel-
beredete Stück der Schillerschen Jugendphilosophie an, «ist ein Gedanke Gottes ... Die große Zusammensetzung, die wir Welt nennen,
bleibt mir jetzo nur merkwürdig, weil sie vorhanden ist, mir die
mannigfaltigen Äußerungen jenes Wesens symbolisch zu bezeichnen.
Alles in mir und außer mir ist nur *Hieroglyphe* einer Kraft, die mir
ähnlich ist. Die Gesetze der Natur sind die *Chiffern*, welche das denkende Wesen zusammenfügt, sich dem denkenden Wesen verständlich
zu machen – das Alphabet, vermittelst dessen alle Geister mit dem
vollkommensten Geist und mit sich selbst unterhandeln.» Wieweit
hiermit eine metaphysische Grundanschauung gegeben ist, die für
die späteren philosophisch-ästhetischen Schriften Schillers eine Voraussetzung bildet, steht einstweilen nicht zur Erörterung. Aber bemerkenswert bleibt auch hinsichtlich dieses Hieroglyphensymbols die
Übereinstimmung der Geniezeit mit der Romantik. Wo immer man
in die Dichtungen der früheren wie der späteren Romantik hineinschaut, begegnet man dem Bilde von der Hieroglyphe und Zeichen-
schrift. Es wird der Exponent ihrer symbolischen Kunstauffassung,
ihrer symbolischen Religionsdeutung, ihrer symbolhaften Auslegung
der Natur und der Lebensvorgänge. Das Bild fügt sich in die naturphilosophische und identitätsphilosophische Apparatur des romantischen Denkens, demgemäß das System der Natur sich mit dem System des menschlichen Geistes deckt, die Natur der sichtbare Geist,
der Geist die unsichtbare Natur ist. Die romantische Dichtung und
Kunst selber, ihre Mittel und Zeichen sind solche Hieroglyphen; die
«spielende» Naturmalerei wie die mystische Naturdeutung wird und
heißt der Romantik «hieroglyphisch». Das Bild dringt bis in die

Außenbezirke des romantischen Denkens und Sichausdrückens, der romantischen Sprache und Sprachphilosophie, ja es wird beinahe ein Modeausdruck, wo immer es sich darum handelte, höheres Geheimnis zu berühren oder überhaupt nur Geistiges mit den sinnfälligen Mitteln der Sprache wiederzugeben. «Haben wir», so sagte J. W. Ritter in den «Fragmenten aus dem Nachlaß eines jungen Physikers» (1810), «je eine Idee ohne ihre Hieroglyphe, ihren Buchstaben, ihre Schrift?»

Im Bereiche des romantischen Denkens und Fühlens bekam die naturphilosophische Vorstellung, die sich mit dem Bilde der Hieroglyphe verband, bei den Steffens, Tieck, Schubert, F. G. Wetzel, E. T. A. Hoffmann, Kerner und anderen zuweilen den Anhauch eines dämonischen Grauens, einer unentrinnbaren magischen Gewalt, einer aus nicht enträtselbarem Urgrunde wirkenden Geheimkraft. Ein anderes Bild, ebenfalls vom Sturm und Drang bis zur Biedermeierzeit wirksam und beinahe totgehetzt, trägt solcher pessimistischen Erahnung des unbegreiflichen Lebenszusammenhanges Rechnung: das Bild von der Marionette. Das Marionettengleichnis zeigt unter der Erscheinung eines auf Augen und Ohren wirkenden belebten Wesens letztlich die Bezogenheit auf jenes Dämonische, das die Goethesche Weltanschauung seit der Geniezeit erfüllt. Alltägliche Schaulust am Bunten und Kindlichen, Ergötzung am Mimischen, unbewußt und scheinbar sinn- und zwecklos sich gebendes und für die Armen im Geiste bestimmtes theatralisches Schauwerk des Lebensjahrmarktes haben das Bild als solches hervorgebracht. Das ist der Bereich seiner sinnfälligen Herkunft. Aber begrifflich genommen ist es ein Sinnbild für die gleiche Ananke, die Nötigung, die in den Orphischen Urworten hinter der Scheinfreiheit des Willens steht. Freilich ist das Marionettenbild der negative Pol des Glaubens an die Wirksamkeit des Dämonischen. Erschien diese selbsttätige Kraft, die Goethe als das Dämonische erkannte, im Groß-Persönlichen, wenn eine Weltanschauung dahinter stand, die sich an und in positiven Werten gefestigt hatte, so konnte die pessimistisch-grüblerische Zerrissenheit, die eine zwangsläufige Begleiterscheinung der Vorstellung von einem verstandesmäßig nicht aufzulösenden Lebenszusammenhang, zumal auf der Jugendstufe ist, dazu kommen, daß an der Möglichkeit verzweifelt wurde, ein Wissen über das Woher und Wohin des Menschen in der Welt und in der Gesellschaft zu erwerben. Oder die negative Note wurde noch darüber hinaus betont, derart, daß die Realität der Außenwelt, ja die Gewißheit des Ichs und des Bewußtseins sich in eine grauenvolle Täuschung zu verlieren schien. «Ich stehe», so schreibt Werther, «wie vor einem Raritätenkasten und sehe die Menschen und Gäulchen vor mir herumrücken und frage mich oft, ob's nicht optischer Betrug ist. Ich spiele mit, vielmehr ich werde gespielt wie eine Marionette, und fasse manchmal meinen Nachbar an der hölzernen Hand und schaudre zurück.» Gewiß: noch hat das Gefühl hier nicht jene Tiefe der Trostlosigkeit erreicht, die sich bei den frühen und späten Romantikern mit der Marionettenvorstellung verbindet. Noch ist es vornehmlich die Vereinsamung innerhalb der konventionellen Gesellschaft, die einen Schatten des Grauens auf Werther wirft. Doch der Hinweis auf den «optischen Betrug» deutet bereits in die spätere Richtung, in deren Verfolg die gesamte Außenwelt sich entwirklichte und problematisch wurde. Schon für Karl Philipp Moritz und seinen «Anton Reiser» (1785/90) ist das Marionettenbild die düstere Gefühls- und Weltanschauungsdominante. Hier ist nicht nur deterministische Verzweiflung, sondern schon die Ichzersetzung mit dem Symbol verknüpft, die zu dem jungen Tieck und seinem «William Lovell», zu Jean Paul, zumal seinem «Titan», zu den «Nachtwachen von Bonaventura», zu E. T. A. Hoffmann und zu der Trivialromantik hinüberführt. Da spielt das Symbol bisweilen in die Dimensionen der «romantischen Ironie» hinüber. Aber es gewann in ihr nach der Vorbereitung bei Moritz und Jean Paul noch eine besondere Auswertung nach Seiten der «Dämonie des Mechanischen», es wird, wie vornehmlich bei E. T. A. Hoffmann, zum Puppen- und Automatensymbol oder zum Symbol des dressierten und äußerlich menschenähnlichen Tieres, kurz zu einem tragischen Lebensaspekt von starrer und dunkler Unheimlichkeit oder zu dem Mittel satirisch-ätzender Übertäubung der phänomenalistischen Problematik, zu einer Versinnlichung der Zwiespältigkeit zwischen Ideal und Wirklichkeit oder gar, wie bei Kleist, zu einem Idealbilde dafür, wie das tragisch gespaltene Ich wieder in Harmonie mit sich und einem göttlichen Urgrunde zu bringen ist, indem die «Grazie» im «menschlichen Körperbau am reinsten erscheint, der entweder gar keins oder ein unendliches Bewußtsein hat, d. h. in dem Gliedermann oder in Gott». Über Immermann, Grabbe, Platen, Grillparzer, Büchner, Heine, Gutzkow, Laube, Mörike, Lenau reicht die Dämonie, die Determinationssymbolik, die Zerrissenheits- und Erstarrungsqualität, die historische und kollektivistische Gebundenheitsfunktion des Marionettenbildes in das Biedermeier, das 19. Jahrhundert und die Gegenwart hinein. Wie immer es sich abschattete und keimfähig erwies, wie immer es zu Fichtescher, Hegelscher oder Schopenhauerischer Philosophie in Parallele gesetzt werden kann – es diene hier in seiner grundlegenden Findung unbeschadet aller Abtönungen und Spiegelungen nur als ein weiterer Generalnenner der gesamten Epoche bis zur Romantik und ihren Nachwirkungen. Ihre pessimistischen Ablagerungen fanden sich in diesem Bilde. In der Aufklärung und im Rokoko wäre es undenkbar gewesen. Es konnte mit seinen Hintergründen erst auftauchen, nachdem die Ratio entthront, das Geheimnis des Unbegreiflichen erspürt und die Wirkung von Lebensvorgängen und Lebensimpulsen ungeteilter und nur zu erfühlender Art sich als eine innere Gewißheit bekundete. Es löst das Freudesymbol des Rokoko ab, das in der beseligenden und selbstsicheren Bejahung dieser schön-guten Welt bestand. Die Funktion des Marionettensymbols war sodann erst möglich, seitdem der Aufbruch der neuen Weltanschauung im Gefolge der tastenden Enträtselung von Lebensvorgängen und zum Ganzen strebenden Kräften von der Ich-Bewertung zum Ich-Kult vorgeschritten war und im Zusammenhange damit die Frage nach dem eigentlichen Wesen dieses Ichs auftrat.

Den Voraussetzungen für die dem Sturm und Drang folgende Entwicklung würde es an den wichtigsten Werten fehlen, wenn nicht nach der sittlichen und gesellschaftlichen Problematik gefragt würde, wie sie für die neue Generation etwa um 1780 bestand. Sie ist unlöslich verbunden mit den Fragen der Erkenntnis einerseits, mit den Fragen nach der Funktion der Kunst anderseits. Allenthalben erhob sich aus der Dichtung und der Lebensführung der Genies für diese selbst die Frage nach den Normen des Handelns und nach ihrer eigenen Stellung zur Welt und menschlichen Gesellschaft. Einige Be-

lege aus der Entwicklungsgeschichte einzelner Genies vermögen das
zu bewähren. Ist doch in der Tat die Epoche des Sturm und Drang,
die nach der üblichen Meinung als unmittelbar und elementar zu gelten hat, zugleich eine Zeit, in der die bohrende Selbstanalyse weit
verbreitet war. Was aus innerer Notwendigkeit entsprang, konnte
seine Bestätigung durch Edward Youngs «Gedanken über die Originalwerke» finden, der ein Erbteil der Renaissance weitergab, wenn
er schrieb: «Erkenne dich selbst ... forsche also tief in deiner Brust,
lerne die Tiefe, den Umfang, den Hang und die ganze Stärke deiner
Seele kennen; stifte eine Vertraulichkeit mit dem Fremdlinge, der
in dir ist; errege und unterhalte jeden Funken des Lichts und der
Wärme deines Verstandes, wenn auch dieser Funken unter der vorigen
Nachlässigkeit fast ersticket oder unter die plumpe, dunkle Masse ge-
meiner Gedanken zerstreut wäre; sammle dieses Licht in ein Ganzes,
und laß dein Genie sich erheben ... wie die Sonne aus dem Chaos;
und wenn ich dann zu dir, gleich einem Indianer komme, sagte, bete
es an, ... so würde ich doch nicht viel mehr sagen, als was meine
zweyte Regel befiehlt, nehmlich: habe für dich selbst Ehrfurcht.»
Nach dieser Maxime verfuhr Goethe, aber dilettantischer verfuhren
so auch die anderen Genies. Die verschiedenen Formen und Abwandlungen der Selbstbeobachtung, Selbstanalyse und Selbstschätzung, die
im Gefolge der Empfindsamkeit gingen, oder vielmehr ihrer deutschen,
geniemäßigen, unpietistischen Ausprägung, setzen hier an und er-
strecken sich weit hinaus über die sechziger und siebziger Jahre. Nicht
viele der Genies fanden aus dieser Selbstanalyse zur Einheit in sich
und mit der Umwelt zurück, zur Überbrückung der Ansprüche, die
die naturgegebene Freiheit des Individuums und die Gebote der Sittlichkeit stellten. LENZ verlor ganz die Kraft, die Gegebenheiten der
Wirklichkeiten zu erkennen oder sich mit ihnen auseinanderzusetzen.
Je mehr er sich isolierte, um so mehr wuchs der immer schon in ihm
vorhandene Konflikt zwischen seinem planlosen Streben nach einer
Lebenstotalität hin und der bewußten Abwendung von der Welt.
Dionysisches Gotterlebnis und das Ideal eines aszetischen Eremiten-
daseins liegen in seiner späteren Zeit unversöhnt nebeneinander. Ein
Verlangen nach sinnlich-ekstatisch-mystischer Verschmelzung mit

Gott und ein demütiges Sichbescheiden und Entsagen stehen vor dem Ausbruche seines Wahnsinns einander gegenüber, ohne daß er die eine oder die andere Richtung einzuschlagen imstande gewesen wäre. Gerstenberg, in einer künstlichen Empfindsamkeit verharrend, in seinen produktivsten Jahren ohne Amt und Beschäftigung, ohne Widerstand gegenüber der Welt, ohne religiöse Stützen, flüchtete sich schließlich in die kantische Philosophie, ohne mit ihrer Hilfe zu einer Ausgeglichenheit in sich zu gelangen. Er blieb Individualität, ohne «Persönlichkeit» zu werden. Gegenüber dieser und anderen, wie Leisewitz, auf gerettetem Kahn in den Hafen treibenden, reizsamen und der Fähigkeit zur Sammlung ermangelnden Naturen entschied sich Heinse, allen Erlesenheiten der südlichen Kunst und Geschichte, einer durchglühten Sinnlichkeit, einer trunkenen Verehrung menschlicher und landschaftlicher Idealbilder hingegeben, wenigstens in dem Widerspruch zwischen der organisch-dynamischen Selbstsetzung des Individuums und einer Sollensethik kompromißlos für das ästhetisch betonte Persönlichkeitsrecht und wurde der Vertreter eines «ästhetischen Immoralismus», der an ihm eine Seite des «Renaissancemenschen» wiedererblicken läßt. Das Wort von dem Most, der sich absurd gebärdet und zuletzt doch noch einen Wein gibt, gilt dagegen von Klinger. Bei ihm muß der Nachdruck von früh an mehr auf das Dynamische seiner Persönlichkeit und seines Schaffens als auf die organische und persönliche Gestaltentwicklung gelegt werden. Schreibt er doch selbst am 26. Mai 1814 an Goethe, daß seine Jugendschriften dazu dienten, dem Drange nach Tätigkeit, wenigstens für Augenblicke, eine Richtung zu geben, und Goethe selber wird durch Klingers Werk 1813 «gar charakteristisch an die unverwüstliche Tätigkeit nach einem besonderen eigentümlichen Wesen» erinnert. Die «Erregungsdynamik» seiner Jugenddramen, zur Hälfte nur ein dumpfer Drang, zur andern Hälfte begriffliche Konstruktion, hatte sich abgemüht, Menschen aufzustellen, die für ihre Zeit und ihre Gesellschaft die Orientierung im Sinne einer ungebrochenen Lebensganzheit abgeben sollten. Darin lag, daß sie von allem Anfang an zu ihrer soseienden Umwelt in Gegensätzlichkeit standen. Ist nun Klinger, wie man wohl gesagt hat, «Stürmer und Dränger in Permanenz, aber auf

höchst eigene Art»? Oder war für ihn, wie es im Gegensatz dazu
von anderer Seite lautet, «die Läuterung zu sittlicher Reife nur durch
den völligen Bruch mit den Überzeugungen seiner Sturm-und-Drang-
Zeit möglich», derart, daß er mit dem Denken und Schriftstellern
seiner Spätzeit wieder verwurzelt wäre in den Ideen der Aufklärung,
zu denen er sich «mit dem Verlassen des Sturm und Drang – der
literarischen Bewegung wie des Jugendzustandes – zurück- oder vor-
gewendet hätte», Voltaire mit Kant vertauschend? Ist von ihm mit
dem «Aufgeben» des Sturm und Drang auch dessen Kunstform, das
Drama, verlassen und «das in der Aufklärung vorgebildete Ausdrucks-
mittel, der philosophische Roman» gewählt worden? Von einem Bruch,
einem Siege der Aufklärung oder einer Rückkehr zu ihr kann auch
bei ihm schwerlich die Rede sein. Auch bei diesem in vielem maßgeblichen Genietyp kann es sich höchstens um die Rückkehr zum
gleichen Punkte auf einer höheren Windung der geistesgeschichtlichen
Entwicklungsspirale handeln. Die Lösung, die Klinger mit seiner im
Jahre 1791 beginnenden Reihe von Romanen sucht, war die seinen
persönlichen Umständen, seinen Lebenserfahrungen, seiner Aufnahmefähigkeit und seiner Reifewerdung – ja vielleicht einer Tiefenschicht seines Wesens – entsprechende Entwicklungsstufe der den Ausbrüchen des Sturm und Drang unmittelbar folgenden geistigen Zeit-
lage. Jetzt sucht er, den Gegensatz des großen Einzigen zu der ihn
umgebenden Umwelt, den Dualismus zwischen Individuum und Gemeinschaft, der doch die Dominante seiner Geniedramatik gewesen
war, durch eine moralistische und idealistische Denkarbeit auf einer
neuen Bewußtseinsstufe zu unterbauen. Und wenn in seiner Frühzeit
dieser Gegensatz als im Gefühl gelegen und nur nach seinen negativen Grundlagen und Auswirkungen gewertet wurde, so bekam jetzt
dieser Dualismus, nachdem er in den Bereich des Nachdenkens gerückt war, eine positive Zielrichtung und wurde auf Begriffe gebracht,
die freilich eine Anpassung an die Denkarbeit bedeuteten, die Klinger
vor sich und neben sich fand. Mit J. G. Schlossers Einwirkung beginnt Klingers moralisierende Haltung, die ihren Ansatz an dem Verhältnis des einzelnen zur Gesellschaft findet. Hat die Gesellschaft bisher die ungehemmte Auswirkung persönlicher Kraft beschränkt, so

steht sie nunmehr der Tugend im Wege. Klingers dynamischer Pessimismus hat nur einen anderen Geltungsbereich gefunden: nicht mehr der große, wenn auch immoralische Mensch erstickt in der Gesellschaft; auch der gute Mensch kann in ihr nicht gedeihen, wobei die Wertung des Guten und der Tugend nicht eindeutig ist und es dahingestellt bleiben mag, wieweit auch diese moralistische Gesellschaftskritik unter dem Eindruck Rousseauscher Gedanken steht, die Schlosser ihn neu zu sehen gelehrt hatte. In der Gegenüberstellung von Dichter und Weltmann prägte sich die moralisch-soziale Problemstellung bei Klinger gestalthaft aus, entsprechend den Lebensaufgaben, an die er selbst später gewiesen war. Freilich, zu einer letzten und glatten Lösung des Widerspruches zwischen Dichter und Weltmann gelangt er auch jetzt nicht. Er verlangt von jedem der beiden, daß er das ganz sei, was er ist und was zu sein er sich einmal zum Zwecke gesetzt hat. Auch jetzt verachtet er die Halbheit, sie, der nichts gelinge. So geistert die Totalitätsidee der Geniezeit noch innerhalb der Hälften dieses Gegensatzes weiter. Weltmann und Dichter behalten ihre abgegrenzten Geltungsbereiche und Dimensionen. Die deutliche Verlagerung des Schwerpunktes innerhalb dieser Gegensätzlichkeit auf eine Moralität, die sehr relativer Art ist und einer praktischen Lebensweisheit für den Gesellschaftsmenschen gleichkommt, läßt bei Klinger eine Einigung oder einen Austrag zwischen Ideal und Wirklichkeit, Freiheit und Notwendigkeit, Natur und Kultur, Gefühl und Verstand nicht aufkommen. Auch bei ihm fehlte der sowohl gedankliche wie durch eigene Lebensgestaltung und künstlerische Schöpfung heraufgeführte Ausgleich zwischen Schönheit und Sittlichkeit, den die Klassik Goethes und Schillers fand. Das besagt jedoch nicht, daß nicht schon seine Jugenddramatik Symptome eines Strebens nach Einordnung in die Welt und die Gesellschaft zur Schau trüge. Man geht nicht fehl, wenn man, bestrebt, ein neues Klingerbild herauszuarbeiten, die Kontinuität seiner Entwicklung zu Beherrschung und Maß hin betont, statt das Augenmerk immer noch auf vermeintliche Sprünge und Risse in seiner geistigen Persönlichkeit zu richten.

Um noch eine letzte Ausgangsmöglichkeit der Geniezeit bei einem Goetheschen Jugendfreunde in Sicht kommen zu lassen: auch Fried-

rich Leopold Stolberg, in dem Adel, Dichtertum, kraftvolle Freiheitsliebe, unabhängiger Individualismus in der Jugend einen unlöslichen Bund eingegangen waren, «systolisierte» sich. Blieb ihm das
Evangelium der Natur, fühlte er noch 1780, «daß Einsamkeit des
Landes und die schöne Natur um uns her die schlummernden Keime
in uns erweckt, gehegt und gepflegt haben, uns zu dem gemacht,
was wir gottlob sind», so fürchtet er doch schon 1787 «die Zer-
streuung» und sucht sich «immer mehr zu konzentrieren, nicht aus-
zubreiten». «In diesem Raupenleben können wir nicht von Blume
zu Blume fliegen; wichtiger und meiner Denkungsart gemäßer ist es,
mich in echter weicher Seide einzuspinnen, bis der unsterbliche
Schmetterling seine Flügel entfaltet. Je älter ich werde und je frivoler,
erkältender, mir heterogener der Geist der Zeit wird, desto mehr ziehe
ich mich ein und befinde mich wohl dabei.» Da bedurfte es nur noch
gewisser äußerer Einflüsse und Umstände, auf daß er allen Schäden,
die der aufklärerische Geist vermeintlich hervorgebracht hatte, die
feste Geborgenheit und umfriedende Sicherheit des Standpunktes entgegensetzte, den die katholische Kirche bot. Die Gestalt des späten
Stolberg ist die persönliche Klammer, durch die Sturm und Drang
sichtbar mit der Romantik, insbesondere dem Novalis-Kreise, zusammengefaßt wird.

Den Geist der Wandlung und Umbildung am Ende der siebziger
und in den achtziger Jahren fing die Philosophie Friedrich Heinrich
Jacobis ein, die an der «Klassik» vorbei von der Geniezeit zur Romantik führte. Er suchte – wenn er lediglich in den hier zur Rede stehenden, geschichtlichen Zusammenhängen und weder in seinen Beziehungen zu Christentum und Aufklärung noch etwa vom Boden der
neueren Existentialphilosophie gesehen wird – Antwort auf die Fragen, die ihm aus der Geniebewegung entgegentraten. Er ließ dem
«eigenen Herzen», das im Sturm und Drang die Oberherrschaft
führte, seine Rechte. Aber gleichzeitig setzte der Verfasser des «Allwill» und «Woldemar» dieses Herz auch zum höchsten und letzten
Richter ein über alle persönlichen, inneren Entscheidungen. Dies
«eigene Herz», das die Geniezeit hegte und hätschelte, diese Individualität war ja der Exponent eines allgemeinen, strukturellen Lebens-

zusammenhanges, der in allen Lebensumständen und Situationen sich bekundete, in die der einzelne geführt wurde. So gibt es keine absolute Tugend und keine absoluten Normen des Handelns; sie sind außerhalb jeder Lehrbarkeit. Nur aus dem Mittelpunkt des Herzens empfängt der Mensch seine Gesetze. Sie können also auch nicht demonstriert werden. Sie müssen Überzeugungen sein, die auf unmittelbarer Anschauung und innerer Gewißheit beruhen. Sie sind wandlungsfähig wie das Leben selbst. Immerhin lassen sich durch Vergleichung von Erfahrungen einigermaßen standhafte Begriffe und Urteile zuwege bringen. Auf der anderen Seite bedingt dieser ethische Individualismus, daß weder die Vollkommenheiten noch die Pflichten zweier Menschen jemals gleich sein können, und so würde jene zu gewissen feststehenden Begriffen führende Vergleichung mit sehr veränderlichen Größen zu rechnen haben. Aber, so lehrt der «Woldemar», es gibt Genies der Kunst des Guten wie des Schönen. Gute, gerechte und große Handlungen sind diejenigen, «welche so beschaffen sind, wie der gute, gerechte und große Mensch sie hervorbringt». Nicht aber wird von Jacobi die Folgerung gezogen auf die Kunst als Vermittlerin der Sittlichkeit. Statt dessen gelangt er im «Woldemar» und in der neuen Bearbeitung des «Allwill» (1792) zu einem Zentralbegriff der Liebe, die, mag sie sich auf Gott, auf die Tugend, auf die Mitmenschen beziehen, als ein übersinnlicher Affekt die niederen Triebe beherrscht und bändigt. Doch welche Unsicherheit in den Fragen des Sittlichen, welche Unbegrenztheit des Möglichen mußte durch die Vorstellung des «moralischen Genies» entstehen! «Ihm schauderte vor dem Abgrund, an dem er noch stand: vor den Tiefen seines Herzens», so heißt es zagend am Schlusse des «Woldemar». Gegenüber der Weichheit und Zerflossenheit der Jacobischen Anschauung vom Immanent-Sittlichen und der Verführung, die in ihr lag, begreift sich erst recht die stählende Wirkung der strengen Kantischen Sittenlehre mit der Herausverlegung des Sittengesetzes aus dem triebhaften Relativismus in die Ebene objektiver Gültigkeit, mit der Verweisung des Glückseligkeitsgedankens und der Schönheitsvorstellung aus dem Bereiche des Moralischen.

Sowohl hinsichtlich des sittlichen Genies wie des Liebesbegriffes scheint bei Jacobi ein Zusammenhang mit Franz Hemsterhuis zu bestehen, der, damals längst mit der Fürstin Gallitzin in Münster als seiner Diotima befreundet, im März 1781 Jacobi in Düsseldorf besuchte, geistige Gemeinschaft bekundend. Um die Liebesphilosophie des 1721 geborenen platonisierenden, seelenführenden Holländers hat auch Schiller um 1780 schon gewußt und sechs Jahre später diese sich selbst aufgebende und auflösende Liebe als Weltprinzip in die Rokoko-«Freude» aufgehen lassen, die das 18. Jahrhundert bisher gefeiert hatte. Herder hat sich mit dem ihm persönlich und geistig Nahestehenden auseinandergesetzt als mit einem wesentlichen Überwinder der Aufklärung. Des Hemsterhuis Theorie, daß die Liebesgemeinschaft zum Organ der Erkenntnis wird, sein Gedanke an ein kommendes goldenes Zeitalter, in welchem die Natur vergeistigt ist und der Geist zur Natur zurückkehrt, alles dies wird von Novalis ergriffen, vertieft, in eine magische Wirklichkeit vorgetrieben und der Romantik eingeformt. Kein anderer als Hemsterhuis «wirkte im stillen so nachhaltig auf die Ausbildung und Deutung der unmittelbaren Lebensgefühle, die den Unterstrom der romantischen Welt ausmachen, und die mit den Forderungen des als gewiß empfundenen Lebens dann auch wieder in die Gedankenreihen des Idealismus eindrangen».

In der «fragenden» Weiterentwicklung der Geniezeit während der achtziger Jahre sind die Ausgangspunkte der Frühromantik und des deutschen Idealismus gegeben. Um hier von Friedrich Schlegel und seinem Verhältnis zu Jacobi zu schweigen, um Tiecks selbstanalytische Haltung während seiner Jünglingszeit und seine Auseinandersetzung mit der Aufklärung vorerst nur zu erwähnen: FICHTES Entwicklung knüpft hier an. Er, von dem Nohl sagt, daß er so hinreißend in der deutschen Bewegung dasteht, weil er dem neuen Begriff vom Menschen seine höchste Steigerung gab, faßt im Sinne der Spätgeniezeit sein Philosophieren ebenso als Funktion des Lebens wie als Organon des Lebensverständnisses. «Wozu ist denn nun», so schreibt er an Jacobi, «der spekulative Gesichtspunkt und mit ihm die ganze Philosophie, wenn sie nicht fürs Leben ist? Hätte die Menschheit von der verbotenen Frucht nie gekostet, so könnte sie der ganzen Philosophie entbehren. Aber es ist ihr eingepflanzt, jene Region über das Individuum hinaus nicht bloß in dem reflektierten Licht, sondern unmittelbar erblicken zu wollen, und der erste, der eine Frage über das Dasein Gottes erhob, durchbrach die Grenzen, erschütterte die Menschheit in ihren tiefsten Grundpfeilern und versetzte sie in einen Streit mit sich selbst, der noch nicht beigelegt ist, und der nur durch kühnes Vorschreiten bis zum höchsten Punkte, von welchem aus der spekulative und praktische vereinigt erscheinen, beigelegt werden kann. Wir fingen an zu philosophieren aus Übermut und brachten uns dadurch um unsere Unschuld; wir erblickten unsere Nacktheit und philosophieren seitdem aus Not für unsere Erlösung.» Dieses bezeichnende Bekenntnis Fichtes, des von den Fragen der christlichen Religion ausgehenden Wegbereiters der idealistischen Philosophie, läßt vorschauen auf das Problem, das in neuerer Zeit Philosophen, Theologen und Literarhistoriker im Hinblick auf unsere Epoche so stark bewegt hat, ohne daß aus dem Gegeneinander der Ansatzpunkte, der verwirrenden Dialektik, dem Widerstreit voreingenommener oder sehr weit gesteckter Positionen, der Gegenüberstellung von Allgemeinbegriffen und Abgezogenheiten eine eindeutige Erkenntnis sich herausbilden vermochte. Die Frage geht nach dem Verhältnis des deutschen Idealismus und der deutschen Klassik zum Christentum, d. h. in diesem Falle zum Protestantismus, oder, subjektiv gesehen, zu einer supranaturalistischen Frömmigkeit, mag sie sich nun aus dem alten, positiv religiösen Geist, aus dem Pietismus oder aus aufklärerischen Gedankengängen herschreiben. Wie vertrug sich der christliche Supranaturalismus, der Dualismus von Gott und Welt, mit dem immer zum Pantheismus sich neigenden Innewerden und Betonen der Lebenstotalität, des Lebensprimates, der Ichausweitung zum Göttlichen und der Naturvergottung? Welche Folgerungen ergaben sich aus dem Gegeneinanderstehen von Diesseitsbezogenheit, von einer Daseinswollust, die in der Fülle des Wirklichen und der Erscheinungen lebte, fühlte und schaute, und anderseits der christlichen Entwertung dieses für die Seele nur zu kurzen Lebens, der Jenseitshoffnung und der Anschauung, daß diese Erde ein Jammertal und nur ein kurzes Stadium des Durchganges zu dem wahren und besseren Leben sei, zu dem Verzicht auf ein vergängliches Genügen in dieser Welt, wie ihn ein Gellertsches Lied in die Gewißheit faßte: «Ich lebe nicht auf Erden, Um glücklich hier zu werden»? Und wie vertrugen sich die naturalistische und individualistische Gefühls- und Seinsethik mit den ausnahmslos und unterschiedslos geltenden christlichen Sittengeboten? Hier eröffnete sich ein weites Feld für das spekulative Bewußtsein von Fichte über Schleiermacher, Hegel, Franz Baader und andere Zugehörige der romantischen Generation bis ins 19. Jahrhundert hinein. Die dialektische Erörterung der neuen Religiosität, die damit verbundene Umwandlung des überkommenen Christentums war Ausgangspunkt und entscheidende Aufgabe der neuen Philosophie. In welcher Gestalt auch die neue Religiosität sich darstellte, die aus dieser spekulativen Bewegung hervorgeht, sie verfügte über ein Gemeinsames im Negativen: über einen Standpunkt gegen die Aufklärung, d. h. gegen natürliche Vernunftreligion, gegen den westlichen Deismus, gegen verstandesmäßige Zweifel an der Göttlichkeit.

Fichte, der Beginner dieser spekulativen Bewegung und des deutschen Idealismus, ist in seiner Entwicklung durch den Geist der Sturm-und-Drang-Zeit entscheidend bestimmt worden, oder vielleicht darf man besser sagen: er stand charakterologisch in einer tiefen Wahlverwandtschaft zum Wesen der Genieepoche. Seine kraftvolle Ichbetontheit, die der Ichsetzung in seiner Philosophie eine besondere, erlebnishafte Geltung gibt, seine elementare Triebhaftigkeit, sein gesteigertes Selbstbewußtsein, das Handlungsmäßige und Tatenmäßige in seinem Wesen, das revolutionäre Freiheitsgefühl, die Verehrung der großen Individualitäten, der Freundschaftskult, die Betonung des Instinktes und – in seiner Frühzeit – die Erfassung des Lebens durch die Welt der Dichtung, sein früher Haß gegen die Schlechtigkeit und Sinnlosigkeit von Welt und Leben, die theoretisch und praktisch sinnerfüllt und damit gut zu machen er als seine Aufgabe ansieht – das alles sind Züge und Momente, die ihn, den 1762 Geborenen, mit der Epoche verbinden, in der er heranreifte. Freilich zeigt er schon insofern eine spätere Ausbildungsstufe, als er bereits auf die theoretische Arbeit ausgeht und sich bei ihm dem Erlebnisbedürfnis das Erkenntnisbedürfnis gesellt. Aber dies besteht ihm ganz geniemäßig in der Vereinigung von «Empfindung» und «Anschauung». Das Denken kann nicht Selbstzweck sein und nicht eine Abgezogenheit. «Aus blo-

ßer Zusammensetzung der Materie», so lautet eine vielsagende Äußerung seiner frühen Zeit, «das Denken abzuleiten, auf diese verkehrte
Untersuchung werde ich freilich nie verfallen. Jene ursprünglichen
Naturkräfte sollen überhaupt nicht erklärt werden und können nicht
erklärt werden, denn sie sind es, aus denen alles Erklärbare zu erklären ist.» Für ihn gibt es «eine ursprüngliche Denkkraft in der Natur,
wie es eine ursprüngliche Bildungskraft gibt». Und an Goethe schreibt
er: «So lange hat die Philosophie ihr Ziel nicht erreicht, als die Re-
sultate der reflektierenden Abstraktion sich noch nicht an die reinste
Geistigkeit des Gefühls anschmiegen.» So erscheint es zutreffend, bei
Fichte eine eigentümliche und besondere Art der Überwindung des
Intellektualismus sehen zu wollen, insofern als Zeit seines Lebens
«sein Wollen und Werten das innerste Wesen auch des nach wissenschaftlicher Überzeugung strebenden Denkens bildete». Fichte wird
von dem Rationalismus in bestimmender Weise dadurch geschieden,
daß er den wertenden Willen in den Intellekt mit hineinnahm und
das Denken als Handeln faßte. So kommt es bei ihm zu dem Begriffe
des «denkenden Lebens», derart, daß das Wort Leben den Ton trägt.
Wieweit sich für Fichtes weitere Entwicklung hier ein Zwiespalt zwischen einem wissenschaftlichen und persönlichen Denken, dem Denken, das nur gebunden an seine formalen, logischen Gesetze, im
übrigen frei und ungehindert über alles hinfährt, und dem anderen,
soeben ins Licht gerückten Denken auftut, das, nach Gogartens Worten, «nicht bloß ein kunstgerechtes Spiel mit Gedanken ist, sondern
Ausdruck des tiefsten Lebens des Menschen» – diese Auseinandersetzung berührt die hier in Rede stehenden Zusammenhänge nicht
mehr.

Die um das Jahr 1760 geborene Generation, Schiller und Jean Paul
einbegriffen, die in den achtziger Jahren in ihrer entscheidenden Ent-
wicklungszeit stand, hatte weniger und hatte mehr zu verarbeiten als
die eigentlich stürmerische Generation, die um 1750 und früher geboren war. Diese stärkere Beladenheit, diese kompliziertere geistige
Situation, durch die dies Geschlecht der Spätgeniezeit zur Reife hin-
durchgehen mußte, läßt einen Teil von ihr als die unmittelbare Vorfrucht der «Frühromantik» erscheinen, die die legitime Erbin gerade

dieser Übergangsgeneration ist, während die «Klassik» gleichsam auf einem von der Hauptentwicklung abzweigenden und enger gebundenen, von nur zwei Persönlichkeiten beschrittenen Wege zu einer Lösung kommt. Die Bildungskämpfe dieser Generation vollzogen sich weit weniger auf einer geraden Linie und in einer einfachen Stoßrichtung, wie sie der eigentliche Sturm und Drang hatte. Es erscheint einleuchtend, daß diese Generation, deren Entwicklung etwa die anderthalb Jahrzehnte von 1780 bis 1795 füllt, diese für das Werden der Klassik und Romantik maßgebenden und überhaupt in der bisherigen Geschichte des deutschen Geistes wesentlichsten Jahre, daß sie dem Sturm und Drang wohl in ihrer Gesamtgesinnung verpflichtet war und diese Bewegung durch die dichterischen Hervorbringungen wie durch ihre Gesamterscheinung auf sie gewirkt hat, daß sie aber durch den Sturm und Drang theoretisch nicht befriedigt sein konnte. So lebte sie zugleich in dem seit den siebziger Jahren aufgekommenen neuen Geiste, aber anderseits konnte sie sich der Auseinandersetzung mit dem noch sehr mächtigen einseitigen Intellektualismus des 18. Jahrhunderts nicht entziehen, ja fühlte sich zu solcher Auseinandersetzung berufen und hingezogen. Diese Auseinandersetzung mußte in einer breiten und wieder einigermaßen systematischen Form erfolgen, da der noch immer wirksame aufklärerische Ideengehalt in der gleichen Form unter verschiedenen Aspekten und auf den verschiedensten Gebieten vorgetragen war. So haben die Angehörigen dieser Generation unter inneren Kämpfen das Nebeneinander der neuen Weltanschauung mit der aufklärerischen überwinden müssen; sie mußten einordnen, überbrücken, klären, oder sie mußten ablehnen und bekämpfen. Und schon die eine Tatsache, daß diese Generation die Lessingsche Auseinandersetzung mit der Aufklärung vorfand, die der Sturm und Drang noch hatte entbehren müssen, wirft ein Licht auf die Spannungen, Zweifel und Unentschiedenheiten, denen sie ausgesetzt war. In die geistig-seelische Aufgewühltheit dieser Generation der klassisch-romantischen Vorbereitungszeit schaut man hinein bei der Lektüre der Tagebücher des späteren «romantischen» Philosophen FRANZ VON BAADER, den erst die jüngste Zeit in seine Rechte einzusetzen vermochte. Eine typische Sturm-Drang-Natur, erscheint der

1765 geborene Baader als der Sammelträger aller zwischen Geniezeit und Romantik parallel oder auch gegeneinander wirkenden geistigen Eindrücke: die Bibel, Herder, Lavater, St. Martin, Sailer, Jacobi, Hemsterhuis, Jacob Böhme, Oetinger bestimmen in der Frühzeit sein religiös-mystisches Denken, das vorübergehend einem aufklärerischen Empirismus weicht; dann bricht unter dem Einfluß Fichtes und vor allem Schellings das theosophisch-mystische Weltbild seiner späteren Zeit mit aller höchstgesteigerten, «barbarischen», d. h. tief im Ursprünglichen seines Wesens begründeten Gegensätzlichkeit auf. Seine Tagebücher aus der Zeit von 1786 bis etwa 1792 zeigen jene Spannungszustände und jene Bewegtheit, jenen Wechsel zwischen hohem Schwung und tiefem Fall, zeigen «Gedankenschwangerschaftsgefühle», «Aufgelegtheit zu großen Taten», aber auch «trägen Mißmut», heftige Verzweiflung, «fiebrigte, krampfigte Spannung» und schwersten «Gram», kurz alles das, was auch die Linie der seelisch-geistigen Entwicklung und strukturellen Fortwirkung vom jungen Goethe und seinem «Werther» zu manchen Angehörigen der romantischen Epoche kennzeichnet. Auch bei Baader findet sich in seiner Frühzeit jene zergliedernde Selbstbetrachtung, der das eigene reizbare Empfinden und die subjektive Erfassung der Außenwelt Gegenstände einer verstandesmäßigen Haltung werden. Man hat die dadurch erzeugte Aufhebung der eigenbestimmten, inneren und äußeren Wirklichkeit als «Ironie» bezeichnet und sie von der ästhetisch oder literarisch-technisch gerichteten «Romantischen Ironie» getrennt, aber sie ist seelische Grundlage und Voraussetzung dieser. Jacobis «Woldemar», Karl Philipp Moritz' «Anton Reiser», Tiecks «William Lovell» bedeuten eine Stufenfolge dieser vom «Werther» zur Romantik hinüberführenden, verzweifelnden und doch wissenden, im Zwiespalt sich verzehrenden Selbstdurchleuchtung des Individuums. Kein deutlicheres Symptom als dieses für einen neu strukturierten Menschen, der aus der Fülle und Ganzheit der Genieempfindung heraus sich mit den durch die Aufklärung begründeten Rechten des Verstandes von neuem zusammenstoßen fühlte, ohne jenes neben seinem Leidenswege liegende Eiland erreichen zu können, das sich als die deutsche Klassik am Ausgang des selbstklugen Jahrhunderts darbot!

Aus der Aufklärung zur Romantik führten noch andere geistes-
und seelengeschichtliche Wege, ohne den Ruhepunkt der weimarischen Klassik zu berühren, deren in Gegenwart und Folgezeit ausstrahlende Bedeutung und Wirkung doch hauptsächlich im Künstlerischen und Dichterischen lag. Vom katholischen Bayern, zumal von
Landshut, das – nachdem schon Herder durch seine Preisschriften für
die Bayrische Akademie der geistigen Erneuerung in Bayern ent-
gegengekommen war – in der romantischen Zeit so starke wahlver-
wandte Anziehung ausübte, kam die Welle einer von Sturm und
Drang und Pietismus genährten, mystischen Religiosität, die in den
Katholizismus einmündete. Sie wußte die erzieherische Systematik der
Aufklärung zu nutzen und brachte den aufklärerischen Universalismus mit dem Ökumenischen der katholischen Kirche in einer christlichen Humanität zur Deckung. Michael Sailer ist Führer und Träger dieser Bewegung. Auf der anderen Seite suchte eine in tiefe
Schichten des Volkes greifende Regsamkeit Ersatz für die aufklärerische Entseelung im Gebiete des Religiösen (soweit nicht schon der
Pietismus diesen Dürstenden und Verlangenden Zuflucht geboten
hatte) in den geheimen Gesellschaften und Bünden, vor allem den
freimaurerischen, die im letzten Drittel des 18. Jahrhunderts ins
Kraut schossen. In ihnen vollzog sich der Schritt vom seichtesten Rationalismus zum abergläubischen Schwärmerwesen. «Nie hat sich»,
so läßt sich 1785 eine süddeutsche Stimme vernehmen, «der Sekten-
geist tätiger gezeigt als in unseren Tagen, welche man die aufgeklärten
nennt. Mit Mühe hatten wir den Gipfel der Vernunft erreicht und uns
überzeugt, daß unser Geist nicht für alle Gegenstände empfänglich,
und einem künftigen Leben die Vervollkommnung unserer Kenntnisse vorbehalten sei. Diese Leere gebar den Unglauben. Unzufrieden
mit einer Lage, welche uns so viele Wünsche übrig läßt, stürzten wir
uns in den tiefsten Grund des Aberglaubens und suchen durch die
Greuel des mittleren Zeitalters und der Scholastischen Philosophie
neue Entdeckungen zu machen.» Wie sehr diese geheimen Gesellschaften in einer unterschichtlich zu wertenden und massenpsycho-
logisch begreiflichen Haltung auf der Linie zwischen Sturm und
Drang und Romantik liegen, zeigt in der mit ihrem Apparate arbeiten-

ten Erzählungsliteratur des ausgehenden 18. Jahrhunderts die Verwendung des «Genius» oder «Schutzgeistes», des den Helden zu seiner Bestimmung leitenden, die Umstände beeinflussenden Sendboten der geheimen Gesellschaft, der die Rolle des Schicksals übernimmt. Die Dämonie der Geniezeit führt so durch Trivialisierung und Personifizierung hinüber zu der Schicksalsidee der späteren Epoche – alles aber steigt letztlich auf aus dem Boden einer Weltansicht, der die unenträtselbare Führung und Fügung von innen heraus, äußerlich sichtbar gemacht, die notwendige Folge einer wirkenden organischen Lebenskraft war. Auch der Goethesche «Wilhelm Meister» hat die Schicksalsdämonie durch die den Helden des rechten Weges führende Gesellschaft des Turmes veranschaulicht. So verknüpfte sich die Bildungsidee mit den auf die Phantasie wirkenden Seltsamkeiten und den Gebräuchen jener Einrichtungen und Vergesellschaftungen, deren reales und dichterisches Vorhandensein von dem Bedürfnis nach dem Unbegreiflichen gefordert wurde.

Die Bildungsidee! Alle Spannungen und Kräfte der Epoche vom Sturm und Drang bis ins 19. Jahrhundert würden ihre feste geistesgeschichtliche Form und eine weiter weisende, zusammengefaßte Kraft nicht gewonnen haben, wenn sie sich nicht um einen Mittelpunktsbegriff und eine Mittelpunktsforderung hätten bewegen können, gleichviel ob sie zu dem Zustande einer Ausgewogenheit gelangten oder nicht. Diese Mitte wird gebildet durch den in Deutschland aufgekommenen Bildungsbegriff und das deutsche Bildungsprinzip. Der Sinn des deutschen Wortes «Bildung», wie ihn das ausgehende 18. Jahrhundert schuf, ist in andere Sprachen unübersetzbar. Von Deutschland aus wurde dieser Begriff zum Grundbegriff aller geistigsozialen Problematik des neueren Menschen und erhielt Weltgeltung. Sehr augenfällig wird der rasch steigende Umfang und die immer weiter umsichgreifende Bewertung des Begriffes, seine immer tiefere Furchung schon aus der Geschichte des Wortes, das auch hier mit der Geschichte seiner Sinngebung und der geistigen Haltung, die sich mit ihm ausdrückt, engstens verbunden ist. Das 18. Jahrhundert hat das Wort «Bildung» nicht geschaffen, aber es hat es fähig gemacht zu der Funktion, die es seit dem Ausgang des Jahrhunderts erfüllte, zu jener

Zeit, als es zu einem Lieblings- und Modewort geworden war, mit Recht, weil es um 1800 alle anderen intellektuell-moralischen Begriffe übertönte. Ein altes, deutsches Wort, im Laufe eines halben Jahrtausends immer wieder gewandelt und umgefärbt und mit neuem Sinn erfüllt. Daß die Grundlagen der idealistischen Bewegung in alten Schichten zu finden sind, erschließt sich sehr eindrucksvoll aus der Geschichte dieses Wortes. Es ist der Mystik geläufig, es wird in der Theosophie des 17. Jahrhunderts und im Pietismus weiter verwendet, derart, daß es vom Körperlichen auf das Geistige übertragen wurde. Es wird säkularisiert, d. h. aus einem religiösen zu einem philosophischen Begriff. Auch hier zeigt sich, wie Klopstock innerhalb des Säkularisationsprozesses, den der Pietismus bei seinem Einströmen in die allgemeine deutsche Geistigkeit durchmachte, die wichtigste Rolle spielte. Es diente ihm dazu, die beiden Grundgedanken seiner Jugenddichtung, das Künstlertum Gottes und das Schöpferische des Menschen, aufzunehmen. Er leitet dieses Wort aus der religiös-metaphysischen Sphäre, in der es den gottgewollten Entwicklungsprozeß der Seele bezeichnet, bereits in einen pädagogischen Bereich hinüber, ja schon zeigt sich bei ihm der ästhetische Einschlag, der von allem Anfang im Tiefsten des Wortes enthalten war. Ohne zwischen den Tönungen scheiden zu wollen, die zwischen der Sprache der Mystik und des Pietismus hinsichtlich gerade dieses Ausdrucks bestehen, ohne Klopstocks Wortverwendung mit scharfer Unterscheidung der einen oder andern Strömung zuordnen zu wollen, steht außer Zweifel, daß er für das Wort «Bildung» und seine kommende Sinngebung die breiteste Aufnahmefähigkeit geschaffen hat — innerhalb und außerhalb dessen, was man die Empfindsamkeit nennt. Denn von 1748, dem Jahre, da die ersten Gesänge des «Messias» erscheinen, steigt die Kurve des Wortes in der deutschen Sprache bis zum Jahre 1770 unaufhaltsam. Der Platonismus, Shaftesbury, die Leibnizsche Monadologie ergeben neue Elemente für den Bedeutungszusammenwuchs des Bildungsbegriffes. Wielands «Bildung des moralischen Geschmacks», Gellerts «Bildung des Herzens zur Tugend», Justus Mösers «Bildung zum Bürger» sind vorläufige Abspaltungen der sich immer deutlicher abhebenden, auf das Allgemeinmenschliche zielenden Bedeutung.

Nebenher geht die Philanthropie und Pädagogik des 18. Jahrhunderts. Bei Basedow und Pestalozzi wird das Wort und der Begriff eine praktische Hilfskonstruktion, die eine idealistische Grundlegung noch gerade durchschimmern läßt. In Herder und in Goethe sammeln sich alle Zuflüsse, die das eigentliche deutsche Bildungsprinzip geschaffen und in philosophischer wie soziologischer Richtung zum Oberbegriff der neuen Geistigkeit gemacht haben. Von ihnen und Wilhelm von Humboldt geht alle Analyse und Diskussion des Begriffes in seiner nicht mehr historischen, sondern wertsetzenden Bedeutung aus. In ihnen treffen sich die beiden Möglichkeiten der Sinndeutung des Wortes, wie sie auf der Höhe seiner Entwicklung bestanden: die Bildung als ein «zum Bilde machen», d. h. die Entscheidung mit dem «Ziel am Ende» (maßgeblich Shaftesbury) und die Bildung als «Ausformung vorgegebener Anlagen» (maßgeblich der organische Vitalismus und die vegetabilische Analogie bei Rousseau) mit dem «Sinn am Anfang».

Diesen Vorgang der Ichformung und Icherhöhung und -erweiterung, diesen Ablauf, in dessen Verfolg sich ein Ausgleich zwischen naturhafter Dämonie des Ichs und objektiver Gegebenheit der Welt herstellte, spiegelt die Goethesche Entwicklung an einem exemplarischen Einzelfall. Für sie wird die «Bildung» zur «entelechischen» Kraftauswirkung, die durch den Systemzusammenhang der Welt und der Gesellschaft ihre Regelung und Beschränkung erfährt. Damit ordnet sie sich ein in den Umkreis jener Spannungen, die nach der eigentlichen Sturm-und-Drang-Zeit übrigblieben. Der «Wilhelm Meister» in seinen beiden Stufen der «Theatralischen Sendung» und der «Lehrjahre» ist aus diesem Ringen um die feste Lebensform und um das gültige innere Gesetz erwachsen. Die «Theatralische Sendung» zeigte den Ausweg nach dem Theater als die vorläufige Straße für den künstlerischen und auf eine unbewußte Totalität hinausgehenden Menschen, «der ein Leben fortzuführen wünschte, das ihm die Verhältnisse der bürgerlichen Welt nicht gestatteten». Aber diese Gleichsetzung seiner Dämonie mit dem, was «die Welt» ist, hält ja nicht stand. Die «Lehrjahre» bemühen sich, das Ringen um den Ausgleich zwischen Kunst und Leben umfassender und allseitiger zu schildern. Wilhelm fängt an «zu wittern, daß es in der Welt anders zugehe, als er es sich gedacht hatte». Und schließlich wird von ihm verkündet, daß «sein sittliches Streben darauf gerichtet ist, aus unserer Natur, anstatt sie zu vernachlässigen und dann als Feindin zu bekämpfen, durch Pflege und Veredelung einen Bundesgenossen unseres moralischen Ichs zu machen». Damit findet die Idee des Schön-Guten seine Erfüllung, und der Ausgleich, um den die Generation nach dem Sturm und Drang gestrebt hatte, scheint sich vollziehen zu sollen. Aber diese Entwicklung in dem Sinne, daß der Abbé in den «Lehrjahren» sagen konnte: «Der Mensch ist nicht eher glücklich, als bis sein unbedingtes Streben sich selbst eine Begrenzung bestimmt», diese Festigung und Kristallisierung hatte wiederum zur Vorstufe eine Rechtfertigung, die aus dem deutschen Griechenglauben Winckelmannscher Ordnung und der Gleichsetzung dieses Griechentums mit dem menschlichen Urphänomen herkam. Dort schien in ursprünglich-einmaliger und naturhafter Zusammengehörigkeit und Vollendung die Einheit des Schönen mit dem Moralischen erreicht. Es war damit der Rahmen gegeben, der das Bild und die «Bildung» des geistigen Horizontes umspannte, den eine spätere geschichtliche Abgrenzung und Verknüpfung und eine philosophisch-ästhetische Wertbestimmung die «deutsche Klassik» nannte.

II

WINCKELMANN UND SEINE WIRKUNG
«KLASSIK» UND «KLASSIZISMUS»
DIE GRIECHEN

Wenn von irgendeinem Punkte aus die deutsche Klassik neu gesehen werden darf, wenn es dringendes Gebot erscheint, sie zu erfassen, nicht nach der Schicht, die das 19. Jahrhundert über sie ge-
breitet hat, sondern hindurchzudringen durch einen vagen und auch
wieder verfestigten Mythus zu ihrer Eigentlichkeit, so ist dieser Punkt
gegeben mit dem Verhältnis Winckelmanns zu ihr und auch zu der
ihr voraufgehenden Geniezeit. Alle Ablehnung und alles vermeintliche Überwundensein der Klassik hängt mit diesem Problem zusammen, wie schließlich im allgemeinen Bewußtsein alle Neubewertung
hier einsetzen müßte. Das Winckelmannsche ist in der Folgezeit ein
Idol und ein Stichblatt geworden. Die Einseitigkeit klassizistischer
Kunstauffassung, das klassische Bildungsideal, das von dem humanistischen Gymnasium ausging, der Widerstreit oder das Wechselverhältnis
zwischen deutsch und antik – alle diese die Späteren beschäftigenden
Fragen knüpfen an Winckelmann an.

Was alles hat man in dieser Winckelmannschen Welt erkennen
wollen!

Starre Gesetzlichkeit und unverbrüchliches Dogma, bindende Vorschriften, nicht zu verletzende Vorbildlichkeit, Unterdrückung individuellen und charakteristischen Kunstwillens, akademische Trockenheit, Bindung an längst entmachtete Formbegriffe, ertötende Gleich-
mäßigkeit – für dies und noch Schlimmeres wurde Winckelmann verantwortlich. Aus der Erstarrung und Entkräftung, aus der Trivialisierung und Typisierung des Winckelmannbildes und der an ihn seit
der Klassik angeknüpften Vorstellungen muß eine wissenschaftliche
Darstellung der Literatur- und Kunstgeschichte zurück zu der leben-

digen und naturhaften Kraft, zu der geistesgeschichtlichen Notwendigkeit, zu dem Höchstpersönlichen der Lösungen, die er fand.

Winckelmann und die deutsche Klassik haben die Antike nicht gezeichnet, wie sie «war» oder wie sie sich im Lichte der fortschreitenden historischen Einzelergründung des 19. und 20. Jahrhunderts darstellt, sondern sie sahen die Antike so, wie sie sie nach den Triebkräften und der Schicksalsstunde der Epoche sehen mußten, wie sie ihnen persönliches Erlebnis geworden und im dialektischen Prozeß der Geistesgeschichte eine Notwendigkeit war. Allenthalben ist in Weltanschauung und Kunst der Klassik das Erste nicht das Antike, sondern das durch Persönlichkeit und Zeit bedingte Erlebnis. Bei allem Denken um die Antike, bei aller Übernahme äußerer Form und äußeren Apparates ist alle innere Form, alle Konzeption menschlich bewegt und heimisch, und das vermeintlich starre Idol verflüchtigt sich schon im Anfange seines Werdens in ein bewegtes, luftiges und wandelbares Gebilde, in ein Symbol menschlicher Nöte und menschlichen Suchens, so wie Helenas Gewande sich in Wolken auflösen und dem Blicke Fausts entschweben in unendliche Ferne, nur noch mit der Sehnsucht zu erfassen. Aller Griechenglaube und alle Lösungen, die man mit ihm zu finden meinte, haben eine religiöse Unterlegung, die vom Boden der Religiosität seit dem Ausgange des Mittelalters erklärt werden muß. Es ist also bei der Klassik im wesentlichen gerade so, wie bei den Bemühungen um antikisierende Form und antikisierenden Gehalt in den Perioden der deutschen Geistes- und Dichtungsgeschichte, die der Klassik voraufliegen. Weltanschaulich gesehen ist das Antikisierende nur die Hülle, die Stützung, das Gerüst. Der Kern hat ganz andere Bezogenheiten. Und das entscheidende Problem alles geistig-geschichtlichen Lebens, das Verhältnis von Einzelpersönlichkeit und Gesamtgeist innerhalb des geschichtlichen Ablaufs, findet hier seine besondere Anwendung und Fragestellung.

Die *Schriften Winckelmanns*, seine «Gedanken über die Nachahmung der griechischen Werke» (1755) wie seine Kunstgeschichte (1764), sind so sehr ein Erzeugnis individuellen Geistes, so sehr Ergebnis der Winckelmannschen Bildungsgeschichte, daß Goethe von ihm hat sagen können: «Daß seine Werke so, wie sie da liegen, erst als Manuskript auf das Papier gekommen und sodann später im Druck für die Folgezeit fixiert wurden, hing von unendlich mannigfaltigen kleinen Umständen ab. Nur einen Monat später, so hätten wir ein anderes Werk, richtiger an Gehalt, bestimmter in der Form, vielleicht etwas ganz anderes.» Seine Schriften sind für die Literaturgeschichte in erster Linie Werke der Eingebung, des inneren Sinnes. Ihr gelehrter und historischer Teil trat bei Zeitgenossen wie bei Nachlebenden zurück. Wenn die spätere Kunstwissenschaft ihn als einen der ersten echten Historiker betrachtete und in der Aufstellung von vier Stilperioden der griechischen Kunst seine eigentliche Leistung sah, so hat dieser Teil seiner Lehre erst auf die Fachwissenschaft des 19. Jahrhunderts gewirkt. Was sogleich gewirkt hat und folgenschwer wurde, ist der von ihm geschaffene Mythus des Griechentums, namentlich soweit er von der breiten Öffentlichkeit in Schlagwörtern eingefangen werden konnte, wie es jenes so oft nachgesprochene, aber selten seiner ganzen Tiefe nach verstandene der «edlen Einfalt und stillen Größe» ist. Noch mehr gewirkt aber hat die weltanschauliche und persönliche Haltung seiner Schriften, die die Sendung erfüllten, die Pforten eines neuen Lebensgefühls und Kunstgefühls aufzustoßen, den Empfänglichen die Zunge zu lösen und ihr Bekenntnis zur Einheit alles organischen Lebens und zum Gesetze der eigenen Persönlichkeit zu fördern. Kurz gesagt, der Weisheitsgehalt der Schriften Winckelmanns ist das Epochale. Das Historische an ihnen ist das Hinzukommende. Zum ersten Male gelangen in Winckelmanns Kunstgeschichte Historie und Philosophie oder Theorie zur Deckung, zum ersten Male bietet bei ihm die Geschichte die Möglichkeit, das Wesentliche zu sagen, was in einem Zeitalter zum Ausdruck kommen will. Seine Schriften müssen ihre Stelle finden innerhalb der Weltanschauung und der Philosophie ihrer Zeit. Sie dürfen immer weiter in einen Außenbezirk hinausgeschoben werden, wenn man in ihnen den Niederschlag fachwissenschaftlicher Forschung erkennen will (so groß seine Leistungen für seine Zeit gewesen sein mögen und so oft man auch heute noch auf ihn zurückgreifen mag) oder wenn man in ihnen verpflichtende Lehrbücher für die Ästhetik oder gar für das künstlerische Schaffen sieht, obwohl die Winckelmannsche Theorie zwei Menschenalter hindurch ganz Westeuropa beschäftigte; sein unmittelbarer und positiver Einfluß auf die Entwicklung der bildenden Kunst darf jedenfalls nicht überschätzt werden. Freilich, er war im Sinne seiner Zeit nichts weniger als ein systematischer Philosoph. Er hatte mit Ekel einst in der Vorlesung Baumgartens zu Halle gesessen. Er meint noch im Jahre 1763, «die ganze Wissenschaft der Metaphysik verdiene kein Nachdenken». War er deswegen überhaupt ein Gegner der Systemgläubigkeit der Aufklärung, und sind seine Schriften in der Tat, wie man häufig liest, nach ihrer Haltung zu erklären aus dieser Richtung gegen ein systematisches Lehrgebäude? Gewiß nicht. Nur soweit ein solches System bloß rationalistisch-lehrhaft und trocken-schematisch war, widerstrebte es dem Dämonischen seines Wesens. Daneben war sein Sinn bei seiner Kunstgeschichte, wie er ausdrücklich hervorhebt, darauf gerichtet, ein Lehrgebäude zu liefern, ein «Lehrbuch, welches bestimmt und gesetzmäßig lehre», ein «Systema der alten Kunst». Es sei, so schreibt er an Geßner im Jahre 1761, endlich einmal Zeit, daß sich jemand an dieses System der Kunst wage. Diese und andere Äußerungen, der Stolz, mit dem er gerade von dieser Absicht seines Werkes spricht, schließlich die Haltung des Werkes selbst, lassen erkennen, daß es ihm – System oder nicht – darauf ankommt, in das Innere und Wesentliche der Kunst und der Natur einzudringen. So war das Ziel seines Strebens in tieferem Sinne eben philosophisch. Und so hat Herder recht, wenn er in den «Kritischen Wäldern» meint, daß Winckelmann in seiner Kunstgeschichte mehr darauf bedacht sei, eine historische Metaphysik des Schönen aus den Alten zu liefern als eigentliche Geschichte. Aber es ist eine Metaphysik und ein System, an dem nicht der Verstand gebaut hat, sondern die «geniale Anschauung». Hier stößt man auf die Strukturverhältnisse seiner Persönlichkeit und auf ihre Grundgesetze.

Winckelmann, 1717 geboren, stellt die älteste Generation derer dar, die aus der Polyhistorie des 18. Jahrhunderts zu einem Sinnvollen vorzudringen suchten. Er ist der erste, der die Bindungen und Setzungen starrer Begrifflichkeit und rationalistischer Norm für das Leben und die Kunst zu durchbrechen strebte. Das war bei ihm Sache des Erlebnisses und der Charakterbestimmtheit, und es war ebenso Frucht der

Bildung, aus der Erlebnis und Charakter Nahrung gewannen. Ungemein bezeichnend sind die Symptome einer frühen Gegensätzlichkeit zu der deutschen Welt um ihn, die Unzufriedenheit mit den Zuständen des sozialen, politischen und künstlerischen Lebens und die skeptisch-revolutionäre Haltung. «Wir haben», so lesen wir einmal bei ihm, mit einem Seitenblick auf die einheitliche, politisch-heroische Erziehung bei den Alten, «drei widerstreitende Erziehungen: die Erziehung unserer Eltern, unserer Lehrer und der Welt. Was man uns in der letzten sagt, stürzt alle Begriffe der beiden ersteren um. Den Alten war dieser unheilvolle Gegensatz zwischen religiösen und weltlichen Pflichten unbekannt. Der Vorzug ihrer Erziehung war, daß sie nie Lügen gestraft wurde.» In einer solchen Wendung gegen das Heuchlerische und Widerspruchsvolle des geltenden Erziehungssystems und gegen gesellschaftliche Übereinkunftsbegriffe bekundet sich jene Freiheit eines durch alle Konvention hindurchdringenden Blickes, der ihm auch auf anderen Gebieten zu Gebote steht. Es ist in ihm schon eine Richtung gegen die Gesellschaftslüge, eine Auflehnung gegen starr gewordene Bindungen und Aufteilungen, wie sie der Sturm und Drang dann in Deutschland verkündete. Er brachte diese kritische Haltung gegenüber den deutschen Verhältnissen nach Italien mit: «Ich bin», so liest man einmal bei ihm in der italienischen Zeit, «wie ein wildes Kraut, meinem eigenen Triebe überlassen und aufgewachsen und ich glaube, imstande gewesen zu sein, einen anderen und mich selbst aufzuopfern, wenn Mördern der Tyrannen Ehrensäulen gesetzt würden.» So klingt ein geniemäßiges «In tyrannos» schon bei Winckelmann vor, der in seinem Verhältnis zur Geniezeit die «Gleichartigkeit des Ungleichzeitigen» erkennen läßt. Wie dies Antidespotische psychologisch bei ihm herzuleiten sein mag? Wohl aus dem Druck, unter dem er selber so lange gestanden hatte. Die heroische Freiheitsliebe der griechischen Freistaaten konnte ihn in dieser Richtung ebensowohl bestärken wie das Schweizertum, dem er sich zeitlebens verbunden fühlte.

Dies aus der Gedrücktheit sich emporringende, mit Ressentiments verschiedener Art beladene Naturell nahm die Schriftsteller in sich auf, die ihn in sich selbst bestätigten. Es waren nach Justi die, die «den Kindern des 18.Jahrhunderts die Geistes- und Feuertaufe erteilten». Wir dürfen sagen: es waren die Heroen des englischen und französischen Sensualismus, aus denen Winckelmann sich Auszüge anlegte. Es waren die, die zurückriefen zur Natur, zum Einfachen und Vernünftigen. Ihre Lehre war: «Statt der Weisheit der Systeme und der Worte die Kunde der Erfahrung und der Sinne; statt der Willkür der Vernunft die Sicherheit des Instinkts; statt strenger und finsterer Gebote eine Tugend, welche aus Trieben des Herzens keimt und mit der Lebensfreude verbrüdert ist; statt des mechanischen Regelgeistes in Poesie und Kunst die freie Willkür des Originalgenies; statt verknöcherter und fremdgewordener Tradition eine allen Menschen in die Seele geschriebene Naturreligion. Überall erhebt sich die Stimme einer freien und milden Menschlichkeit gegenüber der Barbarei des Krieges, der Erziehung, des Gewissenszwangs. Überall erhält man den Eindruck der umsichgreifenden Verstimmung gegen eine von der Natur abgekommene Zivilisation, glaubt man die Vorzeichen eines in allen Gebieten des geistigen Lebens sich vorbereitenden Sturmes zu erkennen. Diese Philosophie schwor dem Christentum den Untergang und räsonierte es wirklich aus den Köpfen weg, während sie in manchen Dingen zum erstenmal ernst damit machte, die Moral des Evangeliums zur Geltung zu bringen.» Solche Feststellungen von Winckelmanns klassischem Biographen müssen mit den Folgerungen, die sich für die Geistesgeschichte ergeben, wohl beachtet werden. Die geistige Unruhe und Erreglichkeit Winckelmanns, sein Freiheits- und Ausdehnungsbedürfnis, das durch den Druck einer harten Jugend nur noch gesteigert worden war, machten ihn zu einem Brennpunkte aller Unzufriedenheit mit den Verhältnissen seines Heimatlandes, wie er mit seiner empfindsamen und beweglichen Seele sie hatte verspüren müssen. Und dieses Suchen und Tasten nach einem Ausweg aus der Gefangenschaft, in die deutsches Wesen und deutsche Verhältnisse damaliger Zeit ihn gelegt hatten, äußert sich in jenen Auszügen, die er sich aus den Schriftstellern zurechtmachte, die seinem Denken entgegenkamen. Er erscheint in diesen Auszügen durchaus nicht «als der spätgeborene Geistesverwandte der Tage des Phidias und Plato», sondern als der Sohn seiner Zeit, des Jahrhunderts, das sich auch in *ihm*

73

wiedererkennt, desselben, von dem Condorcet 1788 sagte, «daß in
ihm der menschliche Geist, unruhig geworden in seinen Ketten, alle
gelockert und einige zerrissen hat, wo alle Meinungen geprüft, alle
Irrtümer angefochten, alle alten Gebräuche der Diskussion unterworfen worden sind, wo alle Geister einen ungeahnten Zug nach der Freiheit genommen haben». So gewinnt das Problem Winckelmann einen
europäischen und epochalen Aspekt, wobei denn auch die Loslösung
von der Lieblingsvorstellung sich vollziehen muß, als handle es sich
bei ihm nur um den Verkünder der menschlichen Urbildhaftigkeit des
Griechentums. Nein, es handelt sich bei ihm um einen der unruhig-
sten, eindrucksfähigsten und persönlichsten Schriftsteller, die jedenfalls das Deutschland des 18. Jahrhunderts hervorgebracht hat, um
den Wegbereiter jener Bewegung, die sich in den siebziger Jahren
dieses Jahrhunderts in einer bestimmten Gruppe von Schriftstellern,
die die Öffentlichkeit stark beschäftigten, sehr stürmisch äußerte;
aber sie stellen doch eigentlich nur die Wellenkämme dar in dem
aufgewühlten Meere des westeuropäischen Gedanken- und Gefühlslebens.

Mit dem Gesagten ist die Entdeckung, die Winckelmann für das
Abendland gemacht hat, nicht erschöpft. Die Frage ist: Wo liegt der
letzte Punkt, an dem sich seine Seele entzündete, um für das «Urbild-
hafte» griechischer Kunst und griechischen Lebens ein für allemal
zu erglühen? Es scheint, als habe Wolfgang Schadewaldt in seiner
Schrift «Winckelmann und Homer» (Leipzig 1941) diesen Punkt ge-
troffen. Winckelmanns schicksalhafte Aufgabe war die, das Griechentum und nur das Griechentum zu sehen. Bisher hatte fast die gesamte abendländische Kunst und Wissenschaft, wenn es sich um die
Auseinandersetzung mit der Antike handelte, dem Römischen oder
Lateinischen gegolten. Winckelmann (und der junge Herder) stehen
gegen das Römertum, weil es an dem herrschenden formalistischen
«Klassizismus» schuld getragen habe. Doch nun kam die Erweckung
des Griechentums. Am Anfange dieser Erweckung steht Winckelmanns Homer-Erlebnis. Seitdem wurde Homer der gewaltige, menschlich und dichterisch zugleich vorbildhafte Hintergrund, auf den die
deutsche Klassik nur hinzudeuten brauchte, um sich ihrer eigenen

Wurzeln bewußt zu werden. Homer, so stellt Schadewaldt fest und deckt sich dabei mit den Überzeugungen, von denen auch die hier vorliegende Darstellung Winckelmanns getragen ist, war für ihn eben nicht «Literatur» (wie alle bisherigen Bemühungen des «Klassizismus» mit dem Altertum). Sein Homer-Erlebnis gehört zu den «genialen» Erlebnissen, die «mit überfremdender Nachahmung, mit Liebhaberei, bloßem Sichgehenlassen usw.» nichts zu tun haben. Es trage den Charakter der echten «Begegnung». «Ich verstehe», so sagt Schadewaldt, «aber unter Begegnung ein Zusammentreffen zu guter Stunde, wo wir uns in einer unsagbaren Mischung von Hingabe und Selbstbehauptung in anderen wiederfinden und, indem jenes andere Wesen sich erschließt, uns zugleich in unserem eigenen Selbst erwächst, geläutert und erhoben wissen. Solche Begegnungen sind selten, im Leben des Einzelnen wie hinweg über die Zeiten und Völker ... Sie pflegen, wo sie sich ereignen, für Zeit und Nachwelt unabsehbar in ihren Folgen zu sein.» Winckelmann war damals nicht einer von vielen, die den Homer liebten. Erst einigen wenigen, darunter Breitinger, war, seitdem die griechischen Studien nach dem 16. Jahrhundert zerfallen waren, Homer nahe gekommen. Winckelmanns Seele taucht in Homer unter als in einem Elemente des Wesenhaften und Uranfänglichen ... Er wird durch Homer aus der Kleinlichkeit seines äußeren Daseins entrückt und gewinnt durch ihn die Vorstellung einer Existenz im Überalltäglichen. Helden und Götter Homers lenken seinen Blick auf die höchsten und erhabensten Gegenstände, für die zu leben einzig des Menschen würdig ist. Vor allem seine Begriffe von Schönheit stellen sich fest an Homers Art des Schauens und Sagens. Homer versetzte nach Schadewaldt Winckelmann gleichsam zum Ursprungsort der Kunst selber zurück, in eine geheimnisvolle Sphäre, wo im Künstler die Visionen keimen. Alles dies, was Winckelmann an Homer erfuhr, gab er an Goethe und die Klassik weiter. Der wahre Sinn der Hochklassik Goethes und Schillers ist nicht enthalten in einem System oder Programm, in einem Gebäude der «Ästhetik», in einem starren und abstrakten Regelbau, von dem sich das Wahre und Wirkliche zurückzieht. Für Winckelmann wie für Goethe und den späteren Schiller handelte es sich um eine am Griechischen erkannte Lebensmöglichkeit. Und nicht so, daß zwischen Leben und Idee eine Kluft bestände. Man hat heute erkannt, daß Winckelmann eben nicht «Idealist» auf den Spuren Platons war. Die «Idee» ist ihm mit und in den Dingen gegeben. Dies ist ja auch der Sinn der Goetheschen Weltanschauung, und Schiller hat in seinen philosophischen Schriften mit sich selbst um das Verständnis dieses Sinnes gerungen und ihn seinem Geiste anzugleichen gesucht.

Neben Homer haben zwei außerdeutsche Schriftsteller neuer Zeit Winckelmann in seiner Jugend den Mut zu sich selber gegeben: Montaigne und Shaftesbury. Das Verdienst des Franzosen wird es gewesen sein, daß er die skeptische Haltung beförderte, die Verehrung großer Persönlichkeiten, den Zweifel an allem, was geltende Meinung war, die Anschauung vom Gleichgewicht des Seelischen und Leiblichen, endlich die Weltläufigkeit. Das Letztgesagte gilt auch von der Wirkung Shaftesburys auf Winckelmann. Dessen vornehme Urbanität lehnte das Gemeine ab, unter welcher Form auch immer es sich gäbe. Dieses Gemeine bedingt stets einen Geist der Lehrhaftigkeit und der Allgemeinverständlichkeit und muß sich so auch in einer systematischen Darstellung äußern. Montaigne und Shaftesbury haben Winckelmann dazu gebracht, daß er in seinen Schilderungen jene Ungebundenheit des Weges vorzieht, wie sie altes humanistisches Erbteil ist, und, was er zu sagen hat, in der Form einer weltmännisch-überlegenen Unterhaltung, einer menschenwürdigen und -kennerischen Unlehrhaftigkeit vorbringt. Durch sie wird Winckelmann zu einem der großen Bildungsschriftsteller der Deutschen erzogen. Er schuf mit ihrer Hilfe jene Schicht in Deutschland (und wurde wieder durch sie getragen), auf der unsere klassische Literatur ruht, jene gesellschaftliche Schicht, die dem deutschen Schriftsteller das gab, was die Nation ihm hätte geben sollen und damals noch nicht geben konnte.

Kann man Winckelmanns schriftstellerische Haltung an Shaftesbury nach rückwärts anknüpfen, so läuft die Verbindungslinie nach vorn zu Herder und zu Karl Philipp Moritz. Bei Herders erstem literarischen Auftreten hatte Winckelmann das Gefühl, nun auch in der nordischen Ferne verstanden zu werden. Die Gruppe Shaftesbury-Winckelmann-Herder-Karl Philipp Moritz wird verbunden vor allem durch einen dem Neuplatonismus verpflichteten Gedanken: das ist der Vergleich der künstlerischen Hervorbringung mit der schöpferischen Urkraft und damit die Betonung eines Göttlichen in der Kunst. «Wir haben», sagt Shaftesbury, «gewissermaßen ein Bewußtsein jener ursprünglich, von Ewigkeit existierenden denkenden Kraft, aus der die unsrige entsprungen». Deshalb nennt er den Künstler einen zweiten Schöpfer: «Ein wahrer Prometheus unter einem Jupiter, gleich dem höchsten Künstler oder der universellen plastischen Natur, formt er ein Ganzes, in sich zusammenhangend und symmetrisch und mit der angemessenen Unterordnung der Bestandteile». Dieser Begriff des Schöpferischen kehrt überall bei Winckelmann wieder. Er bedingt letztlich den Geniebegriff der Sturm-und-Drang-Zeit, ihr zumal durch Herder vermittelt. Karl Philipp Moritz bildet diesen Schöpferbegriff weiter und lernt in Goethe seine Verkörperung kennen. Dieser Schöpferbegriff ist die dann schon selbstverständlich gewordene Voraussetzung der Klassik, die unbewußt die weiteren Folgerungen aus ihm zog. Er ist das, was den Winckelmannschen Schriften die tiefe, verhaltene Glut gab. Aber er ist nur die eine Seite der Sache, um die es bei Winckelmann geht.

Noch fehlt unserm Winckelmannbilde die Zusammenfassung aller zerstreuten Strahlen zu einer Aura des Dämonischen. Freilich hat schon Goethe 1805 in seiner aphoristisch Stein an Stein fügenden Abhandlung über ihn den engen Zusammenhang seines Lebenswerkes mit seinem Naturell und seinem Charakter und die höchstpersönliche Art seiner Stellung zu den Erscheinungen des Lebens und der Kunst unverrückbar erfaßt. Er hatte schon gesagt: «Wenn bei sehr vielen Menschen, besonders aber bei Gelehrten, dasjenige, was sie leisten, als die Hauptsache erscheint und der Charakter sich dabei wenig äußert, so tritt im Gegenteil bei Winckelmann der Fall ein, daß alles dasjenige, was er hervorbringt, hauptsächlich deswegen merkwürdig und schätzenswert ist, weil sein Charakter sich immer dabei offenbart.» Die Leidensgeschichte der Winckelmannschen Jugend, der Zwang äußerer und innerer Art, unter dem er sich entwickeln mußte, sind bekannt genug. Das deutsche Elend der bürgerlichen Welt des 18. Jahrhunderts mit aller Kleinlichkeit des Magister- und Gelehrtendaseins machte er durch. Polaritätserscheinungen hierzu – um die Dinge thesenhaft vorweg zu bezeichnen – waren die Sehnsucht in die größere Welt, insonderheit der Wunsch nach Erlösung und Ergänzung seines Wesens im Süden und in der Helle und Freudigkeit der durch Homer ihm nahegebrachten Antike, die Anschauung von der persönlichen, schöpferischen Freiheit des Genies, die Verwerfung des Erziehungselendes und Erziehungszwanges, demgegenüber die ursprüngliche und organische Gegebenheit und «Bildung» der Natur gesucht wurde, die er bei den Griechen verwirklicht fand. Auch sein noch in anderm Zusammenhange zu wertender Übertritt zum Katholizismus (zu dem freudigen Katholizismus des Südens) ist trotz allem möglicherweise in seinen letzten Gründen eine solche psychologische Polaritätserscheinung.

Was er über die Antike dachte und niederschrieb, war also nichts anderes als der Ausdruck seines eigenen Lebensgefühls. Er lebte dieses Altertum, so, wie er es sich vorstellte, er erlebte es nicht mit dem Verstande, sondern mit dem Instinkte und mit den Trieben, die nun einmal sein Naturhaftes ausmachten, auch mit dem Triebe der Männerliebe, die er bei den Griechen wiederfand. «Die alten Kunstwerke waren», wie Goethe sagt, «für alles, was die Natur in ihn gelegt hatte, nur die antwortenden Gegenbilder», und dieses herrlich treffende Wort könnte man auch von der Klassik Goethes selber gebrauchen. Ihm wie Winckelmann bedeutete ja die Kunst ein in sich selbständiges und organisches Leben. Daß sie ihm das war, zeigt sich freilich in vollem Ausmaße erst in seiner «Geschichte der Kunst bei den Griechen» (1763–68), noch nicht so sehr in jener ersten Schrift vom Jahre 1755, in den «Gedanken über die Nachahmung der griechischen Werke» und ihren Erläuterungen. Sie enthält zwar schon den Winckelmannschen idealen Schönheitsbegriff (wenn auch, im Gegensatz zur Kunstgeschichte, das Urbild dieser idealischen Schönheit ihm hier noch «nur im Verstande entworfen» ist); sie bietet schon die Sätze, die die einprägsamste Formel für das geworden sind, was Winckelmann von der griechischen Kunst dachte; die Sätze lauten: «Das allgemeine vorzügliche Kennzeichen der griechischen Meisterwerke ist eine edle Einfalt und eine stille Größe, sowohl in der Stellung als im Ausdruck ... Je ruhiger der Stand des Körpers ist, desto geschickter ist er, den wahren Charakter der Seele zu schildern ... Kenntlicher und bezeichnender wird die Seele in heftigen Leidenschaften, groß aber und edel ist sie in dem Stande der Einheit, in dem Stande der Ruhe.» Hiermit war der entschiedenste Gegensatz gegen die Bewegtheit und Gespanntheit aller Barockkunst ausgesprochen. Und wenn man heute weiß, daß es der griechischen Kunst an Unruhevollem und Bewegtem keineswegs gefehlt hat, so ersieht man wieder, daß Winckelmann auch hier in der griechischen Kunst die Bestätigung eigener, tiefer Sehnsucht nach Ruhe und Befriedung fand – mit Übersehung dessen, was diesem Wunschbilde widersprach. Auch ihm ist gewiß nicht unbekannt geblieben, daß dieser Idee der edlen Einfalt und stillen Größe, die er der griechischen Kunst allgemein zuschrieb, manches entgegenstand, wenn seine Kenntnis der griechischen Kunst auch beschränkt war. Schon Justi hatte übrigens angesichts dieses berühmten Satzes Erwägungen angestellt, die den soeben angedeuteten parallel gehen, wenn er fragt, ob wohl jemand, dessen Kunstbegriffe sich im 18. Jahr statt im achtunddreißigsten fixieren, das Höchste im Ausdruck edle Einfalt und stille Größe genannt haben würde, so daß auch bei Winckelmann die Bedingtheit durch eine gewisse Altersstufe eine Rolle spielt. Diese Begriffe werden bei ihm ergänzt durch die Vorstellung von der Heiterkeit der griechischen Kunst, eine Vorstellung, die durch unsere heutige historische Kenntnis ebenso eingeschränkt werden muß wie die erstangeführte. «Die Griechen», so sagt Winckelmann, «bezeichnen ihre Werke mit einem gewissen offenen Wesen, einem Charakter der Freude ... Auf keinem einzigen ihrer Denkmäler ist eine fürchterliche Vorstellung.» Es wird angezeigt sein, auch diese Auffassung des Griechentums, die alsbald kanonisch wurde, nicht nur mit dem persönlichen Wunschbilde Winckelmanns zusammenzubringen, sondern in ihr auch den geistesgeschichtlichen Niederschlag der Schönheitslehre und Glückseligkeitsphilosophie wiederum Shaftesburys zu erblicken. Gewiß, wir haben schon in den «Gedanken über die Nachahmung» die Anfänge der Winckelmannschen Ideenbildung. Wir haben das Bild einer Kunst, die gleichbedeutend ist mit dem Leben und mit der Natur des Landes, aus dem sie kam, haben die Verehrung der schönen menschlichen Gestalt als des Prototyps aller Kunst und haben die Vorstellung von Idealbildungen, in denen sich die schöne Natur über sich selbst erhebt deswegen, weil sie allein imstande war, diese Höherbildung des Geschmacks zu erzeugen. Doch ist diese Schrift als Ganzes eine Vorläuferin, beinahe eine Improvisation, in ihrer springenden, fast aphoristischen Form, in der lockeren Zusammenfügung ihrer Gedanken, in der impressionistischen Art ihres Ausdrucks, in der Keimhaftigkeit ihrer Gedankenbildungen. Trotz der weiten Wirkung der «Gedanken» ist für die deutsche Geistesgeschichte das neun Jahre später folgende, große Werk von ungleich tieferer Bedeutung.

Anschauung und Empfindung – das sind die beiden Elemente, in denen auch die Winckelmannsche Kunstgeschichte lebt. Die Ästhetik reicht hier der Geschichte die Hand in der «Beschreibung». Denn um Beschreibung, hervorgehend aus der sinnlichen Anschauung und aus der heißen Empfindung, ist es ihm zu tun, nicht um eine «Deutung». Er ist sowohl in dem theoretischen wie in dem historischen Teil seines Hauptwerkes immer gerichtet auf die sinnliche Vergegenwärtigung, die die alten Kunstdenkmäler bieten. Er war «diesseitig». Er sieht, ebenso wie es die Lebensweisheit Goethes ist, Unendliches im Endlichen, in der Bannung durch feste, sinnliche Form, Linie, Harmonie. Der deutsche Hellenismus war eben dem Unendlichen offen und doch festumrissen – eine eigentümliche Vereinigung, die so nur in Deutschland zu finden ist. Es steht hier nicht zur Rede, wie diese Auffassung der griechischen Kunst unterschieden ist von jener, die mit der jüngeren Romantik hochkam, da man das dunkle Geheimnis hinter den Gestalten suchte, die religiöse Abgründigkeit und Umwölktheit. Hierin liegen die letzten Beziehungen Winckelmanns zur deutschen Klassik, hierin, daß es bei ihm trotz allem Enthusiasmus, aller Hochspannung des Gefühls, allem glutvollen Umfangen immer kausalmäßig und natürlich zugeht und seine Rede die klaren und manchmal gezirkelten Umrisse des Ausdrucks zeigt, der der guten deutschen Prosa des 18. Jahrhunderts von der französischen Schule her selbstverständlich war. «So unerreicht die griechische Kunst ist, so vollkommen sie der Natur ihre Geheimnisse abgelauscht hat, ja über die Natur hinaus in eine geistige Welt gedrungen ist, und von dort her Urbilder herabgeholt hat: den-

noch kann von jedem ihrer Schritte auf diesem Wege Rechenschaft gegeben werden: die Kette der mannigfaltigen Bedingungen, die in Natur und Kultur liegen, bricht nie ab. Kein mystisches Helldunkel, kein
metaphysischer Wortkram.» Dies eben läßt ihn zugehörig sein zu den
beiden Bewegungen der deutschen Literatur und des deutschen Geistes im letzten Drittel des 18. Jahrhunderts, den beiden Bewegungen,
die, keineswegs Gegensätze, geistesgeschichtlich-organisch miteinander verbunden sind, Sturm und Drang und Klassik: daß nämlich kosmische Gesetzlichkeit und Entwicklung und Erdhaftigkeit bei allen
drei Größen bestimmend sind, nicht etwa Philosophie oder «Geist»,
wie in der Frühromantik, oder die dunkle religiöse Tiefe in der späteren Romantik. Durch solche an Nietzsche und Bachofen geschärfte
Erkenntnis fühlt sich die deutsche Literaturgeschichte in ihrem neu-
zuschaffenden Winckelmannbilde gefördert. Für Winckelmann steht
immer der Gegenstand im Mittelpunkt. Sein Verhältnis zur begrifflichen Abstraktion und metaphysischen Spekulation ist nicht immer
ganz eindeutig, aber es unterliegt doch keinem Zweifel, daß er der
metaphysischen Spekulation im Grunde abhold war. «Die Schönheit»,
so liest man bei ihm, «ist eines von den großen Geheimnissen der
Natur, deren Wirkung wir sehen und alle empfinden, von deren Wesen aber ein allgemeiner deutlicher Begriff unter die unerfundenen
Wahrheiten gehört ... Ja, die Schönheit liegt über unserem Verstand
hinaus.» Oder: «Wenn auch das Schöne in allgemeinen Begriffen
könnte bestimmt werden, so würden sie dem, welchem vom Himmel
das Gefühl versagt ist, nicht helfen.» Sind das nicht Vorklänge sowohl
der Kunstanschauung der Geniezeit als auch des Kunstanbeters Wak-
kenroder? Freilich mit dem Unterschiede, daß bei Winckelmann eine
Allgemeingültigkeit des Schönen vorausgesetzt wird, daß er das Schöne
als eine Einheit ansieht, während die Frühromantik die verschiedenen
Erscheinungsformen des Schönen erkennen und gelten läßt, wie sie
im geschichtlichen Ablauf hervorgetreten sind.

Und ein letztes, um einige Zusammenhänge Winckelmanns mit der
«Klassik» und ihren Vorstufen zu bezeichnen: es handelt sich um das
Verhältnis der Kunst zur Natur und um den Begriff des «Idealischen»,
der in seinen weitreichenden Zusammenhängen nicht von *einer* Seite

auszuschöpfen ist. Die Natur, so meint Winckelmann, strebt bei der Bildung ihrer Individuen nach dem Vollkommenen, aber fast stets wird sie gehemmt durch die Materie und so manche Zufälligkeiten. Daher sei es fast unmöglich, einen Menschen von allseitig vollendeter Schönheit zu finden. Dieser Unvollkommenheit hat der Instinkt des Menschen abzuhelfen unternommen, indem er verbessern wollte, was die Natur unvollkommen gelassen hat. Es strebt also die Kunst «aus der Peripherie unschöner Abweichungen nach der Mitte einer Normalform, einer Form, welche den Bildungstrieb in seinem durch verkümmernde oder übertreibende, äußere und innere Ursachen ungestörten Wirken zeigt». Die Natur und das Gebäude der schönsten Körper sind selten ohne Mängel. Es gibt Teile und Formen, die sich an anderen Körpern vollkommener denken lassen. Und so verfuhren denn nach Winckelmann die weisen Künstler wie ein geschickter Gärtner, der verschiedene Absenker von edlen Arten auf einen Stamm pfropft. «Wie eine Biene aus vielen Blumen sammelt, so blieben die Begriffe der Schönheit nicht auf das individuelle einzelne Schöne eingeschränkt..., sondern sie suchten das Schöne aus vielen schönen Körpern zu vereinigen... Dieser Auszug der schönsten Formen wurde gleichsam zusammengeschmolzen, und aus diesem Inbegriff entstand wie durch eine neue geistige Zeugung eine edlere Geburt.» So führt der Weg von der Naturbeobachtung und Naturnachahmung zu dem Inbegriff der Eigenschaften eines idealen Kunstwerkes, das – und hiermit wird die Verbindung mit der Klassik und zuerst den Goetheschen Gedankenbildungen der achtziger Jahre hergestellt – ein Typisches bedeutet oder das, mit Goethe zu sprechen, «Stil» hat. Man denke an den berühmten Aufsatz in Wielands «Teutschem Merkur» vom Jahre 1789, der sich betitelt: «Einfache Nachahmung der Natur, Manier, Stil.» Nichts anderes ist dieser Aufsatz des zum «Klassiker» werdenden Goethe als eine Abwandlung dieser Winckelmannschen Anschauung von dem Begriffe des Idealisch-Schönen. Nur daß Goethe jene Wertung wegläßt, die in dem Begriffe des Schönen enthalten ist. Ihm kommt es auf das Verfahren an. Hier wie dort wird das Überindividuelle, der Inbegriff, der Typus erkannt, hier wie dort wird das Verfahren gesehen in dem Studium der Gegenstände und in der Auswahl und Zusammenstellung des Bezeichnenden (bei Winckelmann des Schönen, bei Goethe des Charakteristischen), hier wie dort wird betont, daß, wie Goethe sagt, «der Stil auf den tiefsten Grundfesten der Erkenntnis ruht, auf dem Wesen der Dinge, insofern uns erlaubt ist, es in sichtbaren und greiflichen Gestalten zu erkennen». Wie nahe tritt nicht ein beispielhafter Satz bei Goethe zu Winckelmanns Formulierung des Schönheitsbegriffes: «Es ist natürlich, daß einer, der Rosen nachbildet, bald die schönsten und frischesten Rosen kennen und unterscheiden und unter tausenden, die ihm der Sommer anbietet, heraussuchen werde. Also tritt hier schon die Wahl ein, ohne daß sich der Künstler einen allgemeinen bestimmten Begriff von der Schönheit der Rosen gemacht hätte.» Diese Wahl, verbunden mit der richtigen Darstellung der genau erkannten Eigenschaften, führt zu dem Stilbegriffe des Klassikers Goethe, jenem Stilbegriff, der ebenso über die einfache Nachahmung der Natur hinausgeht, wie er in Gegensatz tritt zu dem, was Manier heißt, jenes Auffallende, Blendende, Exzessive, Außergewöhnliche, was immer nur den Geist des Schaffenden ausdrückt, jener Manierismus, zu dem auch Winckelmann im Gegensatz stand. Es ist das Wunderbare bei Winckelmann und das, was ihn für die deutsche Klassik weltanschaulich mehr paradigmatisch erscheinen läßt als der Stoff, die Gegenstände, denen er sich widmete, d.h. die antike Kunst und Natur: daß sich nämlich bei ihm der Gedanke des Organischen, der in seinem Schönheitsbegriffe gipfelt, vereinigt mit einem Ausdruck, der sein Höchstpersönliches bedeutet, mit einer unruhvollen und aufgewühlten Seele, die der edlen Einfalt und stillen Größe als Sedativums ebenso benötigte, wie der Stürmer und Dränger Goethe dieses Beruhigungsmittel erst in der bewußten Vorstellung des Organischen und Typischen fand. Nichts anderes als ein Selbstgefühltes spricht sich aus in Goetheschen Worten von 1805: «Er sieht mit den Augen, er faßt mit dem Sinn unaussprechliche Werke, und doch fühlt er den unwiderstehlichen Drang, mit Worten und Buchstaben ihnen beizukommen. Das vollendete Herrliche, die Idee, woraus diese Gestalt entsprang, das Gefühl, das in ihm beim Schauen erregt ward, soll dem Hörer, dem Leser mitgeteilt werden, und indem er nun die ganze Rüstkammer seiner Fähigkeiten mustert, sieht er sich genötigt, nach dem Kräftigsten und Würdigsten zu greifen, was ihm zu Gebote steht. Er muß Poet sein, er mag daran denken, er mag wollen oder nicht.»

So ist denn auch bei Winckelmann nicht die Erkenntnis, sondern die Anschauung, nicht das Was, sondern das Wie für uns heute entscheidend. Auch er muß wie jeder große Schriftsteller von seiner Ausdrucksform her erkannt werden.

Die *Sprache Winckelmanns* kann nicht auf einen Nenner gebracht werden. Sie baut sich nach verschiedenen Schichten auf. Sie wandelt sich mit der persönlichen Entwicklung des Mannes. Es muß in ihr unterschieden werden zwischen dem in kurzen, bestimmten und nervigen Sätzen sich bewegenden Stil seiner ersten Zeit, wie er in der Schrift über die «Nachahmung» erscheint, und den vollendet, nach antiken Mustern gebauten Perioden seiner Kunstgeschichte. Es muß unterschieden werden zwischen der Sprache in den Werken, die für die Öffentlichkeit bestimmt sind, und seinem Ausdruck in den Mitteilungen, die er für sich niederschreibt, und vor allem seinen Briefen. Innerhalb dieser Briefe wandelt sich der Stil je nach dem Empfänger. Der persönliche Winckelmann, der aufgeschlossene, lebensoffene, ist ein anderer als der, der vor das Publikum tritt. Die ganze Weichheit und Beweglichkeit seines inneren Menschen erscheint in den Briefen an seine Freunde. Sie sind vom Momente eingegeben, sie stellen ihn mitten hinein in den Reichtum des geistigen und sinnlichen Lebens, das ihn, namentlich später, umgab. Die Empfindungsfähigkeit dieses großen Autors wird in diesen Briefen und privaten Mitteilungen augenfällig. Trat er jedoch als Schriftsteller und als Autorität vor die Welt, so zwang er sich, die wogende Masse seiner Empfindung und Anschauung zu bändigen, und jeder Satz von ihm ist dann auch seiner Form nach das Ergebnis sorgsamen Wägens und die Umsetzung eines stilistischen Ideals in die Wirklichkeit, womit er seine Vorstellungen von der Kunst der Griechen auf die Handhabung der deutschen Sprache übertrug. Man könnte generell von Winckelmanns Sprache sagen, sie sei «still und bewegt», das hieße, daß sich in ihr zwei Prinzipien begegnen, die wechselweise sein Inneres beherrschen. Er selber sagt in seiner ersten Schrift, das Heftige, das Flüchtige gehe in allen menschlichen Handlungen voran; das Gesetzte, das Gründliche folge zuletzt: «Dieses Letztere aber braucht Zeit, es zu bewundern; es ist nur großen Meistern eigen.» Eine solche Meisterschaft in seinen Schriften zu erreichen, war sein Ziel, und oft hat er sich über die Kunst, deutsch zu schreiben, ausgesprochen. Am ausführlichsten vielleicht in einem Brief an Salomon Geßner vom 17. Januar 1761 und andern Briefen um diese Zeit herum: «Ich weiß», heißt es dort, «was Schreiben für ein schweres Werk ist ... In allen Dingen, in welchen sich das menschliche Geschlecht hervorgetan hat, ist das größte Meisterstück, gut zu schreiben. Meine vornehmste Regel ist, nichts mit zwei Worten zu sagen, was mit einem geschehen kann: Wo es aber auf eigenes Denken und auf Beschreibung im höheren Stile ankommt, mich auszulassen. Man kann nicht sehr schlecht schreiben, wenn man erstens in den Schriften der Alten anmerket, was man wünschet, das sie geschrieben und nicht geschrieben hätten; nächstdem, daß man selbst denke und nicht andere für sich denken lasse; ferner die Kürze in den Schriften, mit welchen die Welt überschwemmt ist, suche; und endlich, daß man sich vorstelle, im Angesicht aller Welt zu reden, alle Leser für Feinde halte und womöglich nichts schreibe, als was der Nachwelt würdig kann erkannt werden. Dieses ist schwer zu erfüllen; aber das erste steht in eines jeden Vermögen. Im übrigen können große Ignoranten sehr gelehrt schreiben. Große Bücher ... sind ohne große Mühe zusammengeschmiert; aber eine Schrift ..., worin alles gedacht und nichts ausgeschrieben oder aus anderen angeführt ist, erfordert lange Zeit und viel Präzision.» Er erklärt, über die Beschreibung des Torso drei Monate nachgedacht zu haben. Dabei aber sei seine Absicht gewesen, die Schönheiten der Gedanken und des Stiles aufs höchste zu treiben. «Ich schreibe», heißt es ein andermal, «anders an einen Freund und anders in die Welt hinein, und ich suche mit der größten Behutsamkeit in meinen Schriften zu reden, Rom ist auch der Ort, wo man den diktatorischen Ton verlieren kann unter so vielen großen Leuten, die sogar das Bewußtsein ihrer Verdienste verleugnen.» Man erkennt übrigens auch aus dieser Äußerung, wie sehr das Streben nach einer echten, weltmännischen Humanität die «Stille» und Beherrschtheit seines Altersstils bestimmt hat und in welchem Maße der Übergang nach

Rom für seine Ausbildung zum großen Schriftsteller in deutscher Sprache maßgebend gewesen ist.

Obwohl Winckelmanns Meisterbiograph kein Philologe war, so ist das knappe Kapitel, das er der Sprache und dem Stile der Winckelmannschen Kunstgeschichte gewidmet hat, in seiner auf umsichtigen und eindringlichen Beobachtungen beruhenden und gedrängten Fülle auch durch neuere ins Einzelne gehende Untersuchungen des Winckelmannschen Stiles nicht übertroffen worden und kann schwerlich übertroffen werden. Es läßt in seinem wundervollen Ineinander den Begründer der neueren Kunstgeschichte, den Entdecker des Griechentums und den Schriftsteller und Stilisten von europäischem Gepräge zugleich erkennen. Und es ist mustergültig für die Art, wie von einem großen Forscher und Darsteller Einzelbeobachtungen zu einem lebendigen und ans Herz greifenden Bilde gerundet werden können. Auch von Justi wird auf die Geschmeidigkeit und Verwandlungsfähigkeit des Winckelmann-Stiles der Nachdruck gelegt. «Er hat für jede Sache und für jede Person eigene Linien und Farben.» Wie es auch schon vor Justi und nach ihm immer wieder geschah, werden Winckelmanns Briefe in ihrer Unmittelbarkeit in helles Licht gesetzt. Schon Goethe hatte ja von den Winckelmannschen Briefen gesagt: «Wenn dieser treffliche Mann, der sich in der Einsamkeit gebildet hat, in Gesellschaft zurückhaltend, im Leben und Handeln ernst und bedächtig war, so fühlte er vor dem Briefblatt seine ganze natürliche Freiheit und stellte sich öfter ohne Bedenken dar, wie er sich fühlte.» Wenn er Briefe schrieb, fühlte er sich gelöst und aufgelockert, von einer ihn verpflichtenden Aufgabe befreit und hatte nicht die Last zu tragen, die die Würde des Gegenstandes ihm auferlegte. Diese Briefe, so sagt auch Justi, sind der treue Spiegel seiner inneren Regungen. In ihnen lagert er seine neuesten Einfälle und Projekte ab, in ihnen kann er dem Wechsel von Zärtlichkeit und Empfindlichkeit freien Lauf lassen. Außerdem aber wimmeln sie von interessanten Einblicken in Zeit und Umgebung. Er ist in ihnen nicht der große Gelehrte und bewunderte Kenner der Kunst; er ist ein ganz natürlicher Mensch, der allen seinen inneren Regungen nachgibt und sich um eine Zusammenstimmung seiner Äußerungen nicht bemüht zeigt. Er macht sich in diesen Briefen nicht besser als er ist, ist nicht besorgt über Indiskretionen, die ihn selber oder andere angehen und schreckt vor Bosheiten, ja vor Zynismen nicht zurück.

Sind diese Briefe auf den jeweiligen Empfänger abgestimmt, so spielen auch auf den Darstellungen und lehrenden Partien seiner Werke mannigfache Lichter. Auch der Stil dieser Abschnitte ist nicht einheitlich und bietet des Wechselvollen und Unruhvollen aus seiner Seele genug. Eines aber steht ihm hier immer vor Augen: der Gegenstand. Seine Sprache sollte diesem Gegenstand, nämlich der alten Kunst, an Würde und Adel gleich sein. «Es ist meine Absicht, ein vollkommenes Werk zu liefern und das Denken und die Schönheiten der Gedanken und der Schreibart aufs höchste zu treiben» (5. Februar 1758). Und in einem Briefe aus dem gleichen Jahre heißt es: «Ich wünsche, daß man aus meiner Schrift lerne, wie man schreiben und seiner und der Nachwelt würdig denken soll.» Winckelmanns Stil ist in der Geschichte der deutschen Prosa einmalig. August Wilhelm Schlegel hat ihn wegen mancher sprachlich-syntaktischen Eigentümlichkeiten und Inkorrektheiten getadelt. Man hat inzwischen viel schärfer zu sehen gelernt. Gewiß, dieser Stil ruht auf dem Grunde einer westeuropäisch-klassizistischen Schule. Er strebt, auch wo es sich um kaum in Worten auszudrückende letzte Anschauung handelt, nach Klarheit und Intelligibilität. Aber vor der aufklärerischen, korrekten und planen Handhabung des wässerig ausgearteten Prosastiles französischer Schulung im 18. Jahrhundert bewahrt ihn die Fülle von Eigentümlichkeiten, die sich sonst in der deutschen Prosa des 18. und 19. Jahrhunderts kaum wieder antreffen lassen: Eine gewisse Eckigkeit im Satzbau, seltsame Verschlingung der Sätze, oft schwerverständliche Breviloquenzen, das offensichtliche Streben nach Kürze und Prägnanz, das nicht immer zur Durchsichtigkeit dieser Sprache beiträgt, Seltsamkeiten und Neuheiten im Gebrauche weniger Worte, Wortbildungen, die, so verständlich sie auf den ersten Blick einem vorkommen, doch oft eine besondere Abschattung des Inhaltes bergen oder durch prägnante Einfachheit häufig zunächst dem Verständnis Rätsel aufgeben. Wiederum Justi hat schon gesagt: «Er liebt das Sentenziöse, Kategorische viel mehr als die logische Verquickung der Gedanken;

seine Sätze waren ja auch nicht durch Schlüsse gefunden, sondern aus Erfahrungen gewonnen, die er dem Leser nicht geben konnte: Sie mußten ihm glauben und vertrauen. Weit entfernt, ihnen entgegenzukommen durch dialektische Vorbereitung oder herablassende Verdeutlichung, nötigt er, seinen Sätzen nachzusinnen, ihre Bedeutung zu suchen. Er spricht als Meister und gibt zu verstehen, daß man von ihm zu lernen und nur zu lernen habe. Was er sagt, auch die Regeln, war stets das Bild einer gegenwärtigen Sache, selten verstieg er sich auf die Leitern der Dialektik in die Region willkürlicher Begriffserzeugung. Was man ihm überall anfühlt, ist das Bewußtsein vom unendlichen Wert des Inhalts, und von der Bedeutung dessen, was er mit solchem Ernst über ihn erforscht.» Da sein Stil nicht eine Sprache der logischen Diskursivität, sondern ein Stil der Assoziationen ist, sind auch die sprachlichen und syntaktischen Eigentümlichkeiten und Inkorrektheiten begreiflicher. Es verrät einen Blick, der sich in einem bestimmten Eindruck nicht täuschen läßt, wenn ein zeitgenössischer Kritiker von Hamanns Erstlingsschrift, den «Sokratischen Denkwürdigkeiten», eine Verwandtschaft zwischen der Schreibweise des Magus und dem «körnigten, aber dunklen» Stil Winckelmanns entdecken wollte. Doch nicht umsonst war Winckelmann auch durch die Schule Shaftesburys gegangen, und wie die besonnene Freude und die Grazien-Philosophie in seine ganze Auffassung der griechischen Kunst hineinspielten, so haben sie auch in seinem Stile Spuren hinterlassen.

Als er seine Kunstgeschichte zu schreiben entschlossen war, mußte er sich die Frage vorlegen, in welcher Sprache es zu geschehen habe. In Rom wünschte man, daß er sich der italienischen Sprache bedienen solle, und zeigte sich empfindlich, daß er in seiner Muttersprache zu schreiben fortfuhr. Aus inneren Gründen war er selber zweifelhaft, ob er die deutsche Sprache wählen sollte. Er glaubte merkwürdigerweise im Deutschen nicht mehr recht redefest zu sein, noch durch Lektüre guter deutscher Schriften oder durch mündliche Unterredungen seine Fertigkeit und Gewandtheit im Deutschen behalten zu können. In der Tat hatte er von 1755 bis 1768 von gut geschriebenen Werken der deutschen Literatur nichts weiter gelesen als Geßners Idyllen, Lessings Laokoon und Mendelssohns Phädon. Es ist ein Zeugnis für die Urmächtigkeit der Muttersprache, daß er sein Hauptwerk dann doch deutsch abgefaßt hat.

Die beiden berühmtesten Beschreibungen der Winckelmannschen Kunstgeschichte zeigen die Stilqualitäten, über die er verfügte, in ihren eindrucksvollsten Formen: die Beschreibung des Apollo von Belvedere und die des Herkulestorso. Sind es wirklich «Beschreibungen»? Oder sind es nicht eher aus einem von Entzückung überwältigten Herzen kommende Dithyramben auf diese Werke? Sie sind beides zugleich. Sie sind «still und bewegt», und diese Vereinigung in ihnen macht ja überhaupt die Gestalt des Schriftstellers Winckelmann aus, so daß wechselweise bald die eine, bald die andere Stilform in seinem großen kunstgeschichtlichen Werke in den Vordergrund rückt, während in diesen beiden Musterbeispielen seines Stiles auf kleinem Raume und in einem geschlossenen Gebilde eines sich mit dem anderen durchdringt. Für die Beschreibung des Apollo ist die Durchblutung der Einsicht in das Technische mit der begeisterten Anschauung bezeichnend, gleichsam die Auflösung des Materiellen und in die Augen Fallenden in ein inneres Bild, das durch Intuition von dem Schreibenden aus der äußeren Erscheinung des Kunstwerkes gewonnen ist und tiefe Lagerungen seelisch-geistiger Art in seinem eigenen Innern zur Voraussetzung hat. Aus der Sprache Winckelmanns erschließt sich auch hier das Gegensätzliche und Unruhvolle im Inneren dieses genialen Menschen. Die «Grazienphilosophie» des 18. Jahrhunderts umspielt in dieser Sprache das Männliche, Feste, Stolze, Majestätische des dargestellten Gottes: «Ewiger Frühling», «glückliches Elysium» umschweben diesen schon in reifen Jahren stehenden Apollo, dessen Männlichkeit «reizend» genannt wird. Das Bildwerk ist damit seiner statuarischen Strenge entkleidet. Die menschlichen Arbeits-, Mühe- und Qualformen werden in dieser Sprache von dem Gotte abgewehrt: «Hier ist nichts Sterbliches, noch was die menschliche Dürftigkeit erfordert. Keine Adern noch Sehnen erhitzen und regen diesen Körper; sondern ein himmlischer Geist, der sich wie ein sanfter Strom ergossen, hat gleichsam die ganze Umschreibung dieser Figur erfüllet.» Zärtlich, schmeichelnd, preisend und erhebend klingen die Beiwörter, die von dem ersten Eindruck dieser Statue ausgelöst werden. Nach der

schmelzenden Schilderung des Kunstwerkes sodann im zweiten Abschnitt die reale Hoheit der göttlichen Erscheinung. Aus dem Steine
wird das Werk lebendig und erzählt mit dem Autor von den Taten
dessen, der da dargestellt ist. Das Abbild des Apollo wird erfaßt in dem
Momente, in dem der Gott den Python eingeholt und erlegt hat. Sein
Schritt muß «mächtig» gewesen sein. Der Gott ist voll des Hoch-
gefühls über seinen Sieg, er steht nun auf der Höhe seiner «Genugsamkeit». Und wieder vermag die Sprache das Ineinander von Maje-
stät, Größe, Verachtung, Tatkraft und von «seliger Stille» in dem Abbilde zu deuten. «Verachtung sitzet auf seinen Lippen; und der Un-
mut, welchen er in sich ziehet, blähet sich in den Nüstern seiner Nase
und tritt bis in die stolze Stirn hinein.» Inbegriff aller einzelnen äußeren Schönheiten der übrigen griechischen Götter ist dieser Apollo.
Lose sind dafür die Beispiele aneinandergereiht: «Eine Stirn des Ju-
piters . . ., Augenbrauen, die durch ihr Winken seinen Willen erklären; Augen der Königinnen der Göttinnen mit Großheit gewölbet, und
ein Mund, welcher denjenigen bildet, der dem geliebten Branchus die
Wollust eingeflößt. Sein weiches Haar spielet wie die zarten und flüs-
sigen Schlingen edler Weinreben, gleichsam von einer sanften Luft
beweget, um dieses göttliche Haupt. Es scheinet gesalbet mit dem Öl
der Götter, und von den Grazien mit holder Pracht auf seinem Schei-
tel gewunden.» Die Glut seiner eigenen Gefühle gegenüber dieser
Statue hat sie dem Autor belebt und das ruhende Abbild in Bewegung
aufgelöst. Er verzagt endlich, einen Begriff des Werkes zu geben denen,
die es nicht kennen. Dieser letzte Abschnitt ist das Schwärmerischste
und Lyrischste, was Winckelmann je geschrieben hat.

Ist die Beschreibung des Apollo ganz auf das «Idealische» gestellt,
so ist in der Schilderung des bruchstückhaften Herkules das Dingliche
zugleich mit dem Technischen der antiken Kunst sprachlich trans-
parent geworden. Gemeinsam ist beiden Beschreibungen eine Schicht
des Erzählstiles, wo es gilt, die beiden Kunstwerke zu den mythologischen Heldentaten und Schicksalen ihrer Helden in Beziehung zu setzen. «Ich sehe in den mächtigen Umrissen dieses Leibes die unüber-
wundene Kraft des Besiegers der gewaltigen Riesen, die sich wider die
Götter empörten . . . und zu gleicher Zeit stellen mir die sanften Züge

dieser Umrisse, die das Gebäude des Leibes leicht gelenksam machen, die geschwinden Wendungen desselben in dem Kampfe mit dem Achelous vor, der mit allen vielförmigen Verwandlungen seinen Händen nicht entgehen konnte.» Jeder einzelne Zug dieses verstümmelten Werkes, jede Form und Qualität seines Körpers kündet von der Eignung zu dieser oder jener von ihm vollbrachten Tat. «In jedem Teile des Körpers offenbart sich, wie in einem Gemälde, der ganze Held in einer besonderen Tat, und man siehet so wie die richtigen Absichten in dem vernünftigen Baue eines Palastes, hier den Gebrauch, zu welcher Tat ein jeder Teil gedienet hat.» Und nun geht die genaue Kenntnis des Technischen und die Beobachtung der künstlerischen Mache mit einer zum Dichterischen gesteigerten Bildhaftigkeit einen wundersamen Bund ein. Vor allem sind es die Muskeln, ihre Lagerung und ihr Spiel, in deren Beobachtung der sinnlich-übersinnliche Kenner und Enthusiast sich schwer genug tun kann: «So wie in einer anhebenden Bewegung des Meeres die zuvor stille Fläche in einer nebeligen Unruhe mit spielenden Wellen anwächst, wo eine von der anderen verschlungen, und aus derselben wiederum hervorgesetzt wird, ebenso sanft aufgeschwellet und schwebend gezogen fließt hier eine Muskel in die andere, und eine dritte, die sich zwischen ihnen erhebt und ihre Bewegung zu verstärken scheint, verliert sich in jene, und unser Blick wird gleichsam mit verschlungen.» Aber auch hier geht es Winckelmann nicht um das bloß Artistische, auch hier läßt er die sittliche Unterlegung des unübertrefflichen Werkes, an dem Michelangelo gelernt haben soll, erkennen; auch hier deuten ihm «Ruhe und Stille des Körpers» auf einen «gesetzten großen Geist». Und noch eines: gegenüber der mehr auf das Allgemeine der griechischen Kunst gehenden Apollo-Beschreibung hier die Absicht, im einzelnen zu zeigen, warum etwas schön ist und worin eigentlich der Begriff des «Idealen» besteht: «Lernet hier, wie die Hand eines schöpferischen Meisters die Materie geistig zu machen vermögend ist.»

Auch die Beschreibung des Herkulestorso schließt mit einem höchstpersönlichen, rühmenden und lyrischen Abgesang. Er wird eröffnet mit der Klage der personifizierten Kunst um das Zerstörte: Sie «weint»; aber dann «ruft» sie uns zurück von allen traurigen Betrachtungen, die den trümmerhaften Zustand der antiken Überlieferung angehen, und «zeigt» uns in dem, was noch auf uns gekommen ist, das noch heute Vorbildhafte und gibt dem Künstler die Möglichkeit zu lernen, was Kunst überhaupt sei. So ist diese Beschreibung bis zum Schlusse weit mehr in einer lehrhaften Absicht geschrieben, und doch wird ihre, wie so oft bei Winckelmann, hart geschmiedete und so viele Anomalien bietende Sprache, die manchmal bis zur Dunkelheit geht, auch hier im Taumel von Entzückung und Anschauung zum Schwärmerischen gesteigert.

Für Winckelmann kam die Jugend erst in Italien (1755). Erst dort vollzog sich jene Enthemmung, die sonst Kennzeichen einer natürlich verbrachten Jugendentwicklung ist. Nun kommt die Erfüllung eines bis dahin verdrängt gewesenen Bedürfnisses nach Freiheit und Auflockerung. Mit solcher Freiheit erschien die Natur identisch, ebenso wie für Goethe die Erfüllung dieses Genieerlebnisses sich eigentlich erst in Italien ergab. Man lese nur die ersten Seiten der «Gedanken über die Nachahmung», um zu wissen, wie sehr ihm das Griechentum die Verwirklichung der Natur und des Natürlichen schlechthin mit aller Unbefangenheit und selbstverständlichen Gelöstheit in Jugenderziehung und Lebensführung werden mußte, nicht zuletzt auf Grund der Leibesübungen, «durch die die Körper den großen und männlichen Kontur erhielten». Der Ausdruck dieses Natürlichen war ihre Kunst: «In Griechenland . . ., wo man sich der Lust und Freude von Jugend auf weihete, wo ein gewisser heutiger bürgerlicher Wohlstand der Freiheit der Sitten niemals Eintrag getan, da zeigte sich die schöne Natur unverhüllet zum großen Unterrichte der Künste.» Es ist bei ihm hie und da ein solcher Kultus des Natürlichen zu verspüren, ein solcher Wunsch nach einem Zurück-zur-Natur, wie er sich ebenfalls bei Rousseau findet, so daß, mag es gleich ungewohnt erscheinen und dem üblichen Literaturgeschichtsvokabular widersprechen, auch von dieser Seite her Winckelmann, zum mindesten mittelbar, zu den Schrittmachern der Geniebewegung gerechnet werden muß. Und pochten nicht die Genies letztlich auf die synthetische Anschauung eines Ganzen und die freie Wiedergabe des durch lebendige Einfühlung gewonnenen subjektiven Bildes in Form des schöpferischen Werkes? Auch hier geht ihnen Winckelmann voraus. Vielleicht könnte man zweifeln, ob die Anschauung von «edler Einfalt» und «stiller Größe» sich mit dem dynamischen Prinzip der Epoche vereinigen lasse. Aber da mögen antworten die tiefsinnigen Sätze eines Sprechenden in dem Werke eines lebenden Philosophen über «Gestalt und Gesetz»: «Eine Dynamis ist in allem, was immer es auch sei, sichtbar oder unsichtbar, und diese Dynamis wird mir, je mehr ich sinne, das Wesen selbst. Auch das Ruhende der vollendeten Kunst, welche Gewalt ist da nicht zusammengepreßt, um ruhend vervielfacht zu werden! Du nanntest gestern den Paestumer Tempel als Beispiel. Er ist die Ruhe selbst. Aber welche Macht ist nicht in ihm, lebt und wirkt, und Berge und Menschen und Jahrhunderte scheinen nur nach seinem Willen zu schwingen. Leidenschaft erstarrt zu Stein, wird Macht. Der kleine Bergsee da unten, in den dieser Wildbach mündet, schaut nicht auch er in seiner stillen Tiefe noch die Kraft aller der Sturzgewässer, die er zur Ruhe gebracht?» ... Was die «Originalgenies» von Winckelmann trennen könnte, ist nicht so sehr der Inhalt seiner Vorstellungen und Kunstauffassung, noch weniger das Gegenständliche, nämlich das Griechentum, und die Einseitigkeit, mit der nur diese Kunst- und Kulturepoche der Menschheit gesehen wird, sondern es ist das Funktionelle, es ist das erziehliche Prinzip, das er ausschließlich verfolgte, wenn er den Satz aufstellte: «Der einzige Weg für uns, groß, ja, wenn es möglich ist, unnachahmlich zu werden, ist die Nachahmung der Alten». Wie könnte sich das vertragen mit dem Glauben an Originalgenies und Originalwerke! Wie sehr steht es scheinbar in einem direkten Gegensatz zu den Gedanken, in denen die Genies durch Young und seine Schrift über die Originalwerke bestätigt wurden! So lange hatte man unter der sogenannten «Nachahmung» gelitten, und nun wurde eine neue Nachahmung gepriesen? Doch es ist hier nur das Wort, um das der Streit gehen könnte. Der Begriff der Winckelmannschen Nachahmung der griechischen Werke hat nichts mehr mit dem Jahrhunderte alten Nachahmungsbegriff der älteren Ästhetik zu tun und nichts mit der äußerlichen Nachahmung des älteren und jüngeren Klassizismus. Die «Nachahmung» Winckelmanns ist nichts anderes als die Erkenntnis der Bildungsgesetze, unter denen große Natur und große

Kunst stehen, soweit diese Erkenntnis überhaupt auf verstandesmäßigem Wege zu erzielen ist. Am Anfang und am Ende steht auch für ihn das Staunen vor den Werken des genialen Geistes, genau so, wie es in der Schrift von Young gepriesen wird. Es könnte von Winckelmann wörtlich gesprochen worden sein, was Young sagt: «Dürfen wir denn, werdet Ihr sagen, die alten Schriftsteller gar nicht nachahmen? Ja, Ihr dürfet es; aber ahmet sie nur gehörig nach. Nicht der ahmet den Homer nach, der die göttliche Iliade nachahmt; nur der ahmet den Homer nach, der eben die Methode erwählt, die Homer erwählte, um die Fähigkeit zu erlangen, ein so vollkommenes Werk hervorzubringen. Folget seinen Fußstapfen bis zu der einzigen Quelle der Unsterblichkeit nach; trinket da, wo er trank, auf dem wahren Helicon, nämlich an der Brust der Natur. Ahmet nach; aber nicht die Schriften, sondern den Geist.»

In den alten, von Aristoteles ausgegangenen Begriff der «Nachahmung», der noch soeben in der Ästhetik des 18. Jahrhunderts eine wesentliche Rolle gespielt hatte, kam nun eine Verschiebung des Sinngehalts. Hatte die «Nachahmung der Natur», wie J. E. Schlegel 1741 richtig erkannte, immerhin einen Fortschritt des Geschmacks bedeutet, weil der formalistischen Willkür, «dem Geschmack der Phrasen und Figuren», damit ein Ende gemacht sei, so überwand nun der keimende deutsche «Idealismus» alles Haften am Stoff und sah allmählich den Ursprung der Kunst in dem Außerordentlichen der Menschenseele und in dem Ausgehen von der «Idee», wie denn schon Albrecht Dürer treuherzig gesagt hatte: «Ein guter Maler ist *inwendig* voller Figur; darum gibt Gott den kunstreichen Menschen in solchem und anderem viel Gewalt.» Nicht den Gegenstand, sondern den Künstler wollte 1761 Moses Mendelssohn in den Kunstwerken sehen; in den «Nachahmungen», die die Kunst bietet, die Vollkommenheit des Künstlers wahrnehmen: «Was die Natur in verschiedenen Gegenständen zerstreut hat, versammelt er in einem einzigen Gesichtspunkte, bildet sich ein Ganzes daraus und bemüht sich, es so vorzustellen, wie es die Natur vorgestellt haben würde, wenn die Schönheit dieses begrenzten Gegenstandes ihre einzige Absicht gewesen wäre.» Das wurde bereits geschrieben nach Winckelmanns Erstlingsschrift.

Sein Nachahmungsbegriff wird bestimmt durch die schon in anderem Zusammenhang herangezogene Anschauung vom «*Ideal*» oder vom «*Idealen*» –, das heißt, durch ein dem Kunstwerk innewohnendes geistiges Prinzip. Das Ideale steht bei ihm ebenso im Gegensatz zum Wirklichen wie zum Individuellen. Es geht über die Natur, aber es ist – in der Kunstgeschichte, noch nicht so in der Schrift von der «Nachahmung» – kein metaphysischer Begriff, sondern eine Vorstellung, die aus dem Künstler ins Kunstwerk übergeflossen und, wie oben gezeigt wurde, in den Winckelmannschen Beschreibungen antiker Kunstwerke zum Leben erweckt ist. Das «Ideale» ist für Winckelmann ein Mehr-als-Natürliches, eine im Kunstwerk sich aussprechende Verfassung der Seele. Die Beschreibung des Apollo von Belvedere und die des Herkulestorso in ihrem trunkenen und doch wieder so sachlichen Stile ließen über diese seine Anschauung vom Idealischen bereits keinen Zweifel: «Ich unternehme die Beschreibung eines Bildes, welches über alle Begriffe menschlicher Schönheit erhaben, ein Bild, welches kein Ausdruck, von etwas Sinnlichem entnommen, entwirft... Der Künstler hat dieses Werk gänzlich auf das Ideal gebaut, und er hat nur eben so viel von der Materie dazugenommen, als nötig war, seine Absicht auszuführen und sichtbar zu machen... Es scheinet ein geistiges Wesen, welches aus sich selbst und aus keinem sinnlichen Stoff sich eine Form gegeben, die nur in einem Verstande, in welchen keine Materie Einfluß hat, möglich war. Über die Wirklichkeit erhaben ist sein Gewächs, sein Stand zeugt von der ihn erfüllenden Größe, und sein Gang ist wie auf flüchtigen Fittichen der Winde... Aus dem, was ich selbst empfunden beim Anblick dieses Werks, bilde ich mir die Rührung einer Seele, die mit natürlicher Empfindung des Schönen begabt ist und in Entzückung gegen das, was die Natur übersteigt, kann gesetzt werden... Gehe vorher mit dem Geiste in das Reich unkörperlicher Schönheiten, um dich zur Betrachtung dieses Bildes vorzubereiten. Sammle Begriffe erhabener Dichter und versuche, ein Schöpfer einer himmlischen Natur zu werden, und wenn du in dir selbst ein Bild erzeugst, und eine vollkommenere Gestalt, als je dein Auge sah, hervorgebracht hast, alsdann tritt her zum Bilde dieser Gottheit...» Was er in der Kunst findet, das ist also in erster Linie und ursprünglich ein in der Vorstellung lebendes Urbild, das, weil es so nicht in der Natur und Wirklichkeit anzutreffen ist, dem Reich «unkörperlicher Schönheiten» zugehört oder besser zugehören soll. Diese Vorstellung, diese «Idee», dieses «Ideale», ist ein Produkt des «Geistes» und der «Liebe». «Mit Geist und Liebe», – so unterschreibt er bisweilen seine Briefe. Geist und Liebe sind in seinem Kunst- und Schönheitsbegriff wie in seiner Sprache innig miteinander verbunden und fließen zusammen zu einem Zustande der dichterischen Erhöhung und des gebändigten Rausches. «Geist» und «Liebe» gewinnen aus den Gegenständen der Natur einen Mittelpunkt, aus dem das Kunstwerk sich gestaltet hat, den wiederzufinden auch das Ziel des Beschreibenden ist. Und in der «Nachahmung» der Alten gilt es für die Neueren auch nur, diesen Punkt zu treffen. «Ich glaube», heißt es, «ihre Nachahmung könne lehren, geschwinder klug zu werden, weil sie hier in dem einen den Inbegriff desjenigen findet, was in der ganzen Natur ausgeteilt ist, und in dem anderen, wie weit die schöne Natur sich über sich selbst kühn, aber weislich erheben kann. Sie wird lehren, mit Sicherheit zu denken und zu entwerfen, indem sie hier die höchsten Grenzen des menschlich und zugleich göttlich Schönen bestimmt siehet.»

Freilich, eines ist die Voraussetzung sowohl für die Alten selber wie für die Neueren, die auf ihren Wegen wandeln: die besondere Gunst der griechischen Natur und – damit verbunden – der der Vollkommenheit sich bereits annähernde Reiz ihrer Bildungen: «Die Natur . . . hat sich in Griechenland, wo eine zwischen Winter und Sommer abgewogene Witterung ist, wie in ihrem Mittelpunkt gesetzt, und je mehr sie sich demselben nähert, desto heiterer und fröhlicher wird sie, desto allgemeiner ist ihr Wirken in geistreichen Bildungen und in entschiedenen und viel versprechenden Bildern. Wo die Natur weniger in Nebeln und in schweren Dünsten eingehüllt ist, sondern in einer heiteren und fröhlichen Luft wirkt, wie Euripides die Atheniensische beschreibt, gibt sie dem Körper zeitiger eine reifere Form; sie erhebt sich in mächtigen, besonders weiblichen Vollkommenheiten, und in Griechenland wird sie ihre Menschen auf das feinste vollendet haben.» Wieder bricht hier der «Mythus» auf, den deutsche Klassik um das

Griechentum gewoben hat: das Wunschbild einer reineren, vollendeteren, maßgeblichen und vorbildlichen Natur und eines ebensolchen Menschentum, gleichviel ob geschichtliche, biologische, geographische und geopsychische Feststellungen solches zu rechtfertigen vermögen oder nicht. Der die Tore der Klassik geöffnet hat, kam aus der preußischen Altmark. In Mittel- und Norddeutschland faßte die Klassik zuerst Wurzel, nicht in den Rheinlanden oder in Bayern; und auch Österreich hat keine bodenständige Klassik. Die Klassik brauchte die kargere und verhangenere Landschaft und das sprödere Menschentum Norddeutschlands, die größere Nüchternheit des Protestantismus, um sich als ein Gegenbild dort zu entwickeln, wo heitere Lebensfreude des Volksdaseins, Sinnenhaftigkeit in der Lebensgestaltung und natürliche Beglückung durch das Landschaftliche *nicht* zu Hause waren. Und es ist ein selbstbekennerischer Ausdruck solcher Polaritätsempfindung von zugleich typischer und weiter wirkender, seelenkündender Bedeutung, zugleich der weichen und wohligen Aufgeschlossenheit des römischen Winckelmann gemäß, wenn er nach Vollendung der Kunstgeschichte gesteht, er habe seine «niedrige Hütte» aufgeschlagen, wo man ihm wohlwolle, um in diesem Lande der Menschlichkeit seine Jahre fern von Kriegsgeschrei in Ruhe zu genießen, und seine letzten Betrachtungen würden von der *Kunst* auf die *Natur* gehen.

Mit diesen Winckelmannschen Vorstellungen von der Idee und von dem Ideal steht man an einem sehr bemerkenswerten Schnittpunkt zweier Linien. Die eine dieser Linien ist jene, die die Kunstwissenschaft die *«klassische Ideologie»* geheißen hat; sie ist europäisch. Die andere ist eine Haltung, die sich aus dem Eigenleben und der Besonderheit seiner *Geistesart* und Schicksale herzuleiten scheint. Wie beides in Winckelmann zur Deckung gelangt, wie die so entstandene neue Gesamtauffassung der Kunst und insbesondere des Griechentums an die Klassik und den Idealismus weitergegeben wird – das ist einer der bezeichnenden Vorgänge der Geistesgeschichte, innerhalb deren immer wieder eine von außen empfangene oder gemeineuropäische Geistigkeit in der deutschen Aufnahme und Verarbeitung ihren besonderen Charakter und ihre eigentümliche Art empfängt. Die «klassische Ideologie» – das ist ein Gedankensystem, eine Theorie und Forderung für die bildende Kunst, entstanden aus der Renaissance und erst von der Romantik überwunden. Die klassische Ideologie beruht bereits auf einem Vollkommenheitsideal, das durch eine Auswahl des Schönen aus der nachzuahmenden, schönen Natur erreicht wird. So wird diese zu einem Idealtyp, sie wird durch die Zusammenfassung der in ihr vorhandenen Schönheiten über sich selbst gesteigert, sie wird «idealisiert». Ihre klarste und maßgebliche Formulierung findet diese sogenannte klassische Ideologie 1664 durch den Italiener Bellori, der bereits wie Winckelmann und Goethe den Künstlern empfahl, schöne Einzelheiten aus der Natur zu studieren und zu sammeln und sie, um eine vollkommene Schönheit zu erreichen, zu einem idealen, das heißt als Ganzes so in der Wirklichkeit nicht existierenden Gebilde zu vereinigen. Den Deutschen wurde diese klassizistische Theorie vermittelt durch Joachim von Sandrart in seiner «Teutschen Akademie». Aus der Renaissance herkommend, an ihre «klassische» Kunst ebenso angelehnt wie an eine unvollständig und theoretisch gesehene und dazu abgeblaßte Antike, war diese klassizistische Ideologie noch im 18. Jahrhundert stark genug, um gegen Barock und Rokoko zu wirken und zumal in Frankreich einen neuen Klassizismus zu begründen. Wie stand es nun um Deutschland, um Winckelmann und um unsere Klassik, die man von jener klassizistischen Linie abheben muß? Jene Theorie fand in Rom, befördert durch das sich vermehrende Anschauungsmaterial aus der Antike neue Nahrung. Aber nicht erst in Rom, sondern in seiner Dresdner Zeit hat Winckelmann unter dem Einfluß Adam Friedrich Oesers, seines gleichalterigen Hauswirtes, Freundes und Lehrers, der seinerseits dem österreichischen Barockklassizisten Georg Raphael Donner verpflichtet war, sich diese klassische Ideologie zu eigen gemacht. Schon seine Schrift von der Nachahmung bezeugt es. In Rom wirkte sie weiter. Sein Freund Raphael Mengs stand in ihrem Banne. Das heute bereits abgenutzte Winckelmannsche Wort von der edlen Einfalt und stillen Größe der Antike läßt sich beinahe wörtlich in dem lateinischen Lehrgedichte des im 17. Jahrhundert in Rom wirkenden Niederländers Franz Duquesnoy nachweisen, der die «maiestas gravis et requies decora» für die Voraussetzung aller hohen Kunst erklärt. Aber deswegen ist Winckelmann noch lange kein Nachfahre dieser klassizistischen Theorie, wie es in Frankreich der Graf Caylus oder die Maler Joseph Marie Vien und Jacques Louis David, in Deutschland am ersten noch Lessing waren. Winckelmann füllt in die alten Schläuche dieser Lehre eben seit dem unmittelbar wirkenden Rom- und Italienerlebnis den neuen Wein seiner lebendigen Anschauung der Antike, seines ganz unvermittelten Erschauens der aus der reinen Natur genährten antiken Kunst und seines die Schönheit in glühendem Mitempfinden umfangenden Lebensgefühls. Nur literarisch gesehen, könnte diese seine aus einem einheitlichen Zustand der Seele kommende und solchen einheitlichen Zustand erkennende Sicht auf die Vorbildlichkeit der Antike (oder einer gewissen Antike) noch mit der Abgezogenheit jener älteren, klassizistischen Linie gleichgesetzt werden. Daß sich dann freilich in Deutschland, und nicht nur in Deutschland, Verwechslungen zwischen beiden Linien ergaben, daß die reinlichen Scheidungen der Haltungen in Theorie und Praxis nicht immer gewahrt blieben, daß Mischungen, Unterschiebungen und Übergänge stattfanden und namentlich für das 19. Jahrhundert Klassizismus und Klassik sich vermengten, daß ein aus theoretischer und papierener Observanz geflossenes, erstarrtes, normgebendes Vollkommenheitsideal an die Stelle des stets sich erneuernden, anschaulichen, bewegten Erlebens trat – dies alles ist ebensowenig zu bestreiten, wie es sich auf der andern Seite als ein im Zuge der Unvollkommenheit menschlichen Schauens und menschlichen Denkens liegender Vorgang begreift.

Es scheint, daß eine Darstellung der Geschichte des deutschen Geistes nicht oft genug wiederholen kann, daß Winckelmanns Wertung antiker Kunst zunächst einmal betrachtet werden muß losgelöst von dem, was die Folgezeit von antiker Kunst gelernt, erkannt, geurteilt und ihr gegenüber empfunden hat, unabhängig auch von allen kritischen Ausstellungen, die die archäologische Wissenschaft von heute seinen Auffassungen und Haltungen gegenüber geltend machen muß, sei es, daß sie auf unsere so viel reichere Kenntnis der griechischen Kunst verweist, sei es, daß sie die Bedenken unterstreicht, die sich aus dem Umstande ergeben, daß er in weitgehendem Maße auf römische Nachbildungen statt der griechischen Originale angewiesen war, sei es endlich, daß man das Wesen der griechischen Kunst und ihren vollendeten Ausdruck, ihre «Klassik» (als Wertsetzung) nicht bei *den* Werken findet, bei denen er es gefunden hat. War es also ein nachgemachter Schlüssel, mit dem er die Welt der antiken Klassizität und Humanität aufgeschlossen hat, ähnlich wie Klopstock mit Hilfe eines solchen nachgemachten Schlüssels den Weg zum deutschen Altertum und Nationalgefühl eröffnen half? Es scheint, daß sich auch hinsichtlich der normativen, übergeschichtlichen, ja absoluten Geltung seines Kunstideals, nachdem der Historismus des 19. Jahrhunderts mit seiner Relativierung der Werte bereits über ihn hinweggegangen zu sein schien, eine Wendung im Sinne der Bejahung oder jedenfalls ein Geltenlassen für konstruktive Zwecke, nicht nur im Bereiche der Altertumswissenschaft, anbahnt. Heute wird kaum ein zweiter Gegenstand von der Altertumswissenschaft so umworben wie das Problem des «Klassischen» im Zusammenhang mit der Antike und die weiter und bis heute wirkende Geltung dieses «Klassischen». Immer wieder muß in solchen Auseinandersetzungen über Abgrenzung, Wesen und Formulierungen der griechischen Kunst auf Winckelmann zurückgegriffen werden, der ein Ordnungs- und Orientierungsprinzip für alle Folgezeit aufgestellt hat, obwohl seine Kenntnis noch beschränkt und er auf Kopien angewiesen war und obwohl seine geistesgeschichtliche und individuelle Bedingtheit mehr und mehr erkannt wird. Seine «Idee klassischer Form und Vollendung als Norm und wirkende Kraft» habe sich imstande gezeigt, «weltweite Zusammenhänge zu stiften und Jahrhunderte zu umfassen». Man erkennt heute wieder, «daß ein Kunstwerk klassisch ist, das vollkommen stilisiert ist, ohne von der Natur abzuweichen, so daß dem Bedürfnis nach Stilisierung und Nachahmung in gleicher Weise Genüge getan ist». Alle Historisierung des Begriffs des Klassischen habe, «indem sie das Problem in den Raum geschichtlichen Denkens hineinstellte, nur aufs neue die Wertfrage ausgelöst und zu ihrer Beantwortung eine ganz neue Dimension geschaffen». Wieder wird heute eine neue «Abstraktion» vom Betrachter gefordert, wofür im Gegensatz zu uns die Zeit Winckelmanns und Goethes disponiert gewesen sei. «Wo sie aber gelingt», so hören wir, «wird etwas vom tiefsten Wesen des Griechischen offenbar – und des Klassischen».

100

Das Problem des «Klassischen»

Es heißt das Eigentliche von Winckelmanns Kunst- und Weltanschauung verkennen, wenn man für ihn das Sinnliche und Naturhafte zu stark in den Vordergrund rückt. Aber ebenso abwegig wäre es, in ihm ausschließlich den Spiritualisten mit Akzenten versehen zu wollen. In dem gleichgewogenen Verhältnis von Natur und Kunst, von Sinnlichem und Geistigem zueinander, in dem Wechselspiele herüber und hinüber ist der Sinn seines Wesens beschlossen. Seine eindrucksfähige und leichtbewegliche Natur kam freilich zu keinen bündigen Lehrsätzen und Dogmen und konnte zu ihnen nicht kommen. Daraus erklärt sich zu einem Teil die Unterschiedlichkeit und eine scheinbare Widersprüchlichkeit in den von ihm ausgehenden Wirkungen, die Möglichkeit wechselnder Deutungen. Der entscheidende Punkt ist zu finden in der eigentümlichen Weise, in der sich bei ihm Naturnachahmung mit der Gestaltung aus der Idee zu einer vorher noch nicht so dagewesenen Bedingung und Grundlage des Verstehens der Kunst vereinigen. Sein Gedanke einer vom Geiste aus bestimmten Naturgestaltung trägt und beherrscht die deutsche Klassik, die Goethe, Schiller, Kant, Wilhelm von Humboldt. Sie steht damit auf der Linie Platos, Plotins, Shaftesburys. Das Leibliche, das Schöne, das Sittliche verschmelzen im Kunstwerk zu *einer* Masse auf Grund des organisch wirkenden Gestaltungsprinzips, das aus dem *durchgeistigten* Innern des Künstlers herkommt. Im Dienste dieses organisch gegebenen, einheitlichen Gestaltungsprinzips stehen alle Seiten und alle Teile des Werkes. Solche organische Totalität muß in dem schöpferischen griechischen Menschen selber vorhanden gewesen sein, sie muß dem neuen Menschen wiedergewonnen werden. Schiller begründete das. Hiermit heben sich die Spannungen im Kunstwerk, im Schöpfer, im Betrachter auf. Diese Winckelmannsche Entdeckung oder Sichtbarmachung schloß folgerichtig in sich den Verzicht auf Nebensachen, die Unterordnung aller Teile unter die aus dem Zentrum kommende Ausstrahlung. Nur um diesen Preis eines Verzichtes war diese Findung zu haben. Sie war nur zu haben um den Preis einer Beschränkung auf ein Unentbehrliches, Wesentliches und damit Wesenhaftes, das am klarsten sichtbar wurde, wenn die Ausdrucksform des Kunstwerkes auf die einfachsten Lineamente gebracht wurde. Daher in der «Klassik» wie in ihrer mo-

dischen Verwässerung, dem «Klassizismus», ja noch in dem Nazarener-
tum (welches stofflicher Zusammenhänge und frommer Wallungen
wegen gewöhnlich als «romantisch» angesprochen wird) die Schätzung, die die Umrißzeichnung genoß. Sie erfüllte das Erfordernis, das
in der Einleitung zu den «Propyläen» – dieser Zeitschrift der weimarischen Kunstfreunde, die die strengste Aufrichtung klassizistischer
Gebote für den Künstler vertrat – Goethe 1798 ganz im Winckelmannschen Sinne formulierte, wenn er schrieb: «Wer zu den Sinnen nicht
klar spricht, redet auch nicht rein zum Gemüt, und wir achten diesen
Punkt so wichtig, daß wir gleich zu Anfang eine ausführlichere Abhandlung darüber einrücken.» Und für die Zeichnungen, die sich um
die gestellten Preisaufgaben bemühten, erschien ihm «ein bestimmter reinlicher Umriß mit der Feder, an welchem die Schatten laviert,
die Lichter entweder ausgespart oder mit Weiß aufgehöht sind, hin-
länglich». Um die gleiche Zeit hat dann Aug. Wilh. Schlegel in dem
epochalen Aufsatz des «Athenäums» (1799) «Über Zeichnungen zu
Gedichten im Anschluß an die Umrisse des englischen Bildhauers John
Flaxman» die Kunst der Umrißzeichnung vom Boden der Wechsel-
beziehung zwischen Dichtung und bildender Kunst romantisiert und
einen naturphilosophisch-zeichenhaften Sinn in sie hineingetragen.
Die bildende Kunst, so meinte er, wirke, je mehr sie bei der ersten
leichten Andeutung stehenbleibe, auf eine der Poesie analogere Weise,
ihre Zeichen würden fast «Hieroglyphen», wie die des Dichters. «Die
Phantasie wird aufgefordert, zu ergänzen und nach der empfangenen
Anregung selbständig fortzubilden . . . So wie die Worte des Dichters
eigentlich Beschwörungsformeln für Leben und Schönheit sind, denen
man nach ihren Bestandteilen ihre geheime Gewalt nicht anmerkt, so
kommt es Einem bei dem gelungenen Umriß wie eine wahre Zauberei
vor, daß in wenigen und zarten Strichen so viel Seele wohnen kann.»
Man erkennt aus solchen Zeugnissen, wie das Konturenhafte der Klassik, das die Späteren bereits als akademisch und leer empfanden, in
dem Erlebnis der klassisch-romantischen Generationen noch eine seelische Seinsmächtigkeit besaß und mit einer künstlerischen Fülle geladen war, die sich so ausdrückte, wie es eben die Epoche nach Winckelmann verlangte.

Zum Winckelmannschen Idealbegriff gehört aber auch der theoretische und praktische Verzicht auf die Vielfarbigkeit der griechischen Kunst. Es ist richtig, daß die Marmorweiße der folgenden Klassik und des nachwinckelmannschen Klassizismus, notwendig und gesetzlich zum Wesen der von Winckelmann ausgehenden Kunstauffassung und zu den dogmatisierten Vorstellungen der Idealität gehörig, die griechische Welt und Kunst ebenso in größerer Starrheit und Kälte erscheinen ließ, wie sie der Frostigkeit einer epigonenhaften Formensprache Vorschub leistete. Doch das Ganze des Winckelmannschen Geistes ist so reichhaltig und spielt in so vielfältigen Lichtern, es ließ, sehr im Gegensatz zu einem idolhaften und blutleeren Fetischismus, den man *auch* mit ihm trieb, und zu einem eindeutigen Kanon, den man *auch* aus ihm zu ziehen suchte, so voneinander abweichende Deutungen und Folgerungen zu, daß auf der anderen Seite gesagt werden konnte, seine eigene leidenschaftliche Hingabe an den geformten Marmor sei in tiefen sinnlichen Erregungen begründet gewesen. Ging aber nicht vielmehr für ihn auch von der Weiße und Kühle des Marmors jene Beruhigung und Bändigung aus, deren seine heiße, leichtbewegliche und unruhige Seele bedurfte? Es erscheint auch zweifelhaft, ob man das nach Winckelmann aufkommende und sich ausdrückende Körpergefühl im Leben und in der Kunst der Klassik und des Empire, die erkennbare Vorliebe für die Darstellung des nackten Körpers mit seiner Wirkung in unmittelbaren Zusammenhang bringen kann. An einem völlig entgegengesetzten Orte stehen wiederum die, die in der Folgezeit von seinem «Supranaturalismus» gesprochen haben (richtiger wäre es, ihn mit Spranger für den Verkünder eines «geistigen Naturalismus» zu erklären, dergestalt, daß für ihn der Geist durch den Körper hindurchscheint). Alles in allem handelt es sich hier nicht um ein Entweder-Oder, sondern um die unbestreitbare Erkenntnis, daß es nicht die bloße Formenschönheit und die sinnliche Greifbarkeit des Körpers sind, die er in der Kunst sieht, wenn er die Kunst verherrlicht. Wohl war er in seiner italienischen Zeit von bloß sinnlichen Regungen nicht unberührt und bisweilen von einer wollüstig-animalischen Sättigung, die auf den italienischen Goethe vordeutet. Das Wechselspiel der Wollungen und Wallungen in ihm muß sogleich noch angerührt werden. Richtungweisend jedoch ist, daß er nicht Romane, sondern Deutscher war. Was er der Kunstlehre der Klassik, der klassischen Humanität, dem deutschen Idealismus, der Romantik bis zu Hegel überlieferte, ist die Priorität des Geistig-Sittlichen, einer gedachten Form vor dem bloßen körperlichen Gefäß, des geistig-formenden Prinzips vor den sinnlichen Bildungen der Natur, die demgegenüber beinahe als Zufälligkeiten erscheinen können.

Dieser Mann, dessen Seele im Grunde ein glühender Krater war, der die wogende Bewegung seines Innern nur zitternd und manchmal unsicher in die Beherrschtheit eines bisweilen eckigen Stils zu bannen vermochte, richtete – um bisher nur Angedeutetes nunmehr als Mittelpunkt und Achse erkennen zu lassen – die Erkenntnis von der «Stille» der griechischen Kunst, der griechischen Menschen und vor allem der griechischen Götter auf.

Dies Wort und diese Vorstellung haben die Epoche durchwaltet. Freilich, auch sie haben den Nachfolgenden Krücken geliefert. Die Ganzheit und Reichweite ihres Sinnes entziehen sich jeder bequemen Schablone. Es ist gewiß zu wenig, wenn dieser Begriff der «Stille», der eine Grundfeste des Winckelmannschen Anschauungssystems seiner späteren Zeit bildet, nur hergeleitet wird aus einer Verneinung, aus einer aszetischen Moral, der das Leben nicht Inhalt und Zweck des sittlichen Handelns ist, sondern ein Schauplatz von Prüfungen und Versuchungen. So sehr die «Stille» bei Winckelmann in einer religiösen Hülle ruht, so gelingt es doch nicht, das Geflecht teils begrifflicher, teils gefühlsmäßiger Art, das sich in diesem Phänomen darstellt, *nur* vom Boden einer christlich-dogmatischen Sitten- und Tugendlehre zu begreifen. Die Winckelmannsche «Stille», so sehr sie einen Erlösungscharakter in sich hat, ist keine bloße Verneinung. Sie ist etwas Aufbauendes und Bejahendes und demgemäß eine Vorformung von Humanität und Klassik ähnlich dem Begriff der «Freude», der von Shaftesbury und Leibniz und dem Eudämonismus ausging, den Rokokostil durchgeistigte und erhöhte und zu einer gewissen Monumentalität steigerte. Schon früher war von dem Beruhigungsmittel die Rede, das sich für Winckelmann selbst mit dem Ergreifen des Motivs der «Stille» ergab. Aber abgesehen von solcher psychologischen Unterlegung: in der Epoche, in der das Motiv auftauchte, bedeutet es ein Gegenbild gegen die spannungsvolle Bewegtheit und Großgebärdigkeit des Barock und gegen die dekorative und repräsentative Überfülltheit, Zersplitterung, Verzierlichung, kapriziöse Aufgelöstheit und Farbengebrochenheit des Rokoko. Für Winckelmann selbst und für die zunächst folgende Epoche des deutschen Hellenismus bedeutet «Stille» und was mit ihr zusammenhing die Erfüllung, die «Genugsamkeit», die Bejahung des Seins, Lösung der Zwiespalte, Überwindung des Dämonischen als eines «Zwischen» von Grund und Abgrund, von Geistigem und Vitalem. Die «Stille» ist der Ausdruck dessen, was die Griechen die Hedone nannten. «Hedone, das Erheben der Seele», so sagt Winckelmann, «ist . . . die ungestörte Ruhe des Geistes und derjenige Zustand, wohin alles Wirken des Menschen gerichtet sein soll . . . Er kann ebensowenig wie Gott und die Glückseligkeit gelobt werden. Denn löblich sind Sachen wegen ihres guten Endzwecks. Aber Gott und die Glückseligkeit sind ohne Endzweck, weil sie selbst die höchsten Endzwecke sind.»

Diese Vorstellung oder dieses Wunschbild, das sich ihm in der kühlen und stillen Weiße der griechischen Bildwerke und vornehmlich in denen der Gottheiten darstellte, verschwistert sich bei ihm mit dem Eindrucke des Meeres. Diese Verschwisterung ist wieder aufschlußreich. Südliches Meer und die geistige Welt Winckelmanns gehören zusammen. Immer wieder findet sich in seiner Kunstgeschichte der Niederschlag des Meererlebnisses: «Ich sahe die Werke der Kunst an, nicht als jemand, der zuerst das Meer sahe und sagte: es wäre artig anzusehen; die Athaumasie oder die Nicht-Verwunderung . . . schätze ich in der Moral, aber nicht in der Kunst, weil hier die Gleichgültigkeit schädlich ist.» Oder: «Eine denkende Seele kann am Strande des weiten Meeres sich nicht mit niedrigen Ideen beschäftigen: der unermeßliche Blick erweitert auch die Schranken des Geistes, welcher sich anfänglich zu verlieren scheint, aber größer wieder in uns zurück kommt.» Oder man liest an anderer Stelle: «Der erste Anblick schöner Statuen ist bei dem, welcher Empfindung hat, wie die erste Aussicht auf das offene Meer, wo sich unser Blick verliert und starr wird.» Zahlreiche ähnliche Stellen seien nur noch durch eine letzte ersetzt, nicht nur um ihres ergreifenden Lyrismus willen, sondern weil ihr Motiv sowohl die Situation am Anfange von Goethes «Alexis und Dora» vorwegnimmt wie auch die des späten Faust, dem Helena als Wolkengebilde im Äther entschwindet. Diese Worte stehen am Schlusse der Kunstgeschichte: «Ich konnte mich nicht enthalten, dem Schicksal der Werke der Kunst, so weit mein Auge ging, nachzusehen, so wie eine Geliebte am Ufer des Meeres ihren abfahrenden Liebhaber, ohne Hoffnung, ihn wiederzusehen, mit betränten Augen verfolgt und in dem entfernten Segel das Bild des Geliebten zu sehen glaubt.» Für Winckelmann war das Meer, was für Goethe Wolken und Luft und für Hölderlin der Äther waren: das, was von dem Unendlich-Göttlichen für den Menschen noch sinnenhaft erfaßbar ist.

Mit der Meeressymbolik hat sich für Winckelmann ein geistig-seelischer Raum gebildet, der mit Bestandstücken verschiedenartiger Herkunft ausgefüllt ist und unterschiedlicher Nachwirkung fähig war. Einmal spielen auf der Winckelmannschen Meeresvorstellung homerische Lichter. Aber das ist beileibe kein «Bildungserlebnis» und kein Niederschlag gelehrt-literarischer Erfahrungen. Wir wissen ja seit Schadewaldt, wie sehr Homer den gesamten seelisch-sittlichen Wuchs Winckelmanns bestimmt hat. Die meerentsprossene Aphrodite als die Göttin des stillen Meeres, die Erhebung dieses Bildes von der Meeres- und Windstille ins Geistige und Seelische schon in der Antike von Plato bis Marc Aurel, der stoisch-epikureische Einschlag darin – es mag alles in Winckelmanns Bewußtsein gelebt haben. Aber die Herkunft als solche war nicht entscheidend. Entscheidend war vielmehr das Mit- und Durcheinander des Bewußten und des Gefühlten und des nur in Obertönen Anklingenden der Assoziationen. Homer und seine helle Welt, leuchtendes Meer, selige Inselhaftigkeit Ioniens, mit der Seele gesuchtes Hellas, das ist seit Winckelmann bis zu Gerhart Hauptmann *eine* Vorstellungs- und Empfindungsmasse geworden. Sie wirkt sich bei dem Goethe der «Nausikaa» naiv aus, pathetisch-heroisch bei F. L. Stolberg, dem Sänger der Ostsee, dem «Ilias und Odyssee entstiegen mit Gesang der See», bei Hölderlin, dem Dichter des «Archipelagus», als visionär geschaute und mit sinnlicher Nähe erfüllte, liebend umfaßte «Gegenwart», die zu der wirklichen Gegenwart in schneiden-

106

dem Mißverhältnis steht, aber über alles Historische und Bildungsmäßige hinaus die Quelle allbeseelter und allbeseelender Kraft ist und
sein wird. Wo immer bis heute Griechenland gesucht und besucht
wird, von dem Dichter wie von dem Gelehrten, von dem Bildungs-
reisenden wie von dem Enthusiasten, bleibt ein Bodensatz dieser ho-
merisch-maritimen Schicht wirksam, oft zur Bildungsphilisterei erstarrt und erniedrigt, aber trotzdem davon zeugend, daß sie einmal
als lebendig und empfunden vorhanden war und einem wesenhaften
Verhältnis entsprochen haben muß.

Winckelmann ist auch hier so reich und so abgründig, so wenig
rund, fertig und abgeschlossen, daß auch das aus einem tiefen Bedürfnis seines Wesens ergriffene Meeressymbol nicht nur *eine* Herleitung
und Deutung erfahren darf. Um zu wiederholen: in diesem Bilde trifft
sich die leidenschaftliche Unruhe seiner Seele und seines Stiles, die
ihm selber so sehr bewußt war, mit dem ebenso leidenschaftlichen
Wunsche nach Beruhigung, Leidenschaftslosigkeit und einem Insich-
ruhen, ja mit der Illusion, diesen Zustand erreicht zu haben, einer
Illusion, in der er sich zeitweilig geborgen fühlen mochte. Immer wieder kommt er bei der Verwendung des Gleichnisses vom Meere auf den
Gegensatz zwischen seiner allzeit ruhigen Tiefe und der bewegten
Oberfläche zurück, immer wieder zieht er daraus Folgerungen auf eine
«große und gesetzte Seele». Hier ist übrigens der Punkt, an welchem
das Weltgefühl des Sturm und Drang, das zum Teil auch von Winckelmann vorbereitet ward, in seiner Ganzheit von dem seinigen fort-
strebt, wiewohl dem einen wie dem andern der Boden des organischen Vitalismus geblieben ist. Das Winckelmannsche Lebensgefühl
und sein Lebensgrundsatz nehmen hier, wie schon angedeutet wurde,
das Erlebnis einer späteren Altersstufe vorweg, die aber zugleich eine
neue, die klassische Generationsstufe bezeichnet.

Hier ist nun auch der Ort, an dem der Bereich des Sittlichen schon
erreicht, der Bezirk des Ästhetischen verlassen ist. Es gehört zu den
mannigfachen schiefen und engen Deutungen Winckelmanns, daß man
ihn so häufig und bis in die jüngste Zeit hinein immer wieder in den
Umkreis des «bloß Ästhetischen» verwiesen hat. Für Geschichte und
Wesen der deutschen Klassik und Humanität ist die sittliche und sitt-

lichende Beziehung, die in dem Begriffe und der Forderung der «Stille» und dem dazugehörigen Meeressymbol beschlossen ist, ungleich folgenreicher als der Zusammenhang mit dem bloß Sinnfälligen des Winckelmannschen und klassischen Schönheitsbegriffes. «Die Stille», so lesen wir, «ist derjenige Zustand, welcher der Schönheit wie dem Meere der eigentlichste ist, und die Erfahrung zeigt, daß die schönsten Menschen von stillem, gesittetem Wesen sind. Es kann auch der Begriff einer hohen Schönheit nicht anders erzeugt werden als in einer stillen und von einzelnen Bildungen abgerufenen Betrachtung der Seele.»

Indem Winckelmann der «Stille» solche ethischen Bezüge gibt, wird der religiöse Grund, aus dem dies Wunschbild letztlich bei ihm aufsteigt, erkennbar. Auch zu dem religiösen Urgrunde seines Wesens läßt sich der Zugang von verschiedenen Seiten finden, nicht die so oder so beschaffene Form und Herkunft religiösen Erlebnisses kann rein für ihn herausgestellt werden; das Unaussprechliche seines Wesens liegt auch hier in einer neuen Mischung der Elemente. Dadurch aber, daß überhaupt eine religiöse Unterbauung in Winckelmann bloßgelegt werden kann, erscheint zugleich für die gesamte deutsche Klassik und Humanität Beträchtliches gewonnen. Die ebenso schwierige wie grundlegende Frage, die das Verhältnis von deutscher Klassik und deutschem Idealismus zur Religion des Christentums betrifft, gewinnt von dem vorangehenden Wegbereiter her vielleicht helleres Licht. Auch von hier aus schränkt sich die Auffassung ein, als handle es sich bei dem Griechenerlebnis Winckelmanns und der deutschen Klassik um einen Vorgang lediglich auf der Ebene des Ästhetischen. Nicht nur die romantisch-griechische *Nachtwelt*, auch die klassisch-griechische *Tagwelt* hat ja ihre religiöse Unterlegung und findet ihr Gegenbild in den Erscheinungsformen der griechischen Göttlichkeit und Religiosität, die *ihr* gemäß waren. Die Romantik – die spätere Romantik der Görres und Creuzer – stößt zu der älteren, der chthonisch-dionysischen und primitiven Lagerung der griechischen Religiosität vor. Aber der vermeintliche Gegensatz von statuarischem Ästhetizismus und dynamisch-religiöser Erschütterung angesichts der Erscheinungsformen des Griechentums löst sich auf und wird bei dem geschichtlich gerichteten Betrachter zu einem wahlverwandten Ergreifen antiker Religion, das aus Wesensbedingtheit, Erlebnisgemein-schaft, geistesgeschichtlichen Abläufen und Entgegensetzungen sich genugsam erklärt.

Das hellenisch-deutsche Weltbild der Klassik, das Winckelmann ge-schaffen und dem europäischen Geiste überliefert hat, mit seiner Krö-nung und Beherrschung durch das Gesetz der Ruhe und Stille, das man die größte Entdeckung Winckelmanns genannt hat, öffnet sich um so innigerem Verständnis, je mehr man sich der in ihm beschlos-senen Kristallisationen bewußt wird. Was ist griechisch, was ist deutsch an dem religiösen Erlebnis des späteren Winckelmann? Steht hinter diesem Sichversenken in ein ewig Ruhendes, Unveränderliches, Sich-gleichbleibendes die Weisheit von Elea, der übertheoretisch-religiöse Zug der Platonischen Schönheitslehre, die ethische Auswirkung, die das Ruheideal in der Stoa, bei Zenon, Epikur findet – wer getraut sich da zuzugreifen? So viel erscheint aber gewiß, daß diese «Meeresstille des Gemütes» sich ihm als die religiös-ethische Form des Griechen-tums überhaupt darstellte. Er konnte diese Form um so mehr als etwas ihm wesensmäßig Zugeordnetes ergreifen, weil in ihm aus der Tiefe kommende Kraftströme verwandter Art wirkten, die aus der Entwick-lung seines eigenen Geistes stammten. Auch in der Mystik und im Pietismus hat die «Stille» eine übergeordnete Funktion. Man soll nicht vergessen, daß Winckelmanns Vater, geboren 1686 zu Brieg, aus Schle-sien, dem Lande der «Stillen», herstammte. Es ist eine für ihn und für die gesamte deutsche Klassik wichtige Erkenntnis, daß die deutsche Mystik zuerst das Wort «Stille» «geweiht und in Verbindung mit dem Göttlichen gebracht habe», daß es erst von den Mystikern «dort ange-wandt worden sei, wo man von der Begegnung des Menschen mit dem Göttlichen, von dieser ersehnten und feierlichen Berührung zu spre-chen wagte». Sahen wir nicht, daß auch das andere, Willen und Geist der Epoche ausdrückende Wort, nämlich das Wort «Bildung» sich aus jener Dimension herschreibt? Noch war im 18. Jahrhundert das Wis-sen um diese «Stille» bei den Pietisten lebendig. Eine Erscheinung wie Gerhart Tersteegen zeugt davon, wie nur in der «Stille» Gott sich offenbare. Die Mystik hatte sich wieder und wieder des Wortes und seiner Zusammensetzungen bedient.

Nach Plato und Plotin ist die Schönheit eine Auswirkung des Göttlichen und muß in der «Stille» mit dem inneren Auge angeschaut werden. So ist die «Stille» ein Band, durch das Winckelmann mit geistes- und seelengeschichtlichen Komplexen verschiedener Herkunft verknüpft war. Nicht nur die von ihm ausgehende klassische Kunstandacht hat hier ihren Quellpunkt, auch die romantische Kunstschwärmerei fließt aus dieser Brunnenstube Winckelmannscher Rührung, trotz der Unterschiedlichkeit im Gegenständlichen und obwohl in der Romantik die begeisterte Empfindung, bei Winckelmann und der Klassik die Anschauung vorherrscht.

Das Problem der Winckelmannschen Religiosität berührt über seine Persönlichkeit hinaus Entscheidungen, die die gesamte ihm folgende Klassik und ihre Entstehung angehen. Dabei muß etwas weiter ausgeholt werden.

So einfach, wie man im 19. Jahrhundert über Winckelmanns Übertritt zur römischen Kirche abgeurteilt hat, liegen die Dinge nicht. Sein Verhältnis zur Religion und Kirche ist nicht auf *einen* Nenner zu bringen. Durch trockene Gelehrsamkeit und unverständlichen Schwulst wurde ihm der Religionsunterricht früh verleidet. Die Folge war zunächst, daß er über religiöse und metaphysische Fragen ein tiefes Schweigen bewahrte. In seiner Studienzeit in Halle, wo sich die Übergangskrise der protestantischen Theologie vollzog, melden sich zunehmende Zweifel über Dogmen und Glaubensartikel. Auf sie trifft der Einfluß des Pierre Bayle, den Winckelmann ganz exzerpiert hat. Bayles kritische, skeptische und ironische Stellung zu den Sätzen und Vorschriften der geoffenbarten Religion stimmt mit Winckelmanns eigener Anlage überein. Drei Momente waren es, die ihn von christlichdogmatischem Geiste unterschieden: einmal fällt es ihm schwer, «dem sanften und geduldigen Geiste Christi zu folgen»; ferner wünscht er sich im Gegensatz zum Christentum eine Pflege der Freundschaft nach den Vorbildern des Altertums und geht so weit, den Begriff einer solchen Freundschaft, dem er während seines ganzen Lebens nachstrebte, in die unmittelbare Nachbarschaft der Religion zu rücken. Gern läßt er sich durch den in umfangreichen Auszügen festgehaltenen kritischen und moralistischen Geist der westeuropäischen Schriftsteller der

Aufklärung in seinen negativen Überzeugungen bestätigen. Dennoch hat er sich zeitlebens mit dem biblischen Urtext beschäftigt und schreibt im Jahre 1766, daß er jeden Morgen ein Lied aus dem Hannöverschen Gesangbuch singe. Es war also – und dies ist das Dritte, was ihn von der Religionslehre seiner Zeit trennte, – ein Geist der Kritik und des Strebens nach der echten und rechten Quelle eines «wahren» Christentums in ihm rege, das er in der engen und eifernden Haltung und der puritanischen Lebensführung eines Teiles der Theologen seiner Zeit nicht zu finden vermochte.

Dann kam sein Übertritt zum Katholizismus in Dresden zu Anfang der fünfziger Jahre – äußerlich die Voraussetzung für seinen heiß ersehnten Studienaufenthalt im päpstlichen Rom und von ihm selber als der Preis betrachtet, den er für seinen Übergang nach Italien zahlen mußte. Denn leicht ist es ihm aus manchen Ressentiments zunächst nicht geworden. Es fragt sich, wie weit der römische Aufenthalt, wie weit Geist und Luft des päpstlichen Rom ihn in religiöser Richtung beeindruckt haben. Sein großer Bekenntnisbrief an seinen Freund Berends vom 6. Januar 1753 ist nicht nur eine weit ausholende Analyse seines Wesens und Charakters überhaupt: man braucht diesem Brief nur zu folgen, um aller Einsichten und Stimmungen inne zu werden, die bei Gelegenheit seines Übertrittes miteinander in ihm rangen: «Ich war mir selbst nicht unbekannt...» «Ich gebe mich gern einer Liebe zur Veränderung schuldig, die du mir nur gar zu oft in allen deinen Briefen vorwirfst»... «Man muß die gemeine Bahn verlassen, sich zu erheben. Die Weisen des Altertums durchzogen unzählige Länder, Wissenschaften zu suchen... Du weißt, daß ich allen Plaisirs abgesaget und daß ich allein Wahrheit und Wissenschaft gesuchet. Du weißt, wie sauer es mir geworden. Durch Mangel und Armut, durch Mühe und Not habe ich mir müssen Bahn machen. Fast in allem bin ich mein eigener Führer gewesen. Die Liebe zu den Wissenschaften ist es, und die allein, welche mich hat bewegen können, dem mir getanen Anschlag Gehör zu geben.» Seine Gewissensqualen kamen bei seinem Übertritte aus keinen Motiven, die im Wesen der beiden Glaubensbekenntnisse selber gelegen hätten. Die Einsicht in seinen Charakter und seine Entwicklung bestimmen ihn zu

111

der Überzeugung, man könne aus Liebe zu den Wissenschaften «über etliche theatralische Gaukeleien» hinwegsehen; der wahre Gottesdienst sei «allenthalben nur bei wenigen Auserwählten in allen Kirchen zu suchen». Und er finde keinen Ort geschickter als Rom, um seine Lebensaufgabe zu erfüllen, die er mit aller Deutlichkeit erkennt: Die Natur habe einen großen Maler aus ihm machen wollen und nun wurde dieser verhinderte Künstler – verhindert durch Umgebung und Lebenskampf – auf dem Durchgang über das enge deutsche Magistertum seiner Zeit zum Kunstgelehrten, zum Kunstentdecker, zum freien und ungehemmten Menschen und Schriftsteller. Der Gegenstand seiner Kunststudien, das Altertum mit seinen Werken und Schriften und seine Neuentdeckung bedangen sich wechselseitig mit seinem auf das Künstlertum und das Künstlerische gerichteten Trieb in diesem Akte der inneren Selbstbefreiung. So wurde er das erste Vorbild eines Forscher- und Gelehrtentums, in welchem Empirie und Intuition sich die Hand reichen.

Die Funktion des Religiösen in seinem Werk und seiner Persönlichkeit wird erst in Italien recht sichtbar, unbeschadet seiner Gleichgültigkeit gegen jedes Dogma. Noch sein Brief an seinen Gönner und Brotherrn, den Grafen Bünau, vom September 1754 stellt den Religionswechsel als eine Notwendigkeit hin, deren menschliche Mängel «um des Ganzen der Dinge» willen verziehen werden sollten. Die Scham des Renegaten spricht noch mehrfach aus denen seiner Briefe, die noch von deutschem Boden aus geschrieben sind. Goethe hat in seinem unvergänglichen, ins allgemein und typisch Menschliche hineinweisenden Aufsatze über Winckelmann von 1805 zur Erklärung dieser sich demütigenden Scham Winckelmanns aus letzten Gründen des Verstehens geschöpft: «Wie schön, tief und rechtlich sind seine vertraulichen Äußerungen über diesen Punkt!» sagt er. «Denn es bleibt freilich ein jeder, der die Religion verändert, mit einer Art von Makel bespritzt, von der es unmöglich scheint ihn zu reinigen. Wir sehen daraus, daß die Menschen den beharrenden Willen über alles zu schätzen wissen und um so mehr schätzen, als sie, sämtlich in Parteien geteilt, ihre eigene Sicherheit und Dauer beständig im Auge haben ... Bei einem Volke, einer Stadt, einem Fürsten, einem Freunde, einem

Weibe festhalten, darauf alles beziehen, deshalb alles wirken, alles entbehren und dulden, das wird geschätzt; Abfall dagegen bleibt verhaßt,
Wankelmut wird lächerlich.» Aber nach Goethe hat ein solcher Übertritt noch eine andere Seite, von der man ihn heiterer und leichter
nehmen kann: «Gewisse Zustände des Menschen, die wir keinesweges
billigen, gewisse sittliche Flecken an dritten Personen haben für unsere Phantasie einen besonderen Reiz . . . Eine geschiedene Frau, ein
Renegat machen auf uns einen besonders reizenden Eindruck. Personen, die uns sonst vielleicht nur merkwürdig und liebenswürdig vor-
kämen, erscheinen uns nun als wundersam, und es ist nicht zu leug-
nen, daß die Religionsveränderung Winckelmanns das Romantische
seines Lebens und Wesens vor unserer Einbildungskraft merklich erhöht.» Gewiß: Goethe mag auch mit diesem letzten Satze recht haben,
insofern diese Winckelmannsche Wandlung zum Bekanntwerden seines Namens beigetragen und das Interesse an seinen Schriften erhöht
haben wird.

Nun überkommt ihn in der Welt der römischen Gelehrten und Kar-
dinäle jene tiefe «Genugsamkeit», die jetzt immer wieder aus seinen
Briefen spricht. Zwar hört man noch sogleich anfangs aus einem Schreiben an Berends, nachdem die endgültige Entscheidung gefallen ist:
«Das ist mein Unglück allein, daß ich kein Mittel sehe, zu meinem
Zwecke zu gelangen, ohne einige Zeit ein Heuchler zu werden.»
Zwar sieht man ihn auf der Einhaltung aller äußerlichen Vorschriften
der Religion in Rom bedacht und stets auf der Hut vor der Inquisition.
Das waren Erscheinungen, die die tieferen seelischen Lagerungen in
ihm aber kaum berührten. Aufschlußreich aber sind seine Empfindungen und Äußerungen über die Zufriedenheit und Ruhe, die Groß-
zügigkeit, die wahrhaft weltmännische Humanität, den freien und
großen Stil der Lebenshaltung der römischen Kardinalswelt im Rom
des 18. Jahrhunderts. Er fühlt sich dort wie in seinem Elemente und
sieht sich am Ziel aller Wünsche für sein äußeres und inneres Dasein.

«Gott weiß», heißt es im September 1754, «ich bin zur wahren
Zufriedenheit gelanget, die mir kein menschlicher Zufall rauben soll
noch kann. Es ist kein Augenblick gewesen, wo es mich gereuet,
Nöthenitz verlassen zu haben». Zwar gießt er häufig die Lauge seines

Spottes aus über die gottesdienstlichen Zeremonien und Gebote der
katholischen Kirche: So oft er nach dem Übertritt von diesen Dingen
spricht, die er mitmachen muß, immer klingt ein Ton der Ironie oder
Selbstironie durch. Auch jetzt war ihm die Ablehnung aller Formen-
gläubigkeit geblieben. Dem aber steht gegenüber die Aufrichtigkeit,
Natürlichkeit, Offenheit, Güte und Weitherzigkeit, die er in dem weltmännischen Katholizismus in Dresden und mehr noch im Süden nach
seinem Geschmacke fand, so daß er von dieser Sicht aus selbst die
Ohrenbeichte rühmen konnte: «Ich habe von neuem gebeichtet, aller-
hand schöne Sachen, die sich besser in Latein als in der Frau Muttersprache sagen lassen. Man hat hier Gelegenheit, mit Petronio und
Martiali zu sprechen: Je natürlicher, je aufrichtiger. Sieben Vaterunser
und sieben Ave-Maria sollte ich beten. In der ersten Beichte waren es
zwei von jeder Art mehr, und mit Recht. Du siehst daraus, daß die
heilige Kirche eine sehr gütige Mutter ist.» Sein an den Alten genähr-
ter kaustischer Witz – ihm von den Humanisten der Renaissance bestätigt und ebenso wie «die große und gesetzte Seele», die «Stille»
und glückselige Ruhe des hohen Dingen sich widmenden Menschen
von daher seiner Charakteranlage eingegeistet – liegt an der Oberfläche. Immer muß man sich fragen, ob es sich bei solchen ironischen
Wendungen nicht etwa um eine vorgenommene Maske handelt, hinter
der sich tiefere seelische Vorgänge verbargen, deren geheimer Reflex
in seinen schmunzelnd-ironischen Briefen an Freunde und Gönner nur
einem nachfühlenden Verständnis sich erschließt. Glaubte er doch von
ihnen, sie seien außerstande, seine Religionsveränderung zu verstehen.
Aber haben vielleicht nicht auch ihn, diesen leichtempfänglichen Sin-
nenmenschen, Liturgie und Messe in ihren Bann gezogen? «Anfänglich», schreibt er, «da mich einige Ketzer, die mich kennen, in der
Messe knien sahen, habe ich mich geschämt, allein ich wurde drei-
ster. Es würde mich aber niemand sehen, wenn ich nicht die Messe
hörte von 11 bis 12, da Musik ist.» Dann aber setzt er auch auf diese
halbe Selbstenthüllung sogleich wieder einen blasphemischen Trumpf.

Das römische Leben und die Gesellschaft, in der Winckelmann dort
lebte, bildete für ihn *einen* Komplex. Immer wieder weiß er die Groß-
zügigkeit, Duldsamkeit und wahre christliche Humanität zu rühmen,

die ihm dort entgegenkam. Würde es erstaunlich sein, wenn er die
katholische Religion, von der diese römische Luft durchtränkt war,
als ihr zugehörig empfunden hätte? Welch ein Unterschied für ihn
gegen die Engigkeit und die Unduldsamkeit in Deutschland und in der
Umgebung, in der er aufgewachsen war! «Sie werden sich wundern»,
so schreibt er im Mai 1756, «über den Unterschied, der zwischen einem
römischen Kardinal und den meisten deutschen Superintendenten ist.
Dieser blähet sich auf wie ein Frosch, und mit jenem kann ich reden
mit dem Hut auf dem Kopf.» Oder man liest im Jahre 1761: «Der
Adel ist hier ohne Stolz, und die großen Herren ohne Pedanterie. Man
kennet hier mehr als bei uns, worin der Wert des Lebens bestehe; man
suchet es zu genießen und andere genießen zu lassen.» Auf solche und
ähnliche Äußerungen und zugleich auf Empfindungen der Dankbar-
keit, in dies Land geführt worden zu sein, stößt der Leser seiner römischen Briefe allenthalben. «Meine Hände», heißt es 1762, «hebe
ich alle Morgen auf zu dem, der mich dem Verderben entrinnen lassen
und in dies Land geführet hat, wo ich die Ruhe, ja mich selbst genieße,
und nach meiner eigenen Willkür lebe und handele.»

Die Winckelmannsche Religiosität kann nur in großen Zusammenhängen gesehen werden. Sie erkennen heißt, sich über die Ursprünge
des abendländischen Griechenglaubens und des neueren Humanismus
seit dem 18. Jahrhundert klar werden. Winckelmann wurde nicht
vornehmlich wegen seiner antiquarisch-sachlichen Entdeckungen und
Funde aus der Antike in Europa berühmt: In dieser Beziehung hatte
er in allen westeuropäischen Ländern bereits Vorgänger und Mitarbei-
ter an Kennern, Liebhabern und Förderern. Sondern wegen einer einheitlichen Gesamtanschauung der Griechen, ihrer Kunst, ihres Geistes
und ihrer Lebensanschauung. Wer ihn versteht, erkennt alsbald, daß
dieser «Entdecker» des Altertums nicht ein diesseits gerichteter Ma-
terialist und Epikuräer war, sondern eine im Grunde religiöse Natur,
wenn auch keinem christlichen Dogma und keiner christlichen Kirche
verpflichtet. So hat schon Goethe gemeint, Winckelmanns Leben im
antiken Geist sei nur bei einem «heidnischen Sinn» möglich. Aber er
hat auch erklärt, was er dabei unter heidnisch verstehe. «Jenes Vertrauen auf sich selbst», sagt er, «jenes Wirken in der Gegenwart, die

reine Verehrung der Götter als Ahnherrn, die Bewunderung derselben gleichsam nur als Kunstwerke, die Ergebenheit in ein übermächtiges Schicksal, die in dem hohen Werte des Nachruhms selbst wieder auf diese Welt angewiesene Zukunft gehören so notwendig zusammen, machen solch ein unzertrennliches Ganze, bilden sich zu einem von der Natur selbst beabsichtigten Zustand des menschlichen Wesens, daß wir in dem höchsten Augenblicke des Genusses wie in dem tiefsten der Aufopferung, ja des Untergangs, eine unverwüstliche Gesundheit gewahr werden. Dieser heidnische Sinn leuchtet aus Winckelmanns Handlungen und Schriften hervor...» Zwar zeigt Winckelmanns Ausdrucksweise namentlich in den Briefen seiner späteren Jahre gewisse Reste einer pastörlichen Salbung und eines dogmatischen Formalismus. Aber sie müssen immer auch im Hinblick auf die Empfänger gewertet werden, nicht bloß als eine Sprechweise, die ihm von Jugend an selbstverständlich geworden war. Doch seine wiederholten Bemerkungen über die «wahre Religion» weisen von solchen Überbleibseln einer in religiös-dogmatischem Zwange verbrachten Jugend weit weg. Der Religion, d. h. der «Rückbindung» war er in tiefster Seele bedürftig. Man liest in einem Briefe an Muzel-Stosch vom 10. Februar 1764: «Ich wies sie auf die Religion, um ihnen alles zu geben, was ich konnte ... Aber was ist Religion? Es ist die Überzeugung aus den Endursachen auf den Ursprung derselben und auf ein unendliches Wesen; und ist dieses nicht Philosophie? Ich wünschete nicht, so unglücklich zu sein, an meiner künftigen Bestimmung zu zweifeln, ob ich gleich nicht überzeugt bin, wie es kein vernünftiger Mensch werden kann; aber es ist für mich ein wollüstiger Gedanke, den künftigen Genuß meiner Freunde zu hoffen.» Ist diese Äußerung über das Wesen der Religion einigermaßen primitiv gehalten (vielleicht mit Absicht), so hat er sich auch sonst über das Wesen der von ihm postulierten «wahren Religion» kaum ausführlich oder tiefer geäußert. Er schwieg sich über die Fragen der Religion überhaupt gerne aus: «Da in Sachen, welche die Religion betreffen, das Herz nicht allemal sagen kann: so ist es, und anders kann es nicht sein, so glaube ich, man könne ohne Strafbarkeit sich zuweilen der Entscheidung entziehen», sagt er.

So ist man darauf angewiesen, zu erraten, worin seine Religiosität im positiven Sinne bestand. Da läßt sich zunächst feststellen, worin sie *nicht* besteht: einmal darin, daß er allem «theologischen Kram» bis «auf den wahren Glauben» entsagt habe. Spricht er von «Glauben», so können darunter nur als letzte und allgemeinste Überzeugungen seine Hingabe an ein höheres Wesen und gewisse unbestimmte Vorstellungen von Unsterblichkeit und Nachleben nach dem Tode verstanden werden. Im übrigen fehlte *seiner* Religiosität jede Transzendenz. Religion war ihm nicht Sache des Denkens, sondern eines inbrünstigen Schauens, Fühlens und Erlebens, und ihr Gegenstand war diesseitig und bestand in der Vergottung von Kunst, Wissenschaft, Natur, Leben, Menschentum. Soweit man erkennen kann, waltete in diesem Skeptiker und Irrationalisten kein Bedürfnis nach Erlösung und auch keine existenzielle «Angst». Oder lebten sie vielleicht doch in seinem labyrinthischen Innern? Sichtbar ist nur der Vorgang seiner menschlichen Befreiung seit der Begegnung mit der Antike, vornehmlich im auflockernden und lösenden Süden, der ihn eben zum *Schauen* befähigte. Da stieß er nun auf den Menschen als Urphänomen und auf sich ihm dort darstellende wahre Menschlichkeit. Eine neue humanitas wurde von ihm aus der Verbindung der Antike mit dem befreiten und enthemmten tramontanen Menschentum entdeckt und an die folgende Klassik weitergegeben. Wurde ihm der Mensch das Maß aller Dinge, so stellte der «schöne Mensch» den Gipfel aller humanen Entwicklungsmöglichkeit dar. Dabei war ihm «die Schönheit» kein Abstraktum, sondern erschien konkret in den Hervorbringungen der Kunst und Wissenschaft, für welche die Griechen vorbildlich waren. Sie sind für ihn Sache der «genialen Anschauung» und gehören zu dem All-Einsgefühl, das ihn in seinen besten und gehobensten Momenten beherrschte. Den «dämonischen Schusterssohn aus der Uckermark» (wie ihn Richard Newald einmal nennt), der von väterlicher Seite her zudem Schlesier ist und damit dem geistigen Raume Jakob Böhmes zugehört, umfing in seinen tiefsten Stunden das uralte «heilige Schweigen» der Gottsucher und Propheten, in welchem sich die Verehrung des Göttlichen mit der Verehrung der Kunst, Kunstandacht und Schönheitsandacht vereinte.

Schließlich noch ein Wort über seinen Katholizismus. Das Haupt der Romantik Aug.Wilh. Schlegel hat von Winckelmann im Jahre 1812 gesagt: «Einen peinlichen Eindruck machen besonders die Briefe über seine Religionsveränderung. Er tat diesen Schritt mit innerem Widerstreben, aus äußerlichen Beweggründen, und handelte ängstlich um den Preis. Eine entgegengesetzte Meinung hatte er zwar auch nicht, er schämte sich bloß aus pöbelhaften Vorurteilen, und die Art, wie er sie ausdrückt, beweist, daß eine gemeine Erziehung ihre Rechte behauptet.» Den zum vornehmen Weltmann gewordenen Führer der Frühromantik hätte der Gedanke an seine eigene und seiner Freunde kurz zurückliegende Vergangenheit davon abhalten sollen, Winckelmann so von oben herab und mißverstehend abzutun. Erinnerte er sich nicht daran, daß aller Kunstglaube der Romantik ohne Winckelmann kaum denkbar gewesen wäre? Erfaßt man Winckelmanns Schritt in weltweitem Zusammenhange, so war an ihm von Wichtigkeit die Katholizität des von ihm verkündeten Kunstglaubens, das «Ökumenische» der von ihm eröffneten Sicht auf die Antike und auf ihre werbende Kraft bei allen Völkern. Es zeugt von einer Einsicht, die durch Äußerlichkeiten und Nebenumstände hindurchdringt, wenn in unsern Tagen die Behauptung gewagt wurde, daß dieser antikisierende Kunstkatholizismus «nicht so außer Bezug stehe zu dem modernen kirchlichen, durch dessen Annahme sich der lutherische Bibliotheksschreiber zu Dresden den Eintritt in die Welt der römischen Altertümer erkauft hat».

Schließlich gibt es noch einen engeren Bereich, in welchem sich sein Griechenglaube mit einem frommen katholisierenden Empfinden deckte, wenn auch die Gegenstände verschieden waren. Das ist die italienische Renaissancekunst und ihre nach Ausdruck und Form bestehende Gemeinschaft mit der Antike, wie Winckelmann sie sah. Die eine wie die andere Kunst stehen ihm unter dem Gesetz der «Stille». Ein Beleg mag für mehrere sprechen. Angesichts der Sixtinischen Madonna heißt es in Winckelmanns Erstlingsschrift: «Sehet die Madonna, mit einem Gesicht voll Unschuld und zugleich einer mehr als weiblichen Größe, in einer selig ruhigen Stellung in derjenigen Stille. welche die Alten in den Bildern ihrer Gottheiten herrschen ließen,

Wie groß und edel ist ihr ganzer Kontur! Das Kind auf ihren Armen ist ein Kind über gemeine Kinder erhaben durch ein Gesicht, aus welchem ein Strahl der Gottheit durch die Unschuld der Kindheit hervorzuleuchten scheinet.» Goethe aber schreibt in der Italienischen Reise: «So habe ich eine heilige Agatha gefunden, ein kostbares obgleich nicht ganz wohlerhaltenes Bild. Der Künstler hat ihr eine gesunde, sichere Jungfräulichkeit gegeben, doch ohne Kälte und Roheit. Ich habe mir die Gestalt wohl gemerkt und werde ihr im Geist meine Iphigenie vorlesen und meine Heldin nichts sagen lassen, was diese Heilige nicht aussprechen möchte.» Schwerlich gibt es zwei überzeugendere seelengeschichtliche Einzelübereinstimmungen als diese beiden.

Unter der Sicht des Religiösen muß schließlich auch seine häufig kritisierte Spätschrift von 1766 verstanden werden, die sich nennt *«Versuch einer Allegorie, besonders für die Kunst»*. Entkleidet man sie gewisser, wenig glücklicher und zu Mißverständnissen Anlaß gebender, historischer, ornamentaler Äußerlichkeiten, stellt man fest, wie es schon die weimarische Ästhetik und nach ihr jede andere ästhetische Scheidekunst getan hat, daß er die Allegorie von der Symbolik nicht genügend getrennt habe, so ordnet sie sich ein in die Strömung der symbolistischen Zeichentheorie, die, von Shaftesbury und Leibniz ausgehend, das 18. Jahrhundert durchzieht, zur romantischen, naturphilosophischen «Hieroglyphik» wird und, in ihren Geltungsbereichen sich wandelnd und schwankend, die moderne Kunst, insbesondere die Dichtung richtunggebend bestimmt hat. Läßt man gelten, daß Winckelmann unter der Allegorie jede Art von Symbolik versteht, so schweift, von ihm in die Richtung gewiesen, der Blick nach rückwärts und nach vorwärts und erkennt religionsgeschichtliche und geistesgeschichtliche Tiefen, die hier zuerst für einen Augenblick aufgedeckt wurden. Er stellt die These auf: «Die Notwendigkeit selbst hat Künstlern die Allegorie gelehret.» Sie allein habe die Künstler gelehret, «zu erfinden». Sie habe die Möglichkeit gegeben, das einzelne durch allgemeine Bilder vorzustellen, die, «einzeln wie sie sind, keinem einzelnen insbesondere, sondern vielen zugleich zukommen». Zumal «die Göttergeschichte ist nichts als Allegorie und macht den größten Teil derselben auch bei uns». Ist es zu verwegen, die übliche Scheidelinie zwischen Klassik und Romantik auch von hier aus zu durchbrechen und in der mythologischen Symbolik, die Winckelmann hier zu erkennen glaubt, einen Keim der Ahnungen und Deutungen zu sehen, die sich an die Namen Creuzer, Görres und Bachofen knüpfen? Schon für Winckelmann besteht das Wesen der Allegorie in einer zeichenhaften und bildhaften Heraufholung und Sichtbarmachung einer göttlichen Urwahrheit. Näher liegt freilich die Folgerung, die die Klassik Goethes und Schillers aus der Winckelmannschen Lehre von der Allegorie oder, besser gesagt, Symbolik zog. Schreibt er dem Künstler vor, den einzelnen Fall durch die allegorische Behandlung zur Allgemeingültigkeit und zu einer göttlich-ewigen Weisheit zu erheben, so ist damit der «bedeutende» Gehalt der klassischen Dichtung und ihre über den einzelnen Fall hinausweisende, typisch-symbolische Haltung vorweggenommen.

Der frostige Allegorismus der Renaissance und des Barocks erfuhr nun eine Blutauffrischung, die Geste und Hülse des Allegorischen empfing nun die funktionelle Bezogenheit auf einen Mittelpunktswert, so wie der in Außenbereichen verhaftete bisherige «Klassizismus» zur «Klassik» wurde, die an ihrem Herzpunkte erkannt werden will.

Winckelmanns religiös eingefärbtes Polaritätsempfinden der «Stille» hat seine Nachgeschichte durch die Klassik und das 19. Jahrhundert hindurch. «Stille» sucht Goethe während des Entfaltungsprozesses der ersten zehn Jahre in Weimar, in denen das Winckelmannsche Vermächtnis – von der unruhigen Seele frühe, aber ohne daß die Zeit erfüllt war, aufgenommen – zum Erlebnis wurde. Nicht immer stellt sich bei dem nach Ruhe, Frieden, Geborgenheit, Einschränkung Verlangenden das Wort ein. Aber das Atmosphärische der «Stille» umgibt ihn. Und erreicht wird die hohe Feierlichkeit und tiefe Geklärtheit, die den Inbegriff des «stillen» Geistes ausmacht, wird das Empirische dieser Idee erst in dem gereiften Goethe. Sein Geist und seine Seele sind dann ein Musterbild jener «Stille», die Winckelmann doch nur gewünscht, geahnt und geträumt hatte. Aber auch das Wort taucht in der weimarischen Zeit wieder und wieder auf und stellt sich zu den anderen Worten, die nunmehr der Goetheschen Sprache den Charakter

der Ruhe an Stelle des Bewegten der Jugend geben. «Stille» und
«still» reihen sich jenen Ausdrücken an, die wie «edel», «schön»,
«groß», «gut», «würdig» die ethische Komponente der werdenden
Klassik zeigen. Nicht ist es so, daß die Dynamik der Geniesprache nun
zu ihrem Gegenteil, nämlich einer in Wortgattung und Wortwahl sich
ausprägenden Statik würde. Gerade unser von Winckelmann herkom-
mendes Wort zeigt auch bei dem weimarischen Goethe, ganz abgesehen
von dem psychologischen Vorgange des Wunsches nach dem Entbehr-
ten, jenen Zustand, der wohl die Bändigung wogender Bewegtheit,
aber nicht ihre Auslöschung und Aufhebung, die Beseitigung ihrer
Möglichkeit bedeutet. Unter dem Zeichen der «Stille» steht vor allem
die Goethesche «Iphigenie». Nach Gehalt und Form ist sie von diesem
Zeichen überschattet. Schon auf der Schwelle empfängt uns das Wort
und kehrt als Dominante immer wieder. «Denn seine Seel' ist stille;
sie bewahrt Der Ruhe heil'ges unerschöpftes Gut, Und den Umher-
getriebnen reichet er Aus ihren Tiefen Rat und Hülfe.» Dies sagt Iphigenie von Pylades. Sie selbst ist voll dieser «Stille». Der von den Furien verfolgte und geheilt in die «Stille» einkehrende Orest besitzt
seine Vorformung sowohl in Winckelmann, dem «Stille» Suchenden,
wie in dem weimarischen Schöpfer Goethe selber. Wurde im klassischen Epigonentum des 19. Jahrhunderts die Eigenschaft der «Stille»
weiterhin zur statuarischen Unlebendigkeit und Entseeltheit, so haben
doch die großen Nachfahren der Klassik noch um das innerste Wesen
dieser Erscheinung gewußt: Conrad Ferdinand Meyer, für den ihre
göttliche Anschaulichkeit und Greifbarkeit sich nicht mehr mit dem
Meere, sondern mit der Firnenwelt verbindet, Adalbert Stifter, dessen
in Stille getauchter «Nachsommer» das griechische Marmorbild als
ein Allerheiligstes hütet. Und wenn Nietzsche gerade den «Nachsommer» so liebte, so zog auch ihn zu diesem Werke und zu dem «stillen»
Dichter überhaupt seine eigene seelische Verfassung, die innere Not
desjenigen, der, wie Hölderlin, wie Mörike, Stifter und Conrad Ferdinand Meyer, die Lebenssicherheit nur beim Umfangen jenes von
Winckelmann der Seele des neueren Menschen eingeimpften Idols der
«Stille» zu finden glaubte. Zuoberst aber hat gerade Nietzsche die
«Stille» von denen verlangt, die die ehrwürdige Kunst der Altertums-

121

wissenschaft, der Philologie treiben, «welche», wie er sagt, «von ihrem Verehrer vor allem eines heischt: beiseite gehen, sich Zeit lassen, stille werden, langsam werden». Alle Beschäftigung mit dem Göttlichen verlangt diese «Stille», nicht nur die Anschauung der in Marmor gebannten griechischen Götterwelt. Alle Religionsstifter, alle Menschen, deren Betrachtung sich auf ein Letztes und Tiefstes richtete, suchten die Stille des Meeres, des Gebirges, der Wüste. Winckelmann hat für die griechische Welt des Göttlichen in seiner Weise ein Gleiches getan.

Abseits von diesem Stück Seelengeschichte der neueren deutschen Menschheit seit Winckelmann und der Klassik, der Entwicklung, in der die «schöne Seele» zur «stillen Seele» wird, steht die besondere Frage, die nämlich: wie sich die Folgenden zu der These Winckelmanns und der Klassik stellten, die der griechischen Götterwelt eine in sich ruhende, selige und wandellose Stille als das Attribut eines ausgeglichenen und wunschlosen Daseins zuschreibt. Freilich, diese Linie der Griechenauffassung ist von der Geschichte des Seelischen und von dem Wunschbilde nach persönlichem Eingehen in einen Bereich harmonischer Lebenssicherheit und Seelenfriedsamkeit nur dialektisch-begrifflich zu scheiden; in dem seelen- und geistesgeschichtlichen Vorgange selber, wie ihn Walther Rehms Tiefblick hat erkennen lassen, verknüpft sich das eine mit dem andern unlöslich und bedingt sich wechselseitig. Eine andere Deutung der griechischen Götterwelt und plastischen Kunst, eine Anzweifelung der in ihr vermeintlich sich ausprägenden, seligen und wunschlosen Vollendung und Befriedung setzte eine andere weltanschauliche Situation voraus. Christlicher Dualismus und christliche Aszese, christliche Todesfurcht und christlicher Jenseitsglaube mußten sich gegen die All-Einsidee und die Allgöttlichkeit kehren, die doch in der Vorstellung der Götterstille beschlossen waren. Friedrich Leopold Stolberg wurde um 1790 der Wortführer dieser christlichen Haltung. Er gab damit eine neue Deutung. Er sieht in der trüben Melancholie, welche die meisten Köpfe der alten Statuen, sowohl der Götter als der Menschen, bezeichne, nichts anderes als die in ihnen wirkende Vorstellung der Vergänglichkeit: «Es schwebet, selbst auf den Gesichtszügen der ewigen Götterjugend, wie eine schwarze

Wolke der Gedanke des Todes.» Zu diesen und verwandten Feststellungen fühlte sich der Graf und Christ getrieben, der die ihm mit dem jungen Goethe gemeinsam gewesene Ebene des Vitalen und des Dämonischen aus einem Ressentiment gegen die das Feste und Organische umstürzende Zeit verlassen hatte. Seine Haltung ist von einer über den besonderen Fall hinausgehenden, symptomatischen Bedeutung und bezeichnet Entscheidungen, die zwischen Klassik und Christentum ausgetragen werden mußten; sie kann diejenigen unsicher machen, die die Trennungslinie zwischen beiden zu unterschätzen geneigt sind. Wenn Stolberg den Todesgedanken und die christliche Auffassung des Todes in die Winckelmannsche und klassische Götterwelt hineinträgt, ist für ihn die Lessingsche Entdeckung der freudig-furchtlosen und ausgeglichen schönen Art, «wie die Alten den Tod gebildet» – eine Deutung, die die Klassik sich naturgemäß zu eigen machte –, vergeblich gewesen. So erweiterte sich für die Klassik und die Romantik die Frage nach der «Göttertrauer», die man an dem Antlitz der griechischen Werke ablesen zu können glaubte, nicht nur zu dem Problem des Griechentums überhaupt, sondern auch zu einer Sicht auf das Todesproblem ganz allgemein, wobei die verschiedene Wertung in der Antike und dem Christentum den Ausgangspunkt der in diese Richtung gehenden Erörterungen bildete. Schiller, der Dichter der «Götter Griechenlands», der in den «Xenien» gegen Stolberg auftrat, hat, jedenfalls in seiner späteren Zeit, gemäß seiner so stark sittlichen und protestantisch-kämpferischen Natur eine gewisse Sympathie mit einer Auffassung der Antike gehabt, die in ihr nicht nur selige, in sich ruhende Harmonie, nicht nur «Götterstille», sondern auch bedrohendes und verpflichtendes Bewußtsein des Schicksals und des Todes, daraus folgende trauervolle Überschattung erkennen wollte. Das Antithetische und Dialektische von Schillers geistiger Struktur wies in die gleiche Richtung: der Annahme eines Spannungszustandes. Wie alsdann andere des klassisch-romantischen Zeitalters und der Folgezeit über Hegel zu Burckhardt, Nietzsche, Stefan George und Hofmannsthal sich mit dem Verhältnis der Antike zum Walten des Todes, des Schicksals und der Vergänglichkeit und damit der «Nachtseite» der Antike abfanden – dies liegt jenseits der hier zu setzenden Grenze.

Solche Fragen hängen engstens zusammen mit der seit Nietzsche gemeinplätzlich gewordenen Unterscheidung eines apollinischen und eines dionysischen Griechentums und der Erkenntnis seiner Umwölktheit und Abgründigkeit. Inmitten solcher Auseinandersetzungen stehen als das großartigste Denkmal des deutschen Idealismus und seiner spekulativ-dialektischen, aber ebenso den letzten Sinn einer Erscheinungswelt heraufholenden Deutungskraft die Erörterungen, die Hegel in seiner «Ästhetik» (1835–1838) an Göttertrauer und Götterstille anknüpfte. Sie bezeichnen den Abschluß der Epoche, die mit Winckelmann anhebt.

Längst nicht immer hatte man bei den Erörterungen der Winckelmann folgenden sechzig Jahre über Grund und Abgrund der griechischen Haltung und des griechischen Antlitzes das Bewußtsein, die Fäden fortzuspinnen, die er angeknüpft hatte. Schon die Goethesche Schrift von 1805, die im Titel zum Ausdruck brachte, daß ihm das abgelaufene Jahrhundert als das Jahrhundert Winckelmanns galt, wirkte mit all ihrer warmen Nähe, mit der sie in typisierender, beinahe morphologischer Methode die Summe der Winckelmannschen Existenz zog und das Beispielhafte oder, wie Goethe sagen würde, das «Musterhafte» der säkularen Erscheinung Winckelmanns herausstellte, ohne das Einmalige und Individuelle seiner Bekundungen und der von ihm gefundenen Lösungen zu kurz kommen zu lassen, auf das deutsche Publikum der Zeit wie eine gewisse aristokratisch-klassizistische Verstiegenheit, beinahe schon wie ein Anachronismus. Und doch war kaum ein Menschenalter vergangen, seitdem Winckelmanns Werk und Erscheinung das gebildete Europa, nicht nur das gelehrte Deutschland aufgewühlt und in sich geführt hatten. Rom und Hellas, Natur und Kunst wurden durch ihn eine Angelegenheit lebenswichtiger, zum mindesten die Existenz eines jeden unmittelbar angehender Art, wie es heute etwa die Fragen des sozialen und wirtschaftlichen Daseins sind. Lessings Bruder berichtet ein Vierteljahrhundert nach Winckelmanns tragisch-schicksalhaftem Ende in der Lebensbeschreibung Gotthold Ephraims, daß Winckelmann «es mit seinen Schriften und seinen kräftigen Beweisen, daß man außer Rom weder wahren Geschmack noch Kunsteinsicht erlangen könnte, dahin gebracht» habe, «daß damals die gelehrte und galante Welt von nichts als Antiken sprach, daß sie von Rom redete, um sich zu bilden, und daß jedem die griechischen und lateinischen Autoren ohne das Antikenstudium ganz unverständlich und ungenießbar schienen». Und er klagt, daß man sogar in den geringsten Schulen, «wo man eigentlich gute Bäcker, Schneider, Schuster und dergleichen notwendige Bürger erzieht», griechische Studien zu treiben begann und «mit einem Zimmermann oder Anstreicher ebensogut vom alten griechischen Styl» schwatzte «wie mit dem Bildhauer oder Maler».

Es vergingen zwei Jahrzehnte, und eine gleiche Mode wandte sich dem Altdeutschen zu. Dies sind in der bisherigen deutschen Geistesgeschichte die letzten und wichtigsten Beispiele für das Sichtotlaufen eines das gesamte Publikum durchdringenden Geschmacks. Dieser Geschmack tritt nicht nur innerhalb der Literatur und Wissenschaft inhaltlich beherrschend auf, er umfaßt nicht nur die Künste, sondern er erstreckt sich auf das gesamte Verhalten zum Leben und beinahe auf jede Ausdrucksbewegung. Und mit ihm sind seine Rückschlagsvorgänge gegeben.

Die Erscheinung und Wirkung Winckelmanns, seine Aufnahme in breiten Schichten der Gebildeten empfangen ihr Licht also nicht nur vom deutschen Boden. War er eine Gestalt, die nur im damaligen Deutschland entstehen konnte, so war er aber auch seit Luther der erste Deutsche, der einen europäischen Widerhall fand mit seiner Entdeckung des vorbildlich schönen und zugleich naturhaften Menschentums im Griechentum. Die englische Vorbereitung dieser Entdeckung darf nicht vergessen werden, die Grundlegung durch die in Oxford und Cambridge getriebene Lektüre Platos und Plotins, die erst die Voraussetzung für einen Shaftesbury schuf. Doch es ist das der deutschen Entwicklung Eigentümliche, daß sich bei uns Renaissance, Humanismus und Klassik nicht als eine Sache rationaler Erfassung und Einordnung darstellen, sondern, wie man schön gesagt hat, als «eine elementare Kraft, die sich in ihrem unterirdischen Laufe von all dem Metall gespeist hat, das in den Urgründen unseres Wesens verborgen liegt, von unserer Sehnsucht nach reiner Natur, von unserem religiösen Bedürfnis, von unserem metaphysischen Begehren nach einheitlichem

Begreifen der Welt». Es sei zunächst abgesehen von dem Nationalgefühl, das sich bei Winckelmann so oft ausdrücklich zu Worte meldet
und manchmal an das Bestreben erinnert, das seit dem 16. Jahrhundert die deutschen Schriftsteller beherrschte, die guten Willens waren
– das Bestreben nämlich, es dem Auslande gleichzutun oder es zu überflügeln und das wahre Wesen der Deutschen in geistiger Leistung zu
bewähren. «Meine Absicht», so schreibt Winckelmann einmal, « ist
allezeit gewesen und ist es noch, ein Werk zu liefern, dergleichen in
deutscher Sprache, in was vor Art es sei, noch niemals ans Licht getreten, um den Ausländern zu zeigen, was man vermögend ist zu tun.»

In diesem Zusammenhang kommt nun, über die Persönlichkeit
Winckelmanns hinausgeführt, auch die schon mehrfach vorausgesetzte
geistesgeschichtliche Trennungslinie zwischen deutscher «Klassik» und
deutschem wie europäischem «Klassizismus» zur entscheidenden Geltung. Um zusammenzufassen: Die Geisteshaltung der «Klassik» unter
Winckelmanns Führung weiß um alles Abgründige, um alle dunklen
Tiefen und Mächte, um alles Unbegreifliche und scheinbar Widersin-
nige und sich Widersprechende und Gegeneinanderstehende und ist,
selber aus solchen Tiefen heraufgekommen, nicht mit ihnen ein für
allemal fertig. Aber sie läßt alles das keine Macht gewinnen in der
Selbstdarstellung ihres Geistes und zwingt es nach außen in eine Form,
die bindend, gültig, groß, haltgebend und fest zugleich ist, nicht ver-
deckend oder übertäuschend, aber die Gewalten des Triebhaften und
die Dämonie ebenso bändigend wie im Grunde nicht erlernbar, nicht
absehbar oder übertragbar, weil ihrem Ursprunge nach weit ab von
jenem Bereiche, in welchem die rationalen Möglichkeiten zu Hause
sind . . . Dabei handelt es sich natürlich nicht um den in den allgemeinen Sprachgebrauch übergegangenen Wertbegriff des «Klassischen» als den der Vollendung, Maßgeblichkeit und allgemeingültigen
Vorbildlichkeit. Über ihn wird im zweiten Bande gelegentlich der
Weimarer Klassik Goethes und Schillers zu sprechen sein.

Der «Klassizismus» jedoch ist im Gegensatze zu der Immanenz der
Klassik etwas Ablösbares und Anwendbares, gewiß nicht bloße «Form»
im Sinne einer von außen kommenden Wirkung, aber auch nicht gewachsen im Sinne eines organischen Vorganges, rational erlernbar oder

bisweilen auch unbewußtermaßen übernehmbar. Er ist nicht Tiefe, Allseitigkeit und problemreiche und reibungsvolle Trächtigkeit eines Weltgefühls und Welterlebnisses, sondern ein glatt aufgehendes Nebenher und ein klar bejahendes Auch. Er ist Schulung und Zucht mit dem Ergebnis einer dekorativen und programmatischen Wirkung, eines statuarischen Eindruckes oder einer gekonnten Sicherheit. In Deutschland nun gibt es neben der Winckelmann-Goetheschen «Klassik» einen «Klassizismus» oder besser «Neoklassizismus». Es muß sich zeigen, wieweit er mit dem Klassizismus der westeuropäischen Renaissance, insbesondere mit dem französischen, und mit allen wiederauflebenden früheren Bemühungen in Deutschland um eine antikisierende oder vermeintlich antikisierende Dichtung zusammenhängt. Daneben aber muß sich ausweisen, wie die Fäden hin und her laufen zwischen einer deutschen Klassik, die geboren ist aus den Gründen schauender Mystik, aus dem Hange nach Ausgleich, Persönlichkeitswert, Erfüllung, Vollendung, Erlösung und Rechtfertigung einerseits und der antikisierend-klassizistischen Gebärdung anderseits. Es ergab sich in Deutschland um die Wende des 18. und 19. Jahrhunderts eine Zeitsituation, die an diesem besonderen Fall die Schwierigkeit reiner Lösungen und Scheidungen für den Historiker offenkundig macht.

Zwei Fragen heischen da vor allem eine Antwort. Die eine bezieht sich auf ein neues Gesellschaftsideal und eine damit verbundene Bildungsproblematik. Hier erscheint eine gesellschaftliche Schicht, die sich in einer neuen geistig-seelisch-leiblichen Einheit zusammenfand. Sie bildete sich in dem Schnittpunkte der Linien, die am Ende des 18. Jahrhunderts *sowohl* von der «Klassik» *wie* vom «Klassizismus» ausgingen. Es handelte sich bei ihr nicht nur um bestimmte geistige Interessen und seelische Reaktionen, sondern auch um ein bestimmtes Körpergefühl und um bestimmte Ausdrucksbewegungen. War sie «bürgerlich»? Man kommt ihr mit diesem Begriffe allein, besonders soweit er seine Entstehung den klassenkämpferischen Vorgängen und Theorien des 19. Jahrhunderts verdankt, wohl nicht nahe, zumal ihre Ursprünge dem Ereignis der Französischen Revolution, das die europäische Gesellschaft sichtbar umgestaltete, vorauslagen, und zumal Fürstentum und Adel neben Bürger- und Beamtentum wesentliche

Träger dieser Bildungswelt in Deutschland waren. Was nun entstand, war eine «Elite», bei deren Aufkommen der Adel, wenn er zu ihr hinzutrat, sich aus seinem ständischen Gefüge und den Prämissen ständischer Zurechnung löste. Beispiele dafür bietet die Geschichte dieses Zeitalters von Ewald von Kleist bis zu den adeligen Nachfahren der Spätromantik. Jetzt galt der Satz, daß der Besitz persönlicher höherer Bildung «der Ritterschlag der Neuzeit» sei. Es ist begreiflich, daß die Übernahme des Bildungsprinzips durch den Adel die weitere Ausbreitung dieser Haltung im Bürgertum wiederum gefördert hat.

Da lag ein Kraftfeld Winckelmannscher Wirkungsmöglichkeiten. Nicht nur in dem Lebensgange dieses Mannes, sondern an den Gegenständen, die ihn beschäftigen, wie in der Gesamthaltung seines Geistes lag ein Moment, das zu Elite, Adel und Vornehmheit stimmte und als maßgeblich auch für das Bürgertum erscheinen konnte. Dieses Bürgertum begann in den achtziger Jahren des Jahrhunderts gerade auf Grund der Wertungen, die die beginnende Klassik brachte, sich zu spalten. Da war eine Schicht, die bei den Erzeugnissen der Geniezeit in ihren reinen oder irgendwie verwässerten Formen stehenblieb, den Ritter- und Räuberromanen, der Schauerdramatik und den verflachten bürgerlichen und «sozialen» Dramen. Aber da war auch eine andere Haltung, innerhalb deren – bei aller sozialen Einordnung – die Einkehr bei sich selbst und der auf Qualität gestellte Individualismus herrschten, wie ihn das am Altertum genährte Menschheitsideal doch am stärksten zu fördern vermochte.

Die andere Frage, die innerhalb der großen Linien Winckelmannscher Nachwirkung steht, ist die nach der Wesensart des «Empire» und nach seinem Zusammenhange oder nach seiner Unvereinbarkeit mit den von Winckelmann ausgehenden Strahlen und stilbildenden Möglichkeiten. Nicht daß die vermeintlich nur ästhetische Richtung Winckelmanns im Gegensatz zum Empire stände, weil es seinerseits in der ethisch-politischen Gesinnung der Französischen Revolution seinen Ursprung hat und sie in sich begreift. Das Entscheidende ist hier vielmehr beschlossen in dem Römertum, das in Revolution und Kaiserreich wieder auflebte oder wieder aufleben wollte, im Gegensatz zu dem Hellenentum Winckelmanns. Er hat die Frage, ob man überhaupt von einer «römischen Kunst» sprechen dürfe, verneint. «Ich höre noch täglich», so sagte er im vierten Kapitel des achten Buches der Kunstgeschichte, «unsere Antiquarii und Bildhauer von einer lateinischen Bildhauerei und einer eigenen Art römischer Arbeit in der Kunst reden, wenn man etwas Mittelmäßiges bezeichnen will, und ich achte nicht mehr auf diese Art zu reden, als auf andere Ausdrücke, die der Irrtum üblich gemachet hat; wir wissen, daß es römische Bildhauer und Maler gegeben hat, sowohl aus Schriften wie aus übriggebliebenen Werken, und es ist nicht unglaublich, daß es einige hoch in der Kunst gebracht haben können, und vielen griechischen Künstlern zu vergleichen gewesen, aber aus solchen Nachrichten und Arbeiten kann kein System der römischen Kunst, zum Unterschiede von der griechischen gezogen werden.» Es bleibt bestehen, daß Winckelmann in Rom den Eigenwert römischer Kunst, insbesondere römischer Baukunst, nicht sah oder nicht sehen wollte. Erklären läßt sich aus ihm selber diese Beschränkung ohne alle Mühe. Er begegnete sich nicht mit dem neben ihm lebenden und arbeitenden Giovan Battista Piranesi, der als der weithin sichtbar gewordene Wiederentdecker und Verkündiger der besonderen Größe und Herrlichkeit der römischen Bau- und Trümmerwelt gilt. Winckelmanns historische Sendung, der ihm zugeordnete Kairos, bestand in der Aufgabe, mit Ausschließlichkeit das Griechentum und nur das Griechentum zu sehen. Bisher hatte fast die gesamte abendländische Kunst und Wissenschaft, wenn es sich um ihre Auseinandersetzung mit der Antike handelte, vornehmlich dem Römischen und dem Lateinischen gegolten, oder es hatte sich dies vor das Griechische geschoben. Insbesondere in den romanischen Ländern mit ihrer lateinischen Unterschicht war die römische Tradition lebendig oder konnte unschwer lebendig gemacht werden. Und noch zuletzt hatte sich das Barock dem Großgebärdigen oder dem Stoizistisch-Strengen des Römertums wahlverwandt gefühlt. Winckelmanns Kampf gegen das Barock galt wohl unbewußt gleichzeitig dem Römischen, das darin enthalten war. Noch an der politischen Persönlichkeit Friedrichs des Großen waren gewisse Züge eines neuen Römertums sichtbar geworden. Winckelmann wie Herder (in der dritten Sammlung der «Fragmente über die neuere deutsche Literatur») stehen letzten Grun-

des gegen das Lateinisch-Römische, weil es an dem starren Klassizismus Frankreichs und Deutschlands Schuld getragen hatte. So bedeutete in der Tat ihr Griechenglaube, der aus einem Übereinstimmungs-
gefühl der deutschen Seele, ihrer mythusbildenden Artung hervor-
ging, eine Erweckung. Aber der vornehmlich an das Lateinische oder
an die lateinische Durchgangsform angelehnte «Klassizismus» bestand
daneben weiter. Vor allem gewannen der latinisierende Klassizismus
und das Römertum die gewichtigste Bedeutung nach außen für das
beginnende öffentliche und politische Leben und für den Lebensstil
und seine Schaustellung in der Französischen Revolution, im Kaiserreich, in Napoleon. Das Jahr 1785, mit dem, wenn schon einmal feste
Daten zur Sichtbarmachung allmählich eingetretener Zeitwenden gebraucht werden sollen, diese Darstellung hier gerechnet haben möchte,
bewährt seine epochale Bedeutung auch insofern, als in diesem Jahre
Jacques Louis David den «Schwur der Horatier» malte und in diesem
Bilde, wie ebenso mit dem Brutusbild von 1789, ein weithin sichtbares,
ethisch-ästhetisches Symbol für Geist und Haltung des neuen Römertums schuf. Plutarch mit seinen Schilderungen von Tugend und Hel-
dengröße, die römische Form des Stoizismus und Cicero, der die Rhe-
torik der französischen Revolution maßgebend bestimmte, waren für
diesen römisch-französischen Klassizismus wegweisend. In der Gestalt
Napoleons findet er seine persönliche Kristallisation. Es steht hier nicht
zur Erörterung, wieweit Napoleons inneres und äußeres Wesen dem
antiken Menschenbilde entsprochen habe, wieweit die Weltlage, die er
vorfand, und seine historisch-politische Leistung dem Aufbau des römischen Weltreiches nachstrebte, wieweit er sein Werk als Wiederaufnahme der Aufgabe betrachtete, welche die Caesaren geleistet hatten.
Dies aber wird auch für die Geistes- und Literaturgeschichte, die sich
von der politischen niemals ganz trennen läßt, wichtig: daß sich ihm
als Ziel ein Menschentum ergab, innerhalb dessen, wie im römischen
Weltreich, auf Grund der zu einer Mitte strebenden Lebensart das Individuum zurücktrat und ein allgemeiner und über den nationalen
Volksgemeinschaften stehender Menschentyp sich bilden konnte. So er-
schuf der französisch-lateinische Klassizismus, auf Grund der alten römischen Schicht, seit der Renaissance in Frankreich vorbereitet, über

das 17. und 18. Jahrhundert in Napoleon und dem Empire gipfelnd, jene westeuropäische Zivilisation mitsamt ihrem Ideengut, die in Gegensatz zur Klassik Winckelmannscher Prägung steht. Und es ist wohl nicht zuviel gesagt, daß der Kampf gegen die napoleonische Herrschaft in Deutschland auf dem Grunde eines Gegensatzes der deutschen Klassik gegen den nivellierenden und normierenden, die Nationalitäten einebnenden Klassizismus der napoleonischen Epoche geführt wurde. So wirkte sich das Gefühl und die Erkenntnis eines organisch-irrationalen Lebenszusammenhanges gegenüber der mechanistischen Lebensauffassung auch hier aus. Das besagt nicht, daß in den französischen Klassizismus nicht auch gewisse deutsch-sächsische Einflüsse von Winckelmann und Mengs her aufgenommen sind; sie berühren aber nicht die Linien der Herkunft und Artung in den beiden geistigen Gesamtmassen.

Freilich neben diesen weiten Perspektiven auf die Gegensätzlichkeit zwischen dem Griechischen und Römischen eröffnet sich auch eine andere Betrachtungsweise, von der aus eben das Lateinische für die werdende deutsche Klassik als Stellvertretung des Antiken überhaupt und als ein gefühlsmäßiges Symbol für die Welt der Alten und ihr Nachleben erscheint. Von hier aus handelt es sich nicht um das Römisch-Catonische, um das Tugendhafte, Heldische und Herrscherhafte der Römer, sondern Rom mit seiner Sprache wird gleichbedeutend mit dem Tramontanen, das es den Deutschen nun einmal angetan hat. Die weite und helle Deutlichkeit des Südens, die den Deutschen schon am Gardasee empfängt, wird gleichgesetzt mit dieser Vorstellung des Lateinischen. «Schon einige Jahre hab' ich keinen lateinischen Schriftsteller ansehen, nichts was nur ein Bild von Italien erneuerte, berühren dürfen, ohne die entsetzlichsten Schmerzen zu leiden», so schreibt Goethe von der Zeit vor seiner Flucht nach Italien. Und war nicht für Winckelmann selber, der nach Griechenland nie gelangt ist, Rom und Italien der Inbegriff der antiken Natur und Kunst? Gab ihm dieses Rom nicht alles, was ihm die Antike überhaupt zu geben vermochte? Gerade deswegen scheint sich alles in ihm gesträubt zu haben, eine römisch-lateinische Besonderheit der Antike anzuerkennen. Der weltgeschichtliche und geistesgeschichtliche Aspekt, unter dem gerade im

Hinblick auf Winckelmanns eigene Erscheinung und Nachwirkung das Griechische von der lateinischen Haltung abgehoben werden muß, kam ihm selber nicht ins Bewußtsein. Aber die Späteren haben empfunden, daß sein der deutschen Klassik eingeimpfter Geist nicht der des ehernen und unerschütterlichen Römerschrittes gewesen ist, sondern herkam aus einem der unbestimmbarsten und deutschesten Menschen, die das 18. Jahrhundert gebildet hat.

Schon mehrfach wurde im Laufe dieser Darstellung der Mischungen und Widersprüchlichkeiten seines nicht auf eine runde Formel zu bringenden persönlichsten Wesens gedacht. Er selbst sah diese seine Wesenheit als zusammengehörig an mit seinem Lebensgange, der ihn von Deutschland nach Rom führte. So gewinnt auch für ihn das Wort des Novalis Geltung, daß Schicksal und Charakter nur zwei Namen eines und desselben Begriffes sind. Am Schlusse des berühmten Briefes vom 8. Dezember 1762, den Herder in der «Adrastea» 1803 bekanntmachte, steht der lapidare Satz: «Dieses ist das Leben und die Wunder Johann Winckelmanns, zu Stendal in der Altmark, zu Anfang des 1718ten Jahres geboren.» Der Erwecker der Kunstreligion in Deutschland zieht mit solchen Worten gleichsam die Parallele zu dem Geiste und der Wirkung des heiligen Franziskus. Als er jenen Brief schrieb, erschien ihm die Lebenssicherheit bereits hergestellt, das Stadium der Bedrohtheit ihm abgeschlossen zu sein. Aber wieviel lag, auch abgesehen von den Mischungen in seiner Religiosität, noch unverbunden und unausgeglichen in ihm! Und wie sehr waren auch ihm die unendlichen Leiden und Freuden ganz gegeben! Bis zuletzt bleibt er der Prototyp des problematischen Menschen. Da fesseln immer wieder Züge, die an den Reichtum, die Fülle und die Beeindruckbarkeit der Humanisten des 15. und 16. Jahrhunderts erinnern und ein Kennzeichen des «Humanismus», sei er älterer oder neuerer Zeit, überhaupt zu sein scheinen. Er ist sich bisweilen sogar ausgesprochenermaßen bewußt, das Streben der alten Humanisten wiederaufzunehmen. Aus ihm kommt eine eudämonistische, manchmal sogar materialistische Güterlehre zu Worte, die man, wenn man will, mit Epiktet in Verbindung bringen kann. Aber Mutianus Rufus erscheint greifbarer hinter solchen Wünschen nach einer Beata tranquillitas, wie sie als Aufschrift über dem Hause des Kanonikus Conrad Mut in Gotha stand. Diese Muße wird immer wieder von ihm als höchstes Glück gepriesen. Goethe erkannte die ruhevolle Glückseligkeit, die im Anschauen ihr Genüge findet, als den Mittelpunkt des Winckelmannschen Wesens. Winckelmann will das Leben «fröhlich genießen» und ist um seine leibliche Wohlfahrt gar sehr besorgt. Denn «Gesundheit ist das größte menschliche Gut» – so schrieben ja schon die «Dunkelmännerbriefe». Aber auch der Eudämonismus des deutschen 18. Jahrhunderts samt seinen anakreontischen und horazischen Nebenformen bricht bei ihm durch: «Ich bin arm und habe nichts; aber ich genieße eine stolze Freiheit, die ich nicht um aller Welt Schätze gäbe.» Sprach nicht schon Hagedorns munterer Seifensieder ebenso? «Der Wein», so schreibt der römische Anakreontiker, den das 19. Jahrhundert und die Gegenwart sich gerne dem kühlen Marmor verschwistert denken, «ist mein Fehler.» Und es könnte ebenfalls ein Motiv der Anakreontik sein, wenn einmal im Jahre 1764 zu lesen steht: «Für meine Erben habe ich nicht zu sorgen, und da wir eine unendliche Ewigkeit werden ernsthaft sein müssen, so will ich in diesem Leben nicht den Weisen anfangen zu machen.» Aber nach solchen Momenten scheinbar wunschlosen Glückes befallen die Dämonen immer wieder ihn, den man im Grunde einen armen Menschen genannt hat.

Ein andermal meldet sich das Adelsprinzip des alten Humanismus, die Vorstellung, daß die humanistische Bildung ebensogut Adel verleihe wie das Blut, zu Worte und leitet zum Auslesegrundsatz der Klassik und des humanistischen Gymnasiums hinüber. Er, der der Familiengenosse des Kardinals, aber keineswegs sein Diener oder Angestellter sein will, schreibt stolz: «Menschen wie wir sind edler als Gold.» Mit den Jahren wächst seine Empfindlichkeit, sein Ehrgefühl und die Vorstellung seiner Würde. Er überlegt wie Goethe die Einteilung der Zeit als seines Ackers und Besitzes. Er ermahnt, das Leben anständig und geordnet zu Ende zu führen, gerade weil es so kurz, so flüchtig und schwankend ist. Es muß mit Bedacht genossen werden. Er wird gravitätischer, wie wiederum Goethe im Alter gravitätischer wurde. Ebenso wie den Herder des Reisejournals befällt ihn die Trauer, seine Jugend nicht genügend genutzt zu haben, und die Empfindung, daß eine unschön, in Kummer, Not und Armut verbrachte Frühzeit nie wieder

auszugleichen sei und gewisse Flecken zurücklasse. Vom energetischen
Lebensideal und dem Pflichtgebot eines Kant, Fichte, Schiller scheint
er weit entfernt. Es scheint, als habe dieser Preuße, nachdem er sein
Leben so lange als Müssender verbrachte, sich später ganz auf die Seite
eines gelösten Genießenwollens geschlagen. Aber solche psychologisch
begreiflichen Anwandlungen machen dennoch nicht das aufbauende
Element seiner Spätzeit aus. Denn das innere Pflichtgebot einer Mission hat ihn auch später nie verlassen, hat allein seine Leistung ermöglicht und ihn in Rom vor Fessellosigkeit und Verweichlichung bewahrt.

Man hat von dem Winckelmannschen Aristokratismus der italienischen Zeit gesprochen, man hat ihn asozial geheißen, wie die gesamte
deutsche Klassik und auch schon der frühere Humanismus unsozial geheißen werden. Man rückt damit in die bedenkliche Nähe von schlag-
wortartigen Abstempelungen, die ihren Inhalt nicht nur anderen zeitlichen Bedingungen, sondern auch Möglichkeiten und Werten verdanken, die dem Wesen der geschichtlichen Erscheinung fremd sind. Ein
brieflicher Ausspruch wie der: «Demütig bis zum Staube soll man
sein mit Geringen, aber gegen Große das Haupt erheben und es zu
seiner Zeit sinken lassen», stellt seinem sozialen «Mitleiden» nach beiden Richtungen, nach oben wie nach unten, ein bemerkenswertes
Zeugnis aus. Aber natürlich war vor seinen Blicken noch nicht das Problem der Masse und der sozial Enterbten und Bedrohten aufgetaucht,
wie er auf der anderen Seite den aufklärerischen Philantropismus überwunden hatte. Er sieht wie der späte Schiller in der Menschheit wenn
nicht eine Abstraktion, so nur eine Summe sehr verschieden zu bewer-
tender und ungleich befähigter Individuen. «Das Geschlecht der Menschen», so sagt er, «verdient nicht, daß man sie unterrichte und lehre.»
Das stellt sich zu den Schillerschen Zeilen: «Nur für Regen und Tau
und fürs Wohl der Menschengeschlechter Laß Du den Himmel, Freund,
sorgen wie gestern, so heut.» Auf der anderen Seite widerspricht es
ganz seiner Art und seinem Streben wie dem der Klassik (die nicht eine
«Gruppe», sondern eine Haltung zur Welt ist), wenn man ihn und sie
in völliger Losgelöstheit von ihrer Umgebung sieht. Dieser irrigen
Auffassung bezüglich Winckelmanns unterlag schon Schelling, wenn er
ihn «in erhabener Einsamkeit, wie ein Gebirg, durch seine ganze Zeit»

sah. Dies Wort könnte nur Geltung haben im Hinblick auf das Unaus-
sprechlich-Individuelle, das seiner Wesenheit und seiner Leistung zukommt, nicht aber im Hinblick auf seine in vielen Strahlen gebrochene
Wirkung, nicht auch im Hinblick auf die Vergesellschaftung, die Ich-
und-Du-Begegnung, die er immer suchte, um sich doch immer wieder
auf sich selber zurückzuziehen. Muß doch auch derselbe Schelling in
der Rede «Über das Verhältnis der bildenden Künste zur Natur» (1808)
von der Zeit sprechen, «deren Schöpfer er wurde, der gegenwärtigen». Nein, die lehrende und erziehende Vergesellschaftung bezeichnet Wesen und Ziel Winckelmanns. Aber es geht ihm um die Elite,
um die wenigen, die mitkönnen und -wollen. Es geht um eine führende Schicht, deren Heranbildung im 19. Jahrhundert der letztlich
auf Winckelmann zurückführenden höheren Schule in Deutschland
oblag. Diese seine Lehrer- und Führerrolle war die reichste und tiefste
Quelle seiner Leiden. Jüngster Zeit blieb es vorbehalten, der unmittelbaren erziehlichen Funktion Winckelmanns den ersten Platz und breitesten Raum im Gesamtbild seiner Persönlichkeit und seines Geistes
einzuräumen. Es ist eine Erkenntnis, die für ihn erst aus dem Kreise
Stefan Georges gewonnen wurde. Diese seine Richtung auf Menschen-
gestaltung, Leitung, Erziehung, Bildung, verbunden mit dem liebe-
erfüllten Sichaneignen des zu Führenden, war für ihn als Menschen
freilich mit jenen schweren Erschütterungen verbunden, deren hem-
mungslos ertragene Gewalt zuoberst die Abgründigkeit des vermeintlich harmonischen Winckelmann bedingt. Man denke an die Leiden,
die er als Hofmeister bei dem jungen Peter Friedrich Wilhelm Lam-
precht durchmachte, an seine Neigung zu dem jungen Friedrich Ulrich
Arwed von Bülow, zu Hieronymus Dietrich Berends, vor allem an den
berühmt gewordenen Freundschaftsbund seiner römischen Zeit mit
dem Livländer Friedrich Reinhold von Berg. Andere kommen hinzu:
der Züricher Hans Heinrich Füeßli, der Basler Christian von Mechel,
der Schlesier Friedrich Wilhelm von Schlabrendorf, der Preuße Johann Hermann von Riedesel, der Hamburger Volkmann, derselbe, dessen «Historisch-Kritische Nachrichten von Italien» (1770–1771),
das beliebteste Reisehandbuch der Zeit waren und vor allem Goethe
gedient haben. Durch diese und andere Jünglinge wurde Winckel-

mann mit dem auf Blut und Gefühl wirkenden Eindruck seiner Persönlichkeit der Meister einer durch ihn und in seinem Geiste verbundenen Gemeinschaft, die, auch ohne Beziehung der einzelnen Jünger untereinander, für die Ausbreitung der «Klassik» die Stützpunkte hergab, zumal sie alle durch Winckelmanns bildende Einwirkung sich zu nicht gewöhnlichen Menschen entwickelten. Eine durch persönliche Berührung, durch persönliches Vorleben und das gesprochene Wort erzeugte Suggestion war stärker und folgenreicher als alles, was Papier und Druck zu geben vermochten. Die aus dem Kreise Stefan Georges kommende neuere Auffassung Winckelmanns erblickt in der Erziehung durch eine heroische Männerfreundschaft, die aus der erotischen Tiefenschicht bei Winckelmann heraufsteigt, seine wahre Sendung und eigentliche Bedeutung. Nach Äußerungen aus seiner späten römischen Zeit wollte er sich am Abend seines Lebens ganz der Erziehung der Jugend im großen Stile widmen. In dieser gestalterischen und schöpferischen Leidenschaft hätte sich nach dieser Auffassung Winckelmanns eigentliche Mission in Deutschland erfüllt. Freilich hat seine Begegnung mit jüngeren und älteren Freunden, hat der von ihm überspringende Funke solche, die sich ihm nahten, zu Gefolgsleuten seiner Welt- und Kunstanschauung gemacht oder eine in ihnen schlummernde Disposition ins Bewußtsein gehoben, das heißt: ihnen mit Hilfe der Griechen den Weg zu einem freien und natürlichen, das Körperliche mit dem Geistigen in Ausgewogenheit vereinigenden Menschentum gewiesen. Es wird aber kaum auf ein allgemeineres Verständnis stoßen, wenn dieser Vorgang und diese «Sendung», die der Herausbildung eines neuen Menschen gedient haben, in Verbindung gebracht werden mit einer erotischen Leidenschaft, zu deren eigentlichem Wesen und zeugendem Schaffen doch nur wenige vorzudringen vermögen. Beschränkt sich alles, was für ihn das Griechentum und insbesondere Plato bedeutete, wirklich nur auf die Wiederentdeckung der heroischen und zeugenden Männerfreundschaft, auf den platonischen Eros und die von diesem Punkte ausgehenden Strahlen? Empfiehlt es sich, von hier aus das vermeintlich Heidnische in ihm mit den stärksten Akzenten zu versehen und ihn in den ausgesprochensten Gegensatz zum Christentum zu bringen, weil jene heroische Männerfreundschaft und durch sie erzeugte schöpferische Leidenschaft durch das Christentum, durch Caritas und Minne verschüttet worden seien? Wenn zweifellos die ganze Summe seines Wesens enthalten ist in dem Bestreben, das Altertum praktisch in sich darzustellen, wenn er wirklich in Italien gelöst und aufgelockert von Klima, Landschaft und Menschentum dem Altertume nachlebte, so muß es doch dann bei dem Ausspruch seines kongenialsten Nachfolgers, Friedrich Schlegels, sein Bewenden haben, der da meinte: «Klassisch zu leben und das Altertum praktisch in sich zu realisieren, ist das Ziel und der Gipfel aller Philologie. Sollte dies ohne allen Zynismus möglich sein?» Das heißt ohne die innere Freiheit und Unabhängigkeit, die sich nicht mit irgendwelchen Bindungen und Hörigkeiten verträgt und mit einem bewußt verpflichtenden und verpflichteten Zustande wie dem der Männerfreundschaft. Von diesem echten Zynismus besaß der italienische Winckelmann ein gut Teil, und er ist aufgehöht in dem Stoizismus, den wir auch bei ihm finden, wie denn im historischen Ablauf die Stoa eine vertiefte Kynik ist. Es wäre bedenklich, wenn die Rezeption des Griechentums im Geiste der Klassik dazu verführte, die Ursache mit der Wirkung zu verwechseln und das, was ein Erzeugnis eigenmächtigen Geistes ist, in der Größe der Leistung dadurch zu verkleinern, daß es als eine bloße Wiederholung eines vermeintlich wahrhaft Antiken angesprochen wird. In dem Momente der zerfallenden Aufklärung und des Aufbruches der organisch-vitalen Weltanschauung verhalf Winckelmann dem Sinne für Naturhaftigkeit und menschliches Urtum zum Lichte. Er lehnte das bloße Wissen ab und alles Literatenhafte, er strebte von der Wortgelehrsamkeit des Magistertums zur Sachenwelt, wie es nach ihm Herder tat. Das bloße Bücherwesen lag so weit hinter ihm, wie es hinter dem späten Lessing lag. Seine Griechendeutung wies schließlich in dieselbe Richtung, in der man Rousseau zu folgen bereit war und wofür *er* als Namensträger galt. Winckelmann hatte die höchste Vorstellung von dem deutschen Menschen und seiner Bildungsfähigkeit und -würdigkeit. Diese Bildungsfähigkeit stand für ihn mit dem Zuge zur Naturhaftigkeit nicht im Widerspruch: in dieser Beziehung war er Rousseaus Antipode. Aus allen Zuflüssen älterer Geistesgeschichte ist seine Art gespeist. Es ist in ihm jene Verschmelzung des Germanischen, des Antiken und des Christlichen (in der Form der Mystik und des Pietismus), die nun einmal das geistige Schicksal seines Volkes ausmacht. Und zum Schlusse solcher Auseinandersetzung, der eine Darstellung nicht aus dem Wege gehen darf, die da aufzeigen will, wie die Klassik wurde und war, sei doch auch die Frage erhoben, ob Winckelmanns Freundschaften wirklich so betont erotisch waren, wie es unter einem bestimmten Vorstellungszwang erscheinen könnte. Hat nicht der Spiritualismus des 18. Jahrhunderts und die Struktur des «empfindsamen» Menschen immerhin einen Anteil daran? Jedenfalls *äußerte* sich bei ihm eine vielleicht verhinderte Erotik so sublimiert, vergeistigt und gefühlsselig, wie es dem 18. Jahrhundert entsprach.

Was an Bedürfnissen nach gesellschaftlichen und sozialen Bindungen in ihm lebte, erschöpfte sich nicht in der Bejahung sozialer Institutionen, sondern in dem Ich- und Du-Verhältnis von Persönlichkeit zu Persönlichkeit. Und die Dialektik, mit der er manchmal die «Freundschaft» als für ihn verbindliche gesellige Lebensform verficht, ist für ihn der antichristliche Ersatz für Metaphysik und religiöse Spekulation.

Von diesen Freundschaften aus führt noch ein anderer wichtiger Strang in die Entwicklung der Epoche hinüber. Das sind seine Beziehungen zu fürstlichen Freunden. Da ist Leopold Friedrich Franz von Dessau, dessen Bruder Hans Georg, Prinz August von Mecklenburg-Strelitz, endlich der Erbprinz Karl Ferdinand von Braunschweig, der spätere berühmte und unglückliche preußische Feldherr. Dazu kam als nachmaliger gewichtiger Träger einer deutschen Kultur- und klassischen Geschmacksgesinnung der katholische Freiherr Karl Theodor von Dalberg, Domherr zu Mainz, der in den Briefen der klassisch-romantischen Zeit immer wiederkehrende verehrte Fürstprimas. Auch auf seine Bildung und Entwicklung hat Winckelmann und das antikisch-südliche Element, das er ihm vermittelte, eingewirkt und damit die Weltoffenheit, die Festigkeit und natürliche Freiheit dieses auch auf Goethe und Napoleon den Eindruck nicht verfehlenden bedeutenden und einflußreichen Mannes befördert.

Die für das Werden der Klassik wichtigste Verbindung dieser Art ist die mit dem Fürsten von Dessau. Winckelmann nennt ihn mit homeri-

schem Anklang «von Gott selbst gezeugt», «den aus Gott Geborenen».
Man braucht solche Wendungen nicht gerade als den Ausdruck seiner
bereits ganz heidnisch gewordenen Seele aufzufassen. Jedenfalls aber
haben sie nichts mehr mit dem Servilismus des 17. und 18. Jahrhunderts und nur noch wenig mit der Redeweise der Empfindsamkeit zu
tun. Aus ihr wachsen sie heraus zu der Vorstellung von großen, organisch gewordenen Menschen und von der «Persönlichkeit», deren Zeichen über der Geniezeit, der Klassik und der Frühromantik steht. Bedeutende, naturhafte, unbeengt aus altem Stamme gewachsene Menschenart stellt sich hier im Abbilde und Sinnbilde junger Fürsten dar.
Ihre Art geht einen wundersamen Bund ein mit dem hellseherischen
Blick in die Tiefen einer schaffenden Natur und mit dem Wunschtraum
eines Erziehungs- und Bildungsstrebens, das eine neue Menschenart
durch Einwirkung und Formung glaubte sichtbar machen zu können.
Von dem Hofmeistertum des 18. Jahrhunderts vollzieht sich hier der
Übergang zu der hohen, für Volk, Staat und Menschheit bedeutsamen
Aufgabe, die in der Fürstenerziehung beschlossen ist. Wieland bildete
wie in so vielem anderen so auch innerhalb dieser Entwicklung ein
Mittelglied und eine Übergangserscheinung. Die Literatur der «Für-
stenspiegel» findet auf überliefertem Unterbau nun ihre Hebung und
Auffüllung mit einem neuen ideellen Gehalt. So wie Winckelmann
den Fürsten von Dessau und die anderen fürstlichen Freunde als Send-
boten seines Evangeliums von Kunst, Natur und Bildung aus seinen
Händen entließ und mit großen Ausdrücken als vorbildliche Erscheinungsformen der Menschheit hinstellte, so nennt Goethe seinen Herzog Karl August einen «geborenen großen Menschen», so erwägt das
Gedicht «Ilmenau» Gegebenes und noch Kommendes innerhalb des
Reifens dieser bedeutenden und dämonischen Natur. In der Freundschaft mit dem Fürsten von Dessau hat Winckelmann die Freundschaft
Goethes mit Karl August vorgelebt: Worte aus «Dichtung und Wahrheit» deuten das an. Und der von dem Dessauer Fürsten angeregte,
von seinem Baumeister und Freunde Erdmannsdorf hergestellte
Wörlitzer Garten wurde das Vorbild des Weimarer Parks. Aber auch
das Ideal des «hohen Menschen» bei Jean Paul hat hier seinen Vorklang.

Vorgelebt hat Winckelmann auch das Italienerlebnis Goethes und derer, die auf den gleichen seelischen Wegen nach dem Süden gingen. Kaum sind jene Geständnisse mit umschreibenden und deutenden Worten auszuschöpfen, die von dem Winckelmannschen Italienerlebnis und nicht zuletzt von den äußeren Bedingungen seines Daseins dort erzählen – des «Residenten der römischen Altertümer», des Sodalen jener vornehmen römischen Prälatenwelt, die Justi beinahe leibhaft hat wieder erstehen lassen; zuoberst neben Archinto «sein» Kardinal Albani, dessen Villen heute die wenigsten aufsuchen, die in Rom einkehren, obwohl sich in ihnen ein Stück deutscher Bildungsgeschichte abgespielt hat – Albani, sein «bester Freund und Vertrauter, dem ich das Geheimste meiner Seele nicht verhehle». In vielen Äußerungen Winckelmanns über diese Beziehungen ist nicht die Selbstsicherheit und Selbstverständlichkeit oder das Gefühl der Gleichberechtigung auf Grund eines gemeinsamen geistigen Adels. Bei Goethe würden sie wohl anders lauten. Es ist in ihnen etwas von der gedrückten Gesinnung, die sich in einem emporkömmlinghaften Stolz entlädt. Daneben steht das befreite und enthemmte Glücksgefühl, das schon mehrfach betonte, dessen, der in dies Land und diese Umgebung als in «den einzigen Hafen seiner Ruhe» heimgefunden hat. Und dürfte man über die Jahrhunderte zurückschweifen, so fiele einem der Walther von der Vogelweide ein, der sich im Besitze seines Lehens preist.

Eine Seite in dem Stundenbuche der menschlichen Seele ist bei Winckelmann-Goethe die Erfüllung, die Italien gab. Die bisherigen typischen Formen der Italienreise und Italiensehnsucht waren nun, wenn nicht überwunden, so doch überhöht durch die aus einem Totalitätszustande des Organismus «Mensch» herauskommende Fühlweise gegenüber einer neuen Erschließung des Daseins. Es handelt sich nun nicht mehr um die Pilgerfahrt, die Kavalierstour, die gelehrte Reise, die Künstlerfahrt, die empfindsame Reise nach dem Süden, nicht auch um eine «Bildungsreise», wenn darunter der Erwerb einer Summe von neuen Kenntnissen und Eindrücken verstanden wird. (Auch die musikalische Bildungsreise des 18. Jahrhunderts darf nicht vergessen werden.) Alle diese früheren Motive der Italienfahrten, alle bisherigen Spielarten der deutschen Auswirkung Italiens waren im wesentlichen zivilisatorische Angelegenheiten auf rational behandelten Teilgebieten menschlichen Verhaltens und Bestrebens. Nunmehr handelte es sich auch auf diesem Felde nicht um Aggregate, sondern um ein Erleben aus dem Ganzen und Gestalthaften. «Bildungsaufenthalt» war die Anwesenheit Winckelmanns und Goethes in Italien, abgesehen von aller Bereicherung ihrer Kenntnisse und Erkenntnisse, in dem Sinne eines Zum-Bilde-gemacht-Werdens, einer Erziehung des gesamten inneren Menschen in der Richtung, auf der weiterhin Schillers «Ästhetische Briefe» zu finden sind. Seit der Renaissance und dem Humanismus war Italien nicht wieder so als das Land der Verheißung, aber auch der Erlösung, der Helligkeit und spendenden Fruchtbarkeit, der Lebenssättigung gefeiert worden, mag es auch immer schon so empfunden worden sein. Die Klassik hat dies Renaissanceempfinden aus der Ganzheit des Menschen wieder aufgenommen – in der epischen Klarheit und in dem Wohlbefinden eines neugeborenen Lebensgefühls, das der Süden den Deutschen zu geben vermag. Vorgelebt aber im Sinne eines strukturellen Gleichwerdens wurde von Winckelmann für Goethe auch noch anderes: Für beide ereignete sich in Rom die Begegnung mit der großen Welt, mit dem Erdkreishaften, das sich dort darstellt.

Und vorgelebt wurde endlich auch die besondere Zwiespältigkeit der Empfindung, die sich bei Goethe in den Sätzen des vierten Buches von «Wilhelm Meisters Lehrjahren» ausspricht, in denen Aurelie sagt: «Ich muß es eben bezahlen, daß ich eine Deutsche bin; es ist der Charakter der Deutschen, daß sie über allem schwer werden, daß alles über ihnen schwer wird.» Oder man denke an das Gefühl, das sich bei Goethe im Hinblick auf die deutsche Heimat zu dem Worte der Italienischen Reise verdichtet: «Der Herr verzeihe es mir, ist es doch mein Heimatland.» Aber wie Goethe wiederum nach der Rückkehr aus Italien in Deutschland fremd, wie er ein «verwöhnter Römer» geworden war, wie er erwog, Deutschland dauernd zu verlassen und sich in Rom anzusiedeln, so ist Winckelmann die deutsche Heimat, als er sie nach zwölfjährigem Aufenthalt in Italien 1768 wieder aufsuchte, unerträglich geworden. Die Eindrücke, die ihm in Deutschland wurden, ließen ihn empfinden, daß er seine Wahlheimat im Süden gefunden hatte. Wenn die Sehnsucht ihn trieb, sein Deutschland wiederzusehen,

so erzeugte diese Reise bei ihm doch jenen Zustand nervöser Zerrüt-
tung und körperlicher Widerstandslosigkeit, die seine ganze innere
Zerspaltenheit wieder offenkundig werden ließen. Fluchtartig kehrt er
um und kann nun in Triest nicht erwarten, bis ihn das Segel für immer
in das Land seines Glückes hinübertrage. Aber da setzte der Dolch des
Mörders diesem noch unausgelebten, keineswegs vollendeten Dasein
ein Ziel. So erscheint bei ihm das Nord-Süd-Problem, das letztlich seine
tiefen biologischen oder geopsychischen Bezogenheiten haben mag, mit
allen Widersprüchlichkeiten, die es für den einzelnen gewinnt, in einer
maßgeblichen und vorbildlichen Ausprägung. Aber hat er sich nicht
immer und bis zuletzt und gerade in Italien mit schönen und eindrücklichen Worten für die deutsche Sprache eingesetzt und sich zu ihr bekannt? Empfand er nicht deutlich seine andere Art gegenüber Franzosen und Engländern? Lebte er nicht immer – die schon zitierte
Äußerung macht es neben anderen deutlich – im Bewußtsein dessen,
was seine Leistung und seine Persönlichkeit dem Auslande gegenüber
bedeuteten, und daß sie, so wie sie waren, das Ansehen und die Geltung seiner Heimat erhöhen mußten? In ihm aber wühlt das tragische
Schicksal des sozial und territorial zerklüfteten Deutschtums. Er suchte
freilich dessen Beschränkungen um so mehr zu sprengen, als er ja in
Deutschland keine rechten sozialen Wurzeln hatte. Er suchte einen solchen sozialen Boden zu finden, hier wie dort, und es gelang weder diesseits noch jenseits der Alpen recht. Da steht Goethe schon anders da.
Der vermochte dem Hange nach einem genußvollen Dauerleben im
Süden die Herkunft und soziale Gebundenheit entgegenzusetzen, die
dem Sohne der Freien Reichsstadt und dem tätigen Mitgliede des klein-
staatlichen deutschen Gemeinwesens das Beharren in seinem Kreise
in Deutschland und die dortige Erfüllung der Forderung des Tages
am Ende doch zu einer inneren Notwendigkeit machten.

Schaut man schließlich von ihnen beiden noch weiter und tiefer in
die Geschichte der menschlichen Seele, so erhebt sich die Frage, warum denn nun die Stunde gekommen war, die gerade Winckelmann
und Goethe für die Italiensehnsucht vorbildlich hat werden lassen.
Warum taucht das gleiche Wunschbild nicht auch bei Klopstock, Lessing, Herder (dem unlustigen Italienreisenden), Wieland auf? Warum

bei ihnen beiden, die nach Herkunft und Entwicklung denn doch so weit voneinander getrennt waren? Hier rührt man an Geheimnisse geschichtlichen Werdens, an denen herumzurätseln müßig ist. Und man muß sich begnügen mit der Feststellung einer auf biologischem Grunde innerhalb der geistesgeschichtlichen Entwicklung vollzogenen Auslese. Daß die alte deutsche, ja germanische «*Fernsucht*» letztlich in ihnen wieder auflebt, kann man gelten lassen. Und diese Fernsucht erstreckt sich in der Epoche der klassisch-romantischen Bewegung nicht nur auf den *Süden* und auf die Antike: diese Fernsucht erscheint später in der Romantik, bei den Tieck, Görres, Eichendorff, Fouqué, den Brüdern Grimm, Ernst Moritz Arndt und andern auch als eine *Nordsehnsucht*.

Die Geschichte der Wirkung und Aufnahme von Winckelmanns Gestalt, auch indirekt, ist weiterhin die Geschichte des Werdens einer «Klassik». Für LESSING scheint die Winckelmannsche Sendung in ihrer Ganzheit nicht lebendig gewesen zu sein. Wiewohl Lessing selber wußte, daß der eigentliche Wert einer Persönlichkeit dort anfängt, wo das Geschriebene und Gedruckte, ja das Gedachte und das Gesprochene aufhören, hält er sich doch an den Kunstgelehrten und seine Lehrmeinungen. Es trat nicht in seinen Gesichtskreis das Bestreben Winckelmanns auf eine Erneuerung aus tiefen Haltungen und Formen menschlichen Daseins, die im Griechentum schon einmal sichtbar gewesen seien. In dem Kampfe gegen bloßes Wissen, Magister-, Gelehrten- und Literatentum stand Lessing neben Winckelmann, in dem Verstehen dessen, was man nicht aus Büchern erfahren kann. Aber stärker als bei Lessing verschiebt sich bei Winckelmann, obwohl er einer älteren Generation zugehörte, diese Abwehr nach der Seite des Organisch-Irrationalen und rückt mit der Geniezeit zusammen. HAMANN, gleichweit entfernt vom «Klassizismus» wie noch von der «Klassik», hat sich ebenfalls mehr an einzelne Winckelmannsche Äußerungen gehalten als ihn aus dem Ganzen und aus einer tief-geheimen Verwandtschaft mit seinem eigenen Geiste zu verstehen vermocht. Daß im Gegensatze zu Hamann die spezifisch religiöse Anlage bei Winckelmann fehle, wäre eine an dem geistigen Bau Winckelmanns vorbeisehende und nicht mehr aufrechtzuerhaltende Ansicht.

Zu keinem seiner Vorgänger und Zeitgenossen hat HERDER mit solcher Bewunderung aufgeschaut, keiner war für ihn in solchem Maße Ausgang seiner eigenen geistigen Existenz wie Winckelmann. Die Mischung schlesischen und norddeutschen Blutes war beiden eigen, beider Lebensgang führte aus dem Dunkel, der Gedrücktheit, dem scheinbaren Verdammtsein zu dauernder, erniedrigender geistiger Fron auf die Höhen geistiger Unabhängigkeit und europäischer Geltung. Siebenmal hat Herder schon 1769 Winckelmanns Kunstgeschichte gelesen. Wie wirkt sich das Winckelmann-Erlebnis nicht schon im ersten der «Kritischen Wälder» aus! Wie weiß er, ihn und seinen Stil zu rühmen, wie kommt am Schluß die Klage über seinen Tod zum Ausdruck! Alles noch mit einer gleichsam zitternden Unbeholfenheit und Eckigkeit. Herders «Denkmal Johann Winckelmanns» von 1777, jene Preisschrift für die Akademie zu Kassel, jene ganz aus Liebe, einfühlsamem und schmiegsamem Verständnis gewobene Lobrede, nimmt dann Winckelmann, abgesehen von allem, was von ihm geschrieben und gedruckt war, als «außerordentlichen Menschen, der sich zu etwas geboren fühlte». Die auf das Antiquarische und Wissenschaftliche gerichtete Preisfrage der Kasseler Akademie wird von Herder sofort umgebogen auf die ganze Persönlichkeit und lautet nun: «Wo Winckelmann anfing und wo er aufhörte.» Man hätte die eindrucksvollen Sätze des Anfanges nie vergessen sollen: «Zuvörderst erbitte ich mir die Freiheit –» die Preisfrage war in französischer Sprache formuliert – «als Deutscher über Winckelmann deutsch schreiben zu dörfen. Winckelmann war ein Deutscher und bliebs selbst in Rom. Er schrieb seine Schriften auch in Italien deutsch und für Deutschland, nährte die Liebe zu seinen Landsleuten und zu seinem Vaterlande auch in jener Ferne; schien endlich nicht sterben zu können oder zu sollen, bis er die Nation wieder gesehen, die sich im Grunde so wenig um ihn gekümmert hatte. Er ist in der Zahl der Wenigen, die den deutschen Namen auch in Gegenden schätzbar gemacht, wo man ihn sonst unter dem Namen der Gothen zu begreifen gewohnt ist... Die Schreibart seiner Schriften wird bleiben, so lange die deutsche Sprache dauert; ein großer Theil ihres Inhaltes und ihr Geist wird sie überleben – warum sollte also Winckelmann, wie ers im Leben war, auch nach seinem Tode verbannt

werden, und vor einem deutschen Fürsten, mitten in seinem Vaterlande, im Kreise der ersten Akademie, die seinem Studium in Deutschland gestiftet worden, eine Lobrede in fremder Sprache und nach einer
Weise erhalten müssen, die ihm im Leben nicht die liebste war?»
Schwerlich ließ sich feiner und seelenreicher, zarter und inniger und
aus stärkerer Gemeinsamkeit empfinden, wo die entscheidenden Momente in Winckelmanns Entwicklung lagen. Herder strebt auf die
geistesgeschichtlich und individualpsychologisch wichtigste Frage zu,
wenn er den Punkt aufzeigen will, «von welchem er in seiner Seele
ausging»,wie und durch welche Antriebe er dazu kam, sich der Kunst
des Altertums zu widmen. Schon bei Herder steht der Satz: «Er betrachtete sich als einen Alten, der wie sie schreiben, leben und denken
sollte.» Schon er weist alle gelehrten Splitterrichter an Winckelmanns
Kunstgeschichte zurück. Er spottet über die kritische Bemängelung der
Vollständigkeit dieses Werkes und seiner geschichtlichen Lückenhaftig-
keit; es sei «ein Idealgebäude» und kein Kompendium von Namen
und Jahreszahlen. Und gegen den Schluß kommt in das Winckelmann-
Bild Herders ein Zug, der wie eine Vorwegnahme des Hölderlinschen
Schicksals anmutet, ja Hölderlinsche Töne anklingen läßt: «Du durch-
darbtest in Deutschland den schönsten besten Teil Deines Frühlings,
um in Italien einige Tage schönen Herbstes zu genießen: da zaubertest
Du Dich liebevoll ins alte Griechenland, in schöne aber verlebte Zeiten,
liehest dem todten Marmor der sich in Deiner Brust beseelte, – *Deine*
Ideen von Heldenruhm, Schönheit und Liebe ... Du strecktest Deinen
Arm in die Ferne, um Freundschaft zu finden, griechische Freundschaft, die Du Dir wünschtest. Da kam der Tod und faßte und um-
schlang Dich mit eisernem Arm und der Traum Deines Lebens sank
dahin und lag zerschlagen, wie die Bildsäule eines Apollo-Musagetes
von der Hand des Barbaren.» Im «Teutschen Merkur» kommt er 1781
auf Winckelmann zurück. «Das Göttliche», heißt es dort, «wird mit
uns geboren: Gelehrsamkeit, Bücher und Steine bringens nicht hinein,
wo es nicht von Natur war.» Zweiunddreißig Jahre später hat dann
Herder in der «Adrastea» von 1803 die Ganzheit des Winckelmannschen Werkes nochmals vertreten aus Gedankengängen heraus, die
schon dem «Denkmal» von 1777 zugehören, und eine Gesinnung, die

seinem nationalen Verdienste «durch kleinfügigen kritischen Schnick-schnack» Abbruch tun wolle, der Tat von Winckelmanns Mörder gleichgestellt.

Was Winckelmann für die innere Geschichte Herders bedeutet, läßt sich aus diesen Lobreden, so sehr sie von Herders Kulturgesinnung getragen sind, nur eben erraten. Es bildet ein Kapitel für sich. Von Winckelmann lernt Herder Stil- und Kulturepochen abgrenzen. Über ihn hinausgehend, wendet er die entwicklungsgeschichtliche Betrachtungsweise auf die universale Geschichte der Menschheit an. Und folgenschwer wurde für ihn der Inhalt, der mit Winckelmann in den Begriff der «Nachahmung» kam. Nachahmen, so erkannte nun Herder, ist nicht ein unselbständiges Kopieren, das immer nur bei den formalen Eigentümlichkeiten des nachzuahmenden Gegenstandes stehen bleibt: Nachahmen ist «ein freies Bilden aus dem Gesetz der inneren Sympathie». Aber damit nicht genug. War dadurch von Herder der Weg eröffnet, der von der alten Nachahmung zu der Vorstellung vom Künstler führte, die die Geniezeit und nach ihr die Klassik vertrat, so ging ihm an den Winckelmannschen Beschreibungen das Mittelpunktserlebnis auf, das beim Künstler die Gestaltung in allen Teilen bis ins einzelne bestimmte. Aus diesem Mittelpunktserlebnis und seiner organischen Auswirkung versteht Herder überhaupt das Wesen dieser Beschreibungen. Wieweit wieder Shaftesbury zu solchen Erkenntnissen beigetragen habe, steht hier nicht mehr zur Erörterung. Aus solchen Grundeinsichten ergab sich für Herder die Unzulänglichkeit sowohl einer metaphysischen wie einer rationalistischen Kunstlehre. Einzig eine beschreibende und vergleichende, eine genetisch-historische und sinnesphysiologische Ästhetik war für ihn noch möglich. Herders «Plastik» (1778) der erste Teil der «Ideen», seine Abhandlung über die Nemesis (1786) die dritte Sammlung der «Humanitätsbriefe» (1794) bezeichnen die wesentlichen Orte, über welche die von Winckelmann ausgehende Herdersche Denklinie führt. Sie verflicht sich in das Gewebe seines Geistes als ein nicht herauszulösender Faden. Sie bestimmt sehr wesentlich seine Methode, sie bedingt seinen nach und nach zur Klärung gelangenden Schönheitsbegriff. Schönheit wurde auch seiner sinnlich-übersinnlichen Natur «Sprache der Seele durch den Körper».

Und seine Beschäftigung mit den Griechen und die Winckelmannschen Gedanken über sie durchdringen sich wechselseitig mit den typologischen und morphologischen Anschauungen Goethes und mit dem schwerwiegenden und folgenreichen Begriff der «Humanität», von dem das nächste Kapitel zu handeln haben wird. Denn die Griechen stellen «anschauliche Kategorien» der Menschheit dar, exemplarische Fälle: «Wie die griechische Kunst unübertroffen, und in Absicht der Reinheit ihrer Umrisse, des Großen, Schönen und Edlen ihrer Gestalten, allen Zeiten das Muster geblieben: fast also ists auch, weniges ausgenommen, mit den Vorstellungsarten des menschlichen Geistes. Was wir kraus sagen und verwickelt denken, gaben sie hell und rein an den Tag; ein kleiner Satz, eine schlicht vorgetragene Erfahrung enthält bei ihnen ... oft mehr als unsere verworrensten Deductionen, die Probleme, welche die neuere Staatskunst verwickelt vorträgt, sind in der griechischen Geschichte hell und klar auseinandergesetzt, und durch die Erfahrung längst entschieden. Die Kritik des Geschmacks endlich, ja die reinste Philosophie des Lebens, woher stammen sie als von den Griechen?» So werden an den Griechen jene «Naturformen des Menschengeschlechts» nachgewiesen, um welche Kunst und Denken des reifen Goethe kreisen, und das Verhältnis des Gebens und Nehmens zwischen ihm und Herder bleibt auch in diesem Falle offen.

Immer wieder mußte von Winckelmann zu GOETHE und von Goethe zu Winckelmann hinübergeschaut werden. Er war durch Oeser früh in jene lebendige und unmittelbare Berührung mit Winckelmanns Geist gebracht worden, die durch die bloße Lektüre von Büchern nie ersetzt werden kann. Die Stelle, an der er im Hofe der Pleißenburg die Nachricht von Winckelmanns Tod erfuhr, blieb ihm zeitlebens im Gedächtnis. Wie stark seine Entwicklung durch die Verarbeitung von Winckelmann kommender Gedanken und Eindrücke bestimmt wurde, bedarf nach allem Gesagten keiner äußeren Zeugnisse. Schon der Aufsatz «Von Deutscher Baukunst», der das Straßburger Münster und seinen Erbauer feiert, dürfte mit seiner Verherrlichung des organisch Gewachsenen im Kunstwerk, aber auch in manchen Tönen seiner sprachlich-stilistischen Formgebung mit Winckelmannschen Beschreibungen in Verbindung gebracht werden können. Gibt es doch auch sonst in der

Epoche, da man den Sturm und Drang für Goethe verbindlich sein
läßt, Widerspiegelungen Winckelmannscher Art, wie in dem Gedicht
«Der Wanderer». Schon wurde jenes ganzen Komplexes gedacht, der
auf Italien und die dort zum Abschluß gekommene Sicht hindeutet
und von der Sehnsucht nach «Stille» wie von einer großen Kuppel
überwölbt wurde. Nachdem in der weimarischen Vorbereitungszeit
Winckelmann nicht ausdrücklich in sein Bewußtsein getreten war,
werden Winckelmann und Mengs in Rom systematisch ausgebeutet,
«weil»—wie die Italienische Reise sagt — «ich jetzt die sinnlichen Begriffe besitze, die notwendig vorausgehen müssen, um nur eine Zeile...
recht zu verstehen». Das heißt: Goethe war nun für die innere Begegnung mit Winckelmann reif geworden. Schließlich kam 1805 jene
von Goethes Aufsatz gekrönte Manifestation der weimarischen Kunstfreunde, die die Absicht einer Monumentalisierung erkennen läßt und
mit der Goetheschen Abhandlung der gebildeten Welt seitdem den
auch heute noch nicht genügend anerkannten Zwang auferlegt, sich
mit dem Phänomen Winckelmann immer wieder auseinanderzusetzen.

Von hier aus öffnet sich nun das Blickfeld und gibt die Schau frei
auf die ungeheure Verantwortlichkeit, die in der Frage beschlossen ist,
wieweit die Antike, und das heißt hier die Winckelmannsche Antike,
auf den Goetheschen Geist epochisierend gewirkt hat und, mit den
vitalen Instinkten seines Daseins ergriffen, entscheidende Wesenszüge
an ihm habe zum Vorschein kommen lassen. Ohne Rücksicht auf die
schier erdrückende Fülle einzelner, mehr oder minder zusammenhang-
loser Beziehungen kann in der Tat das Problem «Goethe und die Antike» heute nur noch vom Boden eines im allgemeinsten Sinne menschlichen Verhaltens erschaut werden. Gerade in diesem Gesamtverhalten
zu Welt und Leben, zu Natur, Kunst und Kultur muß die Saat Winckelmanns in Goethe gesucht werden. Dabei leitet Goethes eigenes Wort:
«Wenn wir uns dem Altertum gegenüber stellen und es ernstlich in
der Absicht anschauen, uns daran zu bilden, so gewinnen wir die Empfindung, als ob wir erst eigentlich zu Menschen würden.» Die «anschaulichen Kategorien» der Menschheit, die menschlichen Urformen
und Urfragen, die nach Herder (und, weniger deutlich ausgesprochen,
nach Winckelmann) durch die Antike dargestellt werden, wurden so

an Goethe und für ihn sichtbar. Man hat sie vornehmlich in drei Kräften seines Wesens erkannt, die auch Grundkräfte des antiken Geistes gewesen seien: an seiner Kraft zu schauen, seiner Kraft zu sprechen und an der Kraft seiner Liebe. Man sieht ihn auf antikem Wege, wenn er den Beruf des Menschen in die beiden Begriffe «Bildung» und «Tätigkeit» verlegt, die sein eigenes Wesen umschließen. Dabei handelt es sich immer um ein von Zufall, Regellosigkeit, Verworrenheit, Trübung unabhängiges, auf Dauer, Stetigkeit, Gesetz, Klarheit, Wesentlichkeit hinstrebendes menschliches Verhalten, das nach seinem eigenen Geständnis 1824 in einem langen Leben sich erst nach Überwindung mancher Hindernisse durchsetzt, die aus seiner nordischen Natur stammten; wie sein nordischer Lyrismus immer wieder durchschlägt, wird noch zu schildern sein. Auch bei Goethe kam der Durchbruch der zur Antike stimmenden Elemente seines Wesens als eine Lösung aus Umklammerung und Verschüttung und als ein Eingehen in die reine Form abendlichen Menschentums, die dem Griechentum zugrunde liegt.

Auf Winckelmann, Herder, Goethe als drei Säulen ruht die «Einform» des aus dem Griechentum gespeisten Auf-sich-selbst-gestellt-Seins des klassisch-humanistischen Menschen und seiner wie immer beschaffenen späteren Abwandlungen und Ausstrahlungen. Die Fragen der Kunsttheorie spielen daneben in der Klassik doch nur eine Rolle zweiten Ranges, ja bleiben intellektualistisch und papieren. Unter den Zeitgenossen, den Jüngern und Nachfahren Winckelmanns in der Kunstästhetik stellte sich der Zwang ein zu Verbindungen und Mischungen. Das Einmalig-Persönliche seiner Erscheinung und Leistung duldete ohnehin keine Wiederholung und keinen Vergleich. Selbst Raphael Mengs', seines römischen Herzensfreundes, «Gedanken über die Schönheit und über den Geschmack in der Malerei» (1762) liegen, so sehr sie im Nehmen und Geben zwischen beiden entstanden sind, als Ganzes unterhalb der Ebene, auf der Winckelmanns Einmaligkeit ruht. Noch mehr gilt das von Chr. L. Hagedorns «Betrachtungen über die Malerei» (1762). Die Linien des alten Klassizismus und der «Klassik» verwirren und verschlingen sich bei anderen Ästhetikern und Enthusiasten, wie den Johann Georg Forster, Ramdohr, von dem abständigen

Sulzer zu schweigen, auch bei denen, die unmittelbar um Goethe stehen, den Hackert, Reiffenstein, Heinrich Meyer, Lips, Bury, Schütz,
Hirt, J. H. W. Tischbein; allein K. Ph. Moritz und etwa Karl Ludwig
Fernow gehen wirklich auf der von Winckelmann zu Goethe führenden
Bahn. Das soll heißen, daß die Übernahme der formalen Elemente der
antiken Vorbilder vielfach auf der Fortsetzungslinie der alten rationalistischen Nachahmungslehre liegt, ohne in die Tiefe der Winckelmannschen Nachahmung aus dem Ganzen von Mensch, Natur, Geist
und Leben vorzustoßen. Dabei wurden sie geführt von demselben
mehr oder minder verhaltenen Enthusiasmus für die griechischen
Werke, den auch er hatte, und waren überwältigt von einer gefühlsmäßigen Hinneigung zu ihnen, standen unter einer willigen Ergebenheit vor dem antiken Vorbilde und der antiken Norm und gewannen
dadurch ihrem Urteil wenigstens die Freiheit von anderen und früheren Bindungen. Dies Ineinander, Durcheinander und Übereinander von
zweierlei Haltungen verschiedener Herkunft bezeichnet nun auch auf
dem Gebiete der Kunsttheorie innerhalb Deutschlands gewissermaßen
die Tragik der nach allgemeiner Meinung des 19. und 20. Jahrhunderts von Winckelmann ausgehenden «Klassik», die zu einem Sammel-
begriff wurde. Ebenso steht es innerhalb der eigentlichen Literatur.
Alle Dichtung des 18. und 19. Jahrhunderts, die, nach Inhalt und
Form, in äußerlicher Übernahme oder aus einem Mittelpunktserlebnis
heraus sich mit griechischen oder römischen Vorgängern trifft, unterschiedslos als «klassisch» zu bezeichnen, geht nicht an und bedeutet
eine Verunklärung des Wortes und Begriffes der «Klassik». Freilich
aber hat auch diese zu ihrer Zeit, etwa von 1790 bis 1820, einen Einschlag oder einen Seitenweg, in welchem die normative Regelgültigkeit, die rationalistische und bewußte Befolgung von Maßen und Gesetzen galt, die von einer mannigfach widergespiegelten Antike her
vorgeschrieben erschienen. Die Klassik weist Erscheinungen auf, an
denen die oben scharf gezogene Grenze auch zwischen ihr und dem
Klassizismus, auch dem französischen und dem Rokokoklassizismus,
verschwimmt. Die bildende Kunst, die Malerei, die Baukunst, vor allem die Musik in ihrer Verbindung mit der Dichtung, wie sie in der
Oper erscheint, etwa bei Gluck, dann aber auch die hochklassische

Dichtung der Weimaraner vermögen über diese Mischung zu belehren. Das 19. Jahrhundert sah dann kaum noch die großartige bildhafte Schöpfung des aus einem Urgrunde kommenden, schauenden und gestaltenden, auf sich selbst gestellten Menschentums, das im Griechentum ein antwortendes Gegenbild fand. Und nur wenige große Könner wie Schinkel verstanden den Sinn der eigentlichen Klassik dahin, daß jedes Kunstwerk, auch wenn es im Charakter eines bekannten «schönen Stils» gearbeitet ist, ein ganz neues Element in sich haben muß, ohne daß «es weder für den Schöpfer noch für den Beschauer ein wahres Interesse erzeugen» kann (Schinkel). Am tiefsten aber hat der geniale, phantasiegewaltige Schöpfer Asmus Jakob Carstens den Winckelmannschen Kunstwillen in Beziehung zur Antike verstanden – er, der gegen die blutleere Veräußerlichung eines der alten «Nachahmung» verpflichteten akademischen «Klassizismus» die auf Gottnähe, Natur und Menschentum gestellte Hervorbringungskraft betätigte und auch in Charakter und Lebensführung und im Hinblick auf seine innere Befreiung in Rom auf Winckelmanns Wegen ging.

Aber es gibt noch eine andere Tragik der Winckelmannschen Klassik, dieser Klassik, die nicht mehr und nicht weniger sein wollte als eine Erneuerung aus der menschlichen Ganzheit. Diese Tragik besteht darin, daß die Bewegung, die von Winckelmann ausging, auf nicht zu Ende gegangenem Wege stehenbleiben mußte.

Das Nichtverstehenkönnen oder Nichtverstehenwollen Winckelmanns begann früh. Da sei abgesehen von der wissenschaftlichen Auseinandersetzung mit Winckelmanns Kunstgeschichte. Diese Auseinandersetzung, auf die schon Herder zielt, wurde vor andern von CHRISTIAN GOTTLOB HEYNE aufgenommen. Er, der als Göttinger Professor ganze Generationen des 18. und 19. Jahrhunderts durch ästhetische Interpretation der alten Schriftsteller zu ihren Schönheiten hinführte, wurde, wie so oft deutsche Professoren seiner Art, in seiner wissenschaftlichen Kritik an Winckelmann von dem Sinne für das Ganze der Leistung und ihre allgemeingeistige Bedeutung merkwürdig im Stiche gelassen und ergoß seine menschlich-allzumenschlichen Empfindungen eigener Ungenügsamkeit in Vorhaltungen, die auf der seiner Meinung nach von Winckelmann nicht erfüllten wissenschaftlichen Strenge,

Akribie und Methodik fußten – damit einen typischen Gegensatz aufreißend, der sich weiterhin nicht mehr schließen ließ. Auf Heynes Bahnen wandelt 1812 in den «Heidelbergischen Jahrbüchern» sein Schüler A. W. Schlegel mit seiner auch auf Winckelmanns Sprache sich erstreckenden, hochmütig-eleganten Splitterrichterei an Winckelmanns Leistung. Wichtiger sind die, die nicht Fachleute waren oder sein wollten. In dieser Reihe steht WILHELM HEINSE. Auch er sieht nicht den Unterschied des Klassizismus von einer neuen Klassik (um die Worte handelt es sich bei ihm nicht). Er wettert in seinem Tagebuch gegen die Künstler, die die Antike kopieren: «Der Teufel hole ihre ungefühlten, maustoten griechischen Exerzitien: Signore Abate Winckelmann kann sich daran laben nach Belieben.» Er wirft Winckelmann und den Künstlern, die ihm folgen, das «Indirekte» vor, ihre Findung der Natur auf dem Umwege über die Antike, das Arbeiten «mit den Gipsgespenstern» um sie herum, den Akademismus, der zu Pedanterie und Schulmeistertum führe. Sie hielten sich an ein schon Geformtes, an einen historisch gegebenen Stil, anstatt immer wieder unvermittelt auf die Natur selber zurückzugreifen, die, reich und unerschöpflich, die Quelle und Norm jeder Schönheit sei. Man dürfe den Griechen keine Vollkommenheiten andichten, die sie gar nicht gehabt hätten, wie ihnen denn die Neueren in der Malerei, vor allem der Landschaftsmalerei, überlegen seien. So erklärte ja auch Klopstock in der Kritik von Winckelmanns Schrift über die Nachahmung kurz und bündig: «Hochverrat ist es, wenn einer behauptet, daß die Griechen nicht übertroffen werden können.» Damit trifft man auf typologische Unterschiede, auf eine strukturelle Gegensätzlichkeit der Gefühls- und Denkweise, die nicht erst in der Romantik einsetzte, sondern sofort mit Winckelmanns Auswirkung hervorgetrieben wurde, weil sie als Dialektik in ihr beschlossen war oder – denn nicht um eine bloße Denkmöglichkeit handelt es sich – biologische und charakterologische Rückwirkungen darstellte. Von Heinse und solchen, die ihm folgten, wird die Regelgültigkeit der Plastik für die Kunst, die griechische und die neuere, abgelehnt.

Mit der Einsetzung der Malerei in ihre Rechte verband sich die Tendenz zur Auflösung des Starren und Festen in ein Fließendes und Bewegliches. Bedeutsam bekundet sich dieser durchbrechende Dynamismus an dem oben berührten Mittelpunktserlebnis und Mittelpunktsgleichnis bei Winckelmann, an dem Bilde von der Meeresstille. Für Heinse-Dionysos ist die Behauptung von Winckelmann-Apollo nicht erwiesen, daß die Tiefe des Meeres allzeit ruhig bleibe, wenn die Oberfläche auch noch so wütet. «Das Meer», so liest man mit deutlicher Beziehung auf Winckelmann im «Ardinghello», «ist gewiß schöner im Sturm als in der Stille.» Und die schönsten griechischen Menschen – er nennt Alkibiades, Phryne und Thais – «sind wahrlich nicht berühmt wegen ihres stillen gesitteten Wesens». Die Selbstdeutung aus dem Bewegten, der Bewegung und der tiefen Unruhe heraus wäre ebenso auch Sache des romantischen Menschen und der romantischen Kunst: nicht nur motivisch hat Heinse in seinen Romanen der Romantik vorgearbeitet, sondern er hat in Seelenverfassung und Denkform romantisches Verhalten vor dem Einsetzen der literarischen Bewegung der deutschen «Romantik» durch manche Bekundungen vorweggenommen. Dennoch hat auch er sich dem Eindrucke des «erzpedantischen Gelehrtenkrämers» Winckelmann und seiner Kunstgeschichte nicht entziehen können. So sehr er infolge seiner anderen Artung und einer allzu engen Blicknähe an dem Ganzen der Gestalt Winckelmanns und seiner Leistung vorbeisah – es gab auch Berührungspunkte. Sie lagen im Sinnlichen, das die Winckelmannschen Beschreibungen der antiken Plastiken atmeten. Während seines italienischen Aufenthaltes ist denn auch dieser anfängliche Antipode Winckelmanns ihm verfallen – ein merkwürdiger Beleg für die vielfältigen Wirkungsmöglichkeiten, die in Winckelmann beschlossen waren, und für den suggestiven Zauber, der von ihm auf das Zeitalter ausging, auch wenn es sich im Grunde um Naturen von anderer Anlage und Ordnung handelte. Auch Heinse gesteht schließlich Winckelmann zu, daß die griechische Schönheit die vollkommenste sei. Auch er erkennt später die Vollkommenheit des nackten Menschen als höchsten Gegenstand der Kunst und läßt die Malerei an Rang hinter der Plastik zurücktreten. Und was kann schließlich winckelmannscher sein als die Sätze aus Heinses Nachlaß: «Die Alten drückten alle das Leben, was sie empfunden hatten, in den vollkommensten Formen und Gestalten aus, die dazu stimmten; und deswegen sind sie die Götter der Kunst. Noch dazu war das Leben, das sie von ihren Menschen in sich empfanden, edel in reiner Natur und nicht bloß bürgerliche Convenienz. Daher die erstaunliche und entzückende Wahrheit bei ihren höchsten Idealen.»

So wie es um Heinse und Winckelmann steht, steht es ungefähr auch um *Winckelmann und die Romantik*. Auch hieran bewährt sich die grundsätzliche Haltung, von der diese Darstellung hier ihre Berechtigung ableitet. Es ist die allmählich sich durchsetzende Erkenntnis, daß «die geistesgeschichtlichen Epochen sich nicht im ausrechenbaren Gänsemarsch folgen, sondern sich in einer stets sich umformenden Durchdringung befinden, wobei jede regulativ bestimmbare Einheit eine ganze Fülle von anderen Einheiten noch in sich enthält. Aufklärung, Sturm und Drang, Klassik, Romantik sind nicht im antithetischen Rhythmus gesetzmäßig folgende Figuren, sondern im Wachstumsprozeß der Geschichte gewordene Selbstinterpretationen, die sich gegenseitig verflechten und die in ihrer relativen Einheit nacheinander, gegeneinander und ineinander durch das geschichtliche Wissen ausgelegt werden.» Auch das, was man die Romantik nennt, rechnete mit der Größe Winckelmann, zumal dann, wenn unter dieser Romantik nicht bloß der literatenhafte Überbau verstanden wird, sondern der ganze Reichtum jener lebensgeborenen Vergegenständlichung des Geistes auf dem Gebiete der Geschichte, der Natur- und der Gesellschaftslehre, der die Zeit vom Ausgange des 18. Jahrhunderts bis etwa 1830 ausfüllt. Auch in Beziehung zur Winckelmannschen Antike, zu seiner Anschauung vom Menschen und vom Naturhaften ist die Romantik eine «Überhöhung der Klassik» und eine neue Steigerungsform der idealistischen Bewegung, die von ihm nicht loszulösen ist. Der organologische Aspekt, der zu seiner Lehre von den Stilperioden der griechischen Kunst führte, geht allen ähnlichen, auf den innergesetzlichen Ablauf gerichteten Erkenntnissen von Entwicklungen des geschichtlichen Lebens voran, wie sie die Romantik und die Historische Schule hervorbrachten. Erst mußte das Griechentum entdeckt sein, dann erst konnten die übrigen Höhenformationen der Menschheit in Sicht kommen. Sein Wissen um die bildende Macht des Volkscharakters der Griechen, die unter ihnen zu einem menschlichen Idealtypus geführt hat,

ist die Vorformung der aus der Romantik herauskommenden Lehre
vom Wachsen und Werden aus dem «Volksgeist». Seine Richtung auf
die im plastischen Kunstwerk gestaltete und gestaltende menschliche
Individualität bildet die Voraussetzung aller romantisch hochgesteiger-
ten Verehrung, ja Vergötterung der Idee von der lebendigen, einmaligen und doch in die Ganzheit verflochtenen Persönlichkeit. Was wäre
der junge Hölderlin ohne Winckelmann als Leitstern? Friedrich Schlegel versengte sich die Haare an Winckelmann. Für ihn wurde er der
Ausgang seiner geistigen Existenz. Für Wilh. von Humboldt, für Solger,
für Schelling und Hegel ist alles Denken um die Kunst eine Drehung
um die Achse, die mit ihm für das Zeitalter der Klassik *und* Romantik
gegeben war. Wenn diese Romantik, zumal die jüngere Romantik, zu
ihm insofern im Gegensatz stehen soll, als sie das «Dionysische» der
Antike, ihr aus primitiven Tiefen Kommendes, ihre Bluthaftigkeit und
Triebhaftigkeit erkannt habe, so war sie sich doch stets bewußt, daß,
wo von der Antike und ihrer Kunst geredet wurde, er am Anfang steht.
Es ist in diesem Zusammenhang nicht ohne symptomatische Bedeutung, daß Daubs und Creuzers «Studien» 1809 und 1811 Veröffentlichungen aus seinem Nachlaß brachten, die dem Ziele galten, seinem
Wesen und dem der ihn umgebenden Welt noch näher zu kommen –
desselben Creuzer, der heute als das entschiedenste Widerspiel zu seiner Auffassung des Altertums gilt. Ja, es ist wie ein fernes Wehen aus
Winckelmanns Bereich, wenn das «Marmorbild» als dichterisches Motiv und Symbol in der romantischen Dichtung von ihren Höhen bis zu
ihren Niederungen aufleuchtet. Darin sind nicht nur opernhafte Ro-
kokoreminiszenzen lebendig, sondern es schwingt darin immer noch
etwas nach von dem stillen Geheimnis der idealischen Schönheit des
steinernen griechischen Götterbildes, das Winckelmann liebte und andere lieben lehrte, das er durch die gemessene, aber magische Glut
seiner Schilderungen atmen machte, so wie die romantischen Nachfahren und Spätlinge in diesem Marmorbild etwas Numinoses und der
Beschwörung Zugängliches erblickten und erfüllten.

Die *Nachwirkung Winkelmanns und seine Dogmatisierung im neunzehnten Jahrhundert* vollzog sich vornehmlich auf der ästhetischen
Ebene. Es heißt an schicksalsschwere Dinge rühren, wenn nochmals die

Frage erhoben wird, ob die in seinen eigenen Augen vorläufigen Lösungen, die er suchte und die er seiner Zeit wirklich gab, mit der Kategorie des Ästhetischen erschöpft werden können. Ist es wirklich nur der ästhetische Typ, der ästhetische Mensch bürgerlich-idealistischer Prägung, der mit ihm in der deutschen Geistesgeschichte zum Durchbruch kommt? Man blicke noch einmal auf den berühmten Schluß der Kunstgeschichte: «Ich bin», so schreibt er dort, «in der Geschichte der Kunst schon über ihre Grenzen gegangen, und ohngeachtet mir bei Betrachtung des Unterganges derselben fast zumute gewesen ist, wie demjenigen, der in Beschreibung der Geschichte seines Vaterlandes die Zerstörung desselben, die er selbst erlebt hat, berühren mußte, so konnte ich mich dennoch nicht enthalten, dem Schicksal der Werke der Kunst, so weit mein Auge ging, nachzusehen. So wie eine Liebste an dem Ufer des Meeres ihren abfahrenden Liebhaber, ohne Hoffnung, ihn wiederzusehen, mit betränten Augen verfolgt und selbst in dem entfernten Segel das Bild des Geliebten zu sehen glaubt. Wir haben, wie die Geliebte, gleichsam nur einen Schattenriß von dem Vorwurfe unserer Wünsche übrig; aber desto größere Sehnsucht nach dem Verlorenen erweckt dasselbe, und wir betrachten die Kopien der Urbilder mit größerer Aufmerksamkeit, als wie wir in dem völligen Besitze von diesen nicht würden getan haben.» Ist es nur die elegische Trauer über den Untergang einer alten, schönen Welt, von deren gespenstischen Schatten er sich umgeben fühlt, wenn er weiter sagt: «Es geht uns hier vielmals wie Leuten, die Gespenster kennen wollen und zu sehen glauben, wo nichts ist: der Name des Altertums ist zum Vorurteil geworden; aber auch dieses Vorurteil ist nicht ohne Nutzen. Man stelle sich allezeit vor, viel zu finden, damit man viel suche, um etwas zu erblicken... Man muß sich nicht scheuen, die Wahrheit auch zum Nachteile seiner Achtung zu suchen, und einige müssen irren, damit viele richtig gehen...»? Ist es eine visionäre Trauerempfindung, von der ebenso Schillers «Götter Griechenlands» wie Goethes «Braut von Korinth» zeugen? Es ist noch mehr darin. Es ist die Ahnung, daß dies ästhetische, dies Kunstreich nur ein Durchgangsland, nur eine Station auf einem weiteren Wege ist. Zu welchem Ziele er gelangt wäre, hätte nicht der rauhe Eingriff von außen sein

Leben jäh beendigt – wir wissen es nicht. Sicher aber ist, daß die Kunst und die Antike dies letzte Ziel für ihn selber nicht waren. Dies deutet auch Goethe an. In seiner von Plato herkommenden Schönheitsidee war, wie längst dargetan wurde, das Sittliche mitbeschlossen, und diese Verbindung des Moralischen mit dem Ästhetischen ward von ihm auf die Klassik weitergeleitet und fand in Schiller ihren beredtesten Anwalt. Des Moralischen! Man sei dessen eingedenk, daß Winckelmann keine bloß leidende und duldende Moralität darunter versteht, kein bloßes Freisein von Fehlern. Er erklärt, daß «bei den Alten nur heroische Tugenden, das ist diejenigen, welche die menschliche Würdigkeit erheben, geschätzt» und vornehmlich auf den öffentlichen Denkmalen dargestellt worden seien, «andere hingegen, durch deren Übung unsere Begriffe sinken, nicht gelobt noch gesucht wurden». Denn die Erziehung bei den Alten sei darauf bedacht gewesen, «das Herz und den Geist empfindlich zu machen für die wahre Ehre, und die Jugend an eine männliche Tugend zu gewöhnen, die alle kleinen Absichten, ja das Leben selbst verachtete, wenn eine Unternehmung nicht der Größe ihrer Denkungsart gemäß ausfiel». Die Gestaltung des Persönlichkeitswertes, des bewußten und unbewußten, auch des erkenntnismäßigen und willensmäßigen, geht seit Winckelmann durch das «Morgentor des Schönen». Das war der Weg, der bei Shaftesbury begonnen hatte. Auf diesem Wege wurde die scharfe Kantische Trennung zwischen dem Ethischen und Ästhetischen ergänzt und überbrückt. Vor uns steht die Entwicklung des Faust im zweiten Teile des Goetheschen Werkes. Der Helenaakt ist keine bloße Episode (geschweige eine Dichtung oder ein Traum Fausts), aber auch kein Beleg für die vermeintliche Scheinlösung, die die deutsche Klassik geschaffen habe, indem sie etwa Faust an der höchsten Schönheit Genüge finden ließe. Ganz winckelmannisch ist die hochgestimmte Vereinigung des Griechentums mit dem Menschtum an sich: das Morgentor des Schönen, das Reich der griechischen Heroine ist auch für Faust keine dauernde Bleibe, sondern nur ein Meilenstein auf weiterem Hochstieg. Die letzte Aufgabe liegt anderswo. Ein tätiges Leben ruft, ein Dasein des sittlichen Willens, des sozialen Förderns, Schaffens und Nützens. Solche Freiheit, solche «Erlösung» haftet letztlich nicht an einer Idee, sondern an der Tat. Hält

man daran fest, daß der Weg Fausts ein Läuterungsweg ist und der
«Weisheit letzter Schluß» nicht als die Selbsttäuschung eines sich über-
schlagenden Titanismus angesprochen werden darf, so stellt sich die
Erkenntnis ein, daß nur die völlige Durchdringung mit der bisher
höchsten anschaulichen Kategorie der Menschheit, wie sie in der ästhetisch-ethischen Idee der antiken Kunst und des antiken Menschentums gegeben war, zu den letzten Aufgaben fähig macht, die Faust,
der Repräsentant der Menschheit, als die seinigen erkennt. Auf dieser
Bahn lag die Erscheinung Winckelmanns, auf dieser Bahn auch die
Klassik. Ihr Beginnen vermochte sich ebensowenig geruhig auf das
Faulbett zu legen wie der gereifte Faust. Beiden war es nicht um «Lebenssicherheit» zu tun. Sie wurden vom Hunger nach dem Dasein getrieben und scheuten den Sprung ins Abenteuer nicht – auch der vermeintlich bloße «Kunstgelehrte», der immer wieder in die Schächte einer
zerklüfteten Seele hinabstieg, und, wieder heraufkommend, aus den
eigenen Mängeln lernend, sich im «Streben» nicht genugtun konnte.

III

DIE HERDERSCHE HUMANITÄT. HERDER DER SEELEN-
BILDNER. VÖLKER UND GESCHICHTE

Für Winckelmann war die menschliche Gestalt, wie die Alten be-
zeugten, der höchste Gegenstand der bildenden Kunst. An ihr erscheint
das Urphänomen des Menschlichen. Diesem Leitsterne der menschlichen Gestalt ging die deutsche Klassik nach. «Der Mensch ist der
höchste, ja der eigentliche Gegenstand bildender Kunst», liest man
in den «Propyläen». Diese von Winckelmann ausgehende Entdeckung
der menschlichen Gestalt hat zunächst einmal das Formproblem der
Klassik bestimmt. Mit ihr waren gegeben die entscheidenden Merkmale der klassischen Formgebung und des klassischen Denkens um die
Form: die Abgrenzung und Sonderung gegen alles, was außerhalb des
Gebildes und des Sogeformten steht, die Gliederung und Proportionie-
rung innerhalb des Gebildes, die vertikale Richtung klassischer Kunst.
Die Vorherrschaft des vertikalen und des damit verbundenen linearen
Prinzips entspricht der aufrechten Haltung der menschlichen Gestalt.
Aber die Verehrung der menschlichen Gestalt in der Kunst, mag es sich
dabei um das Lineare oder um das Sinnlich-Plastische handeln, greift
wieder über den ästhetischen Bereich hinaus. War das Wort «Bildung»
im 18. Jahrhundert noch vielfach von der körperlichen Gestalt gebraucht worden, so verdrängt allmählich der Sinn, der bei diesem
Ausdrucke auf ein Geistiges zielt, die Verwendung, die mit der schönen Körperlichkeit verbunden ist. Die Herdersche «Kräftelehre» setzt
hier ein. In vielverbundener Wechselwirkung verknüpft sich die Vorstellung der menschlichen «Gestalt» mit der Humanitätsidee, die
die tragende Säule der Klassik und des Idealismus ist. Die Romantik
setzt die Humanitätsidee stillschweigend voraus: alle ihre Bemühun-

gen stehen auch unausgesprochenermaßen auf dem Hintergrunde dieser Idee.

Ein viel berufenes Wort, diese *Humanität der Klassik:* Sie ist – etwas völlig anderes als die griechisch-lateinische Humanitas – ein Begriff, der allen andern Auseinandersetzungen wissenschaftlicher oder philosophischer Art im Hinblick auf unsere Epoche voransteht. Die kulturpolitische Rolle dieses Begriffes, wie immer man ihn faßte und auslegte, ist für das 19. und 20. Jahrhundert kaum zu überschätzen. Die Humanitätsidee wurde gedehnt und verengt, wurde Schlagwort und Schablone, Behältnis und Werkzeug für Sinngebungen, Ziele, Absichten, die mit ihrem eigentlichen und ursprünglichen Wesen nicht immer zu vereinbaren waren. Es gilt, die Humanität als die die Epoche überstrahlende und zusammenbindende Idee in ihren Anfängen und ihrem eigentlichen und ursprünglichen Sinne wiederzugewinnen, ehe die spätere Gebrochenheit ihrer Farben, die Mannigfaltigkeit ihrer Anwendungen, ihre verschiedenartigen Auswirkungen im Dichterischen und Denkerischen sich zeigen können. Dafür gibt es keinen sichereren Weg als den der Selbstdeutung aus der Epoche heraus. Da tritt wieder HERDER auf. Ihm wird die erste Festsetzung und Ausformung der Humanitätsidee in Deutschland verdankt, er umwirbt sie bis zu seinem Lebensende mit immer neuer Umkreisung und Selbstkritik. Im Mittelpunkt aller Herderschen Bemühungen während des entscheidenden weimarischen Jahrzehnts von 1783 bis 1793, der Zeit des innigsten Einverständnisses mit Goethe, steht der Begriff der Humanität mit allen seinen Voraussetzungen, Ausformungen, Folgerungen und Strahlenwirkungen, eingebettet in die Herdersche Geschichts- und Religionsphilosophie. Ja, der Geist jenes Weimar, welches danach das klassische genannt wurde, wird nach seinen beherrschenden Zügen mit der rechtverstandenen Humanitätsvorstellung erschöpft. Hinter dem «Humanus» der Goetheschen «Geheimnisse» steht die Erscheinung Herders. Es hat seine tiefere Beziehung, wenn Goethe in dem Maskenzuge von 1818, in welchem er die Gestalten der mit Weimar in Verbindung stehenden Dichtung und Literatur vorführt, die «Ilme» jene berühmten Verse auf Herder sprechen läßt, in denen die Summe des Herderschen Geistes mit dem Begriffe der Humanität gezogen wird.

In diesen oft zitierten Zeilen werden die beiden Seiten der Humanitätsidee berührt: sie erscheint einmal als das Resultat der natürlichen Organisation der Menschheit («Ein edler Mann, begierig zu ergründen, Wie überall des Menschen Sinn ersprießt, Horcht in die Welt...»), zum andern als das Ziel unserer moralischen Bestimmung («Im höchsten Sinn der Zukunft zu begründen: Humanität sei unser ewig Ziel»). So erscheint hier zwar die Doppeldeutigkeit des Herderschen Humanitätsbegriffes, die ihm selber die Möglichkeit verschiedener Ausdeutungen und Anwendungen bot und für die Folgezeit einer populären Auslegung weiteste Bewegungsfreiheit gab: doch spricht in diesen Versen anderseits im Gegensatze zu der Zergrübelung des Begriffes durch Herder der einfach und einheitlich schauende Dichter, dem die Humanität nichts anderes ist als die Summe der zeitlich und örtlich bedingten, aber im Grunde sich gleichbleibenden menschlichen Gedanken und Empfindungen, wie sie in Herders «Volksliedern» und überhaupt in der Weltliteratur zum Ausdruck gekommen waren. Bei aller sich bereits früh einstellenden Gegensätzlichkeit zwischen der Haltung des Künstlers und des von der Theologie hergekommenen Denkers und Redners waren sie, Goethe und Herder, gerade während der Zeit der Ausbildung des Humanitätsbegriffes in Herders «Ideen» zusammengegangen, in gegenseitiger Anregung und Befruchtung, von einem gemeinsamen Boden und gemeinsamen Voraussetzungen aus, die im wesentlichen Folgeerscheinungen der ihnen gemeinsamen monistischen Weltansicht waren.

Schon das Tagebuch der Reise nach Nantes hatte mit Gedanken an eine «Menschliche Philosophie» gespielt, in denen alles zusammenfloß, was sich ihm bisher sowohl an theologischen und philosophischen Ausgangspunkten und Zielsetzungen wie an praktischen und realistischen Schul- und Bildungsforderungen, an Einsichten in die menschliche Seele und in den Geist der Zeit ergeben hatte. Noch war die feste Mitte mit dem Worte und dem Begriffe der Humanität nicht gefunden, und dieser geplante «Katechismus der Menschheit» versank einstweilen in das große Meer der übrigen zahlreichen Projekte des Reisetagebuches. Erst mit dem vierten Buche der «Ideen zur Philosophie der Geschichte der Menschheit» (1784) gewinnt man den Boden, von dem die Deutung des Herderschen Humanitätsbegriffes einsetzen kann. «Ich wünschte», so sagt Herder dort, «daß ich in das Wort Humanität alles fassen könnte, was ich bisher über des Menschen edele Bildung zur Vernunft und Freiheit, zu feinern Sinnen und Trieben, zur zartesten und stärksten Gesundheit, zur Erfüllung und Beherrschung der Erde gesagt habe: denn der Mensch hat kein edleres Wort für seine Bestimmung als Er selbst ist, in dem das Bild des Schöpfers unserer Erde, wie es hier sichtbar werden konnte, abgedruckt lebet. Um seine edelsten Pflichten zu entwickeln, dürfen wir nur seine Gestalt zeichnen.» Schon ist der Sinn, die Herkunft und die Zielsetzung der Herderschen Humanität ganz deutlich. Die Humanität stellt sich ein mit der Organisation des Menschen. Humanität ist der Inbegriff der physiologischen und psychologischen Gegebenheiten der menschlichen Natur. Die aufrechte Gestalt, die als eine göttliche Mitgabe den Menschen von allen anderen Wesen unterscheidet, ist die Grundvoraussetzung für alles Weitere, was seine Besonderheit und Eigentümlichkeit eben als Mensch ausmacht und seine Pflichten, seine geistig-sittliche Bestimmung begründet. Schon ist hiermit die weiteste Anwendungsmöglichkeit und freieste Auslegung des Humanitätsbegriffes gesichert. Das fünfzehnte Buch der «Ideen» (1787) faßt dann zusammen und verdeutlicht. Die Herderschen «Humanitätsbriefe», die schon der Zeit angehören, in welcher die Herderschen Gedanken den Bereich des Nationalpolitischen überschnitten, haben es dann in ihrer dritten Sammlung (1794) bereits für notwendig erachtet, in scharf scheidenden Definitionen von dem Worte und dem Begriffe die mißverständlichen Auslegungen abzuwehren, die dennoch im weiteren Verlaufe der westeuropäischen Geistesgeschichte dem Humanitätsbegriffe nicht erspart geblieben sind. Allerdings hat bereits die Goethe-Schillersche Auffassung der Humanität einer gewissen Verwischung ihrer Grenzlinien Vorschub geleistet. Herder schon weist jene ab, die das Wort «Humanität» durch ein anderes ersetzt sehen möchten, etwa durch Menschheit, Menschlichkeit, Menschenrechte, Menschenpflichten, Menschenwürde, Menschenliebe. Insbesondere dem «barmherzigen Worte» Menschlichkeit sei so oft eine Nebenbedeutung von Niedrigkeit, Schwäche und falschem Mitleid angehängt worden, daß ein Achselzucken es zu begleiten pflege. Aber auch «Menschenwürde» und «Menschenliebe» – ganz abgesehen von «Menschenrechten» und den damit zusammenhängenden «Menschenpflichten» – empfehlen sich nicht als Ersatz. Das Menschengeschlecht soll zu seinem Charakter, mithin auch zu dessen Wert und Würde gebildet werden: «Alle die genannten anderen Worte enthalten Teilbegriffe unseres Zweckes, den wir gerne mit *einem* Ausdruck bezeichnen möchten.» Also bleibe man bei dem Worte Humanität. Herder versteht darunter nun nicht mehr und nicht weniger als, kurz gesagt, den «Charakter unsers Geschlechts». Aber der ist den Menschen nur in Anlagen angeboren und muß erst ausgebildet werden. Wir bringen ihn nicht fertig auf die Welt mit. Auf der Welt aber soll er das Ziel unseres Bestrebens, die Summe unserer Übungen, unser Wert sein: «denn eine Angelität im Menschen kennen wir nicht, und wenn der Dämon, der uns regiert, kein humaner Dämon ist, werden wir Plagegeister der Menschen.» Humanität ist ihm so «der Schatz und die Ausbeute aller menschlichen Bemühungen, gleichsam die Kunst unseres Geschlechtes. Die Bildung zu ihr ist ein Werk, das unablässig fortgesetzt werden muß; oder wir sinken, höhere und niedere Stände, zur rohen Tierheit, zur Brutalität zurück». Aus diesen Herderschen Bestimmungen folgt, daß seine Humanität weit entfernt ist, mit einem verschwommenen Allesverstehen, einem unterschiedslosen Geltenlassen gleichbedeutend zu sein. Die sogenannte Toleranzidee, selbst die Idee der tätigen Menschenliebe ist sonach nur ein Teil und nicht einmal der wichtigste der klassischen Humanität in ihrem ursprünglichen und strengen Begriffssinne. Gerade nach dieser Richtung muß das Bild der klassischen Humanität von späteren Übermalungen durch die Ideen der Französischen Revolution und ihrer Folgeerscheinungen gereinigt werden. Sagt doch Herder weiterhin in den «Humanitätsbriefen», daß das weiche Mitgefühl mit den Schwächen unseres Geschlechts, das wir gewöhnlicherweise Menschlichkeit nennen, «die ganze Humanität» nicht ausmache. Die Zartheit seines Mitempfindens, die Haltung, die ihm durch die christliche Soziallehre ein für allemal mitgegeben war, das Mitschwingen mit der Seele anderer Geschöpfe, das nicht nur seine Religiosität ihm gebot – all das, was in seiner geistigen Struktur und Bildungsgeschichte begründet war, läßt ihn selbstverständlich den zarten «Kitt der Vereinigung ähnlicher Geschöpfe» ganz gewiß nicht außer acht lassen. Denn nichts stößt nach seiner Meinung mehr zurück als gefühllose, stolze Härte: «Ein Betragen, als ob man höheren Stammes und ganz anderer oder gar eigener Art sei, erbittert jeden und ziehet dem Übermenschen das unvermeidliche Übel zu, daß sein Herz ungebrochen, leer und ungebildet bleibt, daß jeder Mann zuletzt ihn hasset oder verachtet.» Aber eine allzu große Lindigkeit und Milde führt zur Erschlaffung des Charakters und kann eben dadurch zur härtesten Grausamkeit werden, zu einer Verzärtelung, die eiternde Wunden mit Rosen bedeckt. Nicht nur mit dem in diesem Zusammenhange fallenden Worte vom «Übermenschen» führt hier der Weg heraus aus dem Philanthropismus der Aufklärung, ein Weg, der bis zu Nietzsche reicht. Und nun die abschließende Erklärung dessen, was nach Herder Humanität in positivem Sinne ist: «Ein Gefühl der menschlichen Natur in ihrer Stärke und Schwäche, in Mängeln und Vollkommenheiten, nicht ohne Tätigkeit, nicht ohne Einsicht. Was zum Charakter unseres Geschlechts gehört, jede mögliche Ausbildung und Vervollkommnung desselben, dies ist das Objekt, das der humane Mann vor sich hat, wornach er strebet, wozu er wirket. Da unser Geschlecht selbst aus sich machen muß, was aus ihm werden kann und soll: so darf keiner, der zu ihm gehört, dabei müßig bleiben. Er muß am Wohl und Weh des Ganzen Teil nehmen, und seinen Teil Vernunft, sein Pensum Tätigkeit mit gutem Willen dem Genius seines Geschlechts opfern.»

Auch in der Herderschen Humanitätslehre wirkt die mit Leibniz in Verbindung zu bringende Anschauung von dem System individueller Kräfte und Einheiten, deren jede der lebendige Spiegel des Universums, eine in der anderen wirkend und lebend, alles zum Ganzen webt. Denn, sagt Herder, «zum Besten der gesamten Menschheit kann niemand beitragen, der nicht aus sich selbst macht, was aus ihm werden kann und soll; jeder also muß den Garten zuerst auf dem Beet, wo er als Baum grünet, oder als Blume blühet, pflegen und warten. Wir tragen alle ein Ideal in und mit uns, was *wir* sein sollten und nicht sind; die Schlacken, die wir ablegen, die Form, die wir erlangen sollen, kennen wir alle. Und da, was wir werden sollen, wir nicht anders als durch uns und andere, von ihnen erlangend, auf sie wirkend, werden können: so wird notwendig unsere Humanität mit der Humanität anderer Eins, und unser ganzes Leben eine Schule, ein Übungsplatz derselben.» Es verlohnt sich, die Herderschen Äußerungen über die Humanität im größeren Ausmaße anzuführen, weil dieser Begriff in der Tat das eigentümlichste Ergebnis der Bemühungen seiner Weimarer Zeit und die Mitte seines Denkens ist. Die Herdersche Fassung der «Humanität» stellt einen Grund her, auf dem sich über die Humanitätsidee weiter diskutieren läßt.

Auf den Gesetzen des Organischen und des Persönlichen ruht auch die Herdersche Humanität. Sie ist nicht auf Passivität, sondern auf Aktivität gestellt. Sie geht nicht auf Verwischung und Ausgleichung der menschlichen Eigentümlichkeiten des individuellen wie des vergesellschafteten Daseins aus, sondern auf die Herausstellung aller charakteristischen Eigenschaften und Ausbildungsformen des menschlichen Geschlechts. Sie schließen einander nicht aus, sie befehden einander nicht. Sie können nebeneinander bestehen und leben gerade deswegen in einem Gemeinsamen. Somit schließt die Herdersche Humanität auch die Idee des nationalen Staates und der nationalen Eigentümlichkeit in sich, wenn freilich Herder sich auch erst auf dem Wege zur Erkenntnis dieser Inhalte befand. Wenn er auch «Volkstum» und Nationalstaat noch nicht in den Mittelpunkt stellt und noch selten mit Namen nennt, so muß er doch, auch seit seiner Weimarer Zeit, als ein Wegbereiter dieser Vorstellungen angesehen werden. Hatte er doch bereits in der Schrift «Auch eine Philosophie zur Geschichte der Bildung der Menschheit» von 1774 gesagt: «In gewissem Betracht ist also jede menschliche Vollkommenheit national, säkular und im genauesten betrachtet individuell.» Und wie sollte der, der so wie er sich in Liebe und Kritik mit dem Charakter seiner Landsleute befaßte, nicht auch in der Ausbildung ihres Wesens und ihren künftigen Ausbildungsmöglichkeiten den Niederschlag recht verstandener Humanität zu sehen gewünscht haben? Die Herdersche Humanität enthält so in sich keine Zielsetzungen, die außerhalb der menschlichen Natur und ihrer vergangenen wie künftigen Entwicklung liegen würden. Hier greift der Unterschied des Herderschen Humanitätsideals ein gegenüber den Anschauungen, die man auch bei Lessing mit dem Worte «Humanität» bezeichnen könnte, obwohl er selber das Wort nicht gebraucht. Der späte Lessing ist getragen von dem Gedanken der «Erziehung». Dieser Begriff liegt mit dem der «Bildung» auf demselben Wort- und Ideenfelde, aber er unterscheidet sich von ihm durch einen stärkeren rationalistischen und mechanistischen Einschlag gegenüber dem Organischen und Lebensmäßigen, was in der Bildungsvorstellung enthalten ist. Auch hängen an Lessings Erziehungsideen, die in weit geringerem Maße säkularisiert sind als die Bildungsgedanken der Klassik, noch die Eierschalen der religiös-protestantischen Glaubenslehre. Freilich sollen die Ansätze zum Organismus- und Entwicklungsgedanken, die sich schon bei ihm finden, nicht außer acht gelassen werden. Das aber, was Lessing als «Erziehung des Menschengeschlechts» durch Gott mit Hilfe der Offenbarung zum Endzweck des Erfassens der eigentlichen Vernunftwahrheiten begriffen haben will, muß ohne Zweifel als eine Entwicklung des Verstandes, als eine «Erleuchtung» des Menschen durch Gott aufgefaßt werden. In dieser von innen kommenden Erleuchtung besteht nach ihm der Fortschritt der Menschheit. Aber dieser Begriff der Erleuchtung besagt anderseits, daß es sich bei Lessing immer um die Fackel der Vernunft handelt, um ewige Vernunftwahrheiten, von denen die Wahrheiten der Religion und Moral untrennbar sind. Die Erkenntnis und Deutung dieser Vernunftwahrheiten, die es aus den Buchstaben der Schrift herauszufinden gilt, ist das objektiv gesetzte Ziel des Lessingschen Erziehungs- oder Entwicklungsgedankens. Hinzu tritt, um den Inbegriff seiner Humanitätsidee auszumachen, der aufklärerische Universalismus, der das Menschengeschlecht als eine aus Individuen zusammengesetzte Summe aufzufassen gelehrt hatte, die im wesentlichen, trotz aller Verschiedenheit von Ort und Zeit, die gleichen Anlagen zeigten und den gleichen «humanen» Lebensformen zustrebten. Was allen diesen gleichberechtigten und im Grunde gleichgestalteten Summanden gemeinsam war, was infolgedessen die Unterschiede der Nationen, Religionen und Stände zu überbrücken, wenn nicht ganz aufzuheben imstande wäre, gilt als förderns- und erstrebenswert im Sinne der Menschheit und als verbindlich vor dem Sittengesetz. Es verpflichtet so zum Verstehen, zur Duldung, zum

Geltenlassen gegen alle Formen der Menschheit allgemeiner und individueller Art. Die menschliche Individualität und das Charakteristische menschlicher Vergesellschaftungen gilt als die eine Gesamtheit hervorbringende Einheit, aber nicht als Erscheinungsform der in einer höheren Ganzheit verbundenen Mannigfaltigkeit.

Nun ist beachtlich, daß, wie die Aufklärung überhaupt ihre folgenreichsten Auswirkungen erst im 19. Jahrhundert entwickelt hat, es auch hier wieder durch die Verwendung desselben Wortes geschehen konnte, daß zwei voneinander sehr wesentlich verschiedene, in der geistesgeschichtlichen Entwicklung auseinanderstrebende Haltungen vermengt oder zur Deckung gebracht wurden, weil die herrschende Umrißlosigkeit der Begriffe «Klassik», «Klassizismus», «Humanität», «Humanismus» einer unbekümmerten Vermengung Vorschub leisten konnte oder weil bewußte politische oder wirtschaftliche Absichten eine bestimmte Deutung empfahlen. Noch immer meint man, wenn man für oder gegen die klassische Humanitätsidee spricht, gewöhnlich die Lessingsche, nicht die Herdersche; zwischen beide stellte sich die Schillersche als vermittelnd, aber als in stärkerem Maße abstrahierend, pathetisch fordernd. Das großartige System der geschichtsphilosophischen und anthropologischen Ideenlehre Wilhelm von Humboldts, das, in der nationalstaatlichen Konzeption gipfelnd, von Herder seinen Ausgang nimmt, bleibe dabei einstweilen außerhalb der Erörterung.

Die Herdersche Ideenlehre wird demnach gekennzeichnet durch ihre Immanenz: die Humanität wird gemessen an keinen Zielen oder Forderungen, die außerhalb der geschichtlichen Entwicklung der Menschheit liegen. Sie ist organisch und genetisch gerichtet, biologisch und psycho-physiologisch. Sie läßt Raum für alles, was Entwicklungsform der Menschheit ist, soweit es mit den von allem Anfange gegebenen und urtümlichen Eigenschaften des Lebewesens Mensch übereinstimmt und nicht gegen die Gesetze eines Verhaltens verstößt, das eben den Menschen von allen andern organischen Wesen unterscheidet und auszeichnet. Dabei ist die Frage nach den Merkmalen und dem Ursprung von Gut und Böse von Herder nicht scharf gestellt worden. Es bleibt offen, ob das christliche Sittengesetz oder die biologisch-soziale und kulturelle Selbstbehauptung des Individuums und seiner Vergesell-

schaftungen hierfür maßgebend sein sollen. Herder gelangt im fünf-
zehnten Buche der «Ideen» zu der Formulierung, daß, was in der Geschichte je Gutes getan ward, für die Humanität getan worden ist;
«was in ihr Törichtes, Lasterhaftes und Abscheuliches in Schwang
kam, ward gegen die Humanität verübet, so daß der Mensch sich durchaus keinen anderen Zweck aller seiner Erd-Anstalten denken kann, als
der in ihm selbst, d.i. in der schwachen und starken, niedrigen und
edlen Natur liegt, die ihm sein Gott anschuf. Wenn wir nun in der
ganzen Schöpfung jede Sache nur durch das, was sie ist und wie sie
wirkt, kennen: so ist uns der Zweck des Menschengeschlechts auf der
Erde durch seine Natur und Geschichte, wie durch die hellste Demon-
stration gegeben.» In allen Mannigfaltigkeiten der Verfassung der Völker, in jeder ihrer Erfindungen des Krieges und Friedens, selbst bei
allen Greueln und Fehlern der Nationen blieb nach Herder das Haupt-
gesetz der Natur kenntlich: «Der Mensch sei Mensch! Er bilde sich
seinen Zustand nach dem, was er für das Beste erkennet». Eine solche
sittliche Eigengesetzlichkeit der Humanität, um nicht zu sagen: ein
solcher Relativismus, hat mit dem abstrakten gläubigen Optimismus
des Jahrhunderts der Aufklärung ebensowenig mehr etwas zu tun wie
mit den moralischen Prinzipien allgemeingültiger Art, die die Vernunft
aufstellt. Die sittliche Bewertung, die den einzelnen Erscheinungen
des Wachstumsprozesses der Menschheitsgeschichte zukommt, ent-
nimmt ihre Maßstäbe nur aus der größeren oder geringeren Verwirklichung ursprünglicher menschlicher Anlagen, wobei in dem Worte
«menschlich» bereits alles beschlossen ist, was die besondere und höhere
Erscheinungsform des Menschenwesens ausmacht. Freilich wird damit
vor dem Auge des strengen Denkers wie des Dogmatikers eine gewisse
Verschwommenheit und Unklarheit nicht vermieden. Herder hat in
seinen späteren Schriften, in den «Zerstreuten Blättern» (1785–1797),
in den «Humanitätsbriefen» (1793–1797), in der «Adrastea» (1801
bis 1803) eine Fülle von Beispielen in Prosa und Versen zusammen-
getragen, um menschliche Haltungen und Gesinnungen, um Ausbildungsformen der Humanität darzutun. Gewiß geht aus ihnen allen
kein allgemeines, normatives Lebensideal für den einzelnen hervor.
Auch in dieser Beziehung ist er von Kant unterschieden, aus dessen

praktischer Philosophie sich freilich ein einseitigeres und eingeschränkteres Ideal von Lebensführung und Persönlichkeitsgestaltung ergibt. Zu dem Kantischen Moralismus steht Herder im Gegensatz. Nicht daß er dem Sittlichen den höchsten Rang streitig macht, der ihm nach Kant zukommt. «Sittliche Bildung im echten Verstande» ist und bleibt, wie er in der «Kalligone» 1800 gegen Kant betont, «der höchste Punkt menschlicher Bildung, der alle Seelenkräfte umfaßt und keine Äußerungen derselben ausschließt». Aber der Gegensatz zu Kant liegt schon in dem zusammenpaarenden Ausdruck «sittliche Bildung». Und für diesen Gegensatz fand Theodor Litt die nicht zu übertreffenden Formulierungen, wenn er sagt: «‚Sittlich‘ ist für Herder ein Wertprädikat, das . . . den organisierenden Mittelpunkt jener gestalthaften Einheit zu bezeichnen vermag, in der sich sämtliche Seiten und Richtungen der Menschennatur zusammenschließen. ‚Sittlich‘ ist für Kant der Name einer Werttendenz, die, ihren Richtpunkt im Übersinnlichen suchend und einzig dem Gesetz verpflichtet, das diese Richtung vorschreibt, jede unmittelbare Gemeinschaft mit dem qualitativen Reichtum der Werte verneint und sonach auch die aus diesem Reichtum sich erfüllende ‚Gestalt‘ des Menschen gleichgültig macht. Denn für Kant ist und bleibt nun einmal der in der Erfüllung des Sittengesetzes sich verwirklichende Wert derjenige, ‚worauf allein der Wert der Person ankommt‘, und deshalb ‚die ganze Bestimmung des Menschen‘.»

Gerade aber diese Offenheit und Aufgeschlossenheit Herders für die Fülle der die menschliche Gestalt ausmachenden Werte, die Weite und Weitherzigkeit seiner Konzeption des Humanitätsbegriffes, der so allen geschichtlichen Gegebenheiten und Möglichkeiten gewachsen ist, wenn sie nur ein Optimum an Erfüllung menschlicher Anlagen bezeichnen – gerade dies läßt die Herdersche Haltung für die folgende Entwicklung der europäischen Menschheit bestimmend erscheinen. Diese Offenheit Herders verbindet sich in erster Linie mit der überragenden Wichtigkeit, die der Begriff der Individualität – nicht des Individualismus – innerhalb der Herderschen Gedankenwelt besitzt. Die Individualität, das ist die sich nicht isolierende, sondern in Verbindung mit anderen erst das Ganze herstellende Eigenart der Anlage und Entwicklung, mag sie sich nun auf den einzelnen Menschen oder auf die Organisationsformen einer Verbundenheit von Individuen beziehen. Die Herdersche Humanität steht und fällt mit der nationalen und zeitlichen Besonderheit geschichtlicher Gestaltungen. Der Nationalitätsbegriff ist zwangsläufig mit ihr gegeben. Schon in «Auch eine Philosophie der Geschichte zur Bildung der Menschheit» (1774) war es ausgesprochen, wie anders und eigen dem Menschen alle Dinge werden, je «nachdem sie *sein* Auge siehet, *sein Herz* empfindet . . . welche *Tiefe* in dem Charakter nur *Einer Nation* liege». Die Weltbürgerlichkeit der echten klassischen Humanität besteht insofern, als jede einzelne Nation zu diesem Organisationsbegriff beiträgt, nicht insofern, als sie ihren Charakter aufgeben soll zugunsten einer Angleichung der Nationen untereinander. So durfte, wer die Kultur Weimars verkörperte, des Weimar, dem «ein besonder Los» fiel, «wie Bethlehem in Juda, klein und groß», von sich sagen, daß er der Welt diene und allen ihren Bewohnern. So steht es in Goethes «Zahmen Xenien»:

> *Gott grüß' euch, Brüder,*
> *Sämtliche Oner und Aner!*
> *Ich bin Weltbewohner,*
> *Bin Weimaraner;*
> *Ich habe diesem edlen Kreis*
> *Durch Bildung mich empfohlen,*
> *Und wer es etwa besser weiß,*
> *Der mags wo anders holen.*

Geht man weiter der Humanitätsidee und ihren Zusammenhängen dort nach, wo sie an ihren Wurzeln ergraben werden müssen, eben bei Herder, so ergibt sich als nächster Schritt die Frage nach der *menschlichen Perfektibilität,* das heißt nach der Möglichkeit und dem Maße der intellektuell-moralischen Vervollkommnung des Menschen und der Menschheit und nach dem Übergreifen dieser Vervollkommnungsmöglichkeit aus dem einmaligen menschlichen Dasein in ein mehrmaliges und höheres. Die Herderschen Ansichten fließen hier vornehmlich aus den Schlußabschnitten des ersten Teiles der «Ideen», aus ihrem zweiten Teil und aus jenem Vorspiel, das die Anfang 1782 in Wielands «Teutschem Merkur» erschienenen, 1785 in die erste Sammlung der

«Zerstreuten Blätter» aufgenommenen «*Drei Gespräche über die Seelenwanderung*» darstellen. Durch J. G. Schlossers Gespräch «Über die Seelenwanderung» (1781), durch den Schluß von Lessings «Erziehung des Menschengeschlechts» waren sie angeregt oder vielmehr herausgefordert worden. Sie waren es, die gleichgestimmte Saiten in der Herzogin Luise in Schwingung setzten. Wie süß war ihr der Trost, «hier nur einmal zu leben, nur einmal die Probe auszuhalten und in der Hülle zu sein». Und wie fühlte sie sich dadurch stark, alles zu ertragen, was einem auferlegt wird. Wie wohl würde sie dann «die Ruhe dünken in dem schönen reinen Mond!». Goethe aber schrieb an Frau von Stein: «Herders Gespräche über die Seelenwanderung sind sehr schön und werden Dich freuen, denn es sind Deine Hoffnungen und Gesinnungen.» So trafen sie den innersten Nerv des weimarischen Kreises. Ihr Verfasser steht mit diesem Dialog, der die Essenz der «Ideen» bietet, so sehr inmitten eines ganzen Gefühles der Schöpfung, inmitten einer ihm in jedem Augenblick gegenwärtigen Anschauung der Organisation der Welt, inmitten aller Abwandlungen und Beispielbildungen der Geschichte, daß diese Gespräche den Herderschen Geist in einer mustergültigen Form zeigen. Sie begreifen die Fülle aller menschlichen Erscheinung in den großen und den kleinen Ergebnissen und Formen, wie sie Geschichte und Natur hervorgebracht haben. Sie umfassen jene zarten Verbindungen und Abschattungen, die die Geselligkeit der Menschen, die Macht des Herzens und die von ihm gesponnenen Fäden erzeugen, sie ertasten die flüchtigen Ahnungen und Erinnerungen aus dem Reiche des Unbewußten und Unterbewußten. Und ein undogmatisches, reines Christentum verträgt sich wie immer bei Herder so auch hier mit aller Überbauung christlicher Lehren. So sind diese Gespräche Herders ein lebendiger Spiegel des Geistes und der Anliegen der weimarischen Gesellschaft und ihres intelligiblen Charakters. Was hat dieser Mensch Herder alles erfahren, erkannt, gelernt, gefühlt, erspürt, erahnt und erträumt! Wie frei war er von aller zufahrenden Handhabung einer scharfen Schneide! Wie floß ihm alles ineinander und löste und teilte sich doch auch wieder in diesen Unterhaltungen über sehr geheimnisvolle Dinge und letzte Sinngebungen der menschlichen Existenz! Auch hier erkennt Herder die natürlich ge-

171

stufte und wechselvolle Einrichtung der Schöpfung an. Auch hier ist er weit entfernt von jedem nivellierenden Zivilisations- und Fortschrittsoptimismus, der die gleichen Anlagen zur Voraussetzung und eine allen erreichbare gleiche Vollendung zum Ziele hat. Alles kommt ihm «auf glücklichere Organisation, fröhlichere Erzeugung, edleren Stamm, gute Umstände des Landes, des Clima, der Geburt, Erziehung und des hundertarmigen Zufalls an, der sich so schlimm in allen seinen Gelenken herzählen und modeln läßt». «Welche unendliche Verschiedenheit», ruft er aus, «muß im Menschengeschlecht herrschen, eben weil der Umfang seiner Kräfte so groß, seine Bildung so zart, seine Fähigkeiten so vielfach, das Clima, in dem er lebt, die Welt von Umständen, die auf ihn wirken, so ungeheuer mancherlei, kurz, die Glieder seiner Kette so kommensurabel und so inkommensurabel sind, wie Sie sich's nur denken wollen.» Und auch hier hebt sich seine Meinung von der Lessingschen und ihren aufklärerischen Belastungen in beinahe drastischer Weise ab. Hatte der die Möglichkeit einer mehrmaligen Wiederkunft des Menschen mit der Notwendigkeit begründet, neue Kenntnisse und neue Fertigkeiten zu erlangen, solange er dazu geschickt sei, so verkündet der Herzensmensch Herder, daß es in allen Gestalten der Menschheit weniger auf Ausbildung unseres Geistes oder Scharfsinnes als auf die Erziehung des Herzens ankomme, das eben ein Menschenherz sei. Dazu aber braucht es nicht einer Hypothese wie der Seelenwanderungslehre, durch die der Mensch eher erschreckt und in seiner hier erreichbaren Glückseligkeit beunruhigt würde oder der Faule und Freche «seine Lehnen bereitfände». Eine fröhliche, höhere, wenn auch unbekannte Metempsychose mag dem Menschen bevorstehen, wenn schon hier die Palingenesie des Lebens erreicht wird, die in Reinigung des Herzens, Veredlung der Seele mit allen ihren Trieben und Begierden besteht. So bleibt es bei der Hoffnung auf ein künftiges Leben in reiner Vollendung. Es kommt wenig darauf an, ob man in Herders Seelenwanderungsgesprächen den Begriff der «Humanität» zu finden bereit ist oder ob man ihren Gehalt mit einem anderen Schlagwort bezeichnet. Wie immer bei Herder ist es untunlich, für seine Schriften kategoriale Begriffsbildungen anzuwenden, da Anschauung und Intuition bei ihm einer widerspruchslosen gedanklichen Systematik gegenüber den Vorrang behaupten. Es ist auch von geringem Belang, die Jahrtausende alte Kette von Herders Vorgängern für einen irgendwie sich darstellenden Gedanken des Fortlebens der menschlichen Einzelseele aufzurollen oder auch nur die ihm zeitlich nahestehenden Moses Mendelssohn, Lessing, Lavater, J. G. Schlosser auf dingliche Übereinstimmungen mit ihm zu vergleichen. Die Gespräche über die Seelenwanderung sind unbeschadet ihrer Thematik ein vielstrahliger Mittelpunkt für den «Geist» von Klassik und Romantik. Sie sind das insbesondere für Goethes Metaphysik und Naturphilosophie geworden. Man hat sie mit Recht eine «Mischung von Spiritualismus und Organik» geheißen. Herder habe als erster dem überkommenen Dualismus von Tod und Leben, der Idee einer abstrakt transzendentalen Unsterblichkeit, kühn den Wiedergeburtsgedanken, die Überwindung des Todes durch das Leben, entgegengesetzt. Mehr als in Deutschland wurde dieser Gedanke als Herderisch im übrigen Europa erkannt und gewürdigt; man denkt z. B. an einige schöne Stellen im zweiten Bande von Tolstois «Krieg und Frieden».

Erst das fünfte Buch der «Ideen», der Schluß des ersten Teils, bringt nun jene voll instrumentierten Ausführungen, die in deutscher Sprache nicht ihresgleichen haben, darüber, daß unsere Humanität nur Vorübung, die Knospe zu einer zukünftigen Blume sei. Noch einmal wird der Begriff der Humanität, zu der alle niedrigen Bedürfnisse der Erde hinführen sollen, umschrieben: «Unsere Vernunftfähigkeit soll zur Vernunft, unsere feinern Sinne zur Kunst, unsere Triebe zur echten Freiheit und Schöne, unsere Bewegungskräfte zur Menschenliebe gebildet werden.» Mit andern Worten: Die vom Tiere unterscheidenden menschlichen Anlagen sollen auf Grund eines Bildungsprozesses bewußtermaßen zu Fähigkeiten ausgebildet werden. Deutlicher wird hier auf ein künftiges Dasein hingewiesen, in welchem die Knospe der Humanität sich zu einer göttlichen Menschengestalt entwickelt haben wird, wie sie kein Erdensinn sich auszudenken vermögend ist. Die Grundgedanken des Herderschen Vollendungsglaubens stellen nach seinem eigenen Bekenntnis die «ganze Philosophie der Menschengeschichte» dar. Er sieht die Schöpfung erfüllt von unendlich mannigfachen Gebilden und Formen, die in dieser Mannigfaltigkeit von allem

Anfang an vorgebildet waren. Sie alle deuten hin auf eine Stufenfolge, auf Übergänge aus niederen Formen in höhere. In dieser Stufenfolge der Schöpfung nimmt der Mensch eine Mittelstellung ein: er zeigt die höchste Entwicklungsstufe in der diesseitigen Organisation der Welt, er schließt die Kette der Erdorganisation als ihr oberstes und letztes Glied, aber er fängt gleichzeitig die Kette einer höheren Gattung von Geschöpfen als ihr niedrigstes Glied an. Infolge dieser Duplizität, die auf das Tier zurück- und auf eine über den Erdenmenschen hinausgehende Entwicklung vorausweist, ist er mit einem Widerspruch behaftet. Diesen Widerspruch kennt das Tier nicht: sein innerer Zweck ist mit ihm abgeschlossen, es ist und bleibt, was es sein soll. Anders der Mensch. Obwohl seine Anlagen ihn dazu bestimmen, kann er auf der Erde in keine höhere Organisation mehr übergehen. Er kann seine sinnlichen, seine tierhaften Bedürfnisse befriedigen und sich in diesem Zustande wohlbefinden. Dadurch aber geschieht der andern Komponente seines Wesens, der vorwärts- und aufwärtsweisenden, nicht Genüge, geschieht nicht Genüge seiner «edleren Anlage». Verfolgt er diese, so wird sie freilich überall gehemmt: Geschichte und Gegenwart, die Unvollkommenheit, das Stückwerk aller menschlichen Bemühungen, das Gehen und Kommen großer und kleiner Menschen, von Tausenden in jedem Augenblick, die Herrschaft der Schlechten und Narren beweisen das. So ist die Erde für die Kräfte des menschlichen Geistes und Herzens nur eine Übungs- und Prüfungsstätte. Aber in einem anderen Sinne, als das dogmatische Christentum es will, das von der Unwürdigkeit und Unkraft des Erdenmenschen überzeugt ist. Auch Herder wie Lessing ist weit davon entfernt, die Erfüllung des «Guten» an Belohnungen im Jenseits zu knüpfen. Doch Herdern ist dieses Gute keine vom christlichen Sittengesetz oder von der Vernunft festgelegte Richtschnur. Es ist ihm die «menschliche» Organisation, die – mit Leibniz – die menschliche Seele zu einem Spiegel des Weltalls werden und die Kräfte dieses Weltalls in ihr verborgen sein läßt, freilich hier auf Erden nur zu einem vielfach getrübten Spiegel. Es ist ein «inneres Vermögen», das sich in dem erschöpft, was Herder eben die Humanität, die angeborene und zur Ausbildung zu bringende Humanität nennt. Denn so viel ist gewiß, daß in jeder seiner Kräfte eine Un-

174

endlichkeit liegt, die hier nur nicht entwickelt werden kann, weil sie
von anderen Kräften, von Sinnen und Trieben des Tieres, unterdrückt
wird und während dieses Erdenlebens gleichsam in Banden liegt. Aber
der Allgütige wird dafür sorgen, daß diese Kräfte einst zur vollen Wirkung und Erscheinung gelangen. Dies möge man glauben, ohne nach
dem Wie und Wo zu fragen. So steht der Mensch aufrecht da «mit er-
habenem Blick und aufgehobenen Händen... als ein Sohn des Hauses,
den Ruf seines Vaters erwartend». Ist aber die Erde deswegen ein
Jammertal, entwertet sich für uns dadurch das Diesseits? Im Gegenteil. Nur diese Erde ermöglicht dem Menschen die Ausbildung des
Organs, das allein in jene Welt geht, des Organs der Humanität. Nur
hier, auf dieser Erde, empfängt der Mensch die Anlagen für seine ewige
Existenz. Aller Anlaß besteht für ihn, dieser Erde dankbar und auf ihr
glücklich und tätig zu sein. «Suche sie also vergnügt zu verlassen...
Du hast weiter kein Anrecht an sie: sie hat kein Anrecht an Dich: mit
dem Hut der Freiheit gekrönt und mit dem Gurt des Himmels gegürtet,
setz fröhlich Deinen Wanderstab weiter.»

Von diesen schon in den Seelenwanderungsgesprächen vorhandenen
Herderschen Grundgedanken seiner durch eine solche Konzeption der
Humanitätsvorstellung zusammengehaltenen «Ideen» mit ihren an
das eigentlich Menschliche angeknüpften Ahnungen einer Ewigkeit
geht eine Beglückung und Beseligung, eine Beruhigung und Reinigung aus, daß sich nur mit einem tiefen Befremden feststellen läßt,
wie wenig sie eigentlich bisher in das Allgemeinbewußtsein der neueren
Menschheit gedrungen, wie wenig sie zu ihrem Allgemeingut geworden sind. Bei Herder fehlt diesen Gedanken die eigentlich dichterisch-
künstlerische Prägung, die allemal *die* Tat bedeutet, die den Gedanken
Eingänglichkeit verschafft. Aber in beinahe überraschender Weise werden durch diese Herderschen Gedankenbildungen Weg und Ziel der
späteren, der klassischen Faustdichtung Goethes erhellt. Sie hat, wie
Goethes gesamte spätere Weltanschauung, in starkem Maße ihre Richtung gewonnen durch die Überströmungen aus dem Borne Herderschen Sicheinfühlens in Menschheit, Gottheit und Schöpfung. Zu Herder stellt sich die faustische Antithese zwischen niederem, tierischem
Sinnengenuß und der Bewußtheit über die Verpflichtungen der Hu-

manität Herderscher Observanz, das heißt des Strebens nach Ausbildung der mitgegebenen menschlichen Anlagen. Solche Ausbildung bedingt das Funktionelle, das nichtnachlassende Bestrebtsein, die «Tätigkeit» auf dieser Erde. Zu Herder fügt sich aber auch das im «Faust» zu Wort kommende Sichbescheiden im Hinblick auf die Formen eines Weiterlebens nach dem Tode. Daß aber die Natur, wie Goethe sagte, dem bis ans Ende tätigen Menschen eine neue Form der Wirkungsmöglichkeit anzuweisen verpflichtet ist, erscheint Goethen wie Herdern gewiß. Die Herdersche organistische Kräftelehre hat die Weltanschauung des weimarischen Goethe ganz durchwaltet und durchsetzt. Aus tiefen Grundlagen weltanschaulicher Übereinstimmung taucht der Herder der «Ideen» noch einmal bei dem spätesten Goethe am Ende des «Faust» auf, wenn dem perfektiblen und im Sinne der menschlichen Anlagen und Aufgaben tätig gewesenen Faust der Eingang in die von ihm verdiente andere Welt durch die göttliche Fürsorge und Aufnahmebereitschaft eröffnet wird. Es ist wie eine Keimzelle des Prologs im Himmel, wenn Herder meinte, der Allgütige werde der menschlichen Seele die Organisationen nicht versagen, die in ihr «die Kräfte eines Weltalls» in Tätigkeit und Übung setzen: «Er gängelt sie als ein Kind, sie zur Fülle des wachsenden Genusses, im Wahn eigen erworbener Kräfte und Sinne allmählich zu bereiten.»

Aber noch fehlt dem Herderschen Humanitätsbegriff ein Letztes, ein ihn übrigens von Goethe Unterscheidendes, damit er als Zentralsonne recht im Spiele vielfacher Lichter sich darstelle. Das ist die Herdersche *Glückseligkeitslehre* mit ihren Verschlingungen und Verzahnungen, die im Zusammenhange der weltanschaulichen Gesamtentwicklung des Zeitalters bereits ihre Einordnung gefunden hat. Der wahren Humanität, so steht im achten Buche der «Ideen» zu lesen, dient die Empfindung unseres «Wohlseins» zur Voraussetzung. Die «Glückseligkeit» als ein innerer Zustand hat ihr Maß und ihre Bestimmung in der Brust eines jeden einzelnen Wesens. Sie ist zutiefst geschieden von dem aufklärerischen «Eudämonismus» des 18. Jahrhunderts. Sie wird nicht durch die Errungenschaften einer vermeintlich fortgeschrittenen Kultur bedingt. Sie ist ein einfaches, tiefes, unersetzliches Gefühl des Daseins, «ein kleiner Tropfen aus jenem unendlichen Meere des All-

176

seligen, der in Allem ist und sich in Allem freut und fühlt. Daher jene unzerstörbare Heiterkeit und Freude, die mancher Europäer auf den Gesichtern und im Leben fremder Völker bewunderte, weil er sie bei seiner unruhigen Rastlosigkeit in sich nicht fühlte» . . . Die Glückseligkeit wird von Herder als ein individuelles Gut angesprochen, als klimatisch und organisch bestimmt, als ein Kind der Übung, der Tradition, der Gewohnheit. Für die Neueren wird hiermit das Paradigma einer «humanistischen» Lebenshaltung aufgestellt, das für Goethe wie für Nietzsche wie für alle gilt, die sich, dem Geiste des Griechentums verpflichtet, mit der Humanität oder, wie sie vielleicht sagen werden, dem Humanismus oder Neuhumanismus erfüllt haben. Es ist eine Weltanschauung des Maßes, des «stillen» Sichversenkens in die allein erlebenswerten Gedanken und Gestalten, die vom Altertum herüberleuchten. Nietzsche sah in dem Fehlen des «Maßes» das Ungriechische des Christentums, das auf krankhaften Exzeß des Gefühls hinwirke und vernichten, zerbrechen, betäuben, berauschen wolle und deshalb im tiefsten Verstande barbarisch, asiatisch, unvornehm und ungriechisch sei . . . Es könnte scheinen, als falle hier für Herder der Begriff der Humanität mit dem der Glückseligkeit in eins zusammen. Es könnte sein, daß von hier aus die Auffassung eine Bestätigung sucht, der gemäß für die Humanität (oder, wenn die Worte wieder unbekümmert vertauscht werden, für den Humanismus oder Neuhumanismus) das «Aufsichgestelltsein», die Autonomie des Menschen sich als Formel einfindet. Oder, wie anders gesagt worden ist, Humanität wird von hier aus gesehen nicht als «der einseitige Spiritualismus des Christentums, sondern als der Kultus des ganzen Menschen als einer seelischleiblichen Einheit in der Form seiner irdischen Existenz». In der Tat schließt ja das Humanitäts- und Glückseligkeitsideal die Erfüllung in einem Diesseits und in einem Jetzt in sich, und sie sind geknüpft an die Individualität, die im Rahmen *dieses* Daseins ihr Genüge findet und nicht an einem in der Unendlichkeit liegenden Ideal gemessen wird. Über Wilhelm von Humboldt bis zu Stifter wirkt der aus Herder gezogene fundamentale Gedanke, daß, wie Humboldt es in den «Briefen an eine Freundin» ausdrückt, der Schöpfer den Menschen nur zu seinem individuellen Glück ins Leben setzen und er ihn weder dem blinden Wechsel eines nach allgemeinen Gesetzen fortschreitenden Lebensorganismus hingeben «noch einem idealischen Zwecke eines lange vor ihm entstandenen und weit über ihn hinaus fortdauernden Ganzen opfern» konnte, «dessen Grenzen und Gestalt er niemals zu überschauen imstande ist». Aber die Herderschen Gesinnungen sind allemal schwebender, mehrwertiger, verflochtener, als daß nicht Gefahr bestände, ihnen mit scharfen begrifflichen Festlegungen das Beste zu nehmen, nämlich den zarten Schimmer und Schmelz ihrer gebrochenen Farben, das Glockenspiel vieltöniger Beziehungen. So auch wieder an diesem Punkte. Eine strenge Scheidelinie zwischen Humanitätsidee und Christentum, wie sie von begrifflichen Grenzsetzungen aus eingeführt werden kann, besteht für Herder wie für die gesamte Klassik weder der geistigen Wirklichkeit nach, noch geht eine Absicht in dieser Richtung. Herder zumal hat das Christentum in die Humanitätslehre hineingenommen, es durch die Humanitätsidee aufgesogen werden lassen. Er hat beides zur Deckung miteinander gebracht. Der Schluß der «Briefe zu Beförderung der Humanität» (1797) faßt seine Meinung nachdrücklich zusammen. Das Christentum gebietet nach ihm die reinste Humanität auf dem reinsten Wege, und der für seinen Stifter gewählte Name «Menschensohn» deutet das Ziel an, dem es zustrebt. Wie sehr ferner die menschliche Autonomie durch die Vollendungsidee und den göttlichen Geschichtsplan bei Herder eingeschränkt wird, ist bereits offenkundig geworden. Und die individuelle Repräsentation der humanitären Glückseligkeit hat ihre andere Seite in der universellen Verknüpfung und der Spiegelungseigenschaft des Individuums. Hier nimmt die Grundlinie der Individualitätsphilosophie Humboldts, Schillers, Schellings, Stifters ihren Ausgang: die Individualität, bestrebt, ihrer Eigentümlichkeit Dasein in der Wirklichkeit zu verschaffen, nimmt alle Möglichkeiten des Menschlichen in sich auf und stellt sie mit dar. In den gegenüber den «Ideen» weit moralistischer gerichteten Humanitätsbriefen (10. Sammlung) ist Herder dann dazu fortgeschritten, von dieser geschichtsphilosophischen Position die Solidarität des Menschengeschlechtes, die Haftung aller für einen und eines jeden für alle zu fordern und die Einheit eines reinmoralischen Charakters zu konstatieren, der dem ganzen Geschlecht

178

gehöre. Und was er da sagt, erkennt er bald darauf mit fast denselben Worten dem Christentum als Losung zu: «Die Tendenz der Menschennatur fasset ein Universum in sich, dessen Aufschrift ist: ‚Keiner für sich allein, jeder für Alle; so seyd ihr alle euch einander werth und glücklich.' Eine unendliche Verschiedenheit, zu einer Einheit strebend, die in allen liegt, die alle fördert.» Und wie ein Echo von Herder her klingt es aus «Wilhelm Meisters Lehrjahren» (8. Buch, 5. Kapitel): «Nur alle Menschen machen die Menschheit aus, nur alle Kräfte zusammen genommen die Welt.»

Darf wohl der Geschichtsanschauung des Herder der Weimarer Zeit ein schrankenloser Optimismus zuerkannt werden? Ein solcher Optimismus würde den Grundvoraussetzungen des Herderschen Geschichtsbildes, dem Entwicklungsverlauf des geschichtlichen Lebens bei ihm, den Konzeptionen, in denen sich sein historischer Sinn in den «Ideen» und weiterhin bekundet, widersprechen. Mit der Anerkennung jeder Individuation des geschichtlichen Lebens und jeder Form der Verwirklichung menschlicher Anlagen in ihm waren für ihn auch alle in der Geschichte zutage getretenen Mängel, Laster, Leidenschaften und Torheiten der Menschheit gegeben. Schon in «Auch eine Philosophie» hat er sie in den Zusammenhang seiner keimenden Kräftelehre und seines Kräfteverstehens eingeordnet.

Eine Grenze jedoch scheint in den «Ideen» sein geschichtliches Verständnis zu finden: sie wird gebildet durch die Machtvollkommenheit und die unbeschränkte Autorität des Staates. Es scheint, als ließe sich sein Humanitätsbegriff und seine Glückseligkeitslehre nicht vereinbaren mit den Forderungen, die der autoritäre Staat erhebt, und mit der restlosen Unterordnung des einzelnen unter den Staat. Es ist ihm im achten Buche der «Ideen» (1785) unbegreiflich, daß der Mensch für den Staat gemacht sein und daß aus der Einrichtung des Staates zuoberst seine Glückseligkeit herkommen solle. Auf der Höhe seiner Gedankenbildungen stellen sich Sätze ein, auf die vielleicht die hindeuten werden, die den Staatsbegriff überhaupt entwerten möchten: «Millionen des Erdballs leben ohne Staaten, und muß nicht ein jeder von uns auch im künstlichsten Staat, wenn er glücklich sein will, es eben da anfangen, wo es der Wilde anfängt, nämlich, daß er Gesundheit und Seelenkräfte, das Glück seines Hauses und Herzens nicht vom Staat, sondern von sich selbst erringe und erhalte? Vater und Mutter, Mann und Weib, Kind und Bruder, Freund und Mensch – das sind Verhältnisse der Natur, durch die wir glücklich werden; was der Staat uns geben kann, sind Kunstwerkzeuge, leider aber kann er uns etwas weit Wesentlicheres, Uns selbst rauben.» Niemand hätte stärker als Herder selbst gefordert, daß solche Äußerungen nach Umständen, individueller Bedingtheit und geistesgeschichtlichen Zusammenhängen verstanden werden müssen. Da dies nicht in ausreichendem Maße geschehen war, wurde seine Stellung zum Staat im wesentlichen verkannt. Auch auf diesem Felde spielt sich bei Herder der Kampf der organistischen Weltanschauung gegen die mechanistische ab. Er stand ebenso im Gegensatz gegen die aufklärerische Konstruktion und die naturrechtliche, das heißt vernünftelnde Theorie des Staates, wie er praktisch den Bürokratismus und Despotismus des Staates Friedrichs des Großen ablehnte, weil er ihm mit naturhaftem Freiheitsgefühl und natürlicher Gewachsenheit nicht vereinbar zu sein schien. Er stellte sich gegen den Staats*mechanismus* und den Staat als Maschine im Namen des Lebens und der Lebendigkeit in seiner Frühschrift von 1774, die die ersten Formulierungen seiner vitalistischen Menschheitsphilosophie enthielt. Seine Stellung gegen den Staat läßt sich mit Locke (dessen politische Ideen durch Montesquieu zum europäischen Gemeingut geworden waren), vor allem aber mit Rousseau verknüpfen. Wie diesem, so stehen Herder die natürlichen Verhältnisse und Bindungen den vermeintlich abstrahierenden Zweckbindungen durch den Staat voran. Je mehr seine Organismus- und Kräftelehre sich entwickelte, um so folgerechter gelangte er aber dazu, auch den Staat als aufbauendes Gebilde in die natürlich-strukturelle Gliederung der Menschheit und unter die Mächte, die ihre Formen und Entwicklungen bestimmten, einzureihen. Immer bleibt dabei die Bedingtheit bestehen, die sich aus der politischen Windstille seines Daseins und aus der Tatsache ergab, daß seine Zeit ihm – im Gegensatz zu Hegel – ein empirisch gewordenes Staatsgebilde in seinem Sinne noch nicht bot, an dem seine Anschauungen von nationaler und volksmäßiger Individuation und Gemeinschaftsbildung festere Gestalt hätten gewinnen können. Sein

Denken um die Französische Revolution gehört im übrigen mit dem seiner klassisch-romantischen Zeitgenossen in eine besondere Darlegung. Doch weiß schon die Preisschrift «Vom Einfluß der Regierung auf die Wissenschaften» (1780) das Glück zu rühmen, das von dem großen, weisen, erfahrenen Staatsschöpfer und Staatslenker ausgeht, wie er in den Freistaaten sich bilden konnte, um «ein Ideal der Nationalglückseligkeit, das in ihrer Seele lag», ihrem Vaterlande aufzuprägen. Und gegen Ende seines Lebens, in der «Adrastea» von 1803, ist ihm der Gesetzgeber eines Volkes ein Pygmalion, der aus dem Marmor eine Gestalt hervorbringt und sie belebt. Inzwischen hatte sich bei ihm in den neunziger Jahren die reibungslose Verbindung der Humanitätsidee mit dem staatspolitischen Denken vollzogen. Jetzt trat (in den Humanitätsbriefen) an Stelle Rousseaus, seines früheren pädagogischen Leitsterns, der sachenvolle Lehrer und Ordner einer großen Menschengesellschaft; der volksbeglückende Benjamin Franklin. Am Rande sei festgestellt: Der späte Herder legte auch schon die Kultur- und Bildungsaufgaben in die Hand des Staates und zeigte die enge Verbindung auf, die zwischen der Intelligenz und der staatlichen Machtstärkung und Machterhaltung besteht.

Schon hat sich gezeigt, daß es ein Widerspruch in sich selbst wäre, wenn die Herder beherrschende Humanitätsidee zu Volk und Nation im Gegensatz stände. Es ist begreiflich, wenn gerade Herder, der wohlverstandene Träger des richtig gedeuteten Humanitätsgedankens, als ein Erwecker, als der eigentliche Beginner des neueren national-staatlichen Denkens gilt und gefeiert wird. Es besteht aller Anlaß, von ihm zu sagen, daß er durch sein ganzes Lebenswerk versucht habe, eine wirksame Antwort auf die Frage zu erteilen, wie sich die echten nationalen Kräfte entwickeln können. Diese «Kräfte», von denen sein Denken in der Frühzeit mehr unausgesprochen, später mit immer von neuem abgewandelten Worten zeugt, sie konnten nach dem ganzen Zusammenhang seiner Lebens- und Geschichtsanschauung nicht anders als aus einer organischen Einheit kommen. Schon in seiner Frühzeit stellte er den Irrtum fest, der darin bestehe, die Bildung und Fortbildung einer Nation «blos in und durch einige hellere Ideen zu setzen»: nein, sie ist ein Werk des Schicksals und das «Resultat tausend mitwirkender Ursachen». Die Französische Revolution hat ihn 1802 in der «Adrastea» zu der Formulierung kommen lassen, daß «es Zeiten des Schlafs, Zeiten des Aufwachens der Nationen» gebe. Seine Kräftelehre beruhte auf dem Sinne für das Unmittelbare und Elementare. Das Gefühl für Unmittelbarkeit den Deutschen wiedergewonnen zu haben, ward ihm nachgerühmt. Überall steht er gegen das bloß Zivilisatorische und seinen technischen Apparat, mag es sich um Dichtung oder um Geschichte handeln. Bildung ebenso wie Humanität werden vegetabil gesehen: sie müssen «aus eigenen Anlagen und Bedürfnissen» hervorgehen. Sie sind nur aus der Besonderung einer individuell bestimmten Ordnung daseinsfähig. Aber dennoch wirkt sich in dieser Kräftebildung Göttliches und Unsterbliches aus. Die Entwicklung des Menschengeschlechtes zu jeder Kultur bedeutet ihm am Ende seines Lebens «das Fortstreben des göttlichen Geistes im Menschen zu Aufweckung all seiner Kräfte». Daraus aber folgte zweierlei: einmal, daß ihm Literatur oder Wissenschaft und die mit ihnen verbundene Bildung nur eine der zahlreichen und mit den andern verknüpften und in Wechselwirkung stehenden Kräfte waren, ja daß sie sogar für ihn in Zeiten großer weltpolitischer Erschütterungen hinter anderen Kräften hätten zurücktreten müssen. Dies ist sein Gegensatz zu dem Ruhe- und Stillebedürfnis der Weimarer Klassik in ihrer Hochblüte. Goethe konnte in jenem bekannten Epigramm aus der Xenienzeit dem «Franztum» den Vorwurf machen, daß es «in diesen verworrenen Tagen, wie ehmals Luthertum es getan, ruhige Bildung» zurückdränge. Herders dynamische Natur erfaßte die Ereignisse in ihrer Ganzheit, Vordringlichkeit und Wirklichkeitsnähe, in ihrer elementaren und aufwühlenden Unmittelbarkeit, zumal für die jüngere Generation. «Was schadets Ihnen», so schreibt er um jene Zeit an seinen jüngeren Herzensfreund, den Schweizer Johann Georg Müller, den Bruder des großen Geschichtsschreibers, «daß Sie jetzt nicht literarisch zusammenhängend arbeiten können?... Das kompensiert sich vortrefflich und bald. Alles literarische Fortwirken ruht jetzt; niemand liest besonnen; alle Augen und Ohren sind auf wirkliche Dinge der Zeit gerichtet; das Übrige ist Schatten und Traum.» Herders Haltung zum Begriffe des «Volkes» — in seiner Frühzeit als Naturell und als geistesgeschichtliche Notwen-

182

digkeit hervorbrechend, in seiner mittleren Periode eingeordnet in den
Entwurf seiner Menschheitsphilosophie und seines Geschichtsbildes –
findet schließlich gegenüber der erwachenden nationalstaatlichen Bewegung Erkenntnisse und Worte, die seinen Weg aus der «Klassik»
heraus in die politischen Wirklichkeiten des 19. und 20. Jahrhunderts
bezeichnen. Und immer deutlicher erschließt sich die Erkenntnis, daß
Herder derjenige ist, dem das Verdienst gebührt, die unveränderlichen
Nationaleigenschaften eines Volkes in ihrer Entwicklung, fortwirken-
den Gewalt und zähen Widerstandskraft erkannt und seiner Zeit verständlich gemacht zu haben. Er erblickte in den nationalen Eigenschaften, nachdem sie sich einmal herausgebildet hatten, die «gleichsam zum zweitenmal geschaffene Natur des Menschen». Wenn man
die Bedeutung Herders hervorhebt, wird gewöhnlich seiner Beziehung
zur sogenannten Volkspoesie und zum Volkslied vor allem gedacht. Eine
deutschtümelnde Auffassung der Entwicklung unserer Literatur seit
dem Sturm und Drang erkannte in ihm einen Wegbereiter für das
Bekanntwerden und die Schätzung im besonderen der deutschen Volkspoesie und versah diese seine Bemühungen mit starken Akzenten. Der
Aufsatz über «Ossian und die Lieder alter Völker» und der über
«Shakespeare» aus den «Blättern für deutsche Art und Kunst» (1773)
wurden als Selbstbesinnung germanisch-deutschen Geistes gewertet.
Und am Ende dieser Entwicklung steht seine Sammlung von Volksliedern 1778/79, die später den preziösen Titel «Stimmen der Völker
in Liedern» empfing. Auch diese Bestrebungen Herders müssen in
einem allgemeineren und weiteren Zusammenhang gesehen werden.
Herder ist nicht Gelehrter, nicht Germanist, nicht Volkskundler, sondern der schärfste und bitterste Kritiker des gealterten, erstarrten und
gekünstelten Zeitgeistes seiner Epoche und somit aller Epochen, aus
denen in gleicher Weise das starke Leben vermeintlich gewichen ist.
So versteht sich auch im tieferen Sinn sein bekanntes Wort, daß die
Poesie eine Welt- und Völkergabe sei, das heißt nicht jede, irgendwie
beschaffene Dichtung, sondern die lebenerfüllte und lebenschaffende
Poesie, deren Kennzeichen innere Wahrheit, Lebhaftigkeit und Sicherheit sind. Wenn kein Zweifel darüber bestehen kann, daß sich bei
Herder die Anschauungen von Volksart und Nationalität, eigentlich zu-

erst in Deutschland, in einer hinreißenden Sprache ausgedrückt finden, so lag es auf der Hand, daß die Deutschen den Herderschen Aufruf vor allen Dingen auf sich selber bezogen. Aber Herders Einsichten sind in der Form, in der sie hier erscheinen, zu verstehen aus dem gewaltigen Durchbruche eines lange zurückgehaltenen Gefühls für das Bezeichnende und Eigentümliche eines jeden Volkes. Es handelt sich für Herder bei «Volksdichtung» um eine Dichtung der «Unmittelbarkeit» und der durch Zivilisation und papierene Überlieferung nicht gehemmten Lebenskraft, gleichviel, bei welchem Volke, in welcher Epoche oder bei welchem Schöpfer sie zu finden ist. Die in Herders Frühzeit zum Ausdruck kommende Vorstellung vom Volkslied ist in erster Linie bestimmt durch sein Wissen um Sprache und Gehör, um den Gegensatz von gesprochenem (gesungenem) oder geschriebenem Wort. Und somit sind seine Einsichten auch hier fest verbunden mit einer ihm eigentümlichen Grundposition. Denn diese Auffassung vom Sprechen und Hören, die Überzeugung, daß jede Dichtung eigentlich gehört werden müsse und daß die Poesie dadurch, daß sie auf das Papier gebannt wurde, an Ursprünglichkeit und Kraft verloren habe und verliere, zieht sich – Mitgabe von Hamann her – durch Herders gesamtes Denken von seiner Frühzeit bis ins späteste Alter. Auch dieser Zusammenhang bestätigt wieder, daß die scheinbare Vielfalt der Themen von Herders Schriften sich auf einige wenige, ihrerseits wieder im Zusammenhang stehende, zurückführen läßt. Das innere Erlebnis von der gesprochenen, gesungenen, gehörten Poesie ist früher bei ihm da als die Anschauung von einem sogenannten «Volkstum». Der Volkstumsgedanke ist nicht von außen an ihn herangebracht, sondern wuchs aus einem Gesetze seiner Persönlichkeit und ihrer geistigen Auswirkung. Am Anfange seines Erlebnisses vom Volkstum steht nicht das Erlebnis eines bestimmten Volkstums, etwa das seiner ostpreußischen Heimat oder das des Deutschtums überhaupt, sondern am Anfange steht eine bestimmte Fähigkeit, Dichtung innerlich zu erleben und darstellerisch als eine Lebenskraft und einen Lebensstrom erscheinen zu lassen – einem völlig anderen Bereiche angehörend als die erstarrte «Letternkultur» der Herderschen Gegenwart. Solche Dichtung aber traf in die Mitte seines eigenen individuellen Seins und traf sich mit dem «Gesetz, wonach er angetreten»: in dem «dramatischen» Charakter, dem Lebendig-Handlungsvollen, dem Drang der Empfindung, der Gespanntheit und Gefülltheit der Situationen, dem heißen Atem der Leidenschaft – alles immanente Züge des eigenen Herderschen Charakters.

Die Humanitätsidee geht mit dem Sinn für das Volksmäßige einen Bund ein, innerhalb dessen die eine wie die andere geistige Macht in ihrer Eigengeltung, aber auch in der unlöslichen Verflechtung mit der anderen besteht. Das Christentum schließlich, bei Herder innerlich mit der Humanitätsidee verbunden, findet seine Wertung in der Richtung einer europäischen ·Geschichtsanschauung, welche Antike, Christentum, volkhafte Besonderheit zu einem «Humanismus» zusammenschaut, der die europäische Geistesart geschaffen habe. Auch hier steht Herder am Anfange einer Betrachtungsweise, die auf den alten Humanismus der beginnenden Neuzeit, der sich so selbst erkannte, zurückführt und vielen Neueren bis zu Ernst Troeltsch und denen, die ihm folgten, vordenkt. Herder kennt den neuerdings so viel bemühten und schillernd gebrauchten Ausdruck «Humanismus» nicht, aber er kennt die große europäische Kulturgemeinschaft, die eben durch ihre Bindungen an Nation, Christentum, Antike bezeichnet wird und in der Herderschen Humanitätsidee gipfelt. Insbesondere das Christentum – immer wieder fordert es gerade bei Herder das Augenmerk – in seiner übernationalen Stellung findet, historisch gesehen, zuerst bei ihm seinen rechten Platz und sein rechtes Verhältnis in dem europäischen Koordinatensystem der Kräfte, das man Humanismus nennen kann, nicht nur, wenn er 1802 ausdrücklich schreibt: «Jede Nation blüht wie ein Baum auf eigener Wurzel, und das Christentum, das ist echte Überzeugung gegen Gott und Menschen, ist sodann nichts als der reine Himmelstau für alle Nationen, der übrigens keines Baumes Charakter und Fruchtart ändert, der kein menschliches Geschöpf exnaturalisiert.» Und diese letzten Worte widersprechen erneut einer Auffassung, die zwischen dem vermeintlichen einseitigen Spiritualismus des Christentums und dem Kultus des ganzen Menschen als einer seelisch-leiblichen Einheit in Humanität und Klassik eine strenge Scheidelinie ziehen möchte. Im Gegenteil stehen Humanität und Klassik, wenn man eine bloße Dialektik von ihnen fernhält, als geistesgeschichtliche Erscheinungen «innerhalb der Spannung, die seit Augustinus und Hieronymus die antike und christliche, germanisch-romanische Kultursynthese des Europäismus bildet». Längst ist auch erkannt, daß der europäische Humanismus zusammenfällt mit dem Selbstbewußtwerden der nichtgriechischen Völker. Wie die alte Humanitas zu Beginn der Neuzeit den größten Anteil an der Erweckung des Nationalbewußtseins gehabt hat, so in nachhaltigerer Weise der klassische Neuhumanismus und die Herdersche Humanitätsidee. Auf Herder und die Romantik führt sich das Erwachen des nationalen Bewußtseins in Mitteleuropa, nicht zuletzt bei den Slaven zurück. Seine Ansichten vom Volkstum haben aber ebenso in Frankreich gewirkt. Wie sehr Schellings und Hegels Geschichtsphilosophie die Herdersche Geschichtsanschauung zur Voraussetzung haben, wie die Brüder Humboldt und die Schlegels auf seinen Schultern stehen, wie über den Freiherrn vom Stein sein Organismus- und Volkstumsbegriff, seine Kultur- und Gesellschaftsvorstellungen auf die Entwicklung der Staatslehre und Staatsauffassung und auf die Ausbildung der historischen Einzelwissenschaften, die man als die «Historische Schule» umgreift, von Einfluß gewesen sind, wie auch die Rechtswissenschaft, nicht nur soweit sie historisch gerichtet ist, von ihm nicht unberührt blieb, mögen auch die aus ihm gezogenen Folgerungen scheinbar auf verschiedenen Wegen liegen, – dies alles gehört zu der geistigen Evolution der neueren Zeit seit der Klassik.

Beinahe erscheint es gewagt, von einer *«Geschichtsphilosophie»* Herders zu sprechen. Dieser Begriff könnte Herders eigentümliche Wesensart und seine epochale Stellung in der deutschen Geistesgeschichte ebenso verundeutlichen, wie eine ähnliche Gefahr für Goethe bestände, wenn man von seiner «Naturphilosophie» redet. Gewiß, Herder suchte in dem scheinbar regel- und ordnungslosen Gewirr menschlicher Taten und Leiden nach dem «Leitfaden» einer durchgehenden, sinnvoll ausgerichteten Entwicklung, nach einer «Absicht der Vorsehung», «die in diesem Getriebe, dem ersten Anschein entgegen, ihrer Verwirklichung zustreben möchte». Aber wie anders als die Aufklärung! Er suchte in der Geschichte – im Gegensatz zu Kant – keinen von einem System von Begriffen beherrschten Vernunftplan mit dem abstrakten Endziel einer vorauszuberechnenden Vollkommenheit. Er erkannte Gott in der Geschichte, aber er erkannte ihn eben in den mannigfaltigen Hervorbringungen und Taten, die als Ergebnis von Kräften vor seiner nachfühlenden Erkenntnis lagen, nicht in Geheimnissen, die Gegenstand religiöser oder philosophischer Spekulation sein müßten. Auch die geoffenbarte christliche Religion ist ihm einmalige Geschichte, sie ist – unabhängig von der Vernunft – ein Teil des in der Geschichte geoffenbarten Geschehens, ist ein Werk von einem «sehr großen Plan, von dem wir noch das Wenigste erlebt haben». Noch leben wir innerhalb der Entwicklung des Christentums, in «der mittleren Szene, dem wahren Knoten der Geschichte», und können vielleicht jetzt am wenigsten über die eigentliche Wirkung des Christentums auf der Erde historisch urteilen. Hier denkt man an Rankes Wort, daß jede Epoche «unmittelbar zu Gott» sei. Ist Vergöttlichung, Auswirkung göttlicher Kräfte in der Geschichte, so ist göttliche Offenbarung doch auch in der Natur und ihren Einrichtungen, ja die Welt der Geschichte wird mit der Natur von Herder zur Deckung gebracht, und jedes Phänomen der Geschichte wird für ihn eine «Naturerzeugung». Die Anwendung der Begriffe Pantheismus oder Theismus auf ihn ist dabei unbrauchbar. Sie trifft nicht jene Bekundungen der göttlichen Selbstdarstellung und Selbstentwicklung in Geschichte und Natur, die nicht kausal gesehen werden oder in ihre Faktoren aufgelöst werden können, sondern als Urphänome nur der immer wiederholten und wechselnden Anschauung zugänglich sind. Immer wieder reißt den Betrachter des Herderschen Geistes zum Staunen und zum Entzücken hin, wie er, keineswegs Positivist, die Geschichte in ihrer Mannigfaltigkeit und den Besonderungen ihrer Wirklichkeit sieht und eben nur so gelten läßt. Schon früh wollte er in der Geschichte nichts glauben, was er nicht sehe. Sein großartiger Wirklichkeitssinn spricht sich im dreizehnten Buche der «Ideen» dahin aus, daß, «wer in der Naturgeschichte den Feenglauben hätte, daß unsichtbare Geister die Rose schminken oder den silbernen Tau in ihren Kelch tröpfeln, wer den Glauben hätte, daß kleine Lichtgeister den Leib des Nachtwurmes zu ihrer Hülle nehmen oder auf dem Schweif des Pfauen spielen, der mag ein sinnreicher

Dichter sein, nie wird er als Natur- oder als Geschichtsforscher glänzen. Geschichte ist die Wissenschaft dessen, was da ist, nicht dessen, was nach geheimen Absichten des Schicksals etwa wohl sein könnte.»

Damit wird eine immer noch nicht genügend ausgeschürfte Goldader des Herderschen Geistes offengelegt. Es handelt sich um das Verhältnis zu Geschichte (und Gegenwart), das durch ihn, nach ihm den wesentlichen Leistungen der historischen und sozialen Wissenschaft in Deutschland das Gepräge gegeben hat. Ja, seine Haltung darf, abgesehen von ihrer Bezogenheit auf Geschichte und Geschichtliches, wenn man recht zusieht, als die zu ihren eigentlichen Wurzeln zurückgeführte, gereinigte und kommende deutsche Geistigkeit angesehen werden, gleichweit entfernt von spiritueller und intellektualistischer Verflüchtigung wie von plumper und grober Sinnfälligkeit und einem geistlosen Materialismus. In den «Briefen das Studium der Theologie betreffend», 1781 (1786), schreibt Herder einmal, daß «das Bildendste in der Geschichte . . . nicht ihr Allgemeines, sondern das Besondere» sei. Wie die ihm nachfolgenden großen, historisch gerichteten deutschen Wissenschaftler des 19. Jahrhunderts und wie die auf ihnen aufgebaute philosophische Erkenntnis der Wirklichkeit sind die Objektivationen der Geschichte ihm «wirklicher» Geist. Sie sind es in ihren Verschiedenartigkeiten und ihren Besonderungen ohne die konstruierenden Behelfe einer den Sinn erst suchenden und deutenden Zusammenschau. Ihre Systematik und Einheitlichkeit beruht in der göttlichen und über alle Vernunft erhabenen Kraftquelle, die diese Vielheit von Kräften gespeist hat, die ohne teleologische Zielsetzung, gleichberechtigt und gleichgerichtet, nach einem bestimmten, aber in seiner Art nicht vorauszuberechnenden Ziele wirken. So hat alles einzelne als sichtbare Darstellung ebenso seinen Wert in sich, wie es, auch ohne Zuhilfenahme des abstrahierenden und verallgemeinernden Verstandes und ohne eine apriorische Idee, in dem Kosmos der Kräfte aus Natur und Geschichte seine nach allen Seiten verbundene Stellung besitzt. Es bedarf nachdrücklicher Unterstreichung, daß nach Herder der Sinn jedes geschichtlichen Vorganges nicht in «Allgemeinörtern des abgezogenen Geistes» und nicht in einer «künstlichen Denkart» zu finden ist, sondern in dem unmittelbaren Nachempfinden eines so und nicht anders seienden Lebens. Gerade in der Einmaligkeit und Besonderung verbirgt sich oder vielmehr bekundet sich der Sinn alles Geschehens in der Zeit, nur so und nicht anders ist dem Gesetze der Lebenskraft und Lebensfülle, eben an der besonderen Stelle, an der sie in Erscheinung treten, Genüge geschehen. Dies ist die Herdersche «Diesseitigkeit», dies seine zu wenig als epochal und maßgeblich ins allgemeine Bewußtsein getretene Lebensvorstellung – dies Sachenvolle, nicht Wortgelehrte, dies Vermögen, im Besonderen und Einzelnen das Allgemeine und Sinnvolle zu erkennen, diese sinnlich-übersinnliche Gabe, das Einmalig-Wirkliche mit dem immer und überall seienden und gleichbleibenden Göttlichen in Übereinstimmung zu bringen. Nach ihm wußte wiederum Ranke (im «Politischen Gespräch»), daß man wohl jederzeit vom Besonderen zum Allgemeinen aufsteigen könne, daß aber kein Weg mehr vom Allgemeinen ins Besondere führe. Hier liegt die tiefste Übereinstimmung des reifen Herder mit dem reifenden Goethe. Und dieser Trieb zum Einmalig-Wirklichen, dies Bestreben, die Dinge als solche in sich aufzunehmen, gipfelte bei beiden – nach Herders divinatorischen Erkenntnissen – in dem fühlenden Tastsinn, der den bildenden Künstler macht.

Dafür *ein* Beispiel. Es handelt sich um Herders Schrift «Plastik». Sie hat eine längere Geschichte hinter sich, als sie im Jahre 1778 ans Licht trat. Sie erinnert an die Abgrenzungen, die bereits Lessing im «Laokoon» zwischen den Künsten vorgenommen hat. Die Akzente, die Herder dabei auf das Seelische fallen läßt, und die Verbindung dieses Seelischen mit dem Betastlichen in der Bildhauerkunst, das ist das ihm hier *gegenüber* allen Vorgängern Eigentümliche. Längst wußte er freilich, daß die Gesetze der plastischen Kunst bedingt sind durch den Tastsinn. Und dieser Gedanke, zusammen mit dem anderen: daß nämlich durch diese Ertastbarkeit des plastischen Kunstwerkes die Seele des dargestellten Gegenstandes erkannt werde, ebenso wie die Seele des Erkennenden durch das Tastgefühl hindurchbricht – dies ist es, was den Einzelheiten dieser Schrift ihren Reiz und ihre Anschaulichkeit gibt und den ganzen Herder enthüllt; er war eben, zum mindesten seiner Intention nach, immer der Mensch der Sinnenhaftigkeit, dem jedoch unter den menschlichen Sinnesorganen das Auge längst nicht so viel bedeutete wie das Ohr und der Gefühlssinn. Er war aber zugleich immer auf der Suche nach der menschlichen Seelenhaltung. Dabei möge dahingestellt bleiben, wieweit in der Richtung auf die Gleichsetzung des Körperlichen und des Seelischen etwa der Engländer Shaftesbury oder der deutsche Winckelmann ihm vorgearbeitet haben. Die Krone der Herderschen Schrift ist ihr dritter Abschnitt: aus der Form des Bildwerkes wird sein innerer Geist und der des Schaffenden erfühlt. Man glaubt mitzuerleben, wie hier unter seinen tastenden Händen die Form einer griechischen Statue Blut und Atem gewinnt. Diese Beschreibung oder besser: dies Durchverfolgen der Art und Weise, wie der schaffende Künstler und gleicherweise der Genießende psychologisch gesehen zum plastischen Kunstwerke steht, rückt ganz nahe zu den Beschreibungen Winckelmanns in seiner Kunstgeschichte, etwa zu seiner Schilderung des Herkules-Torso. Und wie verdichtet Goethe, dem von Jugend an diese sinnlich-übersinnliche bildende Kraft eigen war, die Beschreibung Herders als Liebender in den Römischen Elegien?

Froh empfind' ich mich nun auf klassischem Boden begeistert,
Vor- und Mitwelt spricht lauter und reizender mir.
Hier befolg' ich den Rat, durchblättre die Werke der Alten
Mit geschäftiger Hand, täglich mit neuem Genuß.
Aber die Nächte hindurch hält Amor mich anders beschäftigt;
Werd ich auch halb nur gelehrt, bin ich doch doppelt beglückt.
Und belehr' ich mich nicht, indem ich des lieblichen Busens
Formen spähe, die Hand leite die Hüften hinab?
Dann versteh' ich den Marmor erst recht: ich denk' und vergleiche,
Sehe mit fühlendem Aug', fühle mit sehender Hand.

Kehren wir zum Ausgangspunkte zurück!

Das Rückgrat jeder Herderschen Betrachtungsweise ist die Sicht auf eine Individuation des geistigen, geschichtlichen und kreatürlichen Lebens. Ebensowohl die Zeit führend wie sie begleitend und auslegend, hat Herder im Verfolg dieser Sicht immer mehr den öffentlichen, den staatlich-politischen Raum zu gewinnen gesucht, wie ihn auch Goethe später gewann. Er hat das aus der späteren und jüngeren Romantik kommende Erwachen der Idee eines organisch bestimmten «Volkstums» und der Vorstellung von einer nationalpolitisch bestimmten Gesellschaft, die gotterfüllte Erfassung der Wirklichkeiten von Geschichte und Sozialbildungen im ersten Drittel des 19. Jahrhunderts nicht mehr erleben dürfen. Aber was sich da vollzog, war nur das Aufgehen einer von ihm gestreuten Saat. Und auch dem besten 19. Jahrhundert blieb es weiterhin bewußt, daß Menschheit und Humanität keine Abgezogenheiten sind. «Eine Menschlichkeit an sich», so sagt Mommsen in der Römischen Geschichte bei Gelegenheit Cäsars, «gibt es nicht, sondern der lebendige Mensch kann eben nicht anders als in einer gegebenen Volkseigentümlichkeit und in einem bestimmten Kulturzug stehen.»

Nicht immer war und ist bei solchen Anschauungen das Bewußtsein vorhanden, daß eben letztlich Herder hinter ihnen stehe, nicht immer denkt man, wenn man wie selbstverständlich mit dem Gedanken von einem «organischen Volkstum» umgeht, an ihn. Es könnte gegenüber manchen Ausartungen des Volkstumsgedankens als eine der ärgsten Sünden erscheinen, die der Deutsche wider seinen eigenen Geist begangen hat, daß ihm Wesen, Geist und Wollen *dieses* Herder doch nur in groben und oberflächlichen Umrissen deutlich sind, wenn anders sie ihm nicht gänzlich schattenhaft blieben. Erst die Wende des 19. zum 20. Jahrhundert und weiterhin die auf die deutsche Selbstbesinnung im 20. Jahrhundert gerichteten Bestrebungen haben hie und da mit Bewußtsein auf ihn zurückgelenkt. Noch fehlt jedoch viel am vollen Innewerden des Herderschen Denkens und Wesens. Immer ist es noch in erster Linie der junge Herder, der im Schatten oder im Lichte des jungen Goethe herangezogen wird. Der reife und alternde Herder, der zu den recht verstandenen Ideen der Humanität und Universalität anleitende, der Herder, für den sich Menschenwesen und Menschheitsentwicklung nur in den ihre Zeit lebensvoll und sacherfüllt ausdrükkenden Besonderungen bekundet, der Beginner des politisch-gegenständlichen Denkens in seiner Zeit, der nicht müde werdende Wortführer des Gedankens der organischen Gliederung in Natur und Gesellschaft, der Kenner, Sammler und Sucher, der für seine schweifenden Gedanken und ihre Abschattungen um Beispiele und Nutzanwen-

dungen unablässig bemüht ist – wer weiß wirklich um ihn? Wie viele
oder wie wenige haben einen Hauch verspürt des Typischen und des
Individuell-Einmaligen an ihm? Man muß ihn nehmen mit allen Ver-
winkelungen, Verästelungen, Ausweitungen, Überladungen und Va-
riierungen, mit dem Assoziativen, plötzlich Aufbrechenden und wieder
Strömenden seiner inneren und äußeren Form, deren Linien sich dennoch nicht verwischen lassen. Wäre es nicht notwendig, das Wort eine
Zeitlang außer Gebrauch zu setzen, so könnte auch für sein Wesen der
Begriff «Gotisch» sich einstellen. Herders Gattin schreibt einmal über
Jean Pauls Schriften an diesen selbst: «Es geht uns eben wunderbar
damit, das ganze Gebäude ist mit lauter kleinen einzelnen Heiligen-
bildern erfüllt. Das Gemüt und der Geist verweilen dabei gerührt, gestärkt, belustigt, erhoben, wir möchten das Ganze erfassen und sind
unwillig, daß wir unter den tausend Empfindungen nicht weiter kommen. Wenn Sie das Münster in Straßburg gesehen hätten, so würden
Sie mich verstehen und mir dieses Gleichnis nicht mißdeuten. Vielleicht ist der Geist jenes Baumeisters in Ihnen wiedergekommen und
weil wir der steinernen nicht so nötig haben als der geistigen, so baut
er nur aus Materialien der jetzigen Zeit, was sie bedarf, im Geschmack
der vorigen.» Man kann kaum klüger und fühlsamer die Kontinuität
einer inneren Form bezeichnen, die immer wieder im Verlaufe der
deutschen Geistesgeschichte zum Durchbruch kommt. Dieser inneren
Form untersteht Jean Paul ebenso wie Herder selbst, so kühn es zunächst erscheinen mag, ihre schriftstellerischen Bekundungen auf einen
Generalnenner bringen zu wollen. Nicht umsonst bestand zwischen
beiden jene Sympathie, jener seelische Zusammenhang, der sich zwischen Jean Paul und den beiden weimarischen Hochklassikern nicht
einfinden wollte. Es war die gleiche Wahlverwandtschaft der innern
Form der Persönlichkeiten, wie sie auch zwischen Herder-Jean Paul
auf der einen und bezeichnenden Trägern des Lebensgefühls der Romantik, zumal der jüngeren Romantik, auf der andern Seite bestand.
Gemeinsam war die aus dem Kerne eines organisch und vegetativ sich
selbst setzenden Wesens fließende, systemlose Unmittelbarkeit, das –
nach Überwindung der Gewaltsamkeiten und absichtsvollen Anspan-
nungen der Geniezeit – weich und zwanglos Rinnende der schrift-

stellerischen Art, das scheinbar sprunghafte, lebendig instinkthafte, unbewußte Sein, das doch nicht ohne metaphysische Transparenz ist, dies Sichgehenlassen aus dem Gefühl einer naturgegebenen Kraft, dies Beruhen im Elementaren schöpferischen Lebens, das aus tiefen Gründen geschichtlicher Polarität stammt, dies Umspielen der Dinge in einem beständigen Fluß von allen Seiten – eine deutsche Form, deren Bildungsgesetze nicht außerhalb des Werkes und der schöpferischen Persönlichkeit gefunden werden, sondern mit dem Wachstumscharakter der geistigen Bekundung und mit der in der hervorbringenden Kraft enthaltenen Dynamik eins sind. Vielleicht gibt das Wort «Form» dabei zu Mißverständnissen Anlaß. Aber die deutsche Sprache kennt noch kein anderes, um zu bezeichnen, was gemeint ist: die in allem, was an der menschlichen Persönlichkeit und Gestalt sichtbar, hörbar, greifbar, fühlbar ist, von innen zum Ausdruck kommende Individuation, die ihren Charakter als solche nicht verliert dadurch, daß in ihr Gleichungen mit den anderen Individuationen bestehen. Auch die Form der weimarischen Klassik Goethes und Schillers war in Theorie und Praxis deutsche Form. Es ist eine Aufgabe dieser Darstellung, das Trugbild zu beseitigen, als sei das Formgesetz der weimarischen Klassik *nur* von einer vermeintlich zum ersten Male richtig gesehenen Antike oder aus einem der Renaissance verwandten Wollen zu verstehen. Aber es handelt sich um eine andere Auswirkung und Folge der Organismus- und Vitalismusidee dort, um einen Weg, der über Vermittlungen führt und somit ein anderes Ergebnis des Wechselspiels der mannigfaltigen geschichtlichen Kräfte bezeichnet. So teilten sich aus dem Aufbruche der Geniezeit die Ströme. So konnte Herder später beinahe als ein Widerpart der Goethe-Schillerschen Klassik dastehen und wird willig von der Romantik aufgenommen. So war endlich auch das Auseinandergehen der persönlichen Wege – abgesehen von allem Menschlich-Allzumenschlichen, allen Empfindlichkeiten und Eindruckswirkungen in einer allmählich zum Ausdruck gekommenen Antithetik begründet, in welcher voraussetzungsbedingte Notwendigkeit und Freiheit geistiger Entscheidungen sich mit den Strukturgesetzen der die Entscheidung suchenden und findenden Persönlichkeit zusammenschlossen. Damit ist der Ausblick auf die besondere weimarische Existenz und

Entwicklung Herders gewonnen: auf die sein Bild füllig machenden Lebenstatsachen und auf die Bedingtheit, die Unaussprechlichkeit und die vermeintliche Tragik seines Wesens, dessen historisches und charakterliches Schicksal sich endgültig recht eigentlich in den zehn Jahren der neuen Verbindung mit Goethe von 1783 bis 1793 entschied.

Die Weiterentwicklung der «Genieform» bei Herder, die Linie, die bei ihm vom Sturm und Drang zu weiterer Entfaltung führt, mündet zunächst in den geistesgeschichtlichen Gesamtvorgang ein, der im Strukturbegriff «Klassik» gefaßt werden muß. Da ist zuoberst seine Genielehre. Darunter verstehen sich Haltungen, die für Wesen und Wandel des Herderschen Geistes allgemein bezeichnend sind. Man kennt aus seiner Jugend den Glauben an einen dem begnadeten Menschen innewohnenden «Geist» oder «Genius», den Dämon, dessen Wesen nicht in Eigenschaften der Vernunft bestand, dessen Geltungsbereich nicht nur das mit den Sinnen Wahrnehmbare war. Seine Kraft lag über oder unter allem Vernunftmäßigen und war die Funktion eines Unenträtselbaren der Seele und des Gefühls. Aber diese Seelenkraft ist es, die die großen Geister der Geschichte und Gegenwart zu Schöpfern von Gott ähnlicher Artung, zu stellvertretenden Organen, zu Werkzeugen der sie erfüllenden Gottheit macht und ihnen damit das Gefühl gibt, Gott gleich zu sein. Es entlud sich in dem unerhört gesteigerten Ichbewußtsein der Geniezeit. Wären die ungebärdigen und subjektivistischen Ausschreitungen und Krämpfe dieses Ichbewußtseins, die mit dieser Genielehre im Gefolge gingen, nicht gewesen – man würde eher geneigt sein, dies Erlebnis der Vergottung des Ichs an die stille Gottvereinigung anzuknüpfen, von der die deutsche Mystik zeugt. Möglich, daß sie durch die Rinnsale des Pietismus auf Herder hätte wirken können, wie denn ein gewisser mittelbarer Zusammenhang der deutschen Mystik des Mittelalters mit Herderschen Gedanken nicht geleugnet werden kann. Aber die prometheische Gotterfülltheit des schöpferischen Menschen, Herders sensualistische Geniemystik ist – mit welchen andern interkonfessionellen, mystisch-phantasmagorischen Vorstellungen sie immer sonst noch in Übereinstimmung gebracht werden könnte – im wesentlichen die im persönlichen Erlebnis vollzogene Verarbeitung und Aufgipfelung eines über Shaftesbury füh-

renden dynamischen Pantheismus. Danach ist der «Genius» die höchste Gestaltung und Offenbarung, gleichsam die Vollendung Gottes; er
ist Gott. Seit der Renaissance und im 18. Jahrhundert von den Schwei-
zern über Baumgarten, Lessing, die Geniezeit bis zuletzt zu Lavater
war ja der Dichter als ein zweiter Prometheus in mannigfach abgewandelten Bildern mit der schöpferischen Gottheit verglichen worden.
Nun aber läßt Herder die Ebene des Ästhetischen und Dichterischen,
auf der er sich früher mit Vorliebe bewegt hat, hinter sich. Seit den
Schriften und Dichtungen der Bückeburger Zeit, der Zeit seiner großen
inneren Krise und seiner zu Hamann zurücklenkenden religiösen Wiedergeburt, kam ein glutvoller, mystisch-phantasmagorischer Rausch
über ihn, der aus letzten Gründen eines kosmischen Urerlebnisses hin-
aufstieg und auch wieder die Stimmen ältester und neuester Welt in
ihm nachklingen ließ. Nun wurden die Grenzen zwischen Gott und
dem schöpferisch, das heißt mit dem Herzen schauenden Menschen
aufgehoben. Da ragt als tiefumwölktes und wieder brennend leuchtendes Denkmal die «*Älteste Urkunde des Menschengeschlechts*» auf,
die, in den Jahren 1769/72 vorbereitet, 1774 erschien und schon in
ihren Anfängen dem jungen Goethe bekannt geworden war. Er hat
den Magier Herder in diesem Werke so verstanden und geschildert, wie
es nur eigene Ergriffenheit vermochte. «Es ist», so liest man in dem
Briefe an Schönborn vom 8. Juni 1774, «ein so mystisch weitstrahl-
sinniges Ganze, eine in der Fülle verschlungener Geschöpfsäste lebende
und rollende Welt, daß weder eine Zeichnung nach verjüngtem Maßstab einigen Ausdruck der Riesengestalt nachäffen oder eine treue Sil-
houette einzelner Teile melodisch sympathetischen Klang in der Seele
anschlagen kann. Er ist in die Tiefen seiner Empfindung hinabgestie-
gen, hat drinn all die hohe heilige Kraft der simpeln Natur aufgewühlt und führt sie nun in dämmerndem, wetterleuchtendem, hier
und da morgenfreundlichlächelndem, Orphischem Gesang vom Auf-
gang herauf über die weite Welt.» In der «Ältesten Urkunde» und
ihren Vorformen knüpft Herders Schau in die menschliche Urzeit an
Moses an, den Urmagier, Urpriester, den Urpropheten und Ur-Homer.
Moses ist das erste Genie, weil der erste Mensch in vollem Wortsinne,
das heißt «die höchste sinnliche Einheit alles Sichtbaren» (schon gei-

stert damit in Herders Genielehre seine spätere Erkenntnis, seine Humanitätsphilosophie und das Grundthema der «Ideen» vor). Moses ist ein Nachbild, ein Repräsentant der Gottheit in sichtbarer Gestalt, ein Statthalter Gottes, ein Untergott. Nur Michelangelos über- und urmenschlicher Gestaltung des Moses ist zu vergleichen, was Herder hier, indem er alle Theologen und Historiker wie alle Mystagogen seiner und früherer Zeit hinter sich läßt, inspiratorisch aus der Mosesgestalt holt. Als Seher, als Gesetzgeber, Dichter, Prophet, als Schöpfer im großen und allgemeinen Sinne tritt er für Herder in eine Reihe mit Prometheus, Orpheus, Homer, Mahomet, Ossian, Milton. Er ist Empfänger und deutender Verkünder der von Gott ihm überantworteten «Hieroglyphe», in der alle Weisheit und Offenbarung für das Menschengeschlecht beschlossen ist. Man weiß heute, wie sehr Anlage und Verlauf der Goetheschen Faustdichtung und ihr magischer Titanismus, nicht nur der Abschluß des Werkes, nicht nur sprechende Einzelheiten, die Herdersche Moseskonzeption zur Voraussetzung haben. Für Herder war aber diese höchstgesteigerte Ausprägung seiner Genielehre nur ein Schritt auf dem weiteren Wege, der in der «Ältesten Urkunde» schon angedeutet war und sich in der Schrift *«Vom Erkennen und Empfinden der menschlichen Seele»* (1778) zuerst scharf abzeichnet. In ironischen und sarkastischen Wendungen nahm er nun den Kampf gegen das Idol des «Genies» auf, wie es soeben in der Bewegung der Geister eine so große Rolle gespielt hatte. «Unserer Philosophie und Sprache», so spöttelt er, «fehlte so vieles, da beide noch nichts vom ‚Schenie‘ wußten; plötzlich gabs Abhandlung über Abhandlung, Versuch nach Versuch darüber, und wahrscheinlich haben wir noch von irgend einer metaphysischen Akademie in Dänemark, Holland, Deutschland und Italien eine Aufgabe ‚übers Genie‘ zu erwarten.» Nun wird das Genie nicht mehr in einer von geheimnisvollen Urkräften getragenen Außergewöhnlichkeit gesucht und gefunden. Das Übervernünftige und Übernormale ist ihm genommen, und es bedarf keiner mystischen Intuition mehr, um es zu erfassen. «Genie» wird ihm nun gleichbedeutend mit «Charakter», und das ist: «die einzelne Menschenart, die einem Gott gegeben, weder mehr noch minder», denn genius, ingenium, indoles, vis animae, character hätten in allen Sprachen diese Bedeu-

tung. Nun steht ihm das Genie nicht mehr an einsamer und unge-
wöhnlicher Stelle, sondern das, was jetzt Genie heißt, wird als das
Bindemittel der menschlichen Gesellschaft erkannt. Es ist nicht mehr
titanische Schrankenlosigkeit und ein gottgleiches Übermenschentum,
sondern die Fähigkeit der Beschränkung, des geselligen Sicheinfügens,
der rechten Anwendung seiner Fähigkeiten und ein nimmermüdes
Streben, das aber um seine Grenzen weiß. Der «Kraft», die das organische und unorganische Leben bei Herder beherrscht, begegnet aus
der Dimension des Moralischen das «Streben», wie er denn selber von
diesem aus den Tiefen eigener Natur stammenden, unablässigen und
niemals ausgeglichenen Streben beherrscht war. Wieder geben Herdersche Sätze mit beinahe wörtlichen Anklängen den Blick auf die Bahn
der Goetheschen Faustdichtung frei, wenn es in dieser Abhandlung
von 1778 heißt: «Überhaupt ists Knabengeschrei, was von dem ange-
borenen Enthusiasmus, der heitern, immer strömenden und sich selbst
belohnenden Quelle des Genies da her theoretisiert wird. Der wahre
Mensch Gottes fühlt mehr seine Schwächen und Grenzen, als daß er
sich im Abgrund seiner «positiven Kraft» mit Mond und Sonne bade.
Er *strebt* und muß also noch nicht *haben*; stößt sich oft wund an der
Decke, die ihn umgibt, an der Schale, die ihn verschließet, geschweige
daß er sich immer im Empyreum seiner Allseligkeit fühle . . . Je un-
endlicher das Medium, die Weltseite ist, für die er unmittelbar hinter
seiner Erdscholle Sinn hat: desto mehr wird er Kraftlosigkeit, Wüste,
Verbannung spüren, und nach neuem Saft, nach höherm Auffluge und
Vollendung seines Werks lechzen.» Das sogenannte Genie wird jetzt
von Herder psychologisch zergliedert mit Bemerkungen, die sich in die
Auseinandersetzungen der Psychologie und Ästhetik seiner Zeit, der
Baumgarten und Sulzer, der Mendelssohn und Kant einfügen. «Geschmack» und «Vernunft» sind von dem Geniebegriff, wie er ihn nun
nimmt, nicht zu trennen. Erkennt sich doch das Genie nicht mehr in
seinem Qualitativen und Isolierenden, sondern in seinen quantitativen
und sozial verbindenden Fähigkeiten. Es ist nicht mehr bloß Gefühl
und Empfindung. Aufgabe dieser Herderschen Abhandlung ist es ja,
mit Leibniz und Shaftesbury das Ineinanderwirken des Denkens und
Empfindens und das Wechselspiel beider Kräfte darzulegen. Auch dem

glücklichsten Genie werde es, so stellte er nun fest, nicht gelingen, sich durch «Natur und Instinkt allein zum Ungemeinen aufzuschwingen». Die innewohnende «göttliche Vernunft» gibt dem Genie seine Stelle im menschlichen Gesamtorganismus, in der allgemeinen Menschenempfindung wie der allgemeinen Menschendenkart. Und wenn er über die in diesem Gesamtorganismus waltenden verschiedenen Geistesarten, gemäß ihrem Empfindungs- und Lebenskreise, spricht, wenn er Veränderung in der Welt in dem «Fort- und Umlauf im Reiche der Geister nach veränderten Empfindungen, Bedürfnissen und Situationen» erkennt, so wird deutlich, wie sein Geniebegriff in den Begriff der Humanität, in die Gedankenwelt der «Ideen» und der auf sie folgenden Zeit einmündet.

Herders temperamentvolle *Abkehr vom Geniekult* der stürmerischen Epoche ist eine Folge seiner in Weimar sich vollziehenden Wandlung. Dafür spricht auch die Tatsache, daß sich die sarkastischen Ausfälle gegen das falsche Geniewesen erst in der dem Jahre 1778 angehörenden Druckform der Abhandlung *«Vom Erkennen und Empfinden der menschlichen Seele»* hören lassen, nicht in ihren beiden aus der Bückeburger Zeit stammenden Vorstufen von 1774 und 1775. Sind dort die Grundgedanken der Abhandlung die gleichen wie in der Weimarer Zeit, wird auch dort schon vernünftig mit dem Geniebegriff verhandelt, so zeigen sich doch noch keine Spuren der Einwirkung des neuen geistigen Raumes oder der hier entstandenen Ablehnungsgefühle gegen ein stürmerisches Treiben. Erst in Weimar wurden die Schwarmgeister abgewehrt, wie immer sie heißen mochten, ob Kaufmann, Lenz oder Goethe, und in wem immer ihre Art sich zeigte. Ein liebenswürdiges Zeugnis dafür ist die schon 1776 in Wielands «Teutschem Merkur» erschienene kleine Abhandlung über «Philosophei und Schwärmerei, zwo Schwestern» mit ihrem Standpunkte des Maßes, Ausgleiches, der vermittelnden Ganzheit und der Leib-Seele-Einheit. «In Geistigkeit ohne Körper», so klingt es dort zum Schluß, «verliebt zu sein, sagt Lavater, ist Schwärmerei; in Körper ohne Geist, viehisches Wesen. Der Weise, mit Klarheit in seinen Begriffen, d. i. mit Abstraktion, wann und wo sie sein soll, und mit Enthusiasmus in seinem Herzen, d. i. mit umfassender, handelnder Wärme, er ist weder Grübler noch Schwärmer, sieht beide Abwege, und nutzt beide; liegt euch immer, spricht er, einander in den Haaren, ich gehe mitten unsichtbar durch!» Was kann reifer und goethescher sein, was mehr die Haltung der deutschen Klassik treffen als dies? Daß Weimar trotz alles Drückenden seiner ersten Jahre dort für den Menschen und Schriftsteller Herder einen neuen Aufbruch bedeutete, empfand er sehr bald. Ein Brief an Hartknoch vom 25. September 1777 spricht das mit voller, vielleicht verdächtig betonter Bewußtheit aus: «Seitdem ich in Sachsen bin, mehr Menschen kenne und von mehreren gekannt werde, geprüfter, reifer und stärker werde, soll hoffentlich jetzt ein zweites Mannesalter meines Lebens beginnen.» Das war der Blick auf eine freiere und ansteigende Bahn nach der dämonischen Aufgewühltheit, krisenhaften Unruhe, Dumpfheit und der im Gefolge seiner Verehelichung einsetzenden bürgerlichen Selbstbeschränkung der Bückeburger Zeit. Freilich, das Unaussprechliche seines Wesens, die Auswirkung des «Gesetzes, wonach er angetreten», die Brüche und Reste, die seine Persönlichkeit bei jedem Versuche läßt, ihr mit glatten Lösungen beikommen zu wollen — dies konnte sich auch jetzt nicht ändern; ja es wurde nach solchen Hoffnungen und Anläufen zu einer innerlich befriedeten, ihn schöpferisch sättigenden und in geschlossener Ganzheit ruhenden Existenz nur noch offenkundiger.

Die mit Herders weimarischer Existenz werdende Klassik zeigt sich nun auch im *Bereich des Formalen*. Noch ist bei aller eingehenden Arbeit, die von Literarhistorikern, Philosophen und Theologen an Herder gewandt wurde, der Versuch nicht gemacht worden, dem Bau seiner Persönlichkeit von seiten der sinnlich wahrnehmbaren, schriftstellerischen Ausdrucksform, also der Sprache und des Stils nahezukommen. Eine zusammenschauende Darlegung vom Werden und Wesen des Geistes der deutschen Klassik und Romantik kann einstweilen nur in die Richtung solcher Erkenntnisse deuten. Auch für Herder erhebt sich die Frage, wieweit sein «Stil» die greifbare Bekundung des ganzen Menschen und des an ihm zum Ausdruck kommenden natürlichen und organisch-persönlichen Lebensgesetzes ist, wieweit auf der anderen Seite ein bewußtes und absichtliches Wollen in der sprachlich-schriftstellerischen Ausdrucksform Herders verspürt wird, wieweit die Verwendung gewisser Gattungen wie des Briefes und Dialoges mit den Eigenhaltungen seines Mitteilungsvermögens, wieweit aber auch mit der Nachwirkung überlieferter, gattungbildender Normen zusammenhängt. Wie Prosa und Verssprache bei ihm zueinander stehen, auch dies ist schließlich nicht ohne Aufschlüsse. Herders sprachliches Wollen in Theorie und praktischer Wirklichkeit ist nicht nur ein Kapitel innerhalb seiner deutschen Kulturanschauung, sondern berührt die Seinsmächtigkeit der Sprache überhaupt. Nicht handelt es sich hier um seine Auffassung von der Entstehung der Sprache und ihrer Entwicklung, nicht um den für ihn feststehenden, wechselseitig bedingten Zusammenhang zwischen Sprechen und Denken, kurz nicht um das, was seine Sprachphilosophie heißen könnte, sondern um die Erscheinungsform der Sprache innerhalb der geschichtlich-kulturellen Wirklichkeit. Sein Sinnen und Trachten um Wesen und Wirken der Sprache war auch im Organischen verwurzelt und aus den beiden Strömen der dem Begriffe des Volkes verhafteten Individualität und der Religiosität gespeist – auch der Religiosität, insofern «das Wort» göttliche Offenbarung war und gab. Über die deutsche Sprache insbesondere sind seine Gedanken ebenso wie die Goethes lebenslänglich hin und her gegangen, und sie war für ihn ein Sorgen- und Schmerzenskind, da sie ihm in den deutschen Kulturverfall hineingezogen zu sein schien. Er erkannte in seiner Jugend, daß das Deutsche noch bildungsfähig und es ein patriotisches Werk sei, für seine Reinigung und Ausbildung tätig zu sein. Auch auf dieser Linie steht er gegen das Zivilisatorische und Rational-Mechanische seiner Zeit, kämpft er für das Ursprüngliche und Gewachsene. Die Eigentümlichkeiten der noch unverbildeten, jugendkräftigen, älteren deutschen Sprache, wie er sie sah, sollen ihm dienen, den papierenen Überbau der deutschen Sprache seiner Zeit umzustoßen. Diese Richtung verblieb ihm. Noch in den «Briefen das Studium der Theologie betreffend», 1781 (1786), mahnt er: «Wir verstümmeln die Sprache, schreiben kraftlos oder geziert; kurz, das reine, echte Deutsch, das unsere Vorfahren schrieben, ehe so viele fremde Sprachen in Deutschland bekannt waren, hat sich in der neuesten Zeit ziemlich verloren. Es wird sich wieder finden und vielleicht aus unserm Verderbnis eine reiche, schönere Sprache hervorgehen; warten Sie also und üben sich in der Stille. Vor der Hand lassen Sie Luthers Übersetzung gelten . . .» Der Höhe seines Lebens und literarischen Wirkens gehört jene aus der Tiefe seiner geschichtlichen und vaterländischen Schau kommende «*Idee zum ersten patriotischen Institut für den Allgemeingeist Deutschlands*» von 1788 an. Diese für den Markgrafen Karl Friedrich von Baden verfaßte Denkschrift zu einer «Deutschen Akademie» ist ein Weiser des Herderschen Erneuerungsbestrebens von noch immer unmittelbar angreifendem, geschichtlichem und kulturpolitischem Gewicht; sie harrt noch der Beherzigung und Ausführung. Ungefähr gleichzeitig mit den «Ideen zu Philosophie der Geschichte der Menschheit» erwachsen, bezeugt auch sie wieder, daß der Herdersche Universalismus in einem Nationalsinne seine Ergänzung und Anwendung fand. Der war also bei ihm nicht bloß die Mitgabe des Bodens, dem er entstammte, der in ihrer Kultur bedrohten deutschen Ostgebiete, nicht bloß die Bekundung einer deutsch-patriotischen Gesinnung, die seit dem Humanismus und der Renaissance des 17. Jahrhunderts aus der politischen und kulturellen Entkräftung sich aufreckte, um es den andern gleichzutun, ja sie womöglich zu überflügeln, und im 18. Jahrhundert bei Gottsched und den Seinen sogut wie bei Winckelmann erscheint: es war die Folgerung aus der ihm eigenen und von ihm aus sich durchsetzenden Anschauung eines Lebenszusammenhanges, in welchem die Eigenexistenz ihre bestimmte, so und nicht anders mögliche Stelle behauptete. Die deutsche Sprache erschien ihm hier, wie jede nationale Sprache, als ein nationales Machtmittel. Die Geschichte zeige, daß alle herrschenden Völker nicht durch Waffen allein, sondern nicht zuletzt durch eine ausgebildete Sprache oft Jahrtausende hindurch über andere Völker die Oberhand gehabt hätten. Aber wie steht es um die deutsche Sprache seiner Zeit? Nicht einmal in den politischen Grenzen des deutschen Vaterlandes herrscht sie unbestritten, noch versagt sich ihr zum Teil der Adel und die hohe Gesellschaft, noch gibt es keine allgemein verbindliche Schriftsprache. Das Ziel muß sein, «die geläuterte Büchersprache unter feineren Menschen aller Teutschen Provinzen gemein zu machen», mehr durch gute Vorbilder als durch zwingende Regeln. Dazu gehört die Leitung und Festigung des Geschmackes, der in Deutschland noch unsicher und tastend ist, wenn es gilt, die guten von den schlechten Schriftstellern zu scheiden. So ist Herder sich der sprachlichen Verantwortung bewußt und fügt sich selbst in die Reihe derer ein, denen die Ausbildung der sprachlichen Sicherheit und des sprachlichen Geschmackes obliegt. Dieselbe Verantwortung lastete ausgesprochen und unausgesprochen auf Goethe und Schiller. Auch sie bestimmte die Sendung der deutschen Klassik. Diese Klassik fand eben seit und durch Herder nicht als ihre geringste Aufgabe die Hebung und Festigung der sprachlichen Kultur vor. Sie erfüllte damit das vordringlichste Anliegen der allgemeinen Erziehung. Sie schuf jene sprachlichen Muster, die nach dem Lutherdeutsch die Vorbedingung und die Richtpunkte für eine der Staatsnation voranstehende Kulturnation abgaben. Was aber den späteren Zehrern und Nutznießern beinahe selbstverständlich erschien, was von ihnen leicht vergessen wurde, das ungeheuere Werk einer neuen Sprachschöpfung und die Verwendung der deutschen Sprachmittel im Sinne einer ästhetisch-moralischen Kultur, das wird sich nun innerhalb der Klassik unter mancherlei Hemmungen, Rückschlägen, Enttäuschungen, Verzagtheiten und auch unter unmutigen Äußerungen über die deutsche Sprache vollziehen. Herder aber war weiterhin unermüdlich, wenn es galt, das Gewissen der Deutschen im Hinblick auf ihre Sprache zu schärfen. Aus seinem in Friedrich Gentz' «Neuer Deutscher Monatsschrift» 1795 veröffentlichten Aufsatz «Über die Fähigkeit zu sprechen und zu hören» hole noch heute jeder Lehrer sich Ansporn und Sinngebung für eine sprachliche Erziehung, die den Zusammenhang des Sprechens und Hörens in den Mittelpunkt aller Sprachschulung zu stellen gedenkt. Oder wo wäre sonst eindringlicher die Sprache als das Element jeder Vergesellschaftung verkündet worden, «als das Organ unserer Vernunft und gesellschaftlichen Tätigkeit, als das Werkzeug jeder Kultur und Unterweisung, als das Band der Geselligkeit und guten Sitten, als das echte Mobil zu Beförderung der Humanität in jeder Menschenklasse»? Mit der öffentlicher, politischer, kämpferischer werdenden Zeit, der Epoche der Französischen Revolution und des Kaiserreichs, der Entwicklung der öffentlichen Beredsamkeit kam, wie in sein gesamtes Denken, so auch in seine Sprachauffassung und seine Bemühungen um die Muttersprache ein neuer

Zug: jetzt ging es ihm auch hier nicht mehr um die Sprache als Bindemittel der menschlichen Gemeinschaft und als Ausdrucksform einer in
abgestuften Gestaltungen sich bekundenden Sonderart, die den Menschen vor allen anderen Wesen auszeichnet. Sprache wurde jetzt für
ihn eine Möglichkeit, die wichtigste Möglichkeit der Willensbestim-
mung und Willenslenkung, des öffentlichen, rednerischen und publi-
zistischen Einflußgewinnes, der massenpsychologischen Wirkung. Dies
lehrte er, der eigentliche Lehrer, Erzieher, Führer unter den klassischen Schriftstellern, der von früh an rednerisch (nicht demagogisch)
gerichtete Aktivist unter ihnen, der stets von der gegebenen Zeitsituation ausging, in jener Schulrede «Vom Fortschreiten einer Schule
mit der Zeit» (1798). In dieser Rede an die Jünglinge kündigt sich greifbar der Aufbruch eines neuen Zeitalters an, in ihr spricht der, der in
die Gegenwart horcht, der erfaßt, was sie ihm mitteilt, und mit ihr zu
gehen gewillt ist. Hier neigt sich das 18. Jahrhundert zu Ende, und
eine andere Welt, die des öffentlich-staatlichen Lebens, steigt herauf.
Hat sich auch die Hochklassik Goethes und Schillers entgegen einer ge-
meinplätzlichen Auffassung keineswegs vor der revolutionären und
nationalen Bewegung am Ende des 18. Jahrhunderts abdichten können
und wollen, so haben doch schon frühere Darlegungen darauf hingewiesen, daß auch in dieser Beziehung Herder einer gegenständlichen
Wirklichkeit näher und in einem stärkeren Maße allen lebendigen
Kräften um ihn her verschrieben war. Das Einsichtigste und Prophe-
tische steht sogleich am Anfange jener Rede, wenn er, auf ein Dezen-
nium der revolutionären Epoche zurückblickend, Sätze niederschreibt,
die aus verstecktem Ort hervorzuziehen, Pflicht einer verantwortungs-
bewußten geschichtlichen Beschreibung jener Epoche sein muß: «Wie
ungeheuer viel, Gutes und Böses, ist in den letzten zehn Jahren durch
Sprechen und Schreiben ausgerichtet worden; nicht das Schwert, sondern die Zunge hat alles in Gang gesetzt, so daß diesem neuen Zuge
auch Schwerter nicht zu widerstehen vermochten; die Waffen sanken
vor der in Gang gebrachten Zunge nieder. Noch mehr beförderte und
wirkte das geschriebene, das gedruckte Wort; wie Schießpulver flog es
in einzelnen Blättern umher und zündete allenthalben. Alle Zeitungs-
blätter sind jetzt voll sprechender, einander widersprechender, erör-

ternder, ratgebender, beschließender Versammlungen; zu all diesem
gehört Sprache und Aufsatz, fertige, prompte Rede und eine Geschicklichkeit zu Entwürfen, d. i. Begriffe aus dem Nebel zu ziehen und ins
Licht zu stellen, Klugheit und Mut, Mäßigung und Feuer der Rede,
Vortrag. Dies ist Geist der Zeit; wir können ihm nicht widerstreben,
noch weniger dürfen wir ihm entsagen und im Schlummer mit einer
gebundenen Zunge und einem schlaftrunkenen Auge zurückbleiben.»
Darum ist für Herder der Ruf der Stunde: Deutsche, lernt Deutsch
können! Lernt sagen, was ihr denkt und wollt! «Die Zeit gebietets,
die Zeit forderts.»

Als Herder schließlich jener «Unzeitgemäße» geworden war, der
nicht bloß, wie man häufig hört, verbittert, gereizt und eingesponnen
neben dem eigentlichen geistigen Geschehen seiner Tage dahinlebte,
sondern mit einem durch Liebe und Erfahrung geschärften Sinn als
Richter und Kritiker seiner Zeit und des Charakters seiner Landsleute
auftrat – damals, 1803, hat er nochmals für die «Adrastea» «*Briefe,
den Charakter der deutschen Sprache betreffend*» geschrieben, die erst
aus seinem Nachlaß veröffentlicht wurden. Gleichweit entfernt von
der mit Wunderlichkeiten gepaarten, patriotischen Verherrlichung der
deutschen Sprache in Klopstocks «Grammatischen Gesprächen» (1794)
wie von Wilh. Aug. Schlegels feinbohrendem, philologisch geschul-
tem, kennerischem Relativismus im «Athenäum» von 1798, lenkt Herder hier in Gedankengänge ein, die schon seine «Fragmente über die
neuere deutsche Literatur» dreißig Jahre früher eingeschlagen hatten.
Auch jetzt noch kehrt er sich gegen den papierenen Pedantismus, gegen
die Schwerfälligkeit, Verkünstelung, Kanzleihaftigkeit und die Servili-
tät der deutschen Sprache und verlangt von ihr «lebendigen Klang»
und treffende Kürze – alles in jener Sprunghaftigkeit und apodiktischen
Abgerissenheit und kulturkritischen Herbheit seiner letzten Jahre.

Wem die Sprache ein solches geistiges und gemütliches Anliegen
war, wer ihr so den höchsten Rang in der Charakterbildung der Nation, der Herstellung des Menschheitsbegriffes, des Aufstieges der Völker und Individuen beimaß – wie handhabe er sie selber?

Sprache und Stil der schriftstellerischen Bekundungen Herders bieten für den ersten Blick nicht das Bild eines Inhalt und Form zu *einer*

Masse zusammenschließenden und gestaltgebenden Vermögens, wie es
bei allen entwicklungs- oder gattungsbedingten Unterschieden innerhalb ihrer literarischen Art bei Goethe und auch bei Schiller nie verkannt werden kann. Noch ist freilich der literarhistorischen, ästhetischen, psychologischen und biologischen Wissenschaft das Erkennen
der sprachlichen Mittelpunktquelle versagt, aus der das schöpferische
Individuum gespeist wird und in der die eine Persönlichkeit bildenden
Kräfte ungeteilt vereinigt sind. Teilanstrengungen sind noch alle Versuche, zu Methoden zu kommen, die da lehren könnten, die persönliche sprachliche Ausdrucksform nach einem ein für allemal gültigen
Verfahren restlos zu erfassen. Zeitstil und Persönlichkeitsstil und andere Begrifflichkeiten werden einander gegenübergestellt; in der geschichtlichen Wirklichkeit melden Erziehung, Schulung, Geltung von
Mustern, Gewohnheit, Nachahmung, bewußte, unbewußte und unter-
bewußte Verwertung von Eindrücken, berechnende Verwendung von
Mitteln, absichtsvolle Erzielung von Wirkungen ihre Ansprüche an.
Weltanschauungstypus und Lebensform, charakterologische sowie land-
schaftsgebundene und stammesbedingte Ausdrucksbewegung, die Art
des inneren und äußeren Rhythmus und der strukturell bestimmten
Schallform verlangen beachtet zu werden. Und schließlich ist, unabhängig von der sie verwaltenden Persönlichkeit, die Sprache selber
da mit ihrer Gewachsenheit durch die Jahrhunderte, der verschiedenartigen Möglichkeit ihrer Bildungen, ihrem Ethos, das nach eigenem
Gesetz ihr dieses oder jenes Gesicht und diese oder jene Haltung gibt
je nach den Notwendigkeiten, Kategorien und Geltungsbereichen ihrer
Anwendung, mit dem Schwergewichte eines gewissen Apparates, der
sein selbständiges Dasein behauptet. Zu diesem allem gesellt sich bei
Herder die Art des emotionalsten, impulsivsten und reizbarsten
Schriftstellers, den die deutsche Literatur kennt. Sprache und Stil
sind gerade bei Herder nicht Gewand oder Schale; Form hat gerade bei
ihm eine existentielle Bedeutung und ist Kontur und Farbe seines
empirischen Menschenlebens, darüber hinaus seines intelligiblen Charakters und seines metaphysischen Urbildes. Dies alles erkennen heißt
nur ertastend über das reden können, was an ihm Sprache ist. Und
doch ist gerade dies er selber.

Weimar ist es wiederum, das Herder zu seinem eigentlichen Stil kommen ließ. Die Herderschen Frühschriften, insbesondere die «Fragmente» und die «Kritischen Wälder», zeigen, ihre stilistischen Unterschiede vorausgesetzt, einen Stil, in welchem sich von einer durchgängigen jugendlichen und literatenhaften Grundhaltung des gebildeten deutschen Prosastils im 18. Jahrhundert die Eindrücke verehrter und bedeutender Muster abheben. Jene Grundhaltung wird gekennzeichnet durch deutlich sein wollende Analyse, durch ein französisch anmutendes Streben nach Esprit und Logik und durch gelegentliche Gehobenheiten einer aus der Empfindsamkeit kommenden Sprechweise. Die Muster aber, so sehr er gerade ihnen gegenüber auch wieder als er selber erscheint, sind Lessing, Hamann, Winckelmann: Lessing durch absichtsvolle Zuspitzungen und den sichtlichen Willen zur Verlebendigung, Hamann durch ein dialogisch-dramatisches, mimisch-auditives und dynamisch-motorisches Element, durch tiefsinnig-geflügelte Weisheit, aufblitzende Assoziationen und inhaltschwere Zusammenballungen, Winckelmann durch die im allgemeinen herrschende Verhaltenheit der inneren Bewegung und wiederum breiter ausladende Fülle der gefühlsbetonten, inneren Schau. Dann ging in einer zweiten Periode Herders Stil durch die Spannungen und Geladenheiten der eigentlichen Genieatmosphäre hindurch. Die in den Jahren 1773 und 1774 erschienenen Schriften, die «Blätter von deutscher Art und Kunst» noch zahmer, dann aber «Auch eine Philosophie», die «Fünfzehn Provinzialblätter an Prediger», vor allem die «Älteste Urkunde» tragen nach der Vorbereitung durch das «Journal meiner Reise» diesen Charakter. Nun liegt alle frühere Schriftstellerei wie eine bloße Vorbereitung hinter ihm. Der Neuheit und Eigentümlichkeit des Inhalts soll sich die Sprachform fügen, die aus «ungeteilten Seelenkräften» kommt, auf einen Ganzheitszustand berechnet ist und den Weg zu dieser Ganzheit durch das aufnehmende Ohr zu vermitteln sucht. Die Kennzeichen dieser Sprache sind eine gedrungene Kraft, die durch Weglassen entbehrlich erscheinender Wort- und Satzbestandteile erzielt werden soll, der aufrüttelnde Ausruf und Anruf, die eindringliche oder emphatische Frage, die nachdrückliche Wiederholung und Wiederaufnahme, das vielsagende Abbrechen, das Verlassen und Verschränken der regelmäßigen Wortfolge, eine gesuchte Altertümlichkeit, Derbheit, Drastik und Vulgarität, das Schalten mit Rhythmus, Numerus und Akzent, insbesondere die Verlegung des Akzentes auf *ein* inhalt- und sinnschweres Wort, das wechselnde Tempo, das Nebeneinander von Stauung und Fluß, die neuen Wortprägungen und Wortableitungen, die eingesprengten Lyrismen; im Ganzen: das Zusammenwirken des Religiösen, Sinnlichen und Sittlichen im Gepräge dieser Sprache, die in ihrer Art einzig ist. Damit war, mit diesem absichtlich halbklaren, nicht entwickelnden, sondern auf ein deutendes Verstehenlassen berechneten Stile, der weiteste Pendelausschlag gegen die breit auseinandersetzende Aufklärungsprosa des 18. Jahrhunderts gegeben, wie sie in Herders Frühschriften noch gewisse Spuren hinterlassen hatte. Nun wird der Kernigkeit der Sprache Luthers nachgeeifert. Daneben wirkt jetzt Lavater, den man in der steten Erregung und Hochspannung, in dem kurzatmigen, gleichsam keuchenden Hervorstoßen der Gedanken, in dem immer neuen Ansetzen wie in dem Nichtvollenden von Satzgebilden wiedererkennt. Schon Goethe wies in diese Richtung und meinte, Herder hätte «die zu Superlativen zugestutzte Feder Lavaters und sein phosphoreszierendes Tintenfaß» besessen. Man weiß, wie andern Zeitgenossen diese Sprache Anstoß und Ärgernis gab (und geben sollte), Hamann nicht ausgenommen. Sie sahen das Monströse an ihr, vermochten aber nicht auf dem Hintergrunde deutscher Sprachentwicklung überhaupt die sprachschöpferische Tat zu würdigen, und ebensowenig vermochten sie wie noch die Heutigen in jedem Falle die besondere und eigentümliche Abwandlung des Gedankens voll zu erfassen, die mit Herderschen Idiotismen verbunden ist. Von jetzt ab wurde er einer der großen und originalen Schöpfer deutscher Prosa, herausfallend aus ihrer Normalentwicklung. Nur Fischart unter den Früheren, Görres von den Späteren haben ähnlich wie er die Prosasprache über sich selbst hinausgeführt und sie zwingen wollen, ein Letztes und Äußerstes herzugeben. War die Sprache dieser Herderschen Gärungsprodukte ein natürlicher Ausfluß seiner Persönlichkeit? Ein scharfsichtiger kritischer Geist wie Merck wollte das verneinen, wie er denn überhaupt erkannt zu haben meinte, daß Herder «immer mit dem Ausdruck ringe und ihn doch niemals davontrage». Die textkritische Arbeit an Herders Werken, die Prüfung seiner Entwürfe, Änderungen und Neufassungen hat Ähnliches festgestellt: daß nämlich in dieser Sprachperiode Herders das Außergewöhnliche und Manierierte häufig erst das Ergebnis einer künstlichen Herstellung aus einfacher Grundform, nicht unmittelbares und improvisatorisches Ausdrucksvermögen ist. Herders Selbsterkenntnis bemühte sich, dieses Sturm-und-Drang-Stiles, des Zeugen seiner «ungelenken, unebenen, trägen, handlungslosen und bildervollen Denkart», Herr zu werden: «Der Himmel weiß, wie viel ich mit mir arbeite.» Noch greift der im Juliheft des «Teutschen Merkur» 1776 erschienene Aufsatz über Ulrich von Hutten auf den kraftgenialen und altertümelnden Ton zurück und schlägt in die Kerbe von Goethes «Götz». Auch die längst vorbereitete, wenn auch erst 1778 erschienene «Plastik» zeigt noch Reste des Geniestils. Dann bereitet sich die große Wendung des Herderschen Stils vor, die dritte Periode seines schriftstellerischen Ausdruckes. Sie zeigt «Klassik» nicht nur unter der Kategorie der Geistes*geschichte*, sondern auch als *Wertung*, wenn anders auch auf ihn nun die Definition St. Beuves angewendet werden muß: daß ein «Klassiker» ein Schriftsteller ist, «der seine Gedanken, Beobachtungen, Erfindungen in eine Form gebracht hat . . ., die für sich selbst groß, weit, scharf und vernünftig, gesund und schön ist, der zu allen in seinem eigenen Stile gesprochen hat, jedoch in einem Stile, welcher in sich jedermanns Stil enthält, der alt ist und neu zugleich und aus allen Zeitaltern stammt». Seitdem ist der Erdgeruch seines Stiles, jene nordostdeutsche, befreiende Derbheit und Rücksichtslosigkeit des Ausdruckes nur noch gelegentlich wiedergekehrt, und zwar immer dann, wenn sein Blut in Wallung gebracht worden war oder es sich um den besonderen Einsatz seiner Person und ihres polemischen Atems, um eine besondere Verpflichtung oder um eine Herausforderung des so leicht Reizbaren, Verletzten und Verstimmten gehandelt hat. So verhält es sich auch mit dem Stile der beiden Schriften gegen Kant, der «Metakritik» (1799) und der «Kalligone» (1800). Läßt dies nicht den Schluß zu, daß die Quelle des Sprachschöpferischen tief in seiner ursprünglichen Natur eingebettet und die Abweichung vom Üblichen und Regelmäßigen, seiner Willkür entzogen, ein Anzeichen der in ihm von allem Anfang an beschlossenen

Möglichkeiten war? Daran ändert nichts, daß diese von Hause aus ihm natürlichen Spracheigentümlichkeiten von ihm auch mit Bewußtheit und Absicht ausgedehnt wurden auf Partien, die zunächst nicht unter dem Atem der Ursprünglichkeit geschaffen waren.

In *einem* Grundgesetz stimmt der Stil seiner «vorklassischen» mit dem der Weimarer «klassischen» Zeit überein: das ist die rednerische (oder unmißverständlicher: sprecherische) Haltung, aus der Herders Sprache ein für allemal geboren ist. Wilhelm von Humboldt hat an dem Unterschiede beider im Mündlichen Herders Art gegen die gleichfalls im Gespräche als ihrem Elemente lebende, energetische und dialektische Geistigkeit Schillers abgesetzt. «Nie vielleicht», so sagt er, «hat ein Mann schöner gesprochen als Herder, wenn man, was bei Berührung irgendeiner leicht bei ihm anklingender Saite nicht schwer war, ihn in aufgelegter Stimmung antraf. Alle seltenen Eigenschaften dieses mit Recht bewunderten Mannes schienen, so geeignet waren sie für dasselbe, im Gespräch ihre Kraft zu verdoppeln. Der Gedanke verband sich mit dem Ausdruck der Anmut und Würde, die, da sie in Wahrheit allein der Person angehören, nur vom Gegenstande herzukommen schienen. So floß die Rede ununterbrochen hin in der Klarheit, die doch noch dem eigenen Erahnden übrigläßt, und in dem Helldunkel, das doch nicht hindert, den Gedanken bestimmt zu erkennen. Aber wenn die Materie erschöpft war, so ging man zu einer neuen über. Man förderte nichts durch Einwendungen, man hätte eher gehindert. Man hatte gehört, man konnte nun selbst reden, aber man vermißte die Wechseltätigkeit des Gespräches.» Beim genauen Abwägen dieser Worte läßt sich aus ihnen das ganze Geheimnis der Herderschen Persönlichkeit und ihres Stiles entnehmen. Ihr sind Schrift, Druck, Papier nur Notbehelf und Vermittlungsapparat. Wie Herder selbst stets die Schall- und Hörform der Sprache als ihr Eigentliches angesehen hat, wie er in die Welt «horchte» gegenüber dem in die Welt «schauenden» Goethe, wie sein eigentlicher Sinn, der, dem die ganze Liebe auch seiner theoretisch-ästhetischen Bemühungen galt, das Ohr war, so lebte seine eigene Sprache in dem Elemente des Hörbaren, welches den Kraftstrom der lebendigen Persönlichkeit unvermittelt faßbar werden ließ. Schon das «Vierte Kritische Wäldchen» hatte ausgeführt, wie *Musik* die schöne Kunst des Gehörs ist, wie die Tonkunst, diese «Kunst der Menschheit» sich aus und mit der Sprache entwickelt hat. Die Volkslieder waren ihm in voller Erkenntnis ihrer Lebensform Werke des Gesanges. Sein ganzes Wesen fühlte sich mit der Musik, der über alles geliebten und täglich geübten Kunst, ihrem Innigen und Andringlichen verschwistert. Kein anderer aus der vorklassischen oder klassischen Generation stand in einem so erlebten Verhältnis zur Musik wie er. Von der Musik schlingt sich ihm das Band zur Religion. Vielleicht läßt sich der Gegensatz der Naturen, der zwischen ihm und Kant besteht, nicht vielsagender bezeichnen, als wenn er in der «Kalligone» die Sache der Musik gegen Kants rein rationale Behandlung dieser Kunst führt. Wie sehr die Romantik auch hier Herder nachfühlt, wird deutlich. Man hört in der «Kalligone» schon den Ton E. T. A. Hoffmanns: «. . . die Gewalt der Chöre, insonderheit im Augenblick des Einfallens und Wiedereinfallens ist unbeschreibbar. Unbeschreibbar die Anmut der Stimmen, die einander begleiten; sie sind Eins und Nichteins; sie verlassen, suchen, verfolgen, widersprechen, bekämpfen, verstärken, vernichten einander, und erwecken und beleben und trösten und schmeicheln und umarmen einander wieder, bis sie zuletzt in Einem Ton ersterben. Es gibt kein süßer Bild des Suchens und Findens, des freundschaftlichen Zwistes und der Versöhnung, des Verlierens und der Sehnsucht, der zweifelnden und ganzen Wiedererkennung, endlich der völligen süßen Vereinigung und Verschmelzung als diese zwei- und mehrstimmigen Tongänge, Tonkämpfe, wortlos oder von Worten begleitet.» Für Herder ist alles, was in der Natur *tönt*, Musik. Somit sind auch Sprache und Sprachstil Musik. Damit ist auch die Frage gegeben, was in seinem eigenen Sprachstil Musik ist. Dies Musikalische liegt nicht in den Herderschen Versen. Man stößt da auf eine Erscheinung, die auch sonst großen Könnern in Prosa eigentümlich ist. Letztlich liegen hier Fragen beschlossen, die auf ein noch unenträtseltes Verhältnis des «Künstlers», «Gestalters», «Bildners» zum ganz in der sprechenden Prosarede lebenden «Künder» des Geistes und Gemütes hindeuten, so «dichterisch», «musikalisch», empfindungsvoll, ja lyrisch ihre *Rede* sein mag, die kein aus dem Material gestaltetes «*Werk*» ist. Hierin besteht der tiefste und noch zu erörternde Unterschied der Erscheinung Herders gegen die Erscheinung Goethes. Herders Gedichte muten unmusikalisch an. Sie klingen nicht. Ihre Worte und Bilder gehen kaum über das Bereitliegende und Geläufige hinaus. Ihr zarter Schmelz, wo in ihnen nicht leidenschaftliche Jugendlichkeit waltet, liegt im Gedanklichen und in der sinnigen Wendung, die Menschlich-Allzumenschlichem gegeben wird, in dem äolsharfenartigen Mitschwingen von Obertönen und nicht voll zum Ausdruck gekommenen Schwankungen des Denkens und Empfindens. Sie sind gebaut und gesetzt von dem, der wie kein zweiter das verstehende Organ für Dichtung besaß. Ihr Stil ist verständig, eingänglich und ist fortschreitend geregelt, wenn er sich nicht in den überlieferten und eingefahrenen rhythmisch-stilistischen Bahnen der Dichtung der Zeit bewegt. Es scheint ein Zwang des Reimes und des Rhythmus auf ihnen zu liegen, die zu meistern für Herder eine Sache der Bewährung im Außenwerke des Dichterischen war. Es ist in ihnen so viel des durchgängigen 18. Jahrhunderts nach Form und Gehalt, daß man ohne weiteres nicht leicht auf den Gedanken kommen würde, ihr Verfasser sei der, der in Deutschland den Geist und Ton des 18. Jahrhunderts vollendet und überwunden und eine neue Entwicklung vorweggenommen habe. Der Titel «Bilder und Träume», den er selber der Sammlung seiner Poesien in den «Zerstreuten Blättern» (1787) gab, erscheint vor ihm selber und vor der Sache gerechtfertigt. «So wenig sie Gedichte sein mögen», heißt es in der Vorrede, so wenig hätten sie im Sinne, ihrem Verfasser den Namen eines Dichters zu erwerben: «Von Jugend auf dünkte es mich, daß sich die Prose viel mehrern Schmuck des Wort- und Periodenbaues erlauben dürfe, als die Poesie; der Schmuck der letzten sei hohe Einfalt und eine äußerst wahre, tief-eingreifende *Bildung der Gedanken*, d. i. Dichtung. Ich bitte also auch diese Kleinigkeiten nicht als Kunstwerke höherer Art, sondern als alte Verse oder gar als Prose zu lesen.» So sind seine Verse zu einem gut Teil «Letternverse», wie er sie von dem Volkslied abwehren wollte. Sie sind so sehr erfüllte Forderung der mit Dichtung geladenen Atmosphäre um ihn, wie das dichterische Arbeiten ähnlich für seinen geistigen Nachfahren Friedrich Schlegel Forderung der Umgebung und der dichterischen Theorie war.

Herders Wesen als Ausdruck und Abdruck lebte in seiner *Prosa,* der hörbaren, gebärdeten und geatmeten, der musikalischen. Musikalisch ist in ihr das «Gewebehafte», ihre Phrasierung, Steigerung, Modulation, die Rhythmisierung und Dynamik, ihre Aufgipfelung und ihr Abschwellen, die Geladenheit mit einem Schwingend-Seelischen und Gefühlten. Der freie Spaziergang, in welchem sie sich zu bewegen scheint, verträgt sich mit der Variierung der Grundthemen, zu denen sie in wiederholter Aufnahme zurückkehrt. «Helldunkel» ist diese Rede nach Humboldt, wie auch Nietzsche von Herder sagt: «Sein Geist war zwischen Hellem und Dunkelm ... und überall dort auf der Lauer, wo es Übergänge, Senkungen, Erschütterungen, die Anzeichen inneren Quellens und Werdens gab ... Sein Stil flackerte, knisterte und rauchte.» Da dieser Stil nicht logisch-diskursiv, sondern assoziativ war – daher sein Organ für den Stil des Volksliedes –, bedurfte er im Gespräch nicht der «Auseinandersetzung», konnte er durch verstandesmäßige Einwendungen nicht in seinem Fluß gehemmt werden. Wieder liegt hier der romantische Sprachgeist auf Herders Linie. Alles das widerspricht nicht dem Herderschen Grundtriebe zum Erziehen und Menschenbilden. Nur ist es kein «Lehren» im üblichen Sinne. Er, der das Geheimnis der erkennenden und fühlenden Menschenseele während seines ganzen Lebens umwarb, unermüdlich in ihre Schichtung und Struktur die prüfende Sonde senkte und ihre Funktionen auseinanderlegte, wirkte durch Sprache und Stil lehrend, bildend und erziehend vermittels *des* menschlichen Sinnesorganes, das ihm für menschliche Verständigung und Vergesellschaftung wie für die Entstehung der Sprache die entscheidende Bedeutung besaß, eben der Gehörsinn. Er wirkte über diesen Sinn auf und durch die Einheit des Herzens und Verstandes, nicht durch das Für und Wider, das allein den *Verstand* überwältigt und durch Gründe zwingt. Wie sagt doch in jenem «Hausgespräch an langen Winterabenden» über «Verstand und Herz», welches das Journal von Tiefurt 1781-82 brachte, der Vater zu seinen Kindern, die über die Frage uneins sind, welche Eindrücke oder Empfindungen wahrer und dauernder sind, ob die des Verstandes oder des Herzens? «Ich dachte eben nach, was es mit unserer Sprache und unserm Leben, kurz mit unserer Menschheit hier vor ein armseliges

Ding sei. Wir zerteilen und müssen zerteilen, was Eins ist; ich bin alt und sehne mich nach dem Zustande, da wir nicht mehr zerteilen, da Verstand und Herz Eins sein werden, die Pforte des reinen Verstandes auch die Pforte zum reinen, vollen, glückseligen Herzen und nichts mehr getrennt werden kann.» Es ist dies «All-Eins», welches das Ziel alles Herderschen Denkens, Fühlens, Sprechens ist – hienieden nicht zu verwirklichen, aber als Wegweisung auch in dieser Welt festgehalten; der Zustand, dessen restlose Erfüllung dem Jenseits vorbehalten ist. Herder ertastet die zarten Fäden, die von der Ungenügsamkeit der durch alles hindurchgehenden Trennungen und Scheidungen hinüberleiten zu der Ganzheit und Einheit alles dessen, was hier als gegen- und nebeneinander gesehen wird.

In seiner reifen Zeit, eben seit Weimar, hat sich Herder gerne der Gattung und Technik des *Gespräches* bedient. Das ist keineswegs unvereinbar mit der auf Einheit und Ganzheit gehenden Richtung seines erkennenden und fühlenden Wesens. Im Gegenteil: dies Ergreifen der Gesprächsform bestätigt den Grundriß seines Geistes. Mag die für ihn wirksame geschichtliche Überlieferung des Dialoges und Gespräches sein, welche sie wolle – am meisten scheint auch hier Shaftesbury ihn angerührt zu haben –, so zeigen seine Gespräche gerade sehr deutlich, daß seine Wesensstruktur nicht in der Zweisträngigkeit und in der Auseinandersetzung ihre Bestätigung fand, sondern in dem Ausgleich alles Gegensätzlichen. Seine Gespräche sind – auch hier geht ein Seitenblick auf die Musik nicht fehl – kontrapunktische Werke, verteilte Stimmen und Stimmführungen, die, zunächst nebeneinander hergehend, sich schließlich vereinigen. Seine zarte seelische Berührsamkeit, die Anschmiegsamkeit und Führigkeit seiner Gedanken, seine Achtung vor allem, was Einwand gegen eine Meinung sein könnte, seine Abneigung gegen Dogmatismus, Rechthaberei und Fanatismus, sein Mitgehen mit *allem*, was in menschlicher Brust lebt – dies ließ ihn sich gerne in die Form des Gespräches flüchten. Sie ist der Beweglichkeit seines Geistes zugeordnet, nachdem dieser Geist seine reife Form gewonnen hatte. Es ist auch hier Friedrich Schlegel, der die höhere Wirklichkeit des Herderschen Wesens im eigenen Spiegel auffängt, wenn er in dem «Gespräche über Poesie» im «Athenäum» 1800 das Eigentümliche

213

einer solchen Unterhaltung darin erkennt, daß «kein Mensch schlechthin nur ein Mensch ist, sondern zugleich auch die ganze Menschheit
wirklich und in Wahrheit sein kann und soll. Darum geht der Mensch,
sicher sich selbst immer wieder zu finden, immer von neuem aus sich
heraus, um die Ergänzung seines innersten Wesens in der Tiefe eines
fremden zu suchen und zu finden. Das Spiel der Mitteilung und der
Annäherung ist das Geschäft und die Kraft des Lebens, absolute Vollendung ist nur im Tode . . .» Mußte schließlich Herdern die Gesprächsform nicht auch deswegen so gelegen sein, weil sie sich auf demselben
Grenzrain zwischen Dichtung und Philosophie hält, auf dem er selber
nach Gehalt und Form seines Geistes sich vornehmlich bewegte?

Man hat versucht, den Herderschen Stil – Prosa und Vers – einzuordnen mit Hilfe der Typenlehre von Dilthey-Nohl und Rutz-Sievers
und dann Herders Verhältnis zur Wirklichkeit als ein pantheistisches
Lebensgefühl zu verstehen, dem der «Idealismus der Freiheit und der
Person» entgegenstände – vorbehaltlich aller Unterscheidungen, die
sich innerhalb der Auffassung solcher Typen noch ergeben. So wäre
es möglich, Herder festumrissener und befriedigender abzugrenzen
gegen andere Große des klassisch-romantischen Zeitalters. Noch aber
hat sich die Typenlehre nicht genügend verfestigt und verdeutlicht,
als daß nicht *die* Wege des Verstehens und Erkennens für ihn beschritten werden müßten, die zwar scheinbar weniger exakt heraussprin-
gende Ergebnisse bieten, aber durch eine strichelnde Deutung und
wechselnde Einfühlung dem Gemischten seines Geistes vielleicht mehr
entsprechen.

Ein anderer versuchhafter Weg in die Mitte von Herders Wesen und
zu seiner überindividuellen Einordnung führt – ebenfalls auf Diltheys
Bahn – über die geisteswissenschaftliche Psychologie oder die Struktur-
psychologie. Hiermit wird ein Verfahren angewendet, dessen Grund
er selbst gelegt hat, dadurch nämlich, daß Gegenstand dieses Verfah-
rens die «geistigen Akte» sind, d. h. «die aus verschiedenen seelischen
Funktionen strukturell zusammengewobene Tätigkeit des Ich, wodurch
es eine geistige Leistung von überindividuellem Sinn hervorbringt».
Vom Boden der Strukturpsychologie erscheint Herder als der religiöse
Mensch, «dessen ganze Geistesstruktur dauernd auf die Erzeugung des

höchsten, restlos befriedigenden Werterlebnisses gerichtet ist». Damit
geht Herder in der Reihe der Giordano Bruno und Shaftesbury und,
insofern in einem geistigen Pantheismus für seine Frömmigkeit auch
«der Komplex der geistigen Objektivitäten in das vorgefundene Universum» mit eintritt, in der Folge der Schleiermacher und Hegel. Nun
hat die Strukturpsychologie selber, vielleicht, wie es heißt, unter der
dunklen Einwirkung neuplatonischer Ansichten, die Erkenntnis gewonnen, daß in allem alles enthalten sei, daß man isolieren und ideali-
sieren müsse, um «zuletzt die Verwachsungen des Lebens als eine Verschlingung ursprünglich sehr einfacher Motive» zu verstehen, immer
ausgehend vom Einzelsubjekt. Darum kann auch gegenüber dem struk-
turpsychologischen Verfahren die Literaturgeschichte gerade bei Herder mit gutem Gewissen den Nachdruck auf seine Dosierungen und
sein Wechselndes legen; vielleicht daß sie damit auch für eine neue
strukturpsychologische Erkenntnis Material liefert.

Aus den vorangegangenen Darlegungen, aber auch über sie hinaus
ergibt sich die Erkenntnis, daß Herder dem, was man «Klassik» heißt, sowohl geistesgeschichtlich wie phänomenologisch gesehen, nur zu einem
Teil angehört, zumal seit 1793 seine Wege von denen Goethes sich
trennten, von der geistigen und persönlichen Kluft, die ihn letztlich
von Schiller schied, zunächst zu schweigen. In weiterem Umfange
deckt sich mit ihm der den klassischen Überbau sprengende Universalismus der Romantik. Zur Klassik gehört unlöslich vor allem sein Erlebnis von Natur und Geist – beide ein einheitliches Objekt des «Verstehens». Zur Romantik – neben dieser für die Zeit schon selbstverständlich gewordenen Voraussetzung – seine Welt- und Wirklichkeits-
offenheit, die sich in den neunziger Jahren von der neuen Situation
der politisch-staatlichen Gegenwart in ihren Haltungen und Entscheidungen viel tiefer bestimmen ließ als die beiden weimarischen Hoch-
klassiker Goethe und Schiller. Denn so war es doch bei dem späteren
Herder und der neben ihm stehenden Frühromantik: daß hinter allen
ihren Äußerungen, scheinbar auch rein literarischer und ästhetischer
Art, der zeitgeschichtliche Moment, der Aufbruch einer weltgeschicht-
lichen Epoche verspürt wird, die der Französischen Revolution und
des erwachenden staatlichen Bewußtseins, mochte sie nun Zustim-

mung oder Ablehnung erfahren. Die Auswirkungen dieser weltgeschichtlich-politischen Zeitenwende, denen sich niemand entziehen konnte, bestimmten als ein höheres Ordnungsprinzip zu einem großen Teil auch die Literatur und Dichtung. Auch auf die weimarische Klassik fiel von da aus ein stärkerer Schatten, als gemeinhin erkannt wird.

Nicht soll mit einzelnen Übereinstimmungen eine Herdersche Kurve «auf die Romantik zu» gezeichnet werden – als sei seine geistige Erscheinung die Vorbereitung auf das vermeintliche romantische Hochziel und gewinne sie dadurch ihre besonders rühmenswerte Note. Es dreht sich vielmehr um Gemeinsamkeiten, die die scharfen Abgrenzungen, wie sie im literaturgeschichtlichen Vokabelschatz stehen, wieder einmal zweifelhaft machen. Sie sind am ehesten dadurch zu erklären, daß die Romantik von Herder gezehrt hat, wenn auch einzelne Rückstrahlungen von der Frühromantik auf ihn während der «Adrastea»-Zeit nicht ausgeschlossen erscheinen. Wie hat er etwa der romantischen Naturphilosophie der Novalis, Schelling und Genossen durch seine Schrift «Vom Erkennen und Empfinden der menschlichen Seele» (1778) vorgearbeitet. Es geschah durch die sogleich am Anfange dieser Abhandlung stehenden Sätze, daß nur die «Analogie zum Menschen» es ermögliche, zu einem Wissen von der Schöpfung zu gelangen: «Die stille Ähnlichkeit, die ich im Ganzen meiner Schöpfung, meiner Seele und meines Lebens empfinde und ahnde: der große Geist, der mich anwehet und mir im Kleinen und Großen, in der sichtbaren und unsichtbaren Welt Einen Gang, Einerlei Gesetze zeiget: der ist mein Siegel der Wahrheit.» Mögen auch noch mancherlei Zwischenglieder erforderlich gewesen sein, damit die romantische Identitätsphilosophie, die Lehre, daß das System der Natur auch das System unseres Geistes sei, sich voll entfalten konnte, ja mag Herder selbst sich von dieser Identitätsphilosophie in ihrer ausgebildeten und zum bequemen Schlüssel gemachten Gestalt abgewendet haben – auch hier ist er der Sämann. Und in wie vielem sonst noch! Die beinahe unübersehbare Fülle und Verschachtelung seiner Schriften war wie ein Goldbergwerk für die zweite Orientierung der deutschen Geistigkeit um 1800 (der Name «Romantik» wäre zu eng), die neben der durch die Klassik gebildeten geschlossenen Höhenlage und gegen sie bestand – eine geistige Situation, die in späteren Kapiteln gewürdigt werden muß. Was bedeutete nicht für diese Entwicklung allein seine Verkündigung des Mittelalters als der Epoche des Wirkens von Kräften, die in Ordnungen und Systemen zu einer Einheit und Ganzheit strebten; was bedeutete es nicht für die, die gleichen Sinn für eine organisch bestimmte Dynamik besaßen! Was bedeutete für die Folgenden nicht die Erweichung des religiösen Sinnes, die Einfügung dieses religiösen Sinnes in ein höchstes Bildungsstreben, die Verknüpfung des Religiösen und Glaubensmäßigen mit allem Menschlich-Allzumenschlichen! In diesem Zusammenhang steht auch Herders Entdeckung der Lieblichkeit und der tiefen, humanen Sinnhaltigkeit in der *Legendendichtung*, wovon seine eigenen «Legenden» in den «Zerstreuten Blättern» (1797) und seine Abhandlung «Über die Legenden» ebendort Zeugnis sind: «Die geheime innere Denkart der christlich gewordenen Völker, ihren Wahn, Aberglauben, Schwachheiten, kurz den dunklen Grund ihrer Seele lernt man aus mancher Legende mehr kennen als in diesen Zeiten aus ihrer sämtlichen Staatsgeschichte. Nur es gehört ein Ausleger dazu, der auch das Wunderbare zum schlichten Menschensinn hinabführe.» Jeder denkt bei dem letzten Satz an Gottfried Keller. Oder welch ein Beispiel ward von ihm aufgestellt – in der Zielsetzung, Vielformigkeit und Ausdehnung – mit seinen Nachdichtungen aus dem Griechischen, Lateinischen, dem Orientalischen, Romanischen, Altdeutschen und Slavischen, ganz abgesehen von den Wegen, die er zum Volksliede geführt hatte. Mit dieser Musterkarte von Wiedergaben, Übersetzungen und Paraphrasen, die alle von seiner das Wesentliche des fremden Vorbildes so zärtlich erfassenden Art zeugen, steht er allen ähnlichen Bemühungen Goethes, der Romantik und derer, die ihnen folgten, voran. Es ist jene Richtung auf eine Welt- und Universalpoesie, die sich zu Anfang des 19. Jahrhunderts als Programm und beginnende Ausführung mit der Erweiterung und Vertiefung der deutschen Literatur verband. Aber schon für Herder erweiterte sich damit der Sinn und Geltungsbereich jeder Poesie überhaupt und fielen die Grenzen, die sie bislang immer noch eingeengt hatten. Seine Nachdichtungen zeugen von der wechselseitigen Bedingtheit seines psychologischen, völkerpsychologischen, geschichtlichen Denkens auf der einen, seines dichterischen

Einfühlungs- und Nachahmungstriebes auf der anderen Seite. Dichtung ist das Element, in welchem er lebt, welches er einatmet und ausatmet. Zwischen Dichten, Denken, Aussprechen fallen für ihn die Schranken. Der Übergang von denkerischer und geschichtlicher Darlegung zur Versinnlichung durch die Dichtung wurde ihm jederzeit leicht. Kurz, die Poesie wird schon für ihn zu einer magischen Beherrscherin, ja Schöpferin des Lebens und der Geschichte, was sie für die Romantik auch war. Die poetischen Gattungen gelten ihm nicht soviel wie der Klassik, bedeuten ihm wie der Romantik keine gegebenen Größen und die Dichtung verpflichtenden Ordnungen. Und dann das Drama! Das *Drama* soll schon nach ihm *aus dem Geiste der Musik* im Sinne einer rechtverstandenen Antike wiedergeboren werden. Die Theorien und eigenen dramatischen Versuche in dieser Beziehung gehören vornehmlich seiner spätesten Zeit, der der «Adrastea» (1801–1803) an, wie auch im übrigen der Inhalt dieser Zeitschrift – Theorie, Poetik, dichterisches Wollen und Leisten – sich mit dem Programm und manchen dichterischen Versuchen der Frühromantik berührt.

Die Abhandlungen der «Adrastea» über das Drama sind ein – wenn auch bruchstückhafter – auf den Begriff des Schicksals gestellter Vergleich des Dramas der Alten mit den Stücken Shakespeares. Seine Stellung zu Shakespeare hat sich gegenüber dem Jugendaufsatz von 1773 kaum verändert: «O Shakespeare! wie kehrst du das Innere hinaus! machst sprechend den stummsten Abgrund der Seele! – – Keines deiner Stücke ist dem andern gleich; in jedem haucht ein anderer Welt-, Zeit- und Lebensgeist; das Band der Begebenheiten wird immer anders geschlungen, anders geleitet; und doch ists allenthalben nur dein unsterblicher Griffel usw.» Ohne daß nun Herder es ausdrücklich sagt, wird der wesenhafte Unterschied des Shakespearischen Dramas gegenüber dem Drama der Alten darin gefunden, daß dies «Heldenspiel» ganz Melodrama gewesen sei – nicht nur wegen seiner technisch-musikalischen Beigabe, sondern wegen seines «bestimmt-fortgehenden, immer wechselnden Melos». Die Neueren jedoch haben das Drama und Melodrama gänzlich gesondert und damit auch die «Melodie der Handlung» beseitigt. Den großen Kampf menschlicher Leidenschaften unter dem Willen des Schicksals, den Knoten der Begebenheiten, der nur durch Charaktere und Gesinnungen, durch Handlung aufgelöst werden kann – kurz die Dynamik, die das eigentliche Drama ausmacht, wurde im Griechischen nach dem Vorbild der Musik gestaltet. Die Neueren haben auch hier, was ein Ganzes war, aufgeteilt und entseelt und an die Stelle einer ins Unendliche weiterklingenden Melodie die rationale Ausschöpfung eines geschlossenen dinglichen Komplexes gesetzt . . . Herder befindet sich auf dem Wege, der über die Romantik (Tieck u. a.) zu Richard Wagner führte.

Schließlich: Was bedeutete nicht für die Romantik, den Idealismus und die Historische Schule und für die schöne Literatur, deren Stoff die Geschichte war, die hier schon mehrfach betonte Erweckung überhaupt des geschichtlichen Sinnes durch Herder! Es war die Mehrseitigkeit, ja Allseitigkeit seiner Geschichtsauffassung, die seine Nachwirkung beinahe unübersehbar macht und es fast unmöglich erscheinen läßt, ihr eine Begrenzung und Festlegung im einzelnen zu geben. Da war die Verbindung der Geschichtsbetrachtung mit psychologischen Kategorien, die Behandlung der Geschichte im Hinblick auf die Ausbildung des menschlichen Verstandes und der menschlichen Seele. Daher stand, wer von Herder lernte, immer zwischen Vergangenheit und Zukunft, das heißt in der wahren Gegenwart. Aber da war ja auch die Geschichte als Verwirklichung von Ideen, von letztlich nicht mehr weiter zu zerlegenden «Entelechien», Kräften, die auch den Namen «Geist» erhalten konnten. Und die wichtigste dieser Kräfte war der «Volksgeist», jener nachmals so folgenschwere Begriff, oder, wie Herder noch sagt, das Genie, der Genius eines Volkes oder der «Nationalgeist». «Wunderbare, seltsame Sache überhaupt ists um das, was genetischer Geist und Charakter eines Volks heißt. Er ist unerklärlich und unauslöschlich: so alt wie die Nation, so alt wie das Land, das sie bewohnte», so heißt es im elften Buche der «Ideen» bei Gelegenheit der herrlichen und prophetischen Ausführungen über die asiatischen Reiche, von denen er sagt, daß keines dieser Länder «andere Welten aufgesucht hat, um sie als ein Postament seiner Größe zu gebrauchen oder durch ihren Überfluß sich Gift zu bereiten». Herdersche Sätze wie der über den Volksgeist mögen, wie viele andere Erkenntnisse philosophi-

219

scher, geschichtsphilosophischer und psychologischer Art von ihm, die begriffliche Schärfe und Eindeutigkeit des Philosophen und eine Systematik vermissen lassen; sie kommen von dem Ahner, dessen Denken ein Gottnahesein war. Aber die geschichtsphilosophischen Tiefblicke Herders wurden «wirklicher Geist», einströmend in Geschichte als Erkenntnis, in Geschichte als Erlebnis und in Geschichte als Tat. Mag solches schon in anderen Verbindungen berührt sein: es stehe hier nochmals, wo es gilt, seinen Zusammenhang mit der neben ihm aufwachsenden, neben und nach ihm durchdringenden Generation zu bezeichnen. Von ihr schließt Wilhelm von Humboldt, 1767 geboren, die Herdersche, universalistische und «offene» Haltung mit der im engeren Sinne klassischen und «geschlossenen» durch ein kongeniales Verständnis beider zu einem Ausgleich zusammen, der sich organisatorisch auswerten und in staatliche Realität umsetzen ließ.

Vorformung des Wesens der romantischen Schriftsteller- und Gelehrtengeneration war auch Herders *Art zu arbeiten* in seinen theoretischen Schriften. Ein so ungeheures Wissen in ihnen enthalten ist, so sind sie nichts weniger als Werke der Notizengelehrsamkeit. «Still in sich gekehrt sprach er bei acht Tagen nichts von dem, was er vor hatte, aber man sah ihm die Bewegung des Geistes an. Dann sammelte er sich eine Menge Bücher, durchblickte sie, las manches, sorgfältiger, legte sie sodann wieder weg und schrieb im höchsten Feuer, gleichsam in einem Zuge das Buch», so berichtet einmal J. G. Müller. Immer schieben sich neue Pläne und Gedankenbauten vor die alten und zwingen zum jähen Abbrechen oder zu einem rasch erdachten Notabschluß. Sein Schaffen bricht auf aus einem angesammelten geistig-seelischen Vorrat und hält durch, solange die Triebkraft nicht nachläßt, bis dieser Vorrat erschöpft ist. Dann kommt der Überdruß an sich und an der Arbeit, der Gegenstoß einer Empfindung, der das alles ein Nichts oder gar so wenig ist angesichts dessen, was erreicht oder auch nur in Angriff genommen werden müßte und könnte, um entsprechender Ausdruck unerschöpflicher Lebensfülle zu sein. Keine selbstgefällige Bedachtsamkeit und haushälterische Systematik, kein Sichwichtignehmen, wie es die Sache mancher so viel ärmerer Geister ist. Immer wieder wird umgearbeitet, aber mit immer neuer Konzeption des Ganzen und mit neuem Ansatz und Anlauf. Niemals ist eine Schrift von ihm «fertig» und als ein in sich ruhendes Gebilde von ihm abgelöst. Nie kann eine Schrift von ihm das Stadium des Werdens hinter sich lassen, weil seine Schriftstellerei eine, die wichtigste Seite seines Lebensprozesses ist. Alles, was er schreibt, steht immer und ständig noch im Zusammenhang mit ihm und ist ihm gegenwärtig. Es kann eine neue Wendung und Ausrichtung, neue Formulierungen erhalten, eine andere Zusammensetzung und Verbindung eingehen, aber es gehört zu einer im beständigen Flusse und in steter Bewegung befindlichen Masse. So könnten alle Schriften seiner Reifezeit in eine einzige große, umfassende Kundgebung zusammengearbeitet sein. Da seine Schriften und seine Gedankenbildungen nie fertig sind, weil hinter ihnen die Überzeugung von der Unerschöpflichkeit und Unvollendbarkeit alles Wirklichen und die Anschauung eines unendlichen Werdens steht, ist Herder «Fragmentist», so, wie gewisse Vertreter der romantischen Generation, zuoberst wieder Friedrich Schlegel, Fragmentisten sind. Fragmentist – niemals natürlich im tadelnden Sinne – ist er auch in den Schriften, die äußerlich abgerundet erscheinen. Fragmentist ist er nicht als ein Schöpfer «organischer Fragmente» (nach einem bekannten Ausspruch Heinrich von Kleists), die einem unsichtbaren Ganzen zugehören, dessen fehlende Glieder, in welcher Form immer man sie ergänzen mag, im Geiste des Autors vorhanden gewesen sind. Solche «organischen Fragmente» können immer nur aus einer geistigen Verfassung herkommen, die sich eben nur in architektonisch-ganzheitlichen Gebilden genugsam ausdrücken kann.

Innerhalb der Zusammenhänge dieses Bandes und Kapitels ergeben sich nunmehr Grenzen für die etwa noch verbleibende Auswertung von Herders einzelnen literarischen Veröffentlichungen. Grenzen, insofern diese Einzelkundgebungen bei der bisherigen Beantwortung der auf Herder bezüglichen Fragestellungen bereits verarbeitet worden sind; Grenzen, insofern die dieser vorangehende Darstellung der «Epochen» ihrer bis zu den «Ideen» bereits gedacht hat; Grenzen endlich insofern, als sie in die Schilderung der Situation um 1800 in späteren Abschnitten hineinspielen müssen. Die literarischen Erscheinungen der Weimarer Zeit, der in Gemeinschaft mit Goethe sich vollziehenden

Vorbereitung der Klassik und Romantik, sind die «*Ideen zur Philoso-phie der Geschichte der Menschheit*» in ihren von 1784 bis 1791 rei-chenden vier Teilen, die sechs Sammlungen der «*Zerstreuten Blätter*», 1785–1797, die zehn Sammlungen der «*Briefe zur Beförderung der Humanität*», 1793–1797.

Wo immer Herders Geist beschworen wird, wo von den Nachleben-den, den Historikern, Philosophen, Theologen und Naturforschern aus dem ungeheuren Meere der von ihm hinterlassenen, geistig-seelischen Erbschaft geschöpft ward oder wird, sind die Herderschen «Ideen» der einigermaßen feste Grund für die Erkenntnis dessen, was der gereifte Herder dachte und wollte. Dies Werk ist der Ausgangspunkt aller der Einzelwissenschaften des 19. und 20. Jahrhunderts, die sich auf ihn zurückführen lassen, denen er Anreger, Spürer, universell-«dilettan-tischer» Wegbereiter war, mag er auch noch so viel nachfolgende Er-fahrung und Beobachtung und wissenschaftliche Einzelforschung ver-missen lassen und übersprungen haben. Seine Metaphysik und seine Geschichtsphilosophie, seine Psychologie, seine Ethik und seine Er-ziehungslehre, seine Anthropologie und seine Völkerkunde, seine ver-gleichende Religionswissenschaft, seine naturwissenschaftliche und weltgeschichtliche Entwicklungslehre, alles, was er über den Zusam-menhang von Boden, Ursprung, Landschaft, geographischer Lage einer-seits und «Geist» anderseits dachte, die Unmittelbarkeit jeder Mensch-heitsepoche zu Gott wie der in Gott beruhende Ursprung der Kräfte, die die Entwicklung der Menschheit und der ihr mitgegebenen Ver-nunft bedingten und weitertrieben, das Wesen und die Zukunft der Völker und Nationen – dieses alles und noch viel mehr wird von dem großen Bogen der Herderschen «Ideen» überwölbt. Freilich, auch hier ist nicht immer eindeutig-klar, was er meint. Das Helldunkel aller sei-ner Schriften ist auch hier nicht vollem Tageslicht gewichen. Man kann ihn auch hier nicht auf messerscharfe und haarspaltende Be-griffsbestimmungen festnageln. Man frage nicht nach der Beweislich-keit aller seiner Sätze. Widersprüche, mangelnde Folgerichtigkeit, nur andeutende oder verhüllte Ausdrucksweise haben auch in diesem gro-ßen Werke den Nachfolgenden die Möglichkeit gegeben, immer neue und wechselnde Auslegungen seiner Gedanken zu suchen. Daher gleicht auch das Verstehen der Herderschen «Ideen» mehr dem Vernehmen einer unendlichen Melodie, dem Eindrucke eines nie abreißenden, sich ständig aus sich selbst erneuernden, in vielen Lichtern schimmernden Ideenflusses, als daß dies Werk einen gesicherten, griffigen Besitz darstellte. Aber dennoch ist es der weite, gleichsam epische Hintergrund, auf den nur hingedeutet zu werden braucht, damit in Verbindung mit dem Namen Herder ganze Reihen von Vorstellungen und Gedanken entstehen.

Zwei Stichworte ziehen sich leitmotivisch durch das ganze Werk. Sie treten in der zweiten, historischen Hälfte (dem dritten und vierten Teil, 11.–12. Buch) zurück, in der ersten systematischen, vorgeschichtlichen Hälfte bilden sie die Dominanten der Herderschen Denkarbeit, die den weitschichtigen, aus zahlreichen Buchquellen zusammengehäuften Stoff durchleuchtet. Die Worte sind «Organisation» und «Humanität». «Organisation» mit allen den Verbindungsfäden, die von diesem Begriff zum Grundthema des «Organischen» hinführen, ist die Vorbedingung jener «Humanität», deren eigentliches Wesen an der Spitze dieser Schilderung Herders dargetan wurde. «Organisation» – das ist jene sichtbare Gesetzlichkeit, die sich in einem bestimmten Dasein, einer bestimmten Bildung, einer bestimmten Gestalt ausdrückt und durch keine Willkür der Menschen verändert werden kann. Nach dem göttlichen Plane ist unsere Erde die Stätte solcher «Organisation» geworden, die sich auf die anorganische, vor allem aber auf die organische Welt erstreckt. Mit den letztlich von Gott ausgehenden Kräften solcher «Organisation» steht alles auf dieser Erde in Verbindung, wie diese selber «nichts durch sich selbst ist, sondern von himmlischen und durch unser ganzes Weltall sich erstreckenden Kräften ihre Beschaffenheit und Gestalt, ihr Vermögen zur Organisation und Erhaltung der Geschöpfe empfängt».

Damit ist eine allgemeine, religiöse und kosmische Verflechtung aller menschlichen Geschichte gegeben. Aber der Mensch steht, wie im Zusammenhange des Herderschen Humanitätsgedankens (oben S. 173 ff.) bereits erläutert wurde, in einer Stufenfolge der Geschöpfe auf der Erde. Er erscheint in dem, was ihn mit Pflanze und Tier verbindet und ihn wieder von ihnen unterscheidet. Er ist gestellt in den Zusammen-

hang einer Reihe aufsteigender Formen und Kräfte. Hierin ist die
Goethesche wie alle folgende Morphologie und Entwicklungslehre von
Herder vorweggenommen. Es entsteht die Frage nach den durch Klima,
Lage, Boden bedingten Besonderheiten der verschiedenen Völker der
Erde und nach dem Allgemeinen, was sie als Zugehörige der Gattung
«Mensch» verbindet. Die Entwicklungsgeschichte der Menschheit
beginnt mit der Ausbildung der Sprache, dem den Menschen allein
vorbehaltenen Mittel ihrer «Bildung». Die Sprache wechselt mit jedem Volk, in jedem Klima. Gemeinschaftlicher Besitz aller Menschen-
arten und Völker ist jedoch dreierlei: die Anlage zur Vernunft, Humanität und Religion. Mit der Prüfung der ältesten Überlieferung
über den Anfang der Menschengeschichte schließt die erste Hälfte der
«Ideen».

Was in dem historischen Teil über *Griechenland* und *Rom* gesagt
ist, hatte zu seiner Zeit das unmittelbarste Interesse für sich. Die Ein-
zigartigkeit des griechischen Volkes und seiner Leistungen innerhalb
der Menschheitsentwicklung findet hier in Herder einen bewußt-sach-
lichen, ja nüchternen Schilderer, aber keinen von der geschichtlichen
Untersuchung abgelösten Dogmatiker und Panegyriker. Um so stärker
ist das Schwergewicht dessen, was an den Griechen gerühmt wird. Die
Geschichte «dieses merkwürdigen Erdstrichs» ist «ein einziges Datum
unter allen Völkern der Erde». Die vermeintliche Reinheit der griechischen Rasse wird als Grundlage der griechischen Entwicklung angesehen, daneben die Gunst des Schicksals, die Griechenland in seiner
Geschichte sich voll ausleben ließ.

Von dem Herderschen Griechenbild der «Ideen» gilt, was man neuerdings sehr fein von seiner Griechenauffassung insgesamt gesagt hat:
daß er «an der dynamischen Bewegtheit des Hamannschen Geistbe-
griffes ebenso teil» hat «wie an der edlen Statik der Griechenschau
Winckelmanns». «Sein ästhetisches Empfinden und sein historischer
Sinn überwachen und steigern sich gegenseitig: eben weil er die griechische Kultur geschichtlich, als vergängliche Erscheinung versteht,
vermag er in ihrer Vergänglichkeit um so tiefer die Epiphanie des
«schönheitstrunkenen Genies» zu erleben, und umgekehrt läßt ihn
seine ästhetische Ergriffenheit um so reiner die Griechen als «Natur-

blume der Zeit» verstehen. Gerade in ihrer Geschichtlichkeit sind sie für Herder Urbild.»

Eine alte Herdersche Welle der Abneigung und Wesensfremdheit spürt man in den Ausführungen über das Römertum trotz allen Bestrebens, auch das römische Volk in den göttlichen Weltplan einzuordnen. Auch hier steht der deutsche Hellenismus gegen die Lateinherrschaft. Die römischen Gesetze, «wo sie etwa menschlicher wurden, waren sie es nach römischer Weise, weil es unnatürlich gewesen wäre, wenn die Überwinder so vieler gebildeter Nationen nicht auch wenigstens den Schein der Menschlichkeit hätten lernen sollen, mit dem sie oft die Völker betrogen ... Die Römer zerstörten und wurden zerstört; Zerstörer aber sind keine Erhalter der Welt. Sie wiegelten alle Völker auf, bis sie zuletzt die Beute derselben wurden und die Vorsehung tat ihrethalben kein Wunder». Mit voller Instrumentierung setzen die Ausführungen über *die deutschen Völker* ein. Justus Möser schwingt in diesen Abschnitten nach. Die Germanen sind für Herder der Völkerstamm, der «zum Wohl und Weh dieses Weltteils mehr als alle andre Völker beigetragen». Die «Gemeinverfassung» der germanischen Völker ist die feste Hülse gewesen, «in welcher sich die übriggebliebene Kultur vorm Sturm der Zeiten schützte, der Gemeingeist Europas entwickelte und zu einer Wirkung auf alle Weltgegenden unserer Erde langsam und verborgen reifte».

Herder hat die «Ideen» nicht vollendet. Der nicht mehr zustande gekommene Schlußband sollte, anhebend mit der Renaissance und Reformation, die nachmittelalterliche, die «neue Kultur» Europas schildern und damit die Sonderstellung und kulturelle Vormacht Europas begründen. Mit einem letzten Ausblick auf die weiteren Gestaltungen und Auswirkungen der Humanität hätte das Ganze geschlossen. Die Konzeption des Werkes, sein Aufbau, die Ungebundenheit seines Gefüges stimmen zu dem Umstand, daß auch in den historischen Teilen allenthalben die geschichtlichen Ausführungen durch Überlegungen und Betrachtungen unterbrochen werden. Sie kehren häufig zu demselben Punkte zurück, Wiederholungen sind nicht ausgeblieben, in immer neu gewendeten Umschreibungen werden die großen Grundthemen des Organisations- und Humanitätsbegriffes abgewandelt. Auch hier ist Herder nichts weniger als ein geschichtlicher «Darsteller» oder «Erzähler». Aber nur um diesen Preis konnte das große Unternehmen das alle Folgezeit überschattende Hauptwerk der historischen Ideenlehre werden, der erste, weit vorstoßende Versuch, den Sinn der Weltgeschichte und die Gesetze der menschlichen Kulturentwicklung zu finden. Vielleicht ist es, obwohl die Tatsachenerforschung der Folgezeit es im einzelnen so weit hinter sich gelassen hat, obwohl es so manche toten Strecken, überhäuft mit heute wertlosem Material, bietet, in seinem Entwurfe nicht überholt oder ersetzt worden.

Die Herderschen «Ideen» haben von allen seinen Schriften die tiefsten und breitesten Wurzeln im Erdreich seiner gesamten Existenz getrieben. Im besonderen sind sie erwachsen aus der Absicht einer Umarbeitung und Weiterführung der kleinen, unvollendeten Schrift «Auch eine Philosophie der Geschichte zur Bildung der Menschheit» von 1774. Was dort nur Forderung und vorläufige Skizze war, wird von den «Ideen» zu einem weiträumigen Gebäude aufgerichtet. Und zweierlei unterscheidet der Grundhaltung nach das gereifte Werk von dem älteren, streitbaren und auftrumpfenden Schriftchen. Einmal bestand für Herder nun die Angriffsfläche nicht mehr, die ihm durch den Geist des Jahrhunderts der Aufklärung geboten worden war und durch dessen intellektualistischen Stolz, wie herrlich weit man es gebracht habe. Jetzt handelte es sich für ihn um einen geschichtlichen Aufbau, der die Aussicht auf das 18. Jahrhundert weit hinter sich ließ. Zum andern trat nunmehr der Theologe zurück, der in der älteren Schrift zwischen dem optimistischen Fortschrittsglauben und der pessimistischen Ansicht Voltaires von der Geschichte seinen gläubigen Weg gesucht hatte und in der Historie und ihrem scheinbaren Labyrinth – damals erst in allgemeinen und unklaren Andeutungen – die Verwirklichung eines außerhalb der Menschheit liegenden göttlichen Planes fand. Diese Transzendenz bestand in den «Ideen» nicht mehr in dem früheren Sinne. An ihre Stelle war die Immanenz der dieser Erde vorbehaltenen Kräfte getreten. Aber freilich ist richtig, daß Herder der Theologe und Herder der Geschichtsphilosoph auch hier eines sind. Denn «Organisation» und «Kräfte» führen ja wieder auf Gott zurück, der an ihrem Anfang steht und ihnen auf dieser Erde ihre Tätigkeit freigab. In keinem geschichtlichen Momente fehlt so letztlich auch hier die planvolle und sinnvolle, regulierende Vorsehung, wenn sie sich auch streckenweise menschlichen Blicken entzieht.

Sind die «Ideen» Herders größte und am meisten systematische Arbeit, so ist er jedoch auch hier «Fragmentist». In weit sichtbarerem Maße freilich in den *Zerstreuten Blättern* und in den «Humanitätsbriefen». Die «Zerstreuten Blätter» sind, reizvoll und eingänglich, wie sie sich jedenfalls in ihren ersten drei Sammlungen zu ihrer Zeit erwiesen, auch heute noch am ersten geeignet, den Zugang zu allem Liebenswürdigen des Herderschen Geistes und Wesens zu eröffnen. Die Sammlung vereinigt bereits vorliegende literarische Arbeiten mit einigen neuen, die in besonderem Maße seiner Wirkung die Wege geebnet haben. Das dem Ganzen statt einer Vorrede vorangestellte Gespräch zwischen Theano und Demodor weiß anmutig, wenn auch nicht ohne eine gewisse Künstlichkeit, über Sinn und Absicht der in der ersten Sammlung gebotenen Stücke zu plaudern. Es ist ganz herderisch und liegt im Sinne seiner Ablehnung des modernen Zivilisationsoptimismus, wenn in diesem Gespräche die Unzusammengehörigkeit der duftigen Gaben aus der Griechischen Anthologie mit der technischen Erfindung der neuen Zeit, dem Buchdruck, berührt wird: «Sie wissen, was ich von dieser schwarzen Kunst des ehrlichen D. Fausts halte. Denken Sie! eine gedruckte Blume.»

Die in der ersten und zweiten Sammlung veröffentlichten Übersetzungen *aus der Griechischen Anthologie* (nach der 1772–1776 erschienenen Ausgabe der «Analecta veterum poetarum Graecorum» des großen, unzünftigen Straßburger Hellenisten Brunck), die den Titel «Blumen» führen, samt der zugehörigen Abhandlung «Über die Anthologie der Griechen, besonders über das Griechische Epigramm», sowie der in der zweiten Sammlung der «Zerstreuten Blätter» unter dem Titel «Hyle» dargebotene Nachtrag an kleineren Gedichten aus dem Griechischen lassen Herder auf einem bestimmten Gebiete der Dichtung wie der Lehre von ihr in seiner das frühere 18. Jahrhundert abschließenden, produktiv-kritischen Haltung erkennen. Auf der andern Seite haben sie durch die Erschließung einer neuen dichterischen Quelle und ihre Ausdeutung – zusammen mit der römischen Elegie – der Poesie der deutschen Klassik und ihrer Nachfahren in einer bestimmten Richtung nach Stoffen, Gehalt und Form den Weg gewiesen. Mit Herders Epigrammen aus der Anthologie – das Verhältnis des Übersetzers zur Vorlage, seine Kunst der Auswahl, Umgestaltung oder Wiedergabe sind in diesem Zusammenhang ebenso von geringerem Belang, wie es seine eigenen früheren Bemühungen um die griechische Kleindichtung und die vereinzelten Vorläufer sind, die er beim Betreten dieses Gebietes gehabt hat – mit ihnen wurde eine dichterische Gattung oder besser «Art» eingeleitet, die dazu beigetragen hat, der klassischen Dichtung der Deutschen unter der Führung Goethes und Schillers ihr Gesicht zu geben. Das in der älteren Zeit vorherrschende, bissige und satirische Epigramm mit seinen durchgehenden und feststehenden Typen und Motiven wurde nun abgelöst durch das früher nur vereinzelt auftretende «Sinngedicht». Überholt war jede enge Begriffsbestimmung des Epigramms, die Lessingsche eingeschlossen. Die Linien des griechischen Geistes wurden durch die Herderschen Nachdichtungen und die zugehörige Abhandlung unter einer Sicht ausgelegt, die ihnen alles Strenge und Ferne nahm und «Die Antike» in holder, menschlicher, mütterlicher Nähe zeigte, aber auch in dem weisheitsvollen Tiefblick, der alle menschlichen und naturhaften Zusammenhänge in ihren höheren, übereinmaligen Ordnungen und Maßen erkannte. So werden die Griechen in diesen dichterischen Kleinformen von ihrem in Sprache gebannten Alltagsleben her erfaßt wie durch Winckelmann von der Plastik, von Plato, von Homer und vom Drama her. Ihr Schmerz und ihre Freude, ihre leichte Geschwätzigkeit, ihre Vaterlandsliebe und ihre Ruhmsucht, die Herrschaft der Musen und Grazien über sie, das «sanfte Maß der Menschlichkeit» – alles schlug sich in dieser sprachlichen Kleinkunst der «Inschrift» nieder. «Wie biegsam ist sie zu jedem Bilde, zu jeder Empfindung! wie biegsam insonderheit zu dem schönen Maß, das sich das Epigramm gewählt hat! Hexameter und Pentameter winden einen Kranz in Worten, wie sie dem Ohr in Sylben einen vollendeten Rundtanz geben. Welche Sprache kann sich solcher Sylbenmaße rühmen? Selbst die römische nicht; und in der Deutschen versuche man es, wie manche Mühe die Übersetzung eines Epigramms, insonderheit in seinem Pentameter koste. Unsere Prosodie starrt von einsylbigen

unbestimmten Worten: Hiatus sind in ihr fast unvermeidlich, und wenn
der Vers seine Flügel mit fröhlichem Spiel auf- und zuschlagen soll:
so schleppt sie sich oft in mühsamem Gange daher, treu dem Himmel,
unter dem sie ertönt.» Man steht unmittelbar vor der Eingangspforte
zur Kurzdichtung der deutschen Klassik im elegischen Maße; nicht nur
vor den Epigrammen weltanschaulich und literarisch fechtender und
kritischer Art, man glaubt auch schon die weichen, «sentimentalischen» Töne der Goethe-Schillerschen Dichtung, «antiker Form sich
nähernd», zu vernehmen, wenn bei Herder zu lesen steht, daß in der
griechischen Anthologie schon bei der Wahl der Gegenstände sich das
«sanfte Gefühl der Menschheit» zeige: «Wie schöne Epigramme hat
die Kindes- und Mutterliebe gedichtet! Wie zart empfunden ist das
Schicksal des Menschen in seinem kurzen und wandelbaren Leben,
endlich in seinem Abschiede von allem, was ihn liebte! . . . Allem
teilt sich dies Gefühl der Humanität mit, allem, was den Menschen
umgibt, was ihn erfreuet oder quält, was ihn lehrt oder was ihm dienet.
Der Vogel und der Delphin, die Henne und die Cicada, die Biene und
ihre Rose empfangen den Gruß des Epigramms; selbst unbelebte Wesen werden mit Liebe belebet. Für den sanftern Menschen sind also
diese kleinen Gedichte eine Schule geselliger Empfindung.» Gewiß,
hier wurden Gegenständlichkeiten, Motive, eine dichterische Fühlweise und eine stilistisch-rhythmische Formensprache offengelegt, deren sich Goethes «Anakreons Grab» wie Schillers «Nänie» wie Mö-
rikes «Auf eine Lampe» bedienten. Aber dennoch werden solche Gebilde der deutschen Poesie, können sie gleich einen griechischen Hei-
matschein aufweisen, durchwaltet von einem Dichtertum und einem
Ethos, die allerpersönlichster und innerlichster Art sind. Sie tauchen
dabei so sehr aus der deutschen Seelenlage auf, daß sie niemals, auch
bei motivischer Übereinstimmung, als Kopien nach antikem Vorbild
angesprochen werden können. Und es steht also um sie ebenso wie um
alle übrige deutsche Poesie, die «antikisierend» genannt wird. Daß
zunächst Goethe sich seit 1781 in Form und Gehalt an Herders Übertragungen aus der Griechischen Anthologie als an ein ihm gerade damals zuwachsendes dichterisches Melos hielt, steht fest. Ebenso, daß
das lebhafte Mitempfinden des Freundes für diese Dichtung Herdern

selber zum Fortfahren in den Übertragungen ermutigt hat. Der Unterschied aber dieser Herderschen Überarbeitungen aus dem Griechischen von der Goetheschen Dichtung, ihr völliges Einswerden mit eigenem Goetheschen «Erlebnis» und zusammengefaßtes Wiedergeborenwerden aus ihm wird bei Gegenüberstellung motivisch gleicher Dichtungen unmittelbar sinnfällig. Man halte nur die drei Gedichte auf «Anakreons Grab» oder die auf Hesiods, Sophokles', Euphorions Grab bei Herder mit den sechs Zeilen auf «Anakreons Grab» von Goethe zusammen, um auch von dieser Seite dem Geheimnis des Goetheschen Dichtertums nahezukommen: Motive und Attribute, die sich alle in der Anthologie auch nachweisen lassen, alles aber zu gemmenhafter Schärfe und Zierlichkeit zusammengedrängt, vereinfacht und verdichtet und am Schlusse auslaufend in die Spitze, die das «geopsychische» Leiden des nordischen Anwohners unter winterlicher Kälte und Düsternis dem Sänger von Teos erspart sein läßt.

Der intime Herder, der weiche und schmelzende, der weisheitsvoll in alle Tiefen menschlichen Geschickes schauende, jeden Nachklang froher und trüber Zeit fühlende, der Herder, der im Sinne des ihm geistesverwandten Hemsterhuis das «milde Beisammensein» aller liebenden Geschöpfe feiert und von der Einheit des Guten und Wahren durchdrungen ist – dieser Herder zeigt sich auch weiterhin in den «Zerstreuten Blättern». Auch die «*Paramythien. Dichtungen aus der griechischen Fabel*» (in der ersten Sammlung) haben sich der Klassik und Romantik eingegeistet. (Man weiß seit einiger Zeit, wie sie auf Novalis gewirkt haben.) «Paramythion», so lautet Herders eigene Erklärung, «heißt eine Erzählung.» Noch die heutigen Griechinnen nennten die Erzählungen und Dichtungen, womit sie sich die Zeit kürzen, Paramythien. «Ich konnte», so sagt er, «den meinen noch aus einem dritten Grunde den Namen geben, weil sie auf die alte griechische Fabel, die Mythos heißt, gebauet sind und in den Gang dieser nur einen neuen Sinn legen». Diese sinnigen Gewebe, die sich um Motive und Gestalten der griechischen Fabel in freien Verschlingungen und Ornamenten winden, haben in bezeichnender Weise einen Nerv der Zeitgenossen berührt. Sie trafen bei ihnen auf eine Schicht, in welcher Restbestände des 18. Jahrhunderts mit der beginnenden klassisch-romantischen Geistesverfassung beieinanderlagen. Noch schwingt in ihnen das Jahrhundert der Fabel und Parabel nach; noch ruht über ihnen – auch im Sprachlich-Stilistischen – jene Aufgelöstheit und Zärtlichkeit der Empfindsamkeit, der der frühe Herder selber pflichtig gewesen war, der er nie ganz entsagt hat; noch hat der Sinn für das Allegorische, der dem Rokoko eigen ist, seine Spuren gezogen. Aber schon stellen sich in ihnen auch die «anschaulichen Kategorien» der Menschheit, die menschlichen Naturverhältnisse und Urformen zur Schau, über denen Goethe sann, von denen kulturhistorische und philosophische Gedichte Schillers letzte und eindrucksvollste Betrachtungen allgemeingültiger und normengebender Art abzogen.

Auf Schiller läßt auch die Abhandlung über die «*Nemesis. Ein lehrendes Sinnbild*» vorausschauen. Wie hier Deutungen des Schönen und Sittlichen aus den Vorstellungen und Sinnbildern der griechischen Mythologie gezogen werden, so auch von Schiller. Schwerlich ist die Methode des Aufsatzes «Über Anmut und Würde» (1793) ohne Herders Vorgang zu denken. Auch hier entkleidet im Eingange Schiller die Vorstellung der Griechen ihrer allegorischen Hülle, um zu einem allgemeingültigen Sinne des Anmutsbegriffes vorzudringen. Auch hier sollen sich griechischer Mythus und menschliche Philosophie gegenseitig bestätigen: «Ich habe mich bis jetzt darauf eingeschränkt, den Begriff der Anmut aus der griechischen Fabel zu entwickeln, und, wie ich hoffe, ohne ihr Gewalt anzutun. Jetzt sei mir erlaubt, zu versuchen, was sich auf dem Weg der philosophischen Untersuchung darüber ausmachen läßt, und ob es auch hier, wie in so viel andern Fällen, wahr ist, daß sich die philosophierende Vernunft weniger Entdeckungen rühmen kann, die der Sinn nicht schon dunkel geahnt und die Poesie nicht geoffenbart hätte.» Die Wirkung des Herderschen Nemesis-Aufsatzes auf ihn wird übrigens durch einen Brief an Körner bezeugt.

Es springt in die Augen, wie sehr jener feine hermeneutische Geist, von dem die Mythenschöpfungen der «Paramythien» und ihre hinter die Symbole schauenden ethisch-ästhetischen Deutungen stammen, der gleiche ist, der die Abhandlung über die Nemesis geschaffen hat und an Lessings Schrift «Wie die Alten den Tod gebildet» anknüpfen konnte. Diese Lessingsche Abhandlung ist in ihrer reinen Menschlichkeit von allen Lessingschen Schriften diejenige gewesen, der Herder sich am tiefsten verwandt fühlte, die von ihm selber hätte kommen können . . . Ein milder Lehrer und weiser Ausleger der alten Zeugnisse bleibt er auch in den «*Blättern der Vorzeit. Dichtungen aus der morgenländischen Sage*» (in der dritten Sammlung, 1787). Sie liegen, indem sie an Apokryphen altjüdischer Poesie und Sage anknüpfen oder freie mythologische Erfindung in menschliche Urgeschichte tragen, auf der Fortsetzungslinie der «Paramythien». «In ihrer Ausbildung», so sagt er, «gehören die meisten mir völlig zu.» Stärker tritt in der vierten Sammlung (1792) der Orient, Herder-Hamanns alte geistige Heimat, in den Vordergrund, mit den «Blumen, aus morgenländischen Dichtern gesammelt», mit den rhapsodischen «Gedanken über Spruch und Bild bei den Morgenländern», mit der morgenländischen Spruchweisheit in Versen, die sich «Gedanken einiger Bramanen» nennt, und mit den «Briefen über ein morgenländisches Drama», das ist die von J. G. Forster übersetzte «Sakuntala» des Kalidasa. Alles dies Morgenländische führte ja zu den Quellen, aus denen auch der Goethe des Westöstlichen Divans trank, derer zu schweigen, die ihm folgten.

In die schöne, ferne Welt griechischer und orientalischer Dichtung und Weisheit, die zur Labung der deutschen Zeitgenossen in den «Zerstreuten Blättern» sich geöffnet hatte, drang 1792 in der vierten Sammlung zuerst ein Ton der aufgeregten Zeit mit dem Gespräche «*Tithon und Aurora*». Was dort über Revolution und Evolution gesagt ist, was im Hinblick auf die politisch-staatliche Bewegung an Hoffnungen auf die Verjüngung Europas ausgesprochen wird, was in der fünften Sammlung (1793) im besondern auf Deutschlands Vergangenheit, Gegenwart und Zukunft Bezug hat – es gehört wieder in jene politisch und sozial bewegte Folgezeit, die dem vertrauten Antlitze Herders neue Züge eingrub. Frei von allem zeitlich bedingten Beisatz trat 1795 mit der «*Terpsichore*» eine den Deutschen seiner Zeit ganz unbekannte Erscheinung, von Herder aus dem Lateinischen ins Deutsche gewendet, in den Gesichtskreis der Literaturgeschichte: der Neulateiner aus dem 17. Jahrhundert Jakob Balde. Es war eine Schatzhebung, wie wir Herder so manche zu verdanken haben. Und Balde war für ihn «ein Dichter Deutschlands für alle Zeiten; manche seiner Oden sind von so frischer Farbe, als wären sie in den neuesten Jahren geschrieben».

Nach Herders Gewohnheit verschlingen sich in den «Zerstreuten Blättern» Dichtungen und Abhandlungen. Unter der scheinbar bunten und zufälligen Zusammenstellung des Inhaltes der drei ersten Sammlungen stößt man auf eine Herdersche Fähigkeit, die – in Beziehung auf andere, die sie ebenfalls übten – von Späteren «geistige Architektur» genannt wurde. Sie hängt mit dem Herderschen Organ für das «All-Eins» und der organistischen Denkweise im tiefsten zusammen. Dies Streben zu einem geistigen Ganzen ist die natürliche Polaritätserscheinung zu dem Fragmentarischen seines in Sichtbarkeit umgesetzten Schaffens. Es handelt sich um die Anordnung der einzelnen Stücke in den «Zerstreuten Blättern». Sie sind zusammengestellt unter dem Gesichtspunkte leiser Vordeutung auf jeweils Folgendes, innerer Zusammenhänge, Abwechslung bringender Gegensätze, so daß im Rahmen der Sammlung jedes Stück ein mit dem andern durch innere Gesetzlichkeit verbundenes Glied eines geordneten Ganzen ist und einen neuen Kosmos herstellen hilft. Besonders beherrscht diese Art der Anordnung die Sammlung der Poesien. Mit diesem Kunstwerk der Gestaltung, das nach den Prinzipien der Harmonie und Polarität gebildet ist, taucht, aus Herders Geist und Weltansicht geboren, ein folgenreiches Vorbild auf. Goethe erkannte diese organische Art der Anordnung für seine Werke, insbesondere seine Gedichte, als naturgerecht und befolgte sie. Uhland, C. F. Meyer und andere verfuhren so. Auch in dieser Beziehung schied sich nicht Klassik von Romantik: sie zeigten sich wieder als zwei Stämme aus einer Wurzel. Josef Görres ordnete sein Buch über die «Teutschen Volksbücher» (1807) und seine Besprechung des «Wunderhorns» in den «Heidelbergischen Jahrbüchern der Literatur» 1809 und 1810 unter der gleichen Struktur eines bis ins einzelne durchgegliederten All-Eins. «Es hat in unserer Betrachtung», so sagt er in Beziehung auf das «Wunderhorn», «was in einzelnen lyrischen Auswürfen aus dem Gemüte nach und nach hervorgebrochen, wie von selbst zu einem dramatisch-epischen Ganzen sich gefügt. Denn ein unsichtbares Band geht durch alle Dinge, und wie zwei Tropfen in der Berührung ineinander fließen, und das große Meer selbst allein aus so verbundenen Tropfen besteht, so vermag keiner in seinem besten Gefühle sich loszusagen von dem großen architektonischen Plan, den der Bildner selbst gefaßt, und den die Gebilde darzustellen haben.» Diese Sätze mit ihrer Zurückführung solcher architektonischer Planung des literarischen Zusammenbaus auf eine göttliche Grundidee, die alles zu durchdringen habe und in der Theismus und Pantheismus zur Deckung gelangten – sind sie nicht Herderschen Geistes?

Die «*Briefe zur Beförderung der Humanität*», die 1793 zu erscheinen begannen, waren ihrer Absicht nach eine Weiterführung der zwei Jahre vorher abgebrochenen «Ideen». Sie sollten an Stelle der geschichtsphilosophischen Ermittlung der die Menschheit bewegenden Kräfte nun die unmittelbaren Folgerungen für das jetzt so bewegte Zeitalter ziehen und es an den Begriffen der Organisation und Humanität messen. Stärker als in den «Zerstreuten Blättern» rückt wieder der Pädagoge, jetzt darf man sagen der Volkspädagoge Herder in den Vordergrund. Die Humanitätsbriefe zeigen in der Buntheit ihres Inhaltes, verglichen mit den «Ideen», alles andere als einen konstruktiv durchgeführten Aufbau. Die Sprunghaftigkeit des Herderschen Schriftstellertums, die aus seinem letzten Wesen herkam, sich im Alter schärfer abzeichnete und für diese Zeit den Späteren zu begründeteren Beanstandungen Anlaß gab, ward durch Unrast, durch die Peitsche äußerer und materieller Notwendigkeit, durch mangelnde Muße zur ruhigen Ausarbeit, durch die aufwühlenden Ereignisse des politischen Geschehens, durch zunehmende Galligkeit und Reizbarkeit gefördert; sie wird hier nicht als notwendiges Übel von dem Autor geduldet, sondern geradezu zum Grundsatz erhoben und als positiver Wert gebucht. Der erste Entwurf der Sammlung – interessanter als die Reihe der zehn Briefe, die von 1793 bis 1797 wirklich erschienen – zeigt am stärksten von allen seinen Schriften den Politiker Herder, den, der im Herzen zuerst mit der Französischen Revolution sympathisierte und von ihr eine Neugeburt Europas erhoffte, um sich seit 1793 von ihr ab und andern Wegen des politischen Denkens zuzuwenden. Auch die gedruckte Sammlung ist, wenn auch nur stellenweise, unmittelbar politisch, den öffentlichen Angelegenheiten der Völker und Menschen gewidmet. Sie ist

ein Symptom der Wendung von der ästhetisch-ethischen Intimität zur
Tageswirklichkeit, zur sozialen und politischen Problematik, wenn freilich in Herder auch stets der Sinn für die Gemeinschaftsordnungen der
Menschen gelegen hatte. Jetzt erschien alles, was die Gemeinschaft be-
rührte, als Angelegenheit ersten Ranges für die Gegenwart und mußte
auf Herders bisherige Ideenwelt abgestimmt werden. Das Problem,
das sich für Herder stellte, dadurch, daß sich nun ein öffentlicher
Raum für das deutsche Schrifttum auftat, wird sogleich in der ersten
Sammlung durch die Erörterung der Frage angegriffen, «warum unsere Poesie, verglichen mit der Poesie älterer Zeiten, an öffentlichen
Sachen so wenig Teil nimmt». Wird «nach unserer Lage der Dinge...
das zu nahe, zu starke Teilnehmen der Dichter an politischen Angelegenheiten beinahe für schädlich» gehalten, so solle doch «die Poesie
als eine Stimme der Zeit unwandelbar dem Geiste der Zeit folgen. Oft
sei sie eine helle Weissagung künftiger Zeiten». Aber, «um aller Deutschen Redlichkeit willen, welcher Mann von Geschäften läse ein Gedicht, um in ihm die Stimme der Zeit zu hören». Beinahe erscheint es
als eine notwendige Folge dieser Gewinnung eines weiten Gegen-
wartsraumes, daß die eigentümliche und scharfe Fassung des Humanitätsbegriffes, trotz der maßgeblichen Belegstellen, die gerade aus den
Humanitätsbriefen für sie zu gewinnen sind, hie und da schon einer
Abflachung Platz macht; einmal in Richtung der früher berührten
Lessingschen Fassung der Humanität als des Strebens nach Ausgleichung und Angleichung aller Menschen und nach Überbrückung, wenn
nicht Verwischung ihrer nationalen und charakterlichen Eigentümlichkeiten; zum andern im Sinne dessen, was die Humanitas der Alten
war: «die Kunst ihrer Musen», die «Kultur der Seele», die Teilnahme
an Wissenschaft und Kunst und das Verständnis für sie. Der wendige
und fließende Geist Herders machte gerade in dieser Sammlung, die,
weil sie vieles bringt, manchem etwas bringen sollte, nicht immer halt
an den Grenzen strenger Begriffsbestimmungen, die er selber sich gezogen hatte.

Die Literaturgeschichte hat es in der heutigen Form ihrer Ausbildung nicht mit den irdisch-allzuirdischen Beständen zu tun, die, im

persönlichen und privaten Dasein der großen Schöpfer nachweisbar, in die Beziehungen zu ihrer Umgebung hineinspielen und ihr Verhältnis zum realen Leben bestimmt haben mögen. Sie kann diese Bestände für sich nur noch insofern gelten lassen, als sie ihr zum Beweise dienen, daß Charakter und geistiges Schicksal sich decken. Alles andere muß sie entweder einer Art der Geschichte überlassen, die sich der zeitgebundenen menschlichen Persönlichkeit, auch ohne Rücksicht auf das von ihr verbliebene Schöpferische, um ihrer selbst willen annimmt und den interessanten Lebensläufen gewidmet ist als einem Gegenstande begreiflicher menschlicher Neugier; denn es geht den Menschen an, zu wissen, wie ein anderer Mensch mit dem Leben fertig geworden oder ihm unterlegen ist. Oder es mögen die Psychologie, die Charakterkunde, die Anthropologie, die Soziologie, zusammentretend zu einer neuen Wissenschaft vom Menschen, aus der einzelnen menschlichen Lebensgeschichte Material gewinnen. So darf auch das Wort von der «Tragik» einer bedeutenden Existenz immer nur in einem eingeschränkten oder eindeutig umschriebenen Sinne genommen werden. Dies Wort hat gerade für Herder in der Literaturgeschichte eine Rolle gespielt und spielt sie wohl gelegentlich jetzt noch, zumal im Hinblick auf seinen Ausgang, die letzten zehn Jahre des Frühvollendeten, von der Lösung seines Bundes mit Goethe, etwa 1793, bis zu seinem Tode 1803. Dieses Wort von der Tragik kann nur für das Subjektive der Herderschen Existenz mit einer gewissen Einschränkung zugelassen werden. Daß es für die objektive Geltung des Herderschen Geistes zu seiner Zeit wie in der Folgezeit nicht zu Recht besteht, begreifen wir heute mehr denn je. Und zwar desto besser, je mehr wir das Positive *und* das Negative der gesamten Charakter- und Lebenslage Herders in Rechnung stellen und in seine Sendung wie in sein Schicksal als in eine Ganzheit hineinarbeiten.

Unerschöpflicher Gegenstand eines suchenden und tastenden Verstehenwollens dieser unaussprechliche Mensch mit den Gegensätzen, die – für den ersten Blick – in ihm beschlossen sind! Für den engen deutschen Raum erwächst als erste Aufgabe eine schärfere Sonderung des Ostpreußischen und des Schlesischen in ihm, eine Aufgabe, der sich Haym im 19. Jahrhundert begreiflicherweise entzog, «um nicht aufs Unbestimmte hin Erklärungen im Weiten zu suchen». Schon jetzt glaubt man an ihm zu verspüren, was das Schlesische vom Ostpreußischen unterscheidet, unbeschadet dessen, was ihm von beiden ostdeutschen Stämmen gemeinsam zugekommen ist. Das Beschwingte, die leichte Art zu arbeiten, die seine Gattin Caroline einmal an ihm rühmt, die Beweglichkeit, Aufgeschlossenheit und Empfänglichkeit, das Schmiegsame und Gelöste – alles dies mag mit dem schlesischen Stamm in Verbindung gebracht werden. Dagegen die untrügliche Sicherheit des Blickes, eine aus dem Inneren kommende Vernünftigkeit, die Fähigkeit zur Erfassung der Dinge in großen und entscheidenden Linien, das grade Aussprechen seiner Überzeugungen, das Zornige und manchmal Poltrige, die Neigung zu scharfer Kritik, die Angriffslust, die sich dem Eindruck gesellt, herausgefordert zu sein – dies wird ein nachfühlender Kenner der Nordostdeutschen diesem Boden zuschreiben wollen. Es wäre gewagt, die mystischen, pietistischen und fatalistischen Züge in Herders Wesen dem einen oder anderen Stamme zuzuteilen. Und ist in ihm ein Dynamismus und Vitalismus zum Durchbruch gekommen, so ist dieser geistesgeschichtliche Vorgang doch ebenfalls von einer allgemeinen Grundlage her zu verstehen. Alle dunklen Schächte seiner Seele und alle ihre hellbeschienenen Durchgänge öffneten sich dem Bildungs- und Empfindungsleben seiner Zeit. Sein Herz zeigte alle Erschütterungen in ihm und um ihn mit einer kaum ein zweites Mal zu seiner Zeit wahrnehmbaren Stärke und Reaktionsfähigkeit an. Aber es bebte vor allem in den Begegnungen des Ich und Du. Er konnte, Zauberer und Führer zugleich, durch unversieglichen Reiz und wahre Liebenswürdigkeit, durch gütig sich neigende, ungezwungene Menschlichkeit und belehrend strömende Mitteilung Herz und Sinne eines anderen Menschen, vor allem eines jüngeren, anziehen und an sich ketten. Aber ebenso leicht konnte er verletzt, zurückgestoßen, voller Mißtrauen, wegwerfend, sarkastisch und schneidend sein. Der in einem hochgestimmten Gefühle Welt und Menschen zu umarmen, der der würdigste, behaglichste und freundlichste Hausvater zu sein vermochte, wurde wieder von allen Geistern der Hypochondrie, des Trübsinns, der Verbitterung geplagt. Er war frei und strenggläubig zugleich. Er strebte danach, alles Wissen von

Natur und Geist, über das seine Zeit gebot, zu umfassen und darüber hinauszugelangen. Aber er wußte wiederum, daß wir nichts wissen und daß alles Wissen und intellektuelle Vermögen der menschlichen Güte und den charakterlichen Eigenschaften untersteht, die den Menschen zum Menschen machen. Er war Faust und Tasso zugleich. Aber besser als beide *kannte* er sich. Er kannte auch seine Selbsttäuschungen und seinen sanguinischen und sich überfliegenden Ehrgeiz. Er suchte sich zu meistern und sein Leben in feste Hand zu nehmen, aber mehr vertraute er dem Schicksal, dem Dämon und Fatum. Flug und Fall, übertriebene Erwartung und Selbstvertrauen und plötzlich sich einstellender Widerwille und Verzweiflung an sich wechseln. Wieviel größer wäre er als Mensch und als Schriftsteller vielleicht noch geworden, wenn nicht das Schicksal, welches seine Zeit dem geistig Schaffenden mit wenigen Ausnahmen vorbehielt, ihn oft beinahe bis zu Boden, bis zur Selbstaufhebung seiner eigenen Existenz gedrückt hätte! Oder — wenn dies nicht seine persönliche Empfindung gewesen wäre! Da war in Weimar seit 1776 das vielfache Amt: des Predigers und Theologen, des Schulmanns, Organisators, Verwalters, Beraters, daneben die gelehrte und schöngeistige Schriftstellertätigkeit, die seinen Geist aus der weimarischen Enge um die ganze Welt führte. Dazu das Gefühl, auch hier weder Gut noch Geld, noch Ehr' und Herrlichkeit der Welt zu besitzen, ja verkannt und schlecht behandelt zu sein, abhängig zu sein von der Gunst der hohen Herrschaften in Weimar oder von Geringeren, die besser gebettet waren als er. Dennoch schien diese Existenz in Weimar im Kreise der Menschen, die er kannte und denen er wenigstens zeitweilig vertraute, noch die ihm am meisten gemäße zu sein; denn — nach der erwarteten und in Aussicht gestellten, völligen und dauernden Befreiung aus seinen finanziellen Bedrängnissen und den Sorgen um Gegenwart und Zukunft einer zahlreichen Familie — wollte er sie 1789 schließlich doch nicht mit dem Leben eines Professors in Göttingen vertauschen. Von Weimar aus, so fühlte er wohl, war es ihm am ehesten gegeben, frei von den Fesseln und Kleinlichkeiten der akademischen Zunft als deutscher Schriftsteller großen Formats zu wirken. Zu einem Meister, der durch erziehliche und bildende Schriftstellerei Geist und Sinn bestimmt, fühlte er sich berufen. Dieser Trieb

war ihm eingepflanzt; dafür muß, wer sich einem höheren Dasein
verbunden fühlt, der Fügung dankbar sein. Er hatte einst eine Wei-
sung des Schicksals darin gesehen, daß er in der Mitternacht geboren
wurde. Das Mitternächtige des deutschen Menschen im geistigen und
geographischen Sinne war sein Teil. Noch in der «Terpsichore», der
Baldeübertragung, 1795, spricht er davon, wie manche «süße Stunde
der Mitternacht» er seinem Dichter zu danken habe. Diese Mitter-
nächte, wenn sie «hold und schön» waren, sind faustisch, nicht wag-
nerisch. Gerade er hat alle bloße Vielwisserei und allen Pedantismus
des Gelehrtentums zu überwinden gesucht.

«Ich bin kein Dichter, wills auch nicht sein oder werden», schreibt
er – nach früheren Bekenntnissen ähnlicher Art – 1781 an die Herzogin Anna Amalie. In dieser Erkenntnis und namentlich beim Vergleiche mit Goethe unbestreitbaren Tatsache könnte der Angelpunkt
für die geistige «Tragik» Herders gefunden werden. Dies scheint auch
Nietzsche zu meinen, wenn er von ihm sagt: «Er saß nicht an der
Tafel der eigentlich Schaffenden: und sein Ehrgeiz ließ nicht zu, daß
er sich bescheiden unter die eigentlich Genießenden setzte.» Noch im
19. Jahrhundert, ja heute noch wird ihm der «Grenzrain» zwischen
Poesie und Philosophie und, nicht zu vergessen, Theologie zugewiesen.
Verschiedentlich schon wurde hier angedeutet, daß solche Einordnung
wenn nicht Unterordnung, an Entscheidendem vorbeisieht – an dem
Wesentlichen sowohl der literarhistorischen und geistesgeschichtlichen
Zusammenhänge wie der Rolle, die Herder für die weitere Entwicklung unseres Geistes gespielt hat und weiterhin spielen wird. Solche
Fragen können nur im Hinblick auf seine *Stellung zu dem weimari-
schen Goethe* angerührt werden.

Setzt man als bekannt voraus, von welcher Art und Tiefe die Einwirkung Herders auf den jungen Goethe gewesen war und welche
Vorbedingungen für die weiteren geistigen und persönlichen Beziehungen sich damit gebildet hatten, so begann, nachdem Goethe Herders Berufung nach Weimar betrieben hatte und sieben Jahre eines
kühleren und formelleren Verhältnisses überwunden waren, 1783 jene
Symbiose, durch die das Erdreich der Klassik bestellt wurde. Welche
wechselseitige Anteilnahme und Fürsorge zwischen den beiden! Wie

sind sie ineinander eingelebt, welches rückhaltlose Geben und Nehmen, welche Offenheit und Zartheit der Mitteilung herrscht zwischen
ihnen! Die «Ideen», die Gespräche über «Gott», die «Zerstreuten
Blätter» vor allem sind unter Goethes verstehender Teilnahme und
unter seinem lebendigen Ansporn entstanden. Spinoza verband sie,
Frau von Stein war die frauliche und beide verstehende Mittlerin. Wer
von ihnen mehr der Gebende, wer der Nehmende war, läßt sich nicht
mit Sicherheit ausmachen. Dies gilt insbesondere für die Goethe mit
Herder gemeinsamen Grundgedanken der in Weimar beginnenden Naturforschung: für die Idee der stetigen Entwicklung aus niederen Formen zu höheren für die auf spinozistisch-leibnizischer Grundlage vollzogene Gleichsetzung der Entwicklung im Natürlichen mit der im Geistigen. «Goethe», so schreibt Frau von Stein nach dem Erscheinen des
ersten Bandes der «Ideen» am 1. Mai 1784 an Knebel, «grübelt jetzt gar
denkreich in diesen Dingen, und jedes, was erst durch seine Vorstellung
gegangen ist, wird äußerst interessant.» Seine «mühselige, qualvolle
Nachforschung» zur Morphologie, so sagt Goethe selber rückschauend
1817, «ward erleichtert, ja versüßt, indem Herder die Ideen zur Geschichte der Menschheit aufzuzeichnen unternahm. Unser tägliches
Gespräch beschäftigte sich mit den Uranfängen der Wasser-Erde und
der darauf von alters her sich entwickelnden organischen Geschöpfe.
Der Uranfang und dessen unablässiges Fortbilden ward immer bespro-
chen und unser wissenschaftlicher Besitz durch wechselseitiges Mit-
teilen und Bekämpfen täglich geläutert und bereichert.» Wer die Herderschen Schriften der weimarischen Zeit kennt, wird oft betroffen
sein von der Übereinstimmung der Gedanken beider und von manchen fast wörtlich zusammenklingenden Wendungen. Es könnte scheinen, als habe auch der in Weimar zur Klassik sich hinüberwandelnde
Goethe ebenso den Beginn einer neuen Entwicklung Herder zu verdanken wie der Straßburger junge Mensch. Doch verhält es sich wahrscheinlich anders: wie, das deuten die soeben erwähnten Zeugnisse an.
Herder und Goethe trafen sich auf dem Gebiete der morphologischen
Naturerkenntnis in einer gemeinsamen Zone, in der sie beide Entdeckungen erhofften. Die ersten anatomischen Arbeiten Sömmerings,
die Schriften des holländischen Physiologen und Anatomen Peter Cam-

per, Albrecht Hallers, Linnés und der Franzosen Buffon und d'Aubenton waren verheißungsvoll. Goethe ging auch hier den Weg der Erfahrung und sinnlichen Wahrnehmung, Herder brachte das Denken in Zusammenhängen und eine die Erfahrung überfliegende Aufstellung von Gesetzen hinzu. Er tritt typologisch näher zu Schiller, ihm auch im Hinblick auf die ethische und pädagogische Fragestellung verwandt. So konnte es später geschehen, daß, nachdem ein Dreibund zwischen Goethe, Herder und Schiller sich nicht hatte verwirklichen lassen, Schiller mit natürlichem Rechte den Platz an Goethes Seite einnehmen konnte, der durch Herder frei geworden war und zur Ergänzung der Goetheschen Natur die besondere Begabung für ein abgezogenes und übersinnliches Denken verlangte. Aber noch anders als Herder vermochte Schiller mit der Goetheschen Kunst und mit seinem Nachsinnen über Kunst überhaupt bewundernd und lernend Schritt zu halten.

In dem Verhältnis zur sinnlichen Wahrnehmung, in dem Problem, das die Sinnlichkeit und ihr Ausdruck stellten, in der Kluft, die sich zwischen dem Künstler Goethe, zwischen seiner «Betastlichkeit» und seiner Fähigkeit der Anschauung einerseits und der Herderschen religiös, ideologisch und phantasievoll gerichteten Abstraktion andererseits auftat, lag – unbeschadet gelegentlicher Ausnahmen wie der «Plastik» – einer der letzten Gründe für ihr späteres Auseinandergehen. «Herder ist eine musikalischere Natur als ich», so schreibt Goethe an Kayser 1785, und am 28. 12. 85 fügt er hinzu: «Sie glauben nicht, wie sehr ihn die Musik immer mehr und mehr einnimmt». Was Goethe vermochte, die Welt des Gesichts zeichnerisch zu erfassen, fehlte ihm. «Könnte ich mit meinem Jungen einmal, oder ihm vor, zeichnen lernen, so wäre mirs eine Wohltat auf meine alten Tage und ein neuer Genuß des Lebens», so liest man in einem Briefe an Hamann vom 1. April 1778. Nicht umsonst hat sich Herder gerade der Goetheschen Gedichte als ihr Sammler, Abschreiber, helfender Redaktor für die erste Gesamtausgabe der Goetheschen Schriften angenommen. Er wußte, daß «Form das Wesen der Poesie ist». Das Abgeschlossene, Geründete, von innen heraus zur «Bildung» Gelangte in jedem Wort, in jedem Werk gehörte zur Erscheinung Goethes. (Das schließt eine beständige Weiterentwicklung der diese Gebilde hervorbringenden

«Entelechie» Goethes natürlich nicht aus. Im Gegenteil, nur ihre stetige Fortentwicklung vermochte die ihr innewohnende Kraft zu immer neuen «gebildeten» Abgelöstheiten zu bewahren.) Die gleiche Fähigkeit des Abschließens, Bewältigens und Fertigseins unterscheidet die Goethesche Gestaltung des eigenen Lebens von Herders in allen Lagen des Daseins mehrwertiger und verschiedenen Möglichkeiten gegenüber offener Haltung. (Auch hier besagt das nichts gegen den bei Goethe vorangegangenen Kampf mit sich selber und seine stete Weiterbildung zu immer «reinerer» Lebensform.) Man kann diesen Gegensatz unter die Begriffe des Künstlers und des Propheten fassen. Oder man kann – unter anderen Kategorien – in Herder «eine kollektive Persönlichkeit» erkennen, deren «Werk» in der «Totalität einer Lebensäußerung, nicht in der Objektivität einer zweckerfüllenden Leistung» besteht. So sah ihn schon Jean Paul: «War er», so heißt es in der «3. oder Kantate-Vorlesung über die poetische Poesie» in der «Vorschule der Ästhetik», «war er kein Dichter – was er zwar oft von sich selber glaubte, eben am Homerischen und Shakespeareschen Maßstab stehend, oder auch von sehr berühmten anderen Leuten –: so war er bloß etwas Besseres, nämlich ein Gedicht, ein indisch-griechisches Epos, von irgendeinem reinsten Gott gemacht..., da in der schönen Seele, eben wie in einem Gedichte, alles zusammenfloß und das Gute, das Wahre, das Schöne eine unteilbare Dreieinigkeit war? – ... Er und Goethe allein (ein jeder nach seiner Weise) sind für uns die Wiederhersteller oder Winckelmanne des singenden Griechentums, dem alle Schwätzer voriger Jahrhunderte nicht die Philomelen-Zunge hatten lösen können.»

Hier werden noch Goethe und Herder auf einer Ebene gesehen. In jüngster Zeit hat man die Frage aufgeworfen: Goethe *oder* Herder? Nachdem die im 19. Jahrhundert so viel erörterte Wahl zwischen Goethe oder Schiller für die Deutschen, die sich ihres mehrseitigen geistigen Reichtums freuen dürfen, kein Gewicht mehr besitzt, erscheint auch die andere Frage nicht glücklich gestellt, mag sie gleich schon zu Herders Lebzeiten aufgeworfen worden sein. So scharf man auch die Trennungslinie ziehen mag zwischen einem aristokratischen und abgeschlossenen Individualismus und in sich vollendeten Formalismus, der Vertretung eines abgleitenden Zeitalters, der Fremdheit gegenüber einem Gemeinschaftsgeist und der Herderschen Keimfähigkeit, seiner Besessenheit vom Gemeinsinn, seiner in der Zukunft und im Werdenden liegenden Wirkung – es bleibt letztlich nichts anderes als die Feststellung, daß in ihnen die Auseinandersetzung zwischen dem Fließenden und dem Festen wieder einmal in zwei Verpersönlichungen erschienen ist. Nie würde die Gestalt Goethes zu ihrer ausgebildeten Form gelangt sein ohne Herders Kraft der Erweckung, wie auf der anderen Seite nur die Goethesche «Form» die Herderschen Entwürfe aus dem Bereiche der Natur, der Menschheitsphilosophie, der Dichtung, in feste und abgerundete Umrisse gefaßt, zur Allgemeingültigkeit erheben und ihnen Besitzfähigkeit verleihen konnte. Wenn sie später – abgesehen von allen menschlichen Spannungen und Verstimmungen – geistig voneinander getrennt wurden, so waren ihnen die tieferen Ursachen kaum deutlich bewußt. Empfunden aber wurde von ihnen ihre gegensätzliche Haltung gegenüber der Zeitenwende, dem politischen Aufbruche, welcher Europa, das Wesen des Staates, Volkes und Menschen in den neunziger Jahren umzugestalten begann. In dem «Maskenzuge» von 1818 läßt Goethe die «Terpsichore», unter der sich Herders dem Vater so ähnliche Tochter Luise verbirgt, dem «edlen Mann» nachrufen:

> *Denn ach, bisher das goldne Saitenspiel*
> *Terpsichores ertönte nur zu Klagen,*
> *Ein Lied erklang aus schmerzlich tiefer Brust:*
> *Die Welt umher, sie lag zerrissen,*
> *Entflohn die allgemeine Lust!*

Die harte zeitgeschichtliche Gegenwart, die so manchen Kranz zerpflückte, meldete sich in Weimar nach Goethes und Herders italienischer Reise, die er mit dem jungen Johann Friedrich Hugo von Dalberg von 1788 bis 1789 unternommen hatte. An keiner Stelle ihrer Lebensbahnen wird das, was sie voneinander abhebt, deutlicher sichtbar als in ihrem Verhalten gegenüber dem gelobten Lande der damaligen Deutschen. Herder, der Nichtkünstler, Nichtaugenmensch, dieses seines Mangels jetzt recht inne werdend, der herzensvolle, aber im Grunde unsinnliche Spiritualist und Pädagoge, hat in Italien sein Wissen, seine Sammlungen, seine Menschenkenntnis gemehrt, sich aber von allem ästhetischen Immoralismus abgewendet und in seinen Gedanken und Empfindungen über das Sittliche bestärkt. Auch Herders Italienreise steht unter den Auswirkungen seines Humanitätsbegriffes. Das scheint die Äußerung Goethes in einem Briefe an Frau von Stein vom 24. August 1788 zu besagen, in der es heißt: « Herders Briefe (aus Italien) sind gar interessant. Wie viel menschlicher ist er, wie viel menschlicher reist er als ich.» Was aber war als Schlußstrich und neuer Beginn *Goethes* Italienreise für ihn und die klassische Literatur?

IV

GOETHES WEG ZUR
KLASSIK, NATUR, KUNST, MENSCHENTUM,
DÄMONIE UND BEHERRSCHUNG

Am 9. September 1786 überschritt GOETHE den Brenner. Es bedarf in der Geschichte der Völker der Daten, um die Punkte festzulegen, an denen durch eine einzelne Tat oder durch ein einmaliges Geschehen der Höhepunkt einer Krise, der Durchbruch einer neuen Lage, Ende und Anfang einer Epoche, Abschluß eines früheren Zustandes, Beginn eines neuen «erscheinenden Daseins» offenkundig werden. Daß Wandel und Veränderung daneben in stetig und gleichmäßig sich aneinander reihenden, ebenmäßigen Schritten vor sich gegangen sind, dies Unsichtbare, weil in kleinsten Spannungen sich Vollziehende des Werdens und Sichentwickelns, verbirgt sich vor dem rückschauenden Blicke hinter dem repräsentativen Sichtbarwerden in einem einmaligen, «bezeichnenden» Ereignis. Ein solches Ereignis ist Goethes Überschreiten der Alpengrenze. Es wurde von ihm selber im Augenblicke des Vollzuges so empfunden. Ist es nicht die Aufgabe einer Darstellung, die die Entwicklung der deutschen Literatur und das Wesen einer Epoche zum Gegenstand hat, mit der Goethebiographie zu wetteifern oder sie zu ersetzen – denn diese muß ihr um ihrer selbst willen an Vollständigkeit stets weit voraus sein –, so ist hier jedoch der Punkt, an dem Biographie und Geistesgeschichte zusammenfallen und diese genötigt ist, Tatsachen heranzuziehen, die dem Bereiche des großen Einzellebens angehören. Dieses Leben aber ist Stellvertreter für das Ganze, welches wir «Geist» nennen, weil dieser Geist in ihm die bemerkenswerteste und einprägsamste Form gewonnen hat oder vielmehr überhaupt erst das bestimmt und geschaffen hat, was «Geist» einer Zeit geheißen wird. Besteht doch zwischen «Geist» und «Leben» kein wirklicher Gegensatz; sie durchdringen sich, sie sind aufeinander an-

245

gewiesen, es sei denn, daß man sie als dialektische Entgegensetzung nimmt.

Über Goethes Italienreise und den Einschnitt, den sie in seinem Leben macht, scheint genügend nachgesonnen, gesagt und geschrieben worden zu sein. Von jeher ist sie als der Richtpunkt erkannt, auf welchen alles Vorangegangene bei ihm gleichsam zustrebe, aus welchem alles Folgende hergeleitet und verstanden werden müsse. Auch hier gewinnen aber die bloßen Begriffe, die festgewordenen Allgemeinörter, die in Geltung befindlichen, schon beinahe selbstverständlichen Vorstellungshülsen neue Erlebnismacht nur, wenn uns die sinnliche Unmittelbarkeit zu eigen wird, die aus Goethes Selbstbekundungen gewonnen werden kann. Auf diesem Wege bleibt man in Goethes eigenem Bereich. Er schreibt ja im vierten Stücke des Tagebuches an Frau von Stein aus Venedig am 28. September 1786: «So ist denn auch Gott sei Dank Venedig kein bloßes Wort mehr für mich, ein Name, der mich so oft, der ich von jeher ein Todfeind von Wortschällen gewesen bin, so oft geängstigt hat.»

Aus diesem Tagebuche für Frau von Stein hat Goethe später mit Hinzunahme der Briefe an sie und Herders und eigenen Aufzeichnungen in der Reihe seiner selbstbiographischen Schriften das Werk seiner «Italienischen Reise» gestaltet und dabei ein bewußt und unbewußt schaltendes, künstlerisches Verfahren angewendet, das bis in jedes Wort und jede leiseste Tönung des Satzbaues vom Wesen seines klassischen Stils zu erzählen weiß. Dies Verfahren der Umgestaltung lag auf derselben Stilebene, die die fertigen «Lehrjahre Wilhelm Meisters» oder schon die Umarbeitung des «Werther» oder der Gedichte für die erste Gesamtausgabe einhalten. Textkritische Beobachtung vermag hier der Geistesgeschichte die Hand zu reichen. Aus jenem Originaltagebuch jedoch, das noch keine Filtrierung und zurechtrückende, ergänzende Formung erfahren hat, das noch ein «Erstlingsabdruck» und ein Augenblickserzeugnis des Lebens und der Seele ist, muß hier zunächst abgeschöpft werden, was den Sinn des Italienerlebnisses in seiner ersten Unmittelbarkeit, das heißt also bis Rom für ihn ausmacht. Das Bezeichnende der Goetheschen Persönlichkeit besteht von vornherein in der bloßen Tatsache, daß solche Bekenntnisse von ihm

hier getan wurden. Freilich ist diese Tatsache als solche gewiß nicht
eine einzigartig Goethesche: sie ist eine Folge der Erweichung, die die
Seele des abendländischen Menschen seit dem 18. Jahrhundert, seit
Rousseau, durchmacht. Goethesch aber ist das *Wie* dieser Bekenntnisse, die hier als Selbstbeobachtungen dem Papiere anvertraut werden: die Schau in das eigene innere Wachstum, auf die Selbstgestaltung der Persönlichkeit, auf ihre Proportion oder Disproportion zu
ihrer Umgebung, das Freisein von jeder Selbstgefälligkeit und Selbst-
bespiegelung, die Ungezwungenheit und krampflose Natürlichkeit,
das Ineinander von Instinkt und souveräner Beherrschung durch das
Bewußtsein. Dabei bleibt jeder Schatten der Eigensucht und Ichbe-
schränktheit fern: es ist gerade in diesen Jahren des Goetheschen Reifens zur Klassik sehr bemerkenswert (und ist übrigens später nicht anders), wie er das Schicksal und die Lage aller ihm Nahestehenden und
Entfernten stets im Gefühl und im Bewußtsein trägt und gleichsam
in der Mitte der Existenz aller steht. Aber nach der italienischen Reise,
nach der Rückkehr nach Weimar 1788 hört jene ständige Schau in
sich hinein, die Beobachtung seines Wachstums, die Feststellung der
neuen Jahresringe, der Genügsamkeit oder Ungenügsamkeit im wesentlichen auf – oder sie wird nicht mehr laut. Sie wird schriftstel-
lerisch monumentalisiert in den rückschauenden selbstbiographischen
Werken des sich historisch Gewordenen. Dies Aufhören oder Un-
sichtbarwerden der auf den Augenblick gestellten lebensfunktionellen
Selbstdeutung würde allein genügen, um die Italienreise als die Wegscheide im Goetheschen Dasein zu erkennen, auch wenn nicht neue
Bewußtseinsinhalte und Wandlungen der Ausdrucksformen damit verbunden wären. Von dem Eintritt in Italien aus gesehen, ordnen sich
die Massen und Zusammenhänge seiner früheren Existenz und Entwicklung, zumal seit Weimar, und lassen sich ihre Zuordnungen gewinnen.

Schon gelegentlich des italienischen Winckelmann und des durch
ihn gegebenen Vorbildes wurde für ihn und Goethe angedeutet, wie
biologische Triebkräfte mit geistes- und bildungsgeschichtlichen Motiven und Voraussetzungen in einem wissenschaftlich bisher nicht lös-
baren Bunde stehen mögen. Mit einer nicht banalen, sondern den ent-

scheidenden Fall in sich schließenden Allgemeingültigkeit wird an Goethe, als er den Süden betritt, zuerst die biologische Seite seines Verhaltens sichtbar: «Mir ists wie einem Kinde, das erst wieder leben lernen muß»...«Könnt ich nur mit dir dieser Gegend und Luft genießen, in der du dich gewiß gesund fühlen würdest»...«Es ist mir, als wenn ich hier geboren und erzogen wäre und nun von einer Grönlandsfahrt, von einem Walfischfang zurückkäme»...«Wenn das alles jemand läse, der im Mittag wohnte, vom Mittag käme, er würde mich für sehr kindisch halten. Ach, was ich da schreibe, hab ich lang gewußt, seitdem ich mit dir unter einem bösen Himmel leide, und jetzt mag ich gern diese Freude als Ausnahme fühlen, die wir als eine ewige Naturwohltat immer genießen sollten» (aus Trient, 11. September 1786). Wie Goethes gesamte Beschäftigung mit der Natur und Naturwissenschaft zurückgeht auf einen ihm, dem menschlichsten und erdhaftesten Wesen zugleich, eingeborenen Urtrieb zur biologischen Selbstbehauptung, so vornehmlich seine Beschäftigung mit dem Wetter, seinen Erscheinungen und Gesetzen. Das wird in Italien ganz deutlich: «Witterung. Diesen Punkt behandele ich so ausführlich, weil ich eben glaube in der Gegend zu sein, von der unser trauriges nördliches Schicksal abhängt.» Ein Ausspruch aus Venedig vom 10. Oktober deutet aber auch die sittlich-soziale Gegenseite des biologischen Falles an: «Ach, wohl ist den Italienern das Ultramontano ein dunkler Begriff! Mir ist ers auch. Nur du und wenig Freunde winkt mir aus dem Nebel zu. Doch sag ich aufrichtig, das Klima ganz allein ists, sonst ists nichts, was mich diese Gegenden jenen vorziehen machte. Denn sonst ist doch die Geburt und Gewohnheit ein mächtiges Ding, ich möchte hier nicht leben, wie überhaupt an keinem Orte, wo ich nicht beschäftigt wäre.» So war der Durchbruch nach Italien, lange Jahre unter innerer, ja beinahe körperlicher Qual gehemmt und versperrt, bis zur Unerträglichkeit hinausgeschoben, endlich ermöglicht, zunächst ein vegetativer Vorgang, eine Art Naturereignis.

Nun aber war da auch die psychologische und bildungsmäßige Einwirkung, die den Erzählungen und Anschauungsmaterialien des Vaters, des Italien Liebenden und dort Gereisten, verdankt ward. «Ich gedachte meines armen Vaters in Ehren, der nichts Besseres wußte, als von diesen Dingen zu erzählen», heißt es nach dem Eintreffen in Venedig. Immer wieder wird der Beginn des Verlangens nach Italien in die frühe Kindheit verlegt: «Den nächsten Sonntag wirst du in Rom schlafen nach dreißig Jahren Wunsch und Hoffnung. Es ist ein närrisch Ding der Mensch.» Doch merkwürdiges Schauspiel: den Sohn, dessen ganzes Dasein seit Jahren auf den Augenblick gespannt war, wo er den südlichen Boden betreten würde und damit einer inneren Erlösung entgegensah, hat kaum ein stärkerer Wunsch beherrscht als der, das «Bildungserlebnis» Italien loszuwerden, die «Dinge» ruhig auf sich wirken zu lassen und mit den äußeren und inneren Sinnen ohne die spanische Wand des Gedächtnismäßigen und Erlernten in sich aufzunehmen. Was ihm werden soll, ist kein mystisches Einswerden mit den «Dingen» (etwa in der Richtung Rilkes), sondern die Schulung und allmähliche Gewöhnung der verkümmerten Sinnesorgane, denen es dann immer mehr gegeben sein wird, nach dem Schillerschen Wort, klar und rein auf den Dingen zu ruhen. Jetzt erst wird er ihrer wirklich «inne». Nur eben *er* konnte unter der schemenhaften Unsinnlichkeit und Unkörperlichkeit der ihm aus der Buchwelt oder aus Berichten bekannten Gegenstände so gelitten haben, wie er es beschreibt: «Denn ich konnte mit der historischen Erkenntnis nicht näher, die Gegenstände standen gleichsam nur eine Handbreit von mir ab, waren aber durch eine undurchdringliche Mauer von mir abgesondert.» Zwar verfügt er über die beste damals mögliche Vorbereitung auf Italien und seine Denkmäler, zwar sucht er im Lande selbst die Belehrung aus Büchern, überläßt er nichts dem Zufall, ist alles Plan, methodische Überlegung und Zeiteinteilung, wohlberechnetes Fortschreiten von einem zum andern. Doch dies alles steht nur im Dienste eines durch vernünftige Nachhilfe geregelten Wachstums- und «Bildungs»vorganges, den er gleichsam an sich vollziehen läßt. Keine überschwengliche, künstliche, unechte oder aufgesteigerte Entzückung wird von ihm gesucht und gefunden. Alles, was er wünscht, ist auch hier das natürliche und ruhige Verhältnis zur Wirklichkeit: «Nach und nach find ich mich. Ich lasse alles ganz sachte werden und bald werd ich mich von dem Sprung über die Gebirge erholt haben. Ich gehe nach meiner Gewohnheit nur so herum, sehe alles still an und emp-

fange und behalte einen schönen Eindruck.» Er will das «Wahre»:
«Meine Geliebte, wie freut es mich, daß ich mein Leben dem Wahren
gewidmet habe, da es mir nun so leicht wird, zum Großen überzugehen, das nur der höchste, reinste Punkt des Wahren ist.» «Denn»,
heißt es ein andermal, «was nicht eine wahre innere Existenz hat, hat
kein Leben und kann nicht lebendig gemacht werden, und kann nicht
groß sein und nicht groß werden». So ist auch der Taschenkrebs ein
«köstlich herrliches Ding», weil er ein Lebendiges ist: «Wie abge-
messen in seinem Zustande, wie wahr! Wie seiend!» Hier, nebenbei
bemerkt, verrät sich wieder einmal der Zusammenhang der Weltanschauung Adalbert Stifters mit der Goetheschen. Ganz ähnlich sieht
die Vorrede zu den «Bunten Steinen» das Große nur in dem Seienden, Abgemessenen und zugleich Lebendigen.

Nichts könnte schiefer sein als die Meinung, Goethe sei nach Italien
gekommen als Ästhet oder Kunstschwärmer. Auch die Art mancher
Späteren, die in Italien die Bestätigung ihrer eigenen – wirklichen oder
vermeintlichen – Genialität und Dämonie suchten, ist fern von ihm.
Ihn interessieren Klima, Bodenbeschaffenheit, Geologie und Mineralogie, Technik, Ackerbau und Wirtschaft mindestens ebenso stark wie
die Kunst. «Ich fahre fort», heißt es, «sorgfältig das Land für sich,
ebenso seine Einwohner, die Kultur, das Verhältnis der Einwohner
untereinander und zuletzt mich den Fremden und was und wie es dem
wird, zu betrachten.» Vor allem aber ruht sein Blick auf dem *Volke*.
Es ist ihm in allem seinem Gebaren und Verrichten ein immer neuer
Gegenstand der Neugier, des Studiums, der Deutung. Hier wiederum
ist ein Ansatzpunkt oder sind vielmehr zwei Ansatzpunkte der Klassik,
die vor der Verweisung in einen lebensleeren, rein ästhetischen Raum
zu bewahren nunmehr Pflicht ist. Der durch Herder für die Formen
der menschlichen Organisation Vorbereitete, der in Italien zu den in
ihm sich vorformenden Begriffen von Leben und Kunst die sinnliche
Anschauung und Bestätigung suchte und fand, erkennt nun hier die
«Naturformen des Menschenlebens», die «bleibenden Verhältnisse»,
die durchgehenden und typischen Erscheinungsformen, die «anschaulichen Kategorien der Menschheit», wie sie an der Antike von Winckelmann und Herder festgehalten worden waren. Und sogleich erscheinen

ihm ja hinter dem italienischen Volksleben Bilder des antiken Volkes oder Szenen aus Homer. Aber etwas anderes führt weiter: er lernt jetzt das Volk als Volk erkennen und werten, als einen lebendigen Organismus, als eine Lebenstotalität, die in ihren verschiedenen Gliederungen durch die Deutlichkeit und Vitalität des Südens die hellste und greifbarste Sichtbarkeit bewahrt. Und über dem einzelnen, nun in seinen charakteristischen Zügen und Linien ganz sinnfällig gewordenen Volke erscheinen ihm *die* Völker, die Nationen; über sie denkt er in Venedig nach und über «das Pro und Contra aller Nationen untereinander». In der Goetheschen Jugenddichtung erscheint das Volk als kollektives Wesen nicht; es erscheinen – im «Götz» und «Werther» – nur einzelne «aus dem Volke». Erst der während des zweiten römischen Aufenthaltes im Sommer 1787 überarbeitete und fertiggestellte «Egmont» zeigt das ständisch-organisch gegliederte Volk als leidende und handelnde Masse und Ganzheit. Damit wurde die Dichtung der Klassik auf einen mehrfach betretenen Weg gewiesen, der sie, um mit Schiller im Entwurfe zum «Demetrius» zu sprechen, auf eine «prägnante Art das Getrennte koexistent» machen ließ. Der intelligible Charakter des Volkes erscheint nunmehr, morphologisch abgewandelt, verschieden stilisiert, in Goetheschen Revolutionsdichtungen, wie dem «Mädchen von Oberkirch» und dem Schema der Fortsetzung zur «Natürlichen Tochter», im ersten Teile des «Faust», in der «Pandora», in Schillers «Wallenstein» und «Tell».

Als notwendige Folge und Krönung seines Eindringens in alle natürlichen Zustände des «Wahren» und wirklich «Seienden» ergab sich für ihn in Italien das Studium der *Kunst* und ihrer Gesetze. Er sog die eine innere Saite in ihm berührenden Kunstwerke – man denke an das Studium Palladios, mit dem seine Laufbahn begann und das ihm zuerst die Schuppen von den Augen fallen ließ – gleichsam in sich, um sie aus ihrem Mittelpunkte und ihren Triebkräften, den Grundsätzen ihres Baues wiedergebärend zu verstehen. «Ich lasse mir nur alles entgegenkommen und zwinge mich nicht, dies oder jenes in dem Gegenstande zu finden. Wie ich die Natur betrachtet, betrachte ich nun die Kunst, ich gewinne, wornach ich solang gestrebt, auch einen vollständigern Begriff von dem Höchsten was Menschen gemacht haben.

und meine Seele bildet sich auch von dieser Seite mehr aus und sieht in ein freieres Feld.» So zu lesen in dem Briefe aus Rom vom 20. Dezember 1786. Reibungslos und ganz natürlich aber bestehen die verschiedenen Aufnahmemöglichkeiten und Reaktionen nebeneinander. Italien war das von seinem Innern unbedingt geforderte Glied seiner morphologischen Entwicklung. Daher blieb jede Verkrampfung fern. Es war anderseits – von seiner Entwicklung als Mensch und Künstler aus gesehen – ein zeitweilig als notwendig erkanntes Sichlösen von allen Umklammerungen des nördlichen «müssenden Daseins», ein jetzt geboten erscheinendes Aufgehen in einem Zustand der Zweckfreiheit, wie er der in sich ruhenden Natur selber eigen ist. Man verwechsle dies nicht mit dem banalen Bedürfnis des Durchschnittsmenschen, von der Tretmühle des Berufes loszukommen und «auszuspannen». Niemals wird von ihm ein scheeler Rückblick geworfen auf seine Weimarer amtliche Tätigkeit als solche. Sie war ja nur ein ebenfalls notwendiger Ausdruck des seiner Entelechie innewohnenden Tätigkeitsdranges überhaupt. Der aber wirkte, wenn auch anders ausgerichtet, in Italien genau so wie in Weimar. Auch Italien war nur Erfüllung des Gesetzes, wonach er angetreten, Durchgang zu weiterer, reinerer und höherer Entfaltung im Sinne der «Metamorphose», das heißt der beharrenden Grundgestalt, deren Formen sich wandeln. Es war – in seiner Sprache – auf «einen reinen bleibenden Genuß» abgesehen, es handelte sich mit andern Worten um eine existentielle Grundfrage: «um dessentwillen bin ich gereist, nicht um des augenblicklichen Wohlseins oder Spasses willen.» Wie anders war das alles als das in Italien etwa winkende Dasein eines Libertins! Trotz der Auflockerung, Enthemmung und Auftauung im Süden, die ihm mit Winckelmann gemeinsam ist, ruht auf ihm eine manchmal schwer empfundene Aufgabe, wenn nicht die Pflicht zur Heilung einer Krankheit, des bisherigen Mignonleides. Es drehte sich um den Versuch, «ob die Falten, die sich in mein Gemüt geschlagen und gedrückt haben, wieder auszutilgen sind». Sogleich aber steht fest, daß seines dauernden Bleibens in diesem Lande trotz allem nicht sein wird und nicht sein kann. Immer meldet sich das Heimweh nach Deutschland, besonders abends, wenn das südliche Leben erst recht erwachte und den nordischen Fremdling die Einsamkeit überkam. Das sind schon beinahe romantische, Eichendorffsche Stimmungen der Gefühlssaiten. Letztlich jedoch waren es für ihn, der sein Leben bewußt zu führen gelernt hat, nicht die Bande einer sentimentalen Anhänglichkeit an Deutschland und die Lieben daheim, was ihm Italien als zweite Heimat versagte. Es war der energetische Grundtrieb seines Daseins, der jedem Sichverliegen im Süden wehrte. Und nochmals mag das schon in Venedig angeschlagene Leitmotiv aufklingen: «Ich möchte hier nicht leben, wie überhaupt an keinem Orte, wo ich nicht beschäftigt wäre.» Dem allen steht nicht entgegen, daß er jetzt die Welt der Zwecke und Zielstrebigkeiten durchschaut, die ihn in seiner beruflichen und Vertrauensstellung in Weimar umgeben hat. Darum nennt er die Menschen «der kleinen souveränen Staaten» elend und einsam, «weil man, und besonders in meiner Lage, fast mit niemand reden darf, der nicht was wollte und möchte». Um so mehr aber empfindet er nun den «Wert der Geselligkeit», mit andern Worten, die weimarische Kraft der Gemeinschaft mit denen, die in das System der Zweckhaftigkeiten nicht hineingezogen werden wie Frau von Stein selber. Ebenso stellte später Schiller, der in den Briefen «Über die ästhetische Erziehung» den Menschen der Geschäfte, des Berufes, der besonderen Aufgaben und Zwecke so scharf von der Totalität der menschlichen Natur abhob, der politisch-militärischen Welt der Zwecke im «Wallenstein» die «zwecklose» Liebe Max' und Theklas entgegen und läßt sie (Piccolomini III, 5) zu dem Geliebten sagen: «Trau niemand hier als mir. Ich sah es gleich, Sie haben einen *Zweck*.»

Schon bei Gelegenheit Winckelmanns wurde S. 140 f., 344 des Buches von Wilhelm Waetzoldt gedacht, in welchem die Sehweisen, die Erlebnis- und Gestaltungsarten beschrieben werden, in denen der nördliche Mensch vor, neben und nach Goethe sein Italien-Erlebnis zum Ausdruck gebracht hat. «Keine dieser vielen Italien-Deutungen», so sagt der Verfasser zum Schlusse, «ist wegzudenken aus der Geschichte der europäischen Kunst und Bildung. Keine dieser mannigfachen Ansichten ist die allein richtige. Sie alle geben dieselbe Sache nur von verschiedenen Seiten, unter verschiedener Beleuchtung und bei wechselndem, seelischem Anteil ... wie sich im Boden dieses altehrwürdigen Landes die Kulturschichten übereinander gelagert haben, so lastet über seiner von so vielen fremden Füßen betretenen Erde die Fülle der Bilder, die sich die Phantasie der nordischen Völker geschaffen hat». Je nach Zeit und Nationalcharakter ergeben sich unter einer solchen großformigen, planetarischen Schau gewisse typische Stile des Italien-Erfassens, die wie alle Typisierungen nicht glatt aufgehen, sondern ideal-konstruktive Ausrichtungen bedeuten. Beinahe erschöpft sich gegenüber dem vielstimmigen Chore des Geistes und Herzens und gegenüber der Skala der bildhaften Gestaltungen Italiens die Möglichkeit, in Goethes Italienreise eine besondere, für sich bestehende und vorbildliche Erscheinungsform des Verhältnisses zu erblicken, in welchem der nördliche Mensch zu Italien steht. Es scheinen vor, neben und nach Goethe alle Verhaltungsarten Ausdruck gefunden zu haben, die auch bei ihm in Italien festgestellt werden können. Aber ein solcher Eindruck trügt. Auch hier ist es so, daß man Goethen nicht mit Allgemeinbegriffen und Kategorien beikommt. Alle in Geltung befindlichen oder auffindbaren Schemata werden kraftlos und nichtssagend. Er ist ein unerschöpfliches Musterbeispiel für die Unwesenhaftigkeit und Unwirksamkeit aller Allgemeinvorstellungen. Er ist der entschiedenste Gegensatz zu jedem «Nominalismus». Nur das unmittelbare «Innewerden» der aus der Ganzheit und Mitte bei ihm fließenden Einzelbekundungen trifft ihn wirklich. So steht es auch um das Italien-Ereignis bei ihm. Und nun ist man wieder in dem Bereiche der Kunst und Bildung, der von so vielen Goethefreunden und -kennern oft allein betreten wird, wenn es sich um seinen italienischen Aufenthalt handelt. Die Kunstanschauungen, die Goethe sich in Italien erwarb oder die in ihm dort zur Reife kamen, bedeuten auch für den, der den untersten Grund sucht, auf dem sein Italien-Erlebnis ruht, aufschlußreiche Bekundungen, die in Goethes Mitte hineinleiten. Heute sollte die Zeit vorüber sein, in der man diese italienischen Kunstansichten und -einsichten in Einzelheiten zerfallen ließ, ihm vorrechnete, was er alles nicht gesehen und gewürdigt hat, oder heutige kunstgeschichtliche Erkenntnisse und Wertungen den seinigen gegenüberstellte. Man weiß, wie auch seine in Italien neu gewonnene oder zur Reife gelangte Kunstanschauung zurückbezogen werden muß auf eine durchgehende Einheit, auf ein bindendes Gesetz, dem Natur und Kunst in gleicher Weise unterstehen. Schon sind kaum zu übertreffende Formulierungen gefunden worden, um diese «Italianität» und «Klassizität», diese Fassung des Reinen, Großen, Klaren und Notwendigen in der Kunst, auf ihren lebensgesetzlichen Ursprung zurückzuführen. Schon erkennt man, daß die Organe für das Italienische sich bei ihm im Norden ausgebildet haben müssen. Es schulte sich bei ihm in Italien ein Wille zum «Sehen» in den Kategorien eines vermeintlich «Klassischen», den er vom Norden mitgebracht hatte. Die Kunstgeschichte erkennt diesen Vorgang heute selbst an seinem Verhältnis zu Palladio. Er erkannte nicht das Manieristische in Palladio oder vielmehr, es fiel ihm dieses Manieristische in dem großen Meister von Vicenza mit dem «Klassischen» zusammen. Die Anwendung auf den «Fall» «Iphigenie» liegt nahe. Oder ferner: Man glaubt nachweisen zu können, daß Goethe, obwohl er als nördlich-lyristischer Mensch von Jugend auf ein ganz ursprüngliches Verhältnis zur Landschaft und ihren Stimmungen besessen hat, doch zunächst die römische Landschaft mit den Augen der klassizistischen Landschaftsdarsteller gesehen habe, die dieses Erlebnis schon zwei Jahrhunderte früher in die klare Gestalt ihrer Bilder gegossen hatten. Schließlich habe er selber, losgelöst von der Führung durch diese Bilder, die Landschaft «mit der Großheit der Auffassung dieser Meister» empfunden und gesehen. Es ist vor allem Claude Lorrain, der Maler des lichtreichen Italien, gewesen, durch dessen Medium Goethe alsbald selber die italienische Landschaft sah. Lorrain kam, wie man glaubt, jedoch zugleich dem nördlichen Erbteil in Goethe entgegen, das ihn hieß, die Unbegrenztheit einer atmosphärischen Stimmung aufzusuchen.

Von gewissen typischen Erscheinungen der Italienreise früherer und seiner Zeit blieb jedoch seine Haltung bezeichnenderweise ganz frei: Etwa von der sentimentalen Ruinenromantik, die im 18. Jahrhundert in Bild und Wort um die Welt der römischen Trümmer und Reste die Trauerschleier der Vergänglichkeit gewoben hatte. Der Franzose Dupaty und der Deutsche Wilhelm Heinse haben solchen Stimmungen einen leidenschaftlichen und gesammelten Ausdruck verliehen. Es kann kaum einen stärkeren Gegensatz geben als diese um Italien gesponnene Ruinenromantik und Ruinenleidenschaft, die bis zu Frau von Staëls «Corinne», bis zu Byron, Lamartine, Stendhal wiederkehrt und sich auch bei Zoëga und Gibbeon findet und Goethes diesseitig-realistischem und gegenwartsfreudigem Verhalten. Wo Goethe mit dem Zeichenstift die römische Ruinenwelt zu erfassen sucht, wird ihm die Ruine organischer und natürlicher Bestandteil der Landschaft, so wie Rousseau die Ruine als einen Teil der «wilden Natur» nahm und Werther den Ruinen des Lahntals keine besondere Aufmerksamkeit schenkt, und auch dort, wo Goethe für die italienische Ruine Worte findet, ist niemals elegische Vergänglichkeitsstimmung: immer geht es ihm um die Verwachsenheit der Trümmer mit der schaffenden Natur und um das neue Leben, das daraus hervorgeht – so, wie es in einem späten Gedichte heißt:

> *Würdige Prachtgebäude stürzen,*
> *Mauer fällt, Gewölbe bleiben,*
> *Daß nach tausendjährigem Treiben*
> *Tor und Pfeiler sich verkürzen.*
> *Dann beginnt das Leben wieder,*
> *Boden mischt sich neuen Saaten,*
> *Rank' auf Ranke senkt sich nieder;*
> *Der Natur ist's wohl geraten.*

So war er weder ein «sentimentalischer» noch ein «enthusiastischer» Reisender. Doch war nicht sein ganzes bisheriges Leben gewissermaßen eine Vorbereitung gewesen auf den Augenblick, wo er das gelobte Land betreten würde, war nicht, wie Frau Rat bezeugt, von früher Jugend an der Gedanke, Rom zu sehen, in seine Seele geprägt, war da nicht das geistige Erbe und Vorbild des Vaters und seiner Italienliebe, war nicht überhaupt die bereits gewaltig angewachsene Bildungs- und Vorstellungsmasse, die durch den Begriff Italien sich auch in Deutschland bereits gestaut hatte, – war nicht das alles vorhanden und übte es nicht auf ihn einen bewußten oder unbewußten Bann aus? Waren nicht Sehnsucht und Trieb nach Italien in den zehn ersten Weimarer Jahren fast unerträglich geworden bis zur beinahe körperlichen Pein, erschien nicht Italien schließlich als die einzige Möglichkeit, die «Falten» wieder auszutilgen, «die sich in mein Gemüt geschlagen und gedrückt haben»? Jawohl, aber als sich diese Spannung löste, die geballten Energien bewußter und triebhafter Art in Fluß gekommen waren, ist nichts Explosives, Gesteigertes und «Genialisches» zu spüren. Es ist ein ruhiger, fast vegetativer Vorgang, der sich vor unsern Augen entwickelt, sowohl in der Vorbereitung als in dem Vollzuge des Unternehmens, angesichts dessen man übrigens leicht geneigt ist, außer acht zu lassen, eine wieviel größere und schwierigere Entfremdung vom heimischen Boden eine Italienreise damals war.

Sieht man von dem inneren individuellen Akte ab, der sich mit dem Goetheschen Italienaufenthalt als Selbstbefreiung der Persönlichkeit vollzieht – was sind die «morphologischen» Auswirkungen dieser Reise, was ist ihre dichtungs- und geistesgeschichtliche Folge für die Goethesche «Gestalt» und für das phänomenologische Gebilde einer Goetheschen und nachgoetheschen «Klassik»? Diese Wirkung und Nachwirkung Italiens hat ihren positiven und negativen Pol. In Beziehung zu den Außendingen ist die Italienreise ein Hinabsteigen zu den «Müttern». Dieser «tiefste, allertiefste Grund» wird nun von Goethe als lebensgesetzliche Erfüllung erblickt. Er ist aber nicht eine Stätte des Dunkels und Grauens, wie das Reich der «Mütter», zu dem Faust hinuntersteigt. Zu jenem Reiche verhält sich das Reich der Erscheinungen, wie es Goethe in Italien sah, als ein lichter Gegensatz. Dies Reich ist nicht das des Schauderns und der «Paralysierung», sondern eines der Harmonien. Auf die Harmonie, die sich bis in die Wohligkeit seines Sprachstils nach dem Erreichen des Südens einstellt, ist sein italienischer Aufenthalt gestellt – trotz der häufig aphoristischen Form der Wiedergabe seiner Erlebnisse und Eindrücke.

Als Ergebnis für ihn und die folgende klassische Kunstanschauung sei zuoberst das Dogma von der Parallelität der Kunst mit der Natur gebucht, das nun von ihm als bleibender Besitz seiner Kunstphilosophie erworben wurde. Auch für ihn handelte es sich dabei (wie für Winckelmann) nicht um Herübernahme eines fertigen Stücks Natur, sondern um ein Analogieverhältnis zwischen ihrem Schaffen und dem des Künstlers. Für die gesamte spätere Entwicklung des Künstlers wie des Kunstbetrachters Goethe ist dies Axiom fortan eine Selbstverständlichkeit.

Doch mit dieser thesenhaften und summarischen Aufstellung einer
Analogie von Kunst und Natur ist die Auswirkung dieser Mittelpunkts-
erkenntnis, die sich bis in die feinsten Rinnsale verfolgen läßt, längst
nicht erschöpft. Diese Auswirkungen sind für das Individuum Goethe
wie für den lebendigen Begriff der Klassik zu wichtig, als daß sie im
Zusammenhang der italienischen Reise nicht tiefer verfolgt werden
müßten.

Schon die oben wiedergegebene Äußerung, die er beim ersten Betreten des italienischen Bodens tat, sprach davon, wie er sich die Gegenstände der Natur und der Kunst «entgegenwachsen» lasse. In seiner
Jugend war sein Blick noch abhängig von Stimmung und jeweiliger
seelischer Verfassung. Später wird er sich unabhängig von der jeweiligen Stimmung der objektiven Funktion seines Auges bewußt. Wie
dieser Übergang von der passiven zur aktiven Haltung den Dingen
gegenüber sich vollzog, läßt er in einem Briefe an Fritz Jacobi vom
17. November 1782 durchblicken. Es bedarf dazu, wie er verrät, der
«Gediegenheit» und «Festigkeit» des Herzens. Diese beiden sittlichen
Eigenschaften sind es, die sich zu gewinnen er in den ersten zehn
Weimarischen Jahren auf dem Wege ist, bis er sie in Italien erreicht.
Gediegenheit und Festigkeit werden ihm nun unerläßlich für die
«Klarheit» seines Blickes. Und nur ein klarer Blick ist «rein». Diese
Reinheit gewinnt er sich nun sowohl im Bereiche des Geistes wie in
dem der Sittlichkeit. Bezeichnend ist die Äußerung aus Verona vom
17. September 1786: «Ich muß erst mein Auge bilden, mich zu sehen
gewöhnen.» Er will erst einmal ganz still und abwartend lernen, was
die Dinge ihm zu sagen haben. Und diesen Zustand der inneren Stille,
der Erwartung und des Offenseins nennt er eben «rein». Der erste
Eindruck einer solchen «reinen» Aufnahme der Dinge ist ihm aber
noch nicht genug. Der erste Eindruck muß immer wieder überprüft
und immer mehr gereinigt werden von allem, was nicht zum Wesen
der Sache gehört. So heißt es am 25. September 1786, man müsse auf
alle Fälle wieder und wieder sehen, wenn man einen reinen Eindruck
der Gegenstände gewinnen will. An diesem Punkte greifen seine naturwissenschaftlichen Fachkenntnisse ein: «Ich kann nicht genug sagen, was mir meine sauer erworbenen Kenntnisse der natürlichen

Dinge, die doch der Mensch als Materialien gebraucht und zu seinem Nutzen verwendet, überall helfen.» Diese Zuhilfenahme seiner noch elementaren naturwissenschaftlichen Fachkenntnisse ist mit im Spiele bei dem so oft zitierten Worte aus Rom vom 20. Dezember 1786: «Wie ich die Natur betrachtet, betrachte ich nun die Kunst, ich gewinne, wonach ich solange gestrebt, auch einen vollständigen Begriff von dem Höchsten, was Menschen gemacht haben, und meine Seele bildet sich auch von dieser Seite mehr aus und sieht in ein freieres Feld.» Oder die Äußerung vom 29. Dezember 1786: «Daß ich in der letzten Zeit die Natur so eifrig und gründlich studierte, hilft mir auch jetzt in der Kunst.» Und endlich die Sätze aus Rom vom 2. Januar 1787: «Ihr habt mich oft ausgespottet und zurückziehen wollen, wenn ich Steine, Kräuter und Tiere mit besonderer Neigung aus gewissen entschiedenen Gesichtspunkten betrachtete: Nun richte ich meine Aufmerksamkeit auf den Baumeister, Bildhauer und Maler und werde mich auch hier finden lassen.» Immer wieder wendet er sich in Italien an die Natur, sei es, daß er die Schichtung der Erde und der Berge zu erkennen sucht, sei es, daß die Botanik und die Wetterkunde, Wolken- und Himmelsbeobachtungen für ihn jetzt eine wichtige Rolle zu spielen beginnen. Schon zeichnen sich gewisse Grundgesetze seiner Lehre von der Metamorphose und seine «Morphologie» ab. Es ist ein wahrhaft erstaunliches Schauspiel, zu sehen, wie seine älteren, noch keimhaften geologischen und mineralogischen Studien nun in Italien mit den übrigen lebendigen Begriffen, die er sich von der Natur, den Menschen und der Kunst auf Grund des italienischen Durchbruchs- und Häutungsprozesses gemacht hatte, zu einer überwölbenden Einheit zusammentreten. In dieser Richtung ist schon die Äußerung im italienischen Tagebuch vom 13. September wegweisend, in der es heißt, daß ihm «Mineralogie und das bißchen botanischer Begriffe unsäglich viel aufschließen und der eigentliche Nutzen seiner Reise bis jetzt sind». Und am 20. Oktober 1786 gesteht er, erreicht zu haben, was er schon auf der ersten Harzreise im Jahre 1777 gefühlt hat: «Kaum nahe ich mich den Bergen, so werde ich schon wieder vom Gestein angezogen. Ich komme mir vor wie Antäus, der sich immer neu gestärkt fühlt, je kräftiger man ihn mit seiner Mutter Erde in Berührung bringt.» Die

Erd- und Gesteinskunde, auf deren Gebiete er zuerst einigermaßen fachmännische Kenntnisse erworben hatte, sind die Keimzelle seiner morphologischen Gedankenbildungen geworden. Zu ihnen trat die Botanik, die in Weimar aus rein praktischen Gesichtspunkten studiert, ebenfalls in Italien ihre morphologische Ausbildung erfuhr. Doch die Geologie und die Mineralogie sind und bleiben die Ur- und Keimzelle seines weltanschaulichen Systems und bilden die Überwölbung aller seiner Naturstudien. Alles das verknüpft sich unlöslich mit seinen lebensphilosophischen und sittlichen Begriffen.

Wie steht zu seinen Naturvorstellungen und ihrer weiteren Entwicklung seine Auffassung von der Kunst? Was für seine beginnende morphologische Naturkunde die ihm aus tiefster Anlage seines Wesens zugeordnete Geologie und Mineralogie war, das wurde für ihn auf dem Gebiete der Kunst die Architektur. Auch die Neigung zur Architektur, die in Italien besonders Nahrung fand, steht im engsten Verhältnis zu seiner eigenen Lebensorganisation. Die Beschäftigung mit der Architektur hat ihn ebenfalls Zeit seines Lebens nicht verlassen. Sein Sinn für Architektur entzündete sich in Straßburg am dortigen Münster. Italien aber ist für ihn das Mittelglied, das von der Baukunst aus zu den Gesetzen und Geheimnissen der bildenden Kunst überhaupt hinüberführte. Schon der junge Goethe empfand in seiner Erstlingsschrift über das Straßburger Münster das Bauwerk als lebendigen Organismus: «Die großen harmonischen Massen, zu unzählig kleinen Teilen belebt . . . alles Gestalt und alles zweckend zum Ganzen.» Alle Einzelteile erscheinen in diesem Bauwerk wie im Organismus als notwendig. Aus seiner ursprünglichen Begabung für die Architektur, aus mannigfacher Anschauung erwuchs ihm nun in Italien ein geradezu leidenschaftliches Interesse für die Architektur in dem Maße, daß man bei der Lektüre der «Italienischen Reise» die Vorstellung gewinnt, als beherrsche die Hinwendung zur Architektur alles, was er sonst an Kunst und Leben dort gesehen und erfahren habe. Berichtet er doch in der «Italienischen Reise», daß er sich selber gelegentlich als reisenden Architekten ausgegeben habe. Die Gründe seiner Vertiefung in die Baukunst? Der überwölbte Raum wird ihm ein abgeschlossenes Unendliches, «dem Menschen analoger als der Sternenhimmel. Dieser reißt uns aus uns selbst hinaus, jener drängt uns, auf die gelindeste Weise, in uns selbst zurück». Schon ein Brief an Frau von Stein von 1779 aus Speyer sagt Ähnliches: «Die alten Kirchen schließen den Menschen in den einfachen großen Formen zusammen, und in ihren hohen Gewölben kann sich der Geist wieder ausbreiten und aufsteigen, ohne wie's in der großen Natur geschieht, ganz ins Unendliche überzuschweifen.» Der zur Klassik hingewandte Goethe strebt nach Form, Ordnung, Maß, Geschlossenheit, Bändigung und findet dies, wofür ihn der Straßburger Jugendeindruck schon vorbereitet hatte, in der Architektur. Er fand dies auch in der großen Natur und ihren beharrenden Erscheinungen und Urformen; nicht aber in einem unbeschränkten Schweifen im unbegrenzten Raum, im noch nicht geformten «Elementarischen». Dies «Elementarische» glaubte er nach einem späteren Wort von ihm der «alles umfassen wollenden» Romantik zugeordnet.

Auch Goethes und der Klassik Begriff des «Schicklichen», der bei ihnen nicht bloß die Kunst, sondern auch das sittliche Leben durchwaltet, führt auf die Architektur, insbesondere auf Palladio zurück. Er hatte in seinem theoretischen Werk über die Architektur und in seiner baukünstlerischen Produktion Goethen auf diesen Begriff des «Schicklichen», d. h. des Geziemenden, des Angemessenen, des «decorum» aufmerksam werden lassen. Der zehnte Spruch aus Goethes «Weissagungen des Bakis» erklärt, was dies «Schickliche» sei. Dort heißt es:

Einsam schmückt sich, zu Hause, mit Gold und Seide die Jungfrau;
Nicht vom Spiegel belehrt, fühlt sie das schickliche Kleid.
Tritt sie hervor, so gleicht sie der Magd; nur einer von allen
Kennt sie; es zeiget sein Aug' ihr das vollendete Bild.

Das «Schickliche» ist also die durch Intuition bestimmte Wahl des der Umgebung Zugeordneten und zu ihr Passenden. «So wenig auffällig», sagt neuere Interpretation, «ist das Schickliche, so selbstverständlich wirkt es, wenn es getan wird, daß kaum jemand es bemerkt und zu würdigen versteht.» Auch hinter diesem in Italien von Goethe gewonnenen Begriffe des «Schicklichen» verbirgt sich ein Grundgebot der Klassik nach Gehalt und Form.

Damit hat das von ihm in Italien endgültig erkannte Gesetz der Architektonik den Bereich des Sittlichen erreicht. Auf diesem Gebiete bezieht sich der Sinn für Architektur und Architektonik auf den Bau des eigenen Lebens. Die sittliche Wirkung eines Kunstwerkes geht von nun an für ihn nicht von irgendwelchen ethischen Tendenzen des Künstlers aus, sondern allein dadurch, «daß wir uns der Architektonik des Werkes hingeben, den Kräften der Sammlung, Zusammenfassung, Gestaltung, Steigerung, die von ihm ausgehen und die gleichen Kräfte in unserer Seele aktivieren». Dem «Dilettantismus» aber geht Architektonik ab. Dieser Dilettantismus im Bereiche des Kunstschaffens und Kunstbetrachtens ergibt sich daraus, daß, wie es in «Wilhelm Meisters Lehrjahren» (8. Buch, 7. Kapitel) heißt, «die meisten Menschen selbst formlos sind, weil sie sich und ihrem Wesen selbst keine Gestalt geben können». Er aber wollte gegenüber solchen Dilettanten des Lebens ein «Baumeister» werden. «Ich bin», so heißt es im «Tagebuch der italienischen Reise» aus Rom am 29. Dezember 1786, an Frau von Stein, «wie ein Baumeister, der einen Turm aufführen wollte und ein schlechtes Fundament gelegt hatte: er wird es noch bei Zeiten gewahr und bricht gerne wieder ab, was er schon aus der Erde gebracht hat, um sich seines Grundes mehr zu versichern, und freut sich schon im voraus der gewissern Festigkeit seines Baues. Daß ich in der letzten Zeit die Natur so eifrig und gründlich studierte, hilft mir auch jetzt in der Kunst. Gebe der Himmel, daß Du bei meiner Rückkehr auch die moralischen Vorteile an mir fühlest, die mir das Leben in einer weitern Welt gebracht hat.»

Diese in Italien gewonnenen «moralischen Vorteile» erscheinen wesentlicher als seine Einzelerkenntnisse auf dem Gebiete der Kunst oder als seine Unterlassungen und Defekte auf diesem Felde: etwa die ausschließliche Orientierung an der Antike und an Raffael oder die Hintansetzung Giottos und anderer Primitiven. Neben den Schlüssen grundsätzlicher Art, die sich zweifellos für die beginnende Klassik aus seinem Verhältnis zum italienischen Kunstbesitz ziehen lassen, darf das Hineinspielen von Gelegenheit und Stimmung, ja Zufall bei seinen Äußerungen nicht ganz außer acht gelassen werden. Hier greift nun auch die Frage seines Verhältnisses zur Gotik ein und schlingt sich als

Faden um «Klassik» und «Romantik». Man hat immer wieder davon gesprochen, daß sich in dem italienischen Goethe der «Bruch» zwischen der schwärmerischen Anbetung der Gotik in dem Jugendhymnus auf Erwin von Steinbach und dem späteren antiromantischen Mitstreiter gegen die «Neudeutsche religios-patriotische Kunst» in Heinrich Meyers Aufsatz von 1817 vollzogen hatte. Aber ist dem wirklich so? Es handelt sich, wohlgemerkt, um die gotische (oder wie man sagte «deutsche») Baukunst, nicht um die komplexen Ausstrahlungen der Gotik in der Malerei, der Goethe unter dem Einflusse der Brüder Boisserée im zweiten Jahrzehnt des 19. Jahrhunderts soviel Anteilnahme und kennerischen Tiefblick zuwandte. Es handelt sich bei ihm, dem der Architektur so stark verschriebenen Kunstfreund, um eine von der Jugend bis ins späte Alter führende Linie, die man in eine Verbindung mit der geistesgeschichtlichen Antithetik von «Klassik» und «Romantik» (wenn auch nicht mit ihrer zeitlichen Folge) gebracht hat (wie es im Grunde auch das verworrene Buch von Richard Benz über Goethe und die romantische Kunst, 1940, tut).

In dem Aufsatz «Von deutscher Baukunst», 1823, der sich im Titel so bewußt an den Jugendhymnus anlehnt, zitiert er den französischen Architekten und Architekturschriftsteller François Blondel (1705 bis 1774), der geschrieben hatte: «Alle Zufriedenheit, die wir an irgendeinem Kunstschönen empfinden, hängt davon ab, daß Regel und Maß beobachtet sei; unser Behagen wird nur durch Proportion bewirkt.» Er hatte auf die gotischen Bauwerke verwiesen, «deren Schönheit aus Symmetrie und Proportion des Ganzen zu den Teilen und der Teile untereinander entsprungen erscheint». Goethe aber schaut dabei auf den entzückten Hymnus seiner Frühzeit zurück und erklärt, daß ihm angesichts des Straßburger Münsters unbewußt dasselbe begegnet sei, was der französische Baumeister «nach gepflogener Messung und Untersuchung» behauptet. In der Tat: Sein Enthusiasmus für das Münster beruhte auf dem Gefühl für die organisch bestimmte Harmonie der Massen und Teile und für die Proportionen, die den Eindruck des Ganzen bestimmen. Diese seine «Grundidee» von dem Kunstwerk als Organismus, in dem alles Einzelne nur aus dem Ganzen Sinn und Funktion erhält, trat ihm aus dem Straßburger Münsterbau wie aus einem antiken Tempel in Italien wie aus dem Kölner Dom entgegen, für dessen Ausbau der Aufsatz «Von deutscher Baukunst» wirbt. So könnte nur auf Grund eines vagen und nicht einmal zutreffenden geistesgeschichtlichen Schemas von einem «Bruch» mit der «Gotik» geredet werden, der sich angeblich in Italien vollzogen habe. Aber steht nicht in der «Italienischen Reise» (1817) unter dem Datum «Venedig, 8. Oktober 1786» zu lesen: «Die vorspringende Gegenwart dieses herrlichen Architekturgebildes (ein Stück des Gebälks vom Tempel des Antonius und der Faustina in Rom) erinnerte mich an das Kapitäl des Pantheon in Mannheim. Das ist freilich etwas anderes als unsere kauzenden, auf Kragsteinlein über einander geschichteten Heiligen der gotischen Zierweisen, etwas anderes als unsere Tabakspfeifen-Säulen, spitze Türmlein und Blumenpacken; diese bin ich nun, Gott sei Dank, auf ewig los!» Man hat daraufhin behauptet, Goethe habe in Italien somit «die Gotik» in Bausch und Bogen verworfen. Schon wurde gesagt, daß sein inneres Verhältnis zu ihr immer gleich geblieben ist. Der Aufsatz «Von deutscher Baukunst», führt aus: «Seit meiner Entfernung von Straßburg sah ich kein wichtiges imposantes Werk dieser Art. Der Eindruck erlosch, und ich erinnerte mich kaum jenes Zustandes, wo mich ein solcher Anblick zum lebhaftesten Enthusiasmus angeregt hatte. Der Aufenthalt in Italien konnte solche Gesinnungen nicht wieder beleben, um so weniger, als die modernen Veränderungen am Dome zu Mailand den alten Charakter nicht mehr erkennen ließen» – bis er dann durch Boisserée und seine Bemühungen um den Kölner Dom sich auch äußerlich wiederum zur gotischen Baukunst in Beziehung setzte. Übrigens findet sich jener zitierte Satz gegen die gotischen «Zierweisen» nicht im Originaltagebuch vom 8. Oktober 1756, sondern ist unter dem gleichen Datum erst 1817 der «Italienischen Reise» eingefügt. Mag sein, daß er einen gewissen Reflex des bekannten Manifestes von Heinrich Meyer gegen die «Neudeutsch-religiös patriotische Kunst» (1817) verrät. Wichtiger aber ist etwas anderes: Von der Jugend bis ins Alter hat sich Goethe gegen die «Zierrate» oder «Zierweisen» der gotischen Baukunst gewendet. Er mochte in dem skulpturellen Schmuck und dem Dekorativen der gotischen Fassaden einen altdeutsch-«romantischen» Geschmack sehen, wie er in jenem Manifest von «Kunst und Altertum» 1817 abgelehnt wurde. Möglich also, daß der Satz, der der «Italienischen Reise» eingefügt wurde, zur gleichen Zeit geschrieben wurde: in jedem Falle trifft er nicht die Gotik als Ganzes, sondern nur in ihren Nebendingen und in ihren, wie Goethe meinte, unorganisch angeflickten Zutaten und in den Verunklärungen ihres Grundgesetzes. Und ganz und gar kann aus Goethes vermeintlich antigotischer Position in Italien kein Gegensatz zu «der» Romantik gewonnen werden. Es ist eben immer untunlich, Goethes Einmaligkeit in einem dialektischen Netze von Allgemeinbegriffen einfangen zu wollen.

Vielleicht noch wesentlicher als alle Gedanken über Kunst und Künstler, die sich mit Goethes italienischer Reise in Verbindung bringen lassen, sind ihre Auswirkungen und Zusammenhänge, wenn es sich um das soziologische Problem bei ihm und für die folgende Epoche bis in die Mitte des 19.Jahrhunderts handelt. Die neue, zur Klassik führende Stufenreihe, die seit Weimar allmählich erstiegen wird und zu dem Komplex «Italien» und seinen individuellen und geistesgeschichtlichen Auswirkungen hinführt, ist gebildet worden zunächst durch die neue Umgebung und die neuen Probleme, die die *menschliche und gesellige Verbindung und Einordnung* boten. Der Übertritt Goethes aus dem mittelalterlichen, ständischen Gemeinwesen, wie es die Reichsstadt Frankfurt in seiner Jugend noch darstellte, an den weimarischen Fürstenhof bedang Verflechtungen und Zusammenhänge persönlicher, gesellschaftlicher, dichterischer und geistesgeschichtlicher Art, die sich in der deutschen Klassik mittelbar und unmittelbar auswirkten. Eine Mitgabe aus Frankfurt war die bürgerliche Tätigkeit und Tüchtigkeit; eine zweite die praktische Erkenntnis von der Bedeutung der ständischen Gliederung. Wo immer man in Goethes Werke seit dem Weimarer Beginn hineinschaut, liebt er es, die festen ständischen Verpflichtungen und Begrenzungen zu betonen. Seine einen Abschnitt für sich bildende Ablehnung der Französischen Revolution hat nicht zuletzt ihren Grund darin, daß mit dem Umsturz des Bestehenden und der alten Ordnung das feste ständische Prinzip nun, zum mindesten theoretisch, ebenfalls fiel. Für die Generation des jungen Goethe war die schroffe und unüberbrückbare Abgrenzung der Stände oft ein tragisches Problem. Als solches hat es seinen Platz in der Dramatik der Geniezeit und im «Werther»; gewisse Lichter und Schatten fallen von da auf das Verhältnis Fausts zu Gretchen, wie es im Jugendfaust angelegt ist. Nichts davon verspürt man in der Goetheschen Dichtung seit Weimar. Seine Entwicklung hatte wie die Wilhelm Meisters in die adligen und fürstlichen Gesellschaftskreise geführt, seine Umgebung war wie die seines «geliebten ... Ebenbildes» bunt und gemischt, die Atmosphäre des Hofes und der Residenz ward Adligen und Bürgerlichen ausgleichend zuteil. Aber mehr: die Goethesche Entwicklung führte auch aus der Bedingtheit jeder staatlich-sozialen Gliederung in eine Dimension, in der nicht das ständische Prinzip als Menschenwille und Menschenwerk – so mochte es dem nachmittelalterlichen Menschen erscheinen – herrscht, sondern in Erscheinung tritt «die beharrende Naturgestalt unseres Geschlechtes ..., in deren Schoße das Subjekt noch unerschlossen ruht». In solchem Bereiche löste sich alles Besondere ungezwungen in das Allgemeine auf, und auch die Begrenzungen und Forderungen der gesellschaftlichen Gliederung werden nun zu natürlichen Lebensprozessen. Bezeichnend, wenn auch verallgemeinernd, spricht er in dem Aufsatz «Deutsches Theater» (1813) bei Gelegenheit Eckhofs, Schröders und Ifflands von der «allgemeinen Tendenz der Zeit ..., die eine allgemeine An- und Ausgleichung aller Stände und Beschäftigungen zu einem allgemeinen Menschenwerte durchaus im Herzen und im Auge hatte». Hierin bestand ja auch Wielands letzte Übereinstimmung mit dem Geiste Weimars: in dem Gefühl für die menschliche Einheit, die er in den wechselnden Erscheinungen ohne Unterschied der Zeit und des Glaubens, des Nahen und Fernen, der Gehalte und Formen spürte und sichtbar werden ließ.

Diese Entwicklung des Ständeproblems bei Goethe vorausgesetzt, verlagerte sich mit der Veränderung der Umgebung und den greifbaren Erfahrungen, die sich auch auf diesem Gebiete einstellten, seine Anschauung vom Wesen und Wert der Stände allmählich und nicht ohne Rückschläge nach einer bestimmten Richtung. Er gelangte zur Einsicht in die bildenden und bildsamen Fähigkeiten und die Gunst der Lage, die den adligen Schichten des 18. Jahrhunderts in Deutschland immer noch zugesprochen werden mußten, und setzte sich nicht zuletzt aus bildnerischem Instinkt in jene festen Beziehungen zu ihnen. Er gewann die Überzeugung, daß in dem Deutschland seiner Tage eigentlich nur erst der Adlige die lebendige Freiheit besäße, um die Ganzheit einer vollkommenen und zweckfreien Bildung zu erwerben. Man denke an jene weitgesponnene Ausformung, die diese Frage im zweiten und dritten Kapitel des fünften Buches der «Lehrjahre» mit dem Briefwechsel zwischen Werner und Wilhelm gewinnt, in jenem Einschub, den die «Theatralische Sendung» noch nicht kennt. Wilhelm schreibt dem Bürger und Kaufmann Werner, worauf es ihm ankommt. Er stellt Bürger und Edelmann mit einer Scheidekraft, auf die Schillers «Briefe über die ästhetische Erziehung des Menschen» Einfluß genommen haben mögen, einander gegenüber, die das Letzte ihrer damaligen sozialen Bedingtheit und ihrer kulturellen Erscheinung aufdeckt. Dem Edelmann wird zuerkannt, daß er überall vorwärtsdringen darf, «anstatt daß dem Bürger nichts besser ansteht, als das reine stille Gefühl der Grenzlinie, die ihm gezogen ist. Er darf nicht fragen: Was bist du?, sondern nur: Was hast du? welche Kenntnis, welche Fähigkeit, wieviel Vermögen? Wenn der Edelmann durch die Darstellung seiner Person alles gibt, so gibt der Bürger durch seine Persönlichkeit nichts und soll nichts geben. Jener darf und soll scheinen; dieser soll nur sein, und was er scheinen will, ist lächerlich oder abgeschmackt. Jener soll tun und wirken, dieser soll leisten und schaffen; er soll einzelne Fähigkeiten ausbilden, um brauchbar zu werden, und es wird schon vorausgesetzt, daß in seinem Wesen keine Harmonie sei, noch sein dürfe, weil er, um sich auf *eine* Weise brauchbar zu machen, alles Übrige vernachlässigen muß . . . Ich habe nun einmal gerade zu jener harmonischen Ausbildung meiner Natur, die mir meine Geburt versagt, eine unwiderstehliche Neigung.» In höfischem Kreise empfand er nun das adlige Wesen als ein Element nicht nur einer gewandten, vornehmen und leichtbeweglichen Lebensart, sondern auch als einen produktiven und rezeptiven Boden für alles, was mit Dichtung und Kunst zusammenhängt. Die Anmut und Liebenswürdigkeit, die natürliche Freiheit seines Benehmens, eine Mitgabe seiner Artung und seiner

Erziehung, fanden nun einen Widerhall in einer Gesellschaftsschicht, der solche Eigenschaften als überkommene Selbstverständlichkeiten und als Ausweis der Zugehörigkeit zu ihr erschienen. Da jede weltanschauliche Position gemäß einem seine Weltanschauung bedingenden Grundprinzip bei ihm zwei Pole hat, einen negativen und positiven, fehlte bekanntlich auch in diesem Zusammenhange die Kehrseite nicht. Die dichterische Dämonie reagierte ebensosehr gegen die Menschen aus dem Umkreise des Staats- und Geschäftsbetriebes, die dem Künstler und dem Individuum überhaupt sein Eigenrecht nicht lassen wollten und ihn als Fremdkörper empfanden, wie gegen alle pflegliche Anmut und festliche Gehobenheit eines heiteren Hoflebens. Doch der «gesteigerte Werther» Tasso bezeichnet, soweit das eigene Erlebnis sich in ihm niedergeschlagen hat, nur eine vorübergehende Haltung. Sie ward durch andere Regungen bestritten. «Ich bitte», so steht an Frau von Stein am 12. März 1781 zu lesen, «die Grazien, daß sie meiner Leidenschaft die innere Güte geben und erhalten mögen, aus der allein die Schönheit entspringt.» Diese innere Güte, diese Höflichkeit des Herzens, die aus jedem Worte und Verse der weimarischen Zeit bis Italien fließen, vereinigen sich nun für ihn mit dem neuen Begriffe, den er in die Worte faßt: «Welt, große Welt haben.» Darunter versteht er die Fähigkeit, die Welt zu behandeln, jedem das Seinige zu geben, das Leben, Treiben und Verhältnis der Menschen zueinander stets als gegenwärtig vor Augen zu haben, immer zu wissen, «was und wen man spielt». So führte durch das Medium der Persönlichkeit und Gestalt Goethes, in unlöslicher Verflechtung des Einmaligen und Allgemeinen, des menschlichen Seins und der schöpferischen Akte, ein grader Weg der Entwicklung aus der reichsstädtischen bürgerlichen, mittelalterlichen Gebundenheit in das Reich des bloß Menschlichen und zum Ideal der ästhetischen Erziehung, die in der Ganzheit der menschlichen Kräfteübung bestand. Die Bewertung des Höfisch-Aristokratischen war in diesem Entwicklungsprozeß, der sich gleichsam nach einem biogenetischen Grundgesetz im Geistigen vollzog, die Hilfsstellung, die die Hochklassik hinter sich ließ, als auf Grund der veränderten sozialen und kulturellen Wirklichkeit nach der Französischen Revolution die Möglichkeiten der allseitigen und harmonischen Ausbildung von jedem Gebundensein an einen einzelnen Stand gelöst waren. Die Frage, wieweit der wie immer auch zu umschreibende soziologische Typus des «bürgerlichen Menschen» mit den ihm zugeordneten Eigenschaften in Goethes Leben und Dichtung erscheint, bleibt von all dem unberührt. Und gar der Versuch, ihn und sein Werk aus einer Klassenideologie heraus als «bürgerlich» abzustempeln oder ihn unter Zuhilfenahme des Gegensatzes von «Bürger» und «Künstler» verstehen zu wollen, ist zu wohlfeil und bequem, um dem Komplexen und Mehrwertigen der Goetheschen Erscheinung auch nur entfernt gerecht werden zu können.

Leicht kann das Entscheidende der Einwirkung des weimarischen Kreises auf ihn verfehlt werden, wenn die Vorstellungen von «Gesellschaft» und «Geselligkeit» zu sehr nach der Seite einer Gehaltenheit und Gehobenheit der zusammenbindenden Formen gehen. Man kann auch den Begriff der «Humanität», mit welchem Wort Goethe freier und weitherziger wirtschaftet, als es der prägnanten Fassung des Begriffes durch Herder entspricht, nunmehr beiseite lassen. Auch das Wort «Humanität» kann in Beziehung auf die weimarischen Zusammenhänge und auf die «Iphigenie» und den «Tasso», wenn man es in verschiedenen Lichtern spielen läßt, mehr verkleiden als enthüllen. Wichtiger ist, zu fragen, welche Wirkungen denn von einem Gebilde wie dem weimarischen Hofe, der Residenz, dem Kleinstaate für ihn als wesentlich zu erkennen sind, indem sie den Vorgang seines Wachstums, seiner Selbstgestaltung, die Ausbildung der inneren Zweckmäßigkeit seiner Natur durch Harmonie oder Reibung förderten.

Schon Fichte hat eine der tieferen Bedeutsamkeiten, die die deutschen Kleinstaaten für die Entfaltung des deutschen Geistes im 18. Jahrhundert besaßen, darin erkannt, daß es jedem verstattet war, «über die ganze Oberfläche dieses Vaterlandes sich diejenige Bildung, die am meisten Verwandtschaft zu seinem Geist hatte, oder den demselben angemessenen Wirkungskreis aufzusuchen, und das Talent wuchs nicht hinein in seine Stelle wie ein Baum, sondern es war ihm erlaubt, dieselbe zu suchen ... So fand bei manchen Einseitigkeiten und Engherzigkeiten der besonderen Staaten dennoch in Deutschland, dieses als ein Ganzes genommen, die höchste Freiheit der Erforschung und der Mitteilung statt, die jemals ein Volk besessen». Das war das eine: die Freiheit der W hl bei denen, die nach einer rechten, ihrem Sinne gemäßen, geistigen Heimat suchten. Das andere war die Freiheit der Auslese für seine geistige und persönliche Gefolgschaft auf Seiten des Fürsten. Diese Auslese bestimmte sich nach den Anlagen, der Bildung, den Neigungen des Regierenden und seiner Umgebung. So war es mit Karl August, Weimar und Goethe. Ohne Zweifel trägt die Erscheinung Karl Augusts Züge, die ihn als der Generation und Gruppe des Sturm und Drang zugehörig erscheinen lassen. Daß sich in seinem Wesen ein im goetheschen Sinne «Dämonisches» bekundete, würde man auch ohne Goethes eigenes Zeugnis feststellen. Stürmerisch ist sein Ausdehnungsdrang, sein Dynamismus, das Stellen der idealen Forderung, das Rütteln an den Schranken, die ihm durch seine fürstliche Standeszugehörigkeit als Menschen, durch die Kleinheit und die in jedem Betracht nicht leichte, politische und wirtschaftliche Lage seines Staates als Herrscher gesetzt waren. Seine Entwicklung zeigt die für manche Stürmer und Dränger, etwa Klinger, typische Linie: ohne sich im Grunde seiner Persönlichkeit ändern zu können (für die die Ganzheit, Fülle und das Mittelpunktsgefühl des «Kerls» der Geniezeit zum Vergleiche herangezogen werden müssen), hat er mit seinem Schuß an Rationalismus im Blut später die vernünftige Auseinandersetzung mit den ihm gestellten Aufgaben und erwachsenden Widerständen gesucht und gefunden. Karl August, dessen Gedanken auf eine Erneuerung Deutschlands durch «Bildung des Nationalcharakters» gerichtet waren, hatte wie Goethe eine deutliche Vorstellung von der Sendung Weimars für Deutschland und zugleich für die Welt. Ihnen war dieser weimarische Staat und die Gesamtheit der in ihm sich regenden geistigen Kräfte eine Welt im kleinen, ein organisches Gebilde, das, in sich geschlossen und tätig, die Ganzheit des größeren Deutschlands, aber darüber hinaus in noch höherer Ordnung die Ganzheit und Vielgestaltigkeit des Weltgefüges widerspiegelte. Auch darin kann man letzte Wellenschläge der durch Leibniz in die Entwicklung des deutschen Geistes geworfenen Gedanken sehen. So werden im kleinen auch alle Möglichkeiten der menschlichen Erscheinungsform gegeben und anerkannt, auch alle Möglichkeiten der menschlichen Vergesellschaftung. Sie finden sich alle in einem Zentralbegriff. Für diesen Zentralbegriff stellt sich das Wort «*Gemeinschaft*» ein, das aber hier für Goethe weder als soziologischer Fachausdruck noch als bequeme Schablone, noch in Schillers Sinne als ideale Forderung erscheint. Durch das Gemeinschaftsgefühl, das aus dem Boden des Natürlichen und Lebensmäßigen kam, entwuchs die weimarische Gesellschaft dem Gezirkelten und Genormten des Rokoko. Gemeinschaft suchte die Geniezeit. Die Selbstherrlichkeit der unergründlichen, schöpferischen Individualität strebte nach ihrem antwortenden Gegenbild. Keiner der Stürmer und Dränger hat sich bewußt und grundsätzlich der Gemeinschaft versagt, jeder hat sie im Gegenteil als das ihn und seine Dichtung tragende und fördernde Element gefühlt. Nicht auf die Zahl der Gemeinschaftsglieder kommt es nach dieser Auffassung des Gemeinschaftsbegriffes an: sie kann sich auch schon in dem Verhältnis des Ichs zum Du erschöpfen. Im Verhältnis des Einzelnen zu einer Gemeinschaft prägte sich ebenso der die Goethesche Weltanschauung schon früh bestimmende Gedanke der Polarität aus wie der der Steigerung. Denn die Gemeinschaft gibt auch der Dichtung erst die höhere Stufe der Lebendigkeit und Lebensfähigkeit. Die Goethesche Dichtung wie seine Persönlichkeit wurden in seiner Jugend hochgetragen von solcher gläubigen und nahen Gemeinschaft, nicht von der wetterwendischen, wirren und lockeren Zusammenballung, die sich unter dem Begriffe des – immer vom Dichter entfernten – «Publikums» verbirgt. Man schaue nach Frankfurt, Leipzig, Straßburg, Wetzlar: immer fand sich für ihn diese Gemeinschaft. Von der Macht der Gemeinschaft und dem Zerbrechen der Persönlichkeit, wenn dieser Kitt verlorengeht, weiß der «Werther» zu erzählen. Diese Gemeinschaft wird mit den Bindungen durch Freundschaft nicht erschöpft oder genügend ausgedrückt. Freundschaft kann bald enger, bald weiter sein als sie und ist nicht so durch bewußte Beziehungen auf einen geistigen Mittelpunkt bestimmt.

Dichter umsponnen wurde Goethe durch solche Gemeinschaft in Weimar. Sie war zwischen ihm und Karl August, wofür sich das brüderliche «Du» des Genietons einstellte; zwischen ihm und den Fürstinnen, zwischen ihm und Knebel, Wieland und – bis zum Anbruch

der Zeitenwende – Frau von Stein und Herder. In Gemeinschafts-
bindungen, wenn auch mehr pflicht- und willensmäßiger Art, aber
stand er auch zu den um die feste Mitte seines inneren Daseins sich
legenden weiteren Kreisen, die durch die Menschen, die Einrichtungen,
das Wesen des Hofes und Staates gebildet wurden. Diese Gemeinschaft in ihren verschiedenen Bezügen konnte die Quelle von Ungenügsamkeit, Leiden, Widerständen und Reibungen sein. Die wahre
Gemeinschaft konnte durch Pseudogemeinschaft, durch Gemeinschafts-
ersatz, durch ein Muß der Geschäfte und des Betriebes paralysiert,
trivialisiert oder verfälscht werden, so daß in einem Zustande des Leidens das Bedürfnis nach ihr um so stärker wurde. Wie bei der polaren
Anlage seines Denkens und Fühlens die sich selbst setzende Persönlichkeit in der Geniezeit diese Gemeinschaft suchte, so wurde er in Weimar
von der Gemeinschaft zurückgewiesen auf sich selbst. Dies Reifen und
Reifenwollen in der Stille, in der Beobachtung des Wachstums, das sich
in ihm als «Metamorphose des Menschen» von innen vollzog, geht vor
Italien mit dem Gemeinschaftsbedürfnis und Gemeinschaftsglück Hand
in Hand. Anziehung und Abstoßung durch die Gemeinschaft scheinen
bei ihm nach einem bestimmten Rhythmus zu wechseln. So erklärt
sich das Bild der Trockenheit, Steifheit, Verschlossenheit, Ablehnung,
Zurückhaltung, Kälte, wovon manche Besucher in Weimar schon vor
Italien zu berichten wissen. In diesen, nach dem Gesetze der Polarität
ablaufenden Vorgang ordnet sich auch die von Goethe in der Weimarer
Zeit erkannte und fortan geübte *Entsagung* ein. Sie bedeutet gewiß
weniger die Erfüllung einer normativen, durch eine Sollensethik an
ihn herangebrachten Forderung als ein Zurückgehen auf sich selbst,
das auf Grund der «Systolisierung» als Naturvorgang eintrat. Demgegenüber ist er selber machtlos; er schaut dem zu wie einem Ereignisse, das außerhalb seiner selbst abrollt. «So viel kann ich Sie versichern», heißt es in dem Briefe an Plessing vom 26. Juli 1782, «daß
ich mitten im Glück in einem anhaltenden Entsagen lebe und täglich
bei aller Mühe und Arbeit sehe, daß nicht mein Wille, sondern der
Wille einer höheren Macht geschieht, deren Gedanken nicht meine
Gedanken sind.» So verstand er jetzt den «Genius» seiner Jugend.
Mit einer aufschlußreichen Doppeldeutigkeit sagt Iphigenie von sich

(Vers 1825 ff.): «Von Jugend auf hab' ich gelernt gehorchen, erst meinen Eltern und dann einer Gottheit, und folgsam fühlt' ich immer meine Seele am schönsten frei». Damit tut sich der Zusammenhang des Natürlichen mit dem Ethischen bei dem Weimarer Goethe auf. Edelwerden, Selbstwerden, Menschwerden, Gutwerden sind nur die Glieder einer Gleichung.

So verschlingen und deuten sich nunmehr wechselseitig Gemeinschaft und individuelle Vereinzelung bei ihm. Beide sind ihm notwendig, die eine kann nicht ohne die andere sein. Es sind die beiden Seiten des Geschehens der Selbstentfaltung. *Eine* Schuld nur gibt es, so hört man in der «Harzreise im Winter» gegen den Gott, der «jedem seine Bahn vorzeichnet»: sich «Menschenhaß aus der Fülle der Liebe» trinken und damit zugleich die Ursache schaffen, daß «heimlich» der «eigene Wert in ungnügender Selbstsucht» aufgezehrt werde. Denn nur in und mit der Gemeinschaft, das heißt zugleich in der freigewählten Erkenntnis des Einsseins und Andersseins, in der Möglichkeit, die gemiedene Gemeinschaft jederzeit wieder aufnehmen zu können, besteht die Höher- und Weiterentwicklung, damit das Gutwerden des Individuums und zugleich der menschlichen Vergesellschaftungsformen. Jedenfalls kreist das «Erlebnis» Goethes, des Menschen, schon in Weimar vor Italien um die Gemeinschaftstatsache und ihre positiven und negativen Folgen als um den Mittelpunkt. Auch in den Beziehungen zu Frau von Stein war das Eins- und Doppeltsein in der Gemeinschaft höherer und wichtigerer Ordnung als alles Holde, Innige, Warme, Geborgene und Liebend-Verschwiegne, das durch die erotische Gebundenheit Duft und Hauch empfing. Diese Gemeinschaft ist im Grunde dieselbe wie jene, die sich in der Zeit des Westöstlichen Diwans unter dem Symbol des Gingobiloba-Blattes gegenüber Marianne von Willemer ausspricht.

Wie aber wirkte sein Trieb zur Vergesellschaftung sich in Italien aus und welche Folgeerscheinungen zeitigte er – nicht nur für ihn selber, sondern, zum mindesten mittelbar, für zwei folgende Generationen? Neben allem, was der Dichter, der Forscher, der Philosoph, der Kunsttheoretiker Goethe nach Gehalt und Form für die folgenden Geschlechter geworden ist, bleibt immer noch allzusehr im Hintergrund, was er

als beispielhaftes Gebilde *sozialer Prägung und Wirksamkeit* für die
Folgezeit bedeutete. Der rechte Träger einer zielstrebigen «Vergesell-
schaftung» wurde er mit seiner Person und Leistung in und nach
Italien. Nun wirkte sich der von früh an ihn beherrschende Hang zur
Gemeinschaft, den seine Beziehungen zu den Weimarer Menschen so
sehr vertieft hatten, allmählich für eine größere Öffentlichkeit aus. In
Rom und Neapel stand er inmitten jenes Kreises von Künstlern und
Kunstfreunden, von denen ebenso wie von ihm selber sein Satz vom
Jahre 1828 gelten konnte: «Ich kann sagen, daß ich nur in Rom empfunden habe, was eigentlich ein Mensch sei.» Gewiß, die Ausbildung
des Reinmenschlichen in ihm und ihre Verkündigung gehört schon der
voritalienischen Zeit an; gewiß: für das in Italien ihn beherrschende
Gefühl dieses Reinmenschlichen sind noch andere Umstände wesentlich als die Berührung mit jenen Persönlichkeiten, die ihn in Rom umgaben. Aber die Vertiefung und Ausweitung der Goetheschen «Humanität» wird den italienischen Jahren verdankt. Er erkennt (aus
Vicenza, 24. September 1886), wie das öffentlichere Leben, das der
Italiener führe, eine «freie Art Humanität» befördere und die unge-
zwungenere und zweckfreie Berührung der Menschen untereinander
unterstütze: «Ich kann Dir nicht sagen», schreibt er an Frau von
Stein, «was ich schon die kurze Zeit an Menschlichkeit gewonnen
habe.» Aber dazu tritt nun im besonderen der Umgang mit den einzelnen Künstlern und Kunstfreunden, die alles in allem eine organisch
gegliederte und einigermaßen geschlossene Gesellschaft ausmachten:
mit den Bury, Hirt, Angelika Kauffmann, Kniep, Lips, Heinrich Meyer,
K. Ph. Moritz, Fr. Rehberg, Joh. Friedrich Reiffenstein, Joh. Georg
Schütz, Joh. Heinrich Wilh. Tischbein, Nic. von Verschaffelt, Philipp Hackert. Nun waren alle ständischen Schranken für ihn ebenso
gefallen, wie jeder Pflichtenkreis fern war. Jedes Sollen und Müssen
ward aufgesogen durch ein zweckfreies Gelöstsein und durch die Berührung mit Menschen gleicher Haltung und gleicher Lebenslage. Bei
allen Reaktionen dieser Menschen auf die Art des Südens war doch die
Beschäftigung mit der Kunst das Hauptanliegen dieser deutschen Ko-
lonie in Rom und Neapel. Man war in diesem Lande, weil ihm der
Ruf vorausgegangen war, daß es das Dorado für den Künstler sei. So

haben sich in den folgenden Jahrhunderten immer wieder Künstler ohne bestimmte Verabredung an Plätzen zusammengefunden, deren geopsychische Ausstrahlungen ihnen zusagten. Beileibe waren die Einzelnen dieses Kreises sich nicht geistig-seelisch gleich. Sie waren nach Charakter, Talent, Entwicklung, Herkunft, Können sehr verschieden. Auch Goethe hat unter ihnen sich immer an den Einzelnen gehalten. Das entsprach seiner Neigung, sich auf sich selbst zurückzuziehen, die in Weimar so sehr gefördert worden war. Aber aus der Rückschau erschien ihm diese deutsch-italienische Künstlerschaft als zugehörig zu dem Komplex Italien und als ein geschlossenes Gebilde. Und jenen erschien er, als er Italien verlassen hatte, als der ihnen nun abhanden gekommene Mittelpunkt einer «Gemeinschaft»: das hatten sein Charisma und seine Dämonie bewirkt.

Das sprechendste Dokument für diese neue Gemeinschaft, in die er nun in Italien eingetreten war, besteht in dem Briefwechsel mit Freunden und Kunstgenossen in Italien 1788–1790, den Otto Harnack unter dem Titel «Zur Nachgeschichte der italienischen Reise» 1890 herausgegeben hat. Dort ist in der Einleitung gesehen worden, wie die dauernden, bald leicht erkennbaren, bald versteckteren Bezüge zu Italien, obwohl er dessen Boden nur zweimal betreten hat, sein gesamtes Leben und Schaffen durchwalten. Man verliert sich in kaum enträtselbare Urgründe, aus denen geistiges und seelisches Geschehen aufsteigt, wenn man nach einem Kausalzusammenhang zwischen der Epiphanie Goethes und dem Lande seiner Wahl sucht. Doch wäre es falsch, von einem völligen Umbruche zwischen dem vor- und nachitalienischen Goethe zu reden. Denn das «formreiche» Italien entwickelte letztlich in ihm nur die Keime, die schon in ihm lagen. So war es mit seinen Naturstudien, den botanischen, mineralogischen, anatomischen. Sie begannen sich schon vor Italien zu entwickeln, teils aus seiner schon seit Straßburg von ihm geübten Naturschau und dichterischen Naturmystik, teils aus einer sachlichen und pflichtmäßigen Beschäftigung mit den Einrichtungen, in denen das Herzogtum seine administrativen und merkantilen Aufgaben zu erfüllen strebte. Und gerade diese zweite Art der Berührung mit den Naturreichen lag auf dem Wege von der Naturdichtung zur Naturerkenntnis und führte ihn zum theoretischen Studium der Natur und zur wissenschaftlichen Kritik und Auseinandersetzung mit dem, was bisher an Wissen und Ordnungsbegriffen an sie herangetragen worden war (man denke an sein Studium Linnés und an die weiterführende Kritik an seinem System). Was Italien ihm zubrachte, ihm formend und fördernd für die «Pyramide seines Daseins» wurde, bestand nicht in irgendwelchen Sachlichkeitswerten ganz neuer Art, sondern in der Vertiefung und Vermehrung dessen, was schon vorher von ihm erschaut oder geahnt, aber nicht zur vollen Evidenz gelangt war. So verhielt es sich mit seinen Natur- wie seinen Kunstanschauungen und ihrer Einwirkung auf seine Dichtung. Die Gleichung Kunst-Natur, die schon den jungen Dichter ergriffen hatte, wurde nun in ihrer urbildlichen Gesetzlichkeit erkannt. Die urbildliche Idee der Natur schafft sich «in der Welt der Kunst, die unabhängig von der bedingten Welt ein eigenes, freies Dasein führt, ein Organ, das die letzte Reinheit ihrer Gestaltidee verwirklicht, das die Ideen der Natur erst zur Vollendung führt. So bedeutet die Kunst Vollendung, Gipfel der Natur» (W. Liepe). Aus Rom schreibt er in der «Italienischen Reise» 6. September 1787: «So viel ist gewiß, die alten Künstler haben eben so sichern Begriff von dem, was sich vorstellen läßt und wie es vorgestellt werden muß, gehabt als Homer . . . Diese hohen Kunstwerke sind zugleich als die höchsten Naturwerke von Menschen nach wahren und natürlichen Gesetzen hervorgebracht worden. Alles Willkürliche, Eingebildete fällt zusammen: da ist die Notwendigkeit, da ist Gott.» Als er 1817 diese Sätze niederschrieb, war er schon völlig von dem Glauben an die großen Gesetzlichkeiten in Natur, Kunst, Menschenleben, Dichtung durchdrungen. Diese großen Gesetzlichkeiten in allem organischen Leben waren ihm schon in Weimar aufgegangen – als *Ahnungen* des Dichters. In Italien wurden sie *Erkenntnisse,* Beobachtungen, zu befolgende Methoden. Warum dies? Seine geheimnisvolle Anlage auf solche Gesetzlichkeiten hin fand nun das Objekt, an dem sie sich auswirken konnte. «Wir finden», heißt es in der «Geschichte meines botanischen Studiums», «daß neue Gegenstände in auffallender Mannigfaltigkeit, indem sie den Geist erregen, uns erfahren lassen, daß wir eines reinen Enthusiasmus fähig sind; sie deuten auf ein Höheres, welches zu erlangen uns wohl gegönnt sein dürfte. Dies ist der eigentlichste Gewinn der Reisen, und jeder hat nach seiner Art und Weise genugsamen Vorteil davon. Das Bekannte wird neu durch unerwartete Bezüge und erregt, mit neuen Gegenständen verknüpft, Aufmerksamkeit, Nachdenken und Urteil. In diesem Sinne ward meine Richtung gegen die Natur, besonders gegen die Pflanzenwelt, bei meinem schnellen Übergang über die Alpen lebhaft angeregt.» Ein Gesetz kann nur aus der Fülle und Mannigfaltigkeit einzelner Fälle erkannt werden. Durch solche Vermehrung des «Materiales» wirkten die italienischen Beobachtungen und Erfahrungen auf die Systematisierung und tiefere Begründung seiner bisherigen Impressionen des Gesetzmäßigen. Und er will durch den italienischen Aufenthalt zunächst auf *drei* Gebieten seine Vorstellungen vom Gesetzmäßigen erworben haben: auf dem Gebiete der Kunst durch das Studium der Griechen, auf dem Gebiete der Natur, der er abgemerkt zu haben glaubte, wie sie gesetzlich zu Werke gehe, «um lebendiges Gebild, als Muster alles Künstlichen, hervorzubringen». «Das dritte, was mich beschäftigte», heißt es in der «Geschichte meines botanischen Studiums» (4. Verfolg), «waren die Sitten der Völker. An ihnen zu lernen, wie aus dem Zusammentreffen von Notwendigkeit und Willkür, von Antrieb und Wollen, von Bewegung und Widerstand ein Drittes hervorgeht, was weder Kunst noch Natur, sondern beides zugleich ist, notwendig und zufällig, absichtlich und blind. Ich verstehe die menschliche Gesellschaft» (nebenbei bemerkt: es bleibt zu beachten, daß er in diesen Sätzen auch das soziale Leben unter das morphologisch-klassische Gesetz der Polarität stellt). Drei literarische Dokumente aber, unmittelbar nach Italien verfaßt, zeigten, wie er sagte, «was damals in meinem Innern vorging und welche Stellung ich gegen jene drei großen Weltgegenden genommen hatte»: Der Aufsatz über «Einfache Nachahmung der Natur, Manier, Stil» (in Wielands «Teutschem Merkur» 1789), die «Metamorphose der Pflanzen», der «Römische Karneval».

Aber die Folgen der italienischen Reise zeigen sich nicht an diesem oder jenem Punkte seines späteren Denkens und Wirkens: sie gehen vielmehr auf die Totalität seiner Erscheinung. Nicht, daß er in den Werken über Benvenuto Cellini, Winckelmann, Hackert stofflich auf

italienischen Boden zurückkehrt, nicht nur, daß die «Propyläen» unter
der Führung der «Weimarischen Kunstfreunde», die Briefe «Der Sammler und die Seinigen» und manche andern Aufsätze nun eine systematische Führung junger Künstler anstrebten in dem Sinne, sie «von
dem Formlosen zur Gestalt» hinüberzuleiten und sie dabei verbleiben
zu lassen: «Jeder Künstler», so liest man in der «Einleitung zu den
Propyläen», «der eine Zeitlang in Italien gelebt hat, frage sich: ob
nicht die Gegenwart der besten Werke alter und neuer Kunst in ihm
das unablässige Streben erregt habe, die menschliche Gestalt in ihren
Proportionen, Formen, Charakteren zu studieren und nachzubilden,
sich in der Ausführung allen Fleiß und Mühe zu geben, um sich jenen
Kunstwerken, die ganz auf sich selbst ruhen, zu nähern, um ein Werk
hervorzubringen, das, indem es das sinnliche Anschauen befriedigt, den
Geist in seine höchsten Regionen erhebt.» Er wurde nach Italien ein
Organisator eines «klassizistischen» Kunststrebens und glaubte hiermit eine erzieherische Aufgabe zu erfüllen. Bestand dieser «Klassizismus» auf dem Gebiete der bildenden Kunst in einem blutleeren Nach-
ahmertum? War er nach Gehalt und pädagogischer, «kunsterziehl-
icher» Methode ein Verhängnis für einen großen Teil der bildenden
Kunst des 19. Jahrhunderts? Jedenfalls hielt sich bis heute die Verwerfung des Klassizismus zum großen Teil an diese Bemühungen Goethes.
Ein Werk über die deutsche Klassik muß bei diesen Dingen halt machen und kritische Umschau halten. Worum handelte es sich? Schon in
Italien stand er im Mittelpunkt jener «Künstlerrepublik», deren Mit-
glieder hier größtenteils schon genannt sind. Solche Gemeinschaft
besaß eine mehr als persönliche Bedeutung. Dabei mag sein Wort aus
Italien führend sein: «Wie ich die Natur betrachte, betrachte ich nun
die Kunst.» Im Rahmen seiner Bemühungen, alle Weltverhältnisse
nur auf ihr Bleibendes und Währendes zu betrachten, suchte er nun
auch eine Theorie der Kunst aufzubauen. Dazu dienten nicht nur die
vorhandenen Kunstwerke, sondern auch die Künstler, die sie hervorbrachten und in ihrem Schaffensprozeß Objekt der Beobachtung wurden. Kurz, er mühte sich in und sogleich nach Italien um eine *Theorie
der Kunst*. Sie entsprach der nun auf systematische Ordnung gerichteten Evolution seines Geistes.

Sieht man von den Einzelveröffentlichungen mancher Gedichte, der «Proserpina», der «Fischerin» ab, so trat der *Schriftsteller* Goethe in diesen Jahren freiwillig nicht an die Öffentlichkeit. Erst die achtbändige Göschensche Ausgabe, 1787–1790, mitsamt den ihr parallel gehenden Einzeldrucken stellte sein bisheriges Werk und als Neuheit das in Weimar Geschaffene in echter und regelmäßiger Form vor das große Publikum. Unvereinbar wäre mit dem eigentlichen Schriftstellertum für den, dessen Leben und Schaffen sich auf der inneren Wahrhaftigkeit und aus bleibenden Werten aufbauten, jenes prüfende Sichbeobachten gewesen, das zage Treiben und Knospen in einem neuen Anfang, der dem abgeebbten Gewoge der Frühzeit folgte. Alle größeren dichterischen Entwürfe blieben vor Italien in einem vorläufigen Zustand oder im Stadium der Entwicklung, weil ihr Bildner selber nach einem Abschluß und vorläufigen Ruhepunkte seines Werdens noch strebte. «Er zeigt», so erzählt Leisewitz von ihm unter dem 14. August 1780, «in seinem Betragen die größte Simplizität ... Es dauerte lange, ehe ein Wort von Literatur vorfiel.» Dagegen wird viel gesprochen «von den Gegenden um Weimar – von einer Untersuchung der Mineralien im Lande – von Armenanstalten – ... von dem Alter der Welt und der Narrheit, dieses Alter auf 6000 Jahre zu schätzen – von einigen Steinarten im Weimarischen – von Gärten und vom Landleben ... von dem immer neuen in der Natur». Die «Literatur», die schon Herder und der Sturm und Drang in Gegensatz zur «Dichtung» gestellt hatten, zur Dichtung, die als Organ und Funktion des Lebensverständnisses sich mit Buchstaben und Papier nicht mehr gleichsetzen lassen wollte, wurde nun von Goethe einstweilen beiseite geschoben durch die Tätigkeit eines «Bildens», das sich auf alle Gebiete des wirkenden und erkennenden Lebens erstreckt. «Literatur» wurde jetzt für ihn etwas, was in ein zivilisatorisches Randgebiet gehörte. Sie war nicht das sachenvolle Kerngebiet, in welchem das «wahrhaft Seiende» zu Hause ist. Erst auf und nach der italienischen Reise, als er aus der Verpuppung in fertigem Zustande wieder zum Licht gedrungen war, vermochte er sich herrscherlich auch des literarischen Apparates zur notwendigen Vermittlung wieder zu bedienen und mit dessen Hilfe seinen neu erreichten Standpunkt festzulegen und zu monumentalisieren. Immer aber bleibt der Klassik wie zu einem Teile der Romantik die «Literatur» in ausgesprochenem Sinne etwas Unwesenhaftes und Nebengeordnetes. Diese Spannung zwischen «Literatur» und Schöpfertum ist eine deutsche Besonderheit, die in Goethe ihre stärkste Stütze findet. Ihm war vor Italien Dichtung – in der Stille und für die Glieder der Gesellschaft, manchmal auch nur zu deren leichter und spielender Unterhaltung geübt – Mittel der Bildung seiner selbst. Die Wirkung auf andere mußte sich mit seiner eigenen größtmöglichen Vollendung im Sinne eines Wesenhaften und schlechthin Menschlichen auch ohne literarische Werbung einstellen.

Von den weimarischen Dichtungen großer Form führen «*Iphigenie*» und «*Tasso*» am nächsten an den Weg des sich vom Halben entwöhnenden und im Ganzen, Guten, Schönen resolut lebenwollenden Goethe heran, der, was er nun wurde, nur mit Hilfe schwerer Selbstauseinandersetzung werden konnte. Als ihr Ausdruck und Heilmittel dienten diese Dichtungen.

Gemeinsam ist der «Iphigenie» mit dem «Tasso» die Art des entstehungsgeschichtlichen Vorganges. Goethe findet nun für seine inneren Zustände Sinnträger in Menschen der Geschichte und des Mythus. Durch die dichterische Gestaltung dieser Sinnträger und die Ausformung der Zusammenhänge, in denen sie stehen, macht er sich nach außen verständlich. Zugleich aber wird durch Weiterführung und Zuendeführen, durch Verwicklung und Aufwicklung der wirklichen oder möglichen Fäden, die von diesen sinntragenden Gestalten ausgehen, dem einzelnen, seinem, des Dichters, Fall eine allgemeinere, menschliche, sittliche oder im besonderen für den Künstler wirksame Bedeutung verliehen. Mit dem Ergreifen dieser Symbole, mit der Stellvertretung, die sie für das innere Erlebnis des Dichters gewinnen, vollzieht sich der Vorgang der Empfängnis der Dichtung; damit ist sie morphologischer Entwicklung fähig, keimhaft mit ihrer inneren Form in die Seele des Dichters gelegt, und harrt des Sinnlichwerdens in der Ausgestaltung ihrer Teile. «Iphigenie» und «Tasso» sind nach ihrer Konzeption, nur durch ein Jahr (1779–1780) voneinander getrennt, auch zeitlich nahe aneinander gerückt. Beide zeigen sie die Auswirkung des Gemeinschaftsproblems. In beiden Werken erscheint es in doppelseitigem Ansatz: in der «Iphigenie» mit der Bindung der Priesterin an Orest und an Thoas, im «Tasso» in der Bindung Tassos an die Prinzessin, den Hof und – vielleicht als Selbsttäuschung Tassos, denn der Dichter ist hier mit Absicht doppeldeutig – in der Bindung an Antonio. Gemeinsam ist beiden Stücken schließlich ihr Dasein in einer reinen, hohen Luft, die Gehobenheit und Geläutertheit ihrer Form (im weitesten Sinne), der Prozeß der Klärung dieser Form aus einer rhythmisch bewegten, uneinheitlichen Prosa zur Ausgewogenheit und zum Faltenwurf statuarischer Gebilde – wenn man diese Werke in ihrer Ganzheit und vom Dichter losgelösten Existenz sieht. Das Heißblütige und Abgründige in ihnen wird aber anderseits durch die prall ansitzende letzte Form nicht ausgetilgt oder auch nur «gebändigt», sondern zu einer wundersamen Wirkung gesteigert. Sie beruht auf dem Nebeneinander, besser der Vereinigung des aufwühlenden Was, das – in seiner psychologischen Grundlage – dem wirklichen Leben angehört, und des in sich harmonisierten Wie, das, weil einer überwirklichen Dimension, der der Kunst des Wortes und Rhythmus zugeordnet, schon in und durch die Form die Lösung und Ausgleichung in einem Höheren erahnen läßt, in welchem alle irdischen Qualformen der Menschheit behoben sind.

Im übrigen freilich gehen Problemlage, Aufbau und Ausbau der beiden Werke, ganz abgesehen von der stofflichen, zeitlichen und atmosphärischen Verschiedenheit, weit auseinander. Diese Verschiedenheit, ja Polarität bei rascher Aufeinanderfolge beider Konzeptionen erzählt von dem Quellreichtum des Schöpfers Goethe und von der Vielfältigkeit, Farbigkeit und Kraft seines sinnlichen Vorstellungsvermögens.

Für die *Iphigenie* scheint es in der deutschen Literaturgeschichte gewisse schulmäßige Erkenntnisse zu geben, die fertig und rund dastehen und zu toten Überlieferungen zu werden drohen. Ihre Formeln können neue Mächtigkeit nur gewinnen, wenn der Mensch in reiferen Jahren zu dieser reifen Dichtung zurückkehrt. Dann kann sie ihm zu immer neuem Staunen Anlaß geben mit ihrer Gedrängtheit, Fülle, Rundung, Verdichtung des Stofflichen, mit ihrer liebenden und gütigen Weisheit, mit dem Zittern der Seele, das in ihr ist. Sie vermag so zu ergreifen, wie sie den Dichter selbst ergriffen hat: nur noch die Gestalt der Mignon vermochte ihn in gleicher Weise «an seinen eigenen Kohlen schmelzen» zu lassen. Dies rührte nicht bloß aus der Entstehungsgeschichte der beiden Frauengestalten her: es waren die Erscheinungen dieser Gestalten an sich, die, nun außerhalb seiner selbst stehend, ihn rührten und ergriffen. Die Entstehungsgeschichte des Iphigeniendramas weiß zu berichten, wie er sich in der dämonischen Unrast seines Daseins früh, schon im August 1775, mit einem von «der unsichtbaren Geißel der Eumeniden» getriebenen Orest vergleicht. Dann kam die langsame und krisenhafte Heilung in Weimar unter den «schwesterlichen» Händen Charlottes von Stein. Dies scheint mit dem innern Wachsen und Werden der inneren Form der Iphigeniendichtung gleichbedeutend zu sein, aber dieser Vorgang entzieht sich im einzelnen unserem Blick. Bis dann, wie so häufig bei ihm, ein äußerer Anlaß, nämlich die Aufforderung, ein höfisches Festspiel zu schreiben für die Feier der am 3. Februar 1779 erfolgten Geburt einer Tochter des Herrscherhauses, den Anstoß gab, daß die im Flusse befindliche Masse zu festen Formen gerann. Wurde auch das Werk zu dem vorgesehenen Tage nicht fertig, so ward es doch rasch beendigt. Auch die Musik hatte helfen müssen, Hemmungen und Stockungen der inneren Gesichte zu überwinden. Immer ist und bleibt «Iphigenie» ein «Festspiel», ein «Bühnenweihfestspiel». Nun stand das Werk zunächst vor ihm in jener Form, die, im wesentlichen eine rhythmische Prosa, am 6. April 1779 auf dem weimarischen Liebhabertheater aufgeführt wurde. Welche Phasen es nun durchlief, wie er selber an der Augenprosa besserte und erweiterte, wie er (und Lavater) den Versuch machte, das Stück auch für das Auge in unregelmäßige Verse abzuteilen – alles dies tastende Suchen nach der letzten Kunstform bleibt am Wege im Hinblick auf den Schlußpunkt: die Umgießung der «Iphigenie» in reine, regelmäßige, fünffüßige Jamben während der italienischen Reise. Dies ist ein Ereignis, das mit zwei Worten berichtet ist. Für das Einswerden, die Verschmelzung von Inhalt und Form, für die Idealität, der die Dichtung der Klassik zustrebte, indem sie für die Poesie den Begriff Winckelmanns vom «Idealen» aufnahm und durchführte, war diese Findung des fünffüßigen Jambus ein weittragendes und glückhaftes Ereignis. Immer noch sind die eigentlichen Antriebe zu dieser Findung,

ist der genaue zeitliche Moment nicht festzulegen. Der noch in Karls-
bad 1786 unternommene Versuch, «Iphigenies» Haupt unter das Joch
eines – unregelmäßigen – Verses zu beugen, ohne ihr das Genick zu
brechen, war nicht gut gediehen. Wieland, dessen Wichtigkeit für die
«Iphigenie» sogleich noch stärker in Erscheinung treten muß, hatte
freilich längst auf eine Bereinigung des Formproblems gedrungen. Er,
dessen «Johanna Gray» (1758) bereits in Jamben gesprochen hatte,
dessen «Alceste» den fünffüßigen Jambus mit Versen ungleicher Länge
untermischte, hatte immer schon gewollt, daß der Dichter die «schlot-
ternde Prosa» in einen «gemessenen Schritt» reihte, und ihn die for-
male Unvollkommenheit des Werkes fühlen lassen. In seinen «Briefen an einen jungen Dichter» (1782) hatte er für die Tragödie bereits
«eine vollkommen ausgearbeitete, numerose, das Ohr immer vergnü-
gende, nie beleidigende Versikation», «eine ganz reine, fehlerlose, immer edle, immer zugleich schöne und kräftige, niemals weder in die
Wolken sich versteigende, noch wieder zur Erde versinkende Sprache»
verlangt. Aber erst in Italien kam auch im Hinblick auf die Zusammengehörigkeit von Geist und Körper der «Iphigenie» die Erleuchtung
über den Dichter. Aufführungen Gozzischer Stücke in Venedig ließen
ihn hören, wie die Italiener ihre Jamben behandelten und deklamier-
ten. Er mochte sich wohl getrauen, vor diesem Volke seine «Iphigenie»
zu spielen. Dann aber möge man in der «Italienischen Reise» unter
dem 6. Januar 1787 nachlesen, welche Leiden und welches Glück ihm
diese geliebte Tochter, die er an seinem Herzen mitgenommen hatte,
noch in Italien bereitete und wie er Zeile für Zeile in dem befriedigenden Gefühle des Vollendens den Umguß vornahm. Nur eine Reihe von
Voraussetzungen läßt erst recht erkennen, was mit dieser neuen Form
ausgesagt ist. Aus den italienischen Briefen und Berichten wird deutlich, daß das Tramontane, Südliche, Mittelmeerische, das in der Weimarer Form erst erahnt worden war, nun in Italien seine rechte Be-
glaubigung empfing. Aber diese Nachrichten zeigen auch, daß ihm das
Werk das wertvollste Vermächtnis der Heimat war: «Ich schreibe nun
an meiner Iphigenie, das nimmt mir manche Stunde. Und doch gibt
mirs unter dem fremden Volke, unter den neuen Gegenständen ein
gewisses Eigentümliches und ein Rückgefühl ins Vaterland» . . . Es

tut not, zu wissen, wie es sich in die Entfaltung des deutschen Idealismus und in einen deutschen Mythus von der Antike einordnet, endlich, welche weiterzeugenden Kräfte durch die einmalige und maßgebliche Kunstform des Werkes geweckt und entwickelt worden sind.

Gerade für die «Iphigenie» (und auch für den «Tasso») ist die frühere «Modellphilologie» überwunden. Durch Goethe selbst ist der Erkenntnis der Weg geebnet, daß der Dichter immer nur so viel aus der niederen Wirklichkeit an Menschen und Zuständen übernimmt, als ihm an Material zum Aufbau der künstlerischen Wirklichkeit und nach ihren bestimmenden Gesetzen brauchbar erscheint. So zeigt der kranke, von den Furien verfolgte Orest Möglichkeiten, die in Goethe selber lagen, in dem Geheilten vermochte er sich aber nicht minder zu erkennen, auch ohne die Vorwegnahme seiner, des Dichters Heilung und Wiedergeburt in Italien. In sich selber aber fand er in anderen Augenblicken, in denen er sich seiner bewußt wurde, auch die stille, kluge und gesetzte Seele des Pylades, und auch dabei braucht es nicht einmal des Hinweises, daß er so werden wollte, wie dieser war. So legte er sich hier ebenso in zwei Gestalten auseinander, wie es die des Tasso und Antonio sind. Gewiß lassen viele Äußerungen Goethes empfinden, welche heilende und sänftigende Kraft für ihn von Frau von Stein ausging, gewiß war das Werk ihm so teuer, weil es den Dank an sie abstattete. Aber auch die Kraft der Heilung brauchte ihm nicht von außen zu kommen. Auch sie fand er in sich, und was ihm von außen wurde, förderte und stützte nur sein eigenes Vermögen, sich zu sich selber zurückzuführen. Schicksalslauf des deutschen Geist- und Kunstwerdens bleibt dabei, wie sich das alles mit der *stofflichen Überlieferung* zusammenschloß und von ihr und der früheren Linie antikisierender deutscher Dichtung abhob.

Der antike Stoffkreis, aus dem die Taurische «Iphigenie» des Euripides schöpft, hatte in der italienischen und französischen Renaissance und auch bei deutschen Dramatikern des 17. und 18. Jahrhunderts längst seine Bearbeitung gefunden. Was Goethe an Anregungen und Motiven dem einen oder anderen dieser Vorgänger etwa verdanken mag, fällt weniger ins Gewicht als die Seelengeschichte dieses und anderer dem Euripides folgenden Stoffe in Deutschland während des

18. Jahrhunderts. Diese Seelengeschichte, die zugleich Stilgeschichte ist, führt über die Namen Johann Elias Schlegels mit seinem Trauerspiel «Orest und Pylades» (erschienen 1761, vorher «Die Geschwister in Taurien» genannt, entstanden 1737, von der Neuberschen Truppe 1739 aufgeführt), Friedrich Wilhelm Gotters mit seinem Alexandrinerstück «Orest und Elektra» nach Voltaire und Crébillon (1774), Wielands mit seinem Singspiel «Alceste» (1773). J. E. Schlegel, aus Gottscheds Schule, bestrebt, den Stil und die Haltung der französischen, klassizistischen Tragödie mit dem attischen Drama so, wie er es verstand, zu verschmelzen, schaut von der Höhe des Rationalismus auf das Griechentum mit einem nachsichtigen Lächeln als auf einen Kindheitszustand der Menschheit herab. Er ersetzt die Einfachheit des attischen Dramas im Aufbau durch eine kunstvolle und überlegt gegliederte, ja barock verwickelte Struktur und bietet an Stelle der auf das rein Menschliche zielenden Sprache der Empfindung und Leidenschaft des Euripides eine verstandesmäßige Auseinandersetzung und einen unnatürlichen Heroismus. Die Frau, Iphigenie, tritt zurück, Orest und Pylades sind die eigentlichen Helden, in denen männliche Tugenden sich zur Schau stellen. Der Schluß seines Werkes in der endgültigen Fassung von 1742 schwelgt in einem Wettstreit edelmütiger und heldenhafter Gesinnungen unter den Dreien. Jedes will für den anderen sterben; ein altes Orakel bringt die glückliche Lösung. . . . Gotters Werk, das, abhängig von den französischen Vorlagen, den Muttermord des Orest behandelt, deckt sich stofflich nicht mit Goethe. Aber abgesehen von kleinen motivischen Ähnlichkeiten steht es schon im Zeichen *des* Griechentums, das durch die Empfindsamkeit seelisch erweicht worden war, und im Zeichen der Milde und Menschlichkeit, die hiermit im Gefolge gingen. Der ganze Boden des 18. Jahrhunderts, in welchen die Goethesche «Iphigenie», als Schlußglied einer Entwicklung gesehen, ihre Wurzel gesenkt hat, wird jedoch ausgehoben mit den Zusammenhängen, in denen Wielands «Alceste» steht. Auch hier haben die einzelnen motivischen und technischen Übereinstimmungen, die die ältere Forschung aufzuweisen vermochte, ihre Schlagkraft ebenso verloren wie der Nachklang einzelner Wendungen der «Alceste», den man in der «Iphigenie» unüberhörbar vernimmt. Inwiefern aber

liegt dies Werk Wielands an der Wendung des Weges, der zum klassischen Stile Goethes und zum klassischen Stile in Deutschland überhaupt hinaufführte? Einer der bestimmenden Einflußbereiche ist die Musik, genauer die Gattung des Melodramas mit seiner Vereinigung von dramatischen und lyrisch-musikalischen Elementen. In weit ausgreifenden Darlegungen hat Konrad Burdach gezeigt, wie die Bemühungen um eine Vereinigung oder Wiedervereinigung von Poesie und Musik, von England aus eingeleitet, das deutsche 18. Jahrhundert durchziehen und in der Richtung des Willens liegen, die Poesie aus der Dimension der bloßen Vernünftigkeit zu lösen und wieder mit den seelischen Grundkräften zusammenzuführen, die für Dichtung und Musik gleichermaßen wirksam sind. Hier eröffnete sich ein Feld für Herder. Noch in seiner spätesten Zeit hat er die Wiedergeburt der antiken Tragödie aus dem Geiste der Musik gefordert, aber schon in seinem «Reisetagebuch» eine Oper gewünscht, die, im Gegensatz zur Barockoper, von äußerster Schlichtheit des Baues, ganz auf *menschlichem* Grund und Boden ruhen und ganz von *Empfindung* erfüllt sein sollte: «Der Plan muß einfach sein: keine Verkleidung – keine Verwicklung... der Plan muß Empfindung sein: nur diese spricht durch die Stimme... Nichts also als menschliche Szene.» Zeichnet sich in solchen Worten nicht schon der Grundriß der «Iphigenie» nach ihrem Gehalt und ihrer Form ab? Herder sprach nur aus, was gleichzeitig von Gluck im Vorwort seiner «Alceste» (1769) theoretisch begründet wurde. An dieser Quelle schöpfte Wieland mit seinem «Versuch über das deutsche Singspiel» (zuerst im «Teutschen Merkur», 1775), wobei der Ausdruck «Singspiel» sich mit dem Melodrama deckt. Die Grundforderungen sind Einfachheit, Wahrheit und Natürlichkeit. Das Ganze soll von der Sprache des Herzens und der starken Leidenschaften durchzogen sein, Bewegung und Handlung sollen einzig aus dem Seelenleben kommen, die Darstellung der seelischen Vorgänge vom Lyrisch-Musikalischen aus bestimmt sein. Damit war eine feste Vorstellung von dem Stil der griechischen Tragödie aufgetaucht: man nahm ihn als wesentlich lyrisch und schrieb ihm die Aufgabe zu, der Schilderung des menschlichen Innenlebens zu dienen. Die geistig-seelischen Bestandteile, die den Stil der Wielandschen «Alceste» zu einer Vorformung der «Iphigenie» machen, sind jedoch hiermit nicht abgetan. Im Gefolge der Gattung des Melodramas, die sich bei uns seit den siebziger Jahren nach dem Vorgange von Rousseaus «Pygmalion» (1762) durchsetzte, stellten sich noch andere Züge ein, die die «Alceste» und die «Iphigenie» aus einem gemeinsamen Raume kommen lassen. Die empfindsam-psychologische Auseinanderlegung und Selbstentfaltung erhielten ihre gesammelte Eindrucksfähigkeit dadurch, daß eine einzelne Frauengestalt der Antike in den Mittelpunkt trat und das Ganze auf wenige Personen beschränkt blieb. Zur Musik, Mimik, Deklamation gesellte sich eine der bildenden Kunst nacheifernde Haltung der Personen, zumal der Hauptheldin, eine Haltung jedoch, die an die Stelle der Statik die Bewegtheit und Bewegung setzte. Die Auffassung vom Griechentum war bei Wieland bestimmt durch Rousseaus Vorstellung von einem «goldenen Alter» der jungen Menschheit. Mit dieser Vorstellung vereinigt sich der Winckelmannsche Idealbegriff. Shaftesbury steht im Hintergrund. Der Charakter der Heldin ist im Geiste des großen Engländers eine «schöne Seele» voll innerer Harmonie. Der «moralische Schönheitssinn» des Dichters bekundet sich in diesem Charakter, das heißt, die sittlichen Eigenschaften seiner Heldin sind für den Dichter in der künstlerischen Schöpfung der Gestalt mitbeschlossen und kommen an ihr zum Ausdruck. Das Furchtbare und Tragische ist in der «Alceste» ebenso abgedämpft wie in der «Iphigenie». Die Güte und Versöhnlichkeit erstreckt sich auch auf die griechischen Götter. Auch die Eumeniden sind nicht bloß finstere Rachegeister: sie werden von Wieland die «guten Götter» genannt, auf deren Milde und Versöhnlichkeit man rechnen kann. «Der mißversteht die Himmlischen, der sie blutgierig wähnt; er dichtet ihnen nur die eigenen grausamen Begierden an», sagt Iphigenie. Wielands «Alceste» hat, 1773 in Weimar aufgeführt, schon vor Goethes Eintreffen dort eine Atmosphäre geschaffen. Diese Atmosphäre umgab ihn, da «Iphigenie» wurde, und entsprach seinem eigenen, neuen Werden und Wesen. Die «germanische Kraftantike», die die Stürmer und Dränger als Gegenbild unkräftiger und unnatürlicher Gegenwart suchten, die noch des jungen Goethe Farce «Götter, Helden und Wieland» gegen die «Alceste» ausgespielt hatte, war in einem Prozeß, in welchem sich Zeitgebundenheit und Eigenwerden vermählten, zu ihrem Gegenpol durchgestoßen.

Die Verwurzelung der «Iphigenie» in einem Erdreich, das, vom Geschmacke des Melodramas durchsetzt, Gehalt und Stil der klassischen deutschen Dichtung vorbereitete, wird durch die zeitliche und geistig-seelische Nähe des für Gluck bestimmten Goetheschen Monodramas *Proserpina* von 1777/78 bestätigt. Dieser Meilenstein auf dem Wege zur «Iphigenie», zur deutschen Hochklassik und Spätklassik, den ein feiner Sinn «ein Mittelglied» zwischen «Prometheus» und «Iphigenie», zwischen «Ganymed» und «Parzenlied» genannt hat, bringt, hoch über die in der modischen Strömung stehenden Werke eines Brandes und Gotter hinaus, die Gattung des Melodramas zur Erfüllung. Diese aufwühlende und rührende Frauentotenklage, in den «Triumph der Empfindsamkeit» Corona Schröter zuliebe eingefügt, ist, als Glied einer Entwicklung gesehen, ein wogendes und fließendes Gebilde: in ihr ist der pantheistische Lyrismus und die Naturseligkeit des jungen Goethe, sein Aufbegehren gegen die Götter, aber ebenso auch schon die Anerkennung der ehernen, göttlichen und sittlichen Gesetze wie in den weimarischen Hymnen; Furchtbarkeit des verhängten Schicksals gibt einen Vorklang der Iphigenie. Das Expressive von Sprache und Satzbau und der leidenschaftliche Rhythmus der freien Verse geben bisweilen plötzlich die Sicht frei auf die hohe, ruhig betrachtende Weisheit des andern Werkes und auf ein erleuchtetes Sichfügen in das Gesetzliche und Unabänderliche, das zugleich das Sittliche ist. Schließlich gehört in die Vorbereitung der «Iphigenie» auch das 1781/82 entstandene Bruchstück des *Elpenor*. Die Beziehungen zwischen beiden Werken zeigen, wie der auf dem Wege zur Klassik befindliche Dichter *einen* Stamm nach verschiedenen Seiten strebender Äste hervortreiben ließ. Wieder sollte es werden ein Festspiel zu einem gleichen Anlaß, wie er sich für die «Iphigenie» geboten hatte. In der unter antiken Anregungen im wesentlichen frei erfundenen Fabel sollte ein Kind, dessen Name die «Hoffnung» verkündigt, einem fluchbeladenen Geschlechte Versöhnung und Entsühnung bringen. In beiden Werken wird den Hauptgestalten ein innerer und sittlicher Zwiespalt beigelegt durch die Notwendigkeit der Entscheidung nach der einen oder anderen Seite: «Es sind verschiedene Figuren desselben Kaleidoskops: dieselben Motive etwas anders gelagert, anders gedreht.» Die vom jambischen Rhythmus beherrschte Form des «Elpenor» liegt in dem Raume zwischen der «Alceste» und der «Iphigenie». Und hier wie dort führt diese Form gerne eine nach dem Allgemeingültigen strebende, bisweilen gnomische Ausdrucksweise und eine so beschaffene Wortwahl und Satzfügung mit sich.

Euripides und Goethe – der Abstand der Zeiten, Räume und Geister scheint so groß zu sein, daß der immer wieder angestellte *Vergleich mit der stofflichen und dichterischen Grundlage, die der Grieche* bot, einem Wagnis gleichkommen will. Aber die deutsche Geistigkeit hat diesen Vergleich immer wieder gesucht, um das von ihr gefühlte Einströmen des Griechischen in unsere Seele und unsere Art sich irgendwie bewußt zu machen. Nur dürfte vorüber sein ein Verhalten, das das eine Werk auf Kosten des anderen wertet. Wie immer, wenn Stoff und Formung, wenn eine Dichtung mit einer anderen gleichen Gegenstandes zusammengehalten wird, kann auch hier die einläßliche Gegenüberstellung zu Erkenntnissen führen, die eine aus Anschauung fließende «Evidenz» besitzen. Der Schritt einer Darstellung, die die einzelnen Werke in die Kette und in das Wesen der deutschen Entwicklung einlassen will, erlaubt diese Gegenüberstellung nicht. Um *eine* Achse dreht sich das Verhältnis Goethes zu Euripides: um das Goethesche Vermögen, die kulturellen, religiösen und an die Sage gebundenen Voraussetzungen des euripideischen Stückes ohne Bruch in sein Werk aufgehen zu lassen, das auf das «sanfte Gesetz», auf die moderne und zugleich überzeitliche Geltung der Menschlichkeit gegründet ist. Er nahm dem Euripides alles, was geeignet wäre, abzulenken von dem Wege, der von *ihm* beschritten wird: der Weg nach innen, der Weg zu den «Müttern», den Urphänomenen der menschlich-sittlichen Veranlagung. Alles in diesem Sinne Wesenlose, Verwirrende, Trübende mußte ausgeräumt werden, um dem Reiche des Wesenhaften Platz zu machen, das sich ausdrückt in der Gemeinschaft der Spezies Mensch. Nur die sittliche Forderung der Wahrheit und Klarheit wird den letzten Ansprüchen gerecht, die an diese Spezies zu stellen sind, wie sie über allen und abseits von allen anderen Naturwesen steht. Nur in diesem Bereiche vermochte für den Dichter der «Iphigenie» ein tragischer Konflikt zu entstehen oder zu drohen. Diese Erkenntnis des Wesenhaften, diese Übereinstimmung des Menschen mit sich selbst in der untrüglichen Gewißheit, in seinem Busen das Gesetz zu tragen, wirkt in dem Skythenkönig Thoas dort, wo er Iphigenien im ersten Aufzug gegenübertritt, bis zu der ergreifenden Ersetzung des unwirschen «So geht!» durch das milde «Lebewohl!» am Schluß. Dies Wesenhafte und in Wahrheit «Seiende» ist vor allem Iphigeniens Teil. So, wie das Orakel, das den Orest, um geheilt zu werden, das Bild der «Schwester» entführen heißt, bei Goethe nach seinem eigentlichen Sinne erkannt wird und auch das Göttliche damit seine Rechtfertigung nur aus der Wahrhaftigkeit erhält, so besteht die Sinnerfüllung der Existenz Iphigeniens nur in diesem Stehen zu sich selber. Sie ist die Verkörperung des die Menschen unter sich und mit den Göttern verbindenden, menschliche Gebrechen austilgenden Grundgesetzes der «Wesentlichkeit». Dieses Grundgesetz erscheint in dem Stücke als ein die Welt bestimmendes Prinzip. Das «Wesentlichwerden» des Menschen in der Mystik wird so in der Klassik wiedergeboren. Dies «Wesentlichsein» ist dem Bruder wie seinem Gefährten ebenfalls vorbehalten. Oder ist vielleicht in dem odysseusartigen, klugen und listigen Pylades ein Zug, der dem widerspräche? Orest aber kehrt durch seine Heilung zu sich selbst, zu dem Klaren und Ungetrübten seines Wesens zurück. Gleicherweise entfernt von dem christlichen Wunder wie von Erkenntnissen der Psychiatrie oder der vermeintlichen Vorwegnahme von Lehren der Psychoanalyse, ist die Heilung des Orest vom Wahnsinn (der sich in den Eumeniden vermythisiert) ein Zusichselberkommen, ausgelöst durch die Kraft der Gemeinschaft, die sich in den Blutsbanden zwischen Bruder und Schwester am wirksamsten zeigt. Es ist eine Rückbesinnung auf die bestehenden Grundlagen und Werte seines menschlichen Seins, die nur vorübergehend durch den Muttermord, und was mit ihm zusammenhängt, erschüttert werden konnten. Schließlich war diese Tat sittliche Vergeltung. Sie ist bei Goethe nicht mehr uralt-heilige, göttliche Satzung. Es ist zutreffend, daß durch die ganze Dichtung religiöse und christlich-religiöse Vorstellungselemente in unendlich leisem, aber wesentlich verändertem Sinne gebraucht werden. Die Metamorphose dieser Vorstellungen, vor allem der Erlösungs- und Lossprechungsidee in dem Sinne, daß ihr allgemeingültiger, gleichbleibender und überzeitlicher Gehalt herausgestellt wird, ist wichtiger als gewisse Attribute eines religiösen Verhaltens, wie es etwa Iphigeniens Gebet (Vers 1517 ff.) ist. Daß Heilung und Erlösung an die Frau geknüpft sind, geknüpft werden konnten, machte dem weimarischen Goethe eben diesen Stoff zum Erlebnis. Wenn schon die Goethesche Jugenddichtung den «besessenen» Mann bei den Frauen Halt und Frieden finden ließ, so wird dieses triebhafte Ergreifen fraulicher Hilfe nunmehr in ein Wissen um das frauenhafte Mittler- und Helferamt umgesetzt: denn die Frau ist im stärkeren Maße wesentlich als der Mann: «Allein ein Weib bleibt stets auf *einem* Sinn, den sie gefaßt» (Vers 790 f.). So bleibt auch die Prinzessin gegenüber aller Dämonie und Trübung in Tasso unbeirrbar bis zur Grenze des Erträglichen. In der «Iphigenie» zuerst, dann im «Tasso» wird der Unterschied der männlichen und weiblichen Form, über den dann Schiller und Wilhelm von Humboldt nachdachten, immer wieder in erlebte und durchdachte, abgewogene und runde Formulierungen gefaßt. Hier beginnt der Weg zum Faustischen Himmel mit seiner Verklärung der erlösenden Frau.

Es ist das Erstaunliche des Werkes, daß es, indem es die äußere Aktion zugleich die innere Handlung sein läßt, so daß von einem für sich bestehenden äußeren Vorgang nur noch geringfügige Reste übrigbleiben, Mythus, Sage, gewisse Voraussetzungen barbarischer Zustände mit ihren Gegensätzen zum Griechentum – Dinge, ohne welche die Fabel ihren Knochenbau einbüßen würde – ganz aufgesogen werden läßt von dem Dauernden, das im Wesentlich-Menschlichen besteht. Möge nie das, was beizubehalten für den Dichter notwendig war, damit er überhaupt den altgriechischen Stoff als Symbolgefäß zu ergreifen vermochte, sich vor die existentiellen Werte und vor die sittliche und künstlerische Allgemeingültigkeit des Werkes schieben!

Ausdruck dieses Wesentlichen ist der *Aufbau* des Stückes. Er ist im Rahmen der drei Einheiten organische Entfaltung aus diesem Mittelpunkte. Schon zeigen sich an diesem Bau die Proportionsverhältnisse, die Grundsätze der Gliederung, die Parallelismen und Harmonisierungen, Polaritäten und Steigerungen, die Ausgewogenheit zwischen analytischer und synthetischer Technik – alles, was auch die Strukturverhältnisse der hochklassischen Dichtung Goethes und Schillers bestimmt. Der Aufbau findet seine rechte Erfüllung erst in der Bewegung des Stückes, in dem zurückhaltenden oder vorwärtstreibenden Rhythmus und Tempo, in dem Wechsel zwischen Länge und Kürze der Rede, in der Unterbrechung der gedehnten Aussprache der Einzelpersonen durch die ein- oder zweizeilig sich gegenübertretenden Wechselreden, die, vom griechischen Drama übernommen, hier ganz in den Dienst der dynamischen Wertverhältnisse gestellt werden. Im Zusammenhange des Aufbaus stellt sich die Frage nach den Beziehungen der «Iphigenie» zur *französischen* klassizistischen Tragödie, besonders zu Racine. In der Dichtungsgeschichte der Völker, die sich gegenseitig die goldenen Eimer reichen, besteht immer die Möglichkeit, Vorformungen und Abhängigkeiten zu konstruieren, zumal dann, wenn ein von außen herangebrachtes Netz von Begriffsbildungen kunst- und geistesgeschichtlicher oder philosophisch-ästhetischer Art oder aber ein schulmäßiger Schematismus die nationalen und individuellen Lebensantriebe überdeckt. Sie besteht auch dann um so mehr, wenn die Übereinstimmungen ohne Gegenprobe bleiben. Ist wirklich der Satz gültig, daß Goethe wie Racine gleichermaßen im Kerne lyrisch-gefühlsbetont waren, daß bei beiden dieser leidenschaftliche Gefühlskern unter der Decke zusammenfassender Verstandeskräfte lag, so besagt das nicht viel. Erwägenswerter ist die Anwendung kunstgeschichtlicher Grundbegriffe (Symmetrie, Gradlinigkeit, strenge Gliederung, Verbindung von Horizontalen mit Vertikalen, rationalistisch-präzise, geometrisch-plastische Einzelformen, schwere, dunkle, kontrastreiche Farbe, Largotempo). Aber auch diese Kategorien bedürfen bei ihrer Verwendung der äußersten Vorsicht und des feinsten Taktes. Daß der französische Barockklassizismus der deutschen Klassik seit Winckelmann in Theorie und Praxis gewisse Tragpfeiler für den neuen Überbau geboten hat, weiß man. Auch die Hochklassik Goethes und Schillers hat den französischen Klassizismus in seiner für das deutsche Formgefühl erziehlichen Funktion nicht abgelehnt, sondern sich eingebaut. Hier wie dort herrscht zudem

der Geist einer empfindenden und verbindenden Menschenliebe und
waltet die Gehobenheit im Ausdruck dieses den Menschen zum Menschen fügenden und von dem Menschenwerte überzeugten Gefühls.
Man müßte jedoch für dies und anderes über den französischen Klassizismus noch nach rückwärts auf Renaissance und Altertum zurück-
dringen. Im geistigen Leben der Völker besagt die gegenständliche
Übereinstimmung stets wenig; entscheidend ist die Aufnahme und die
Wandlung. Nur das Wie ist es, in welchem sich die Besonderheit und
Eigentümlichkeit ausdrückt.

Diese Besonderheit und Eigentümlichkeit ist letztlich in der *Sprach-
gestaltung* der «Iphigenie» beschlossen. Durch nichts unterscheidet
sich das deutsche Werk nachdrücklicher und unverkennbarer vom klassischen Drama Frankreichs als durch den Geist und Atem seiner Sprache. Was in der rhythmischen Prosa angelegt war, wurde entwickelt
und ausgeformt in der italienischen Jambenform. Die waltenden Grundkräfte dieses Stils letzter Hand sind dieselben, die in der Komposition
des Werkes spürbar sind. Sie zeigen sich in der Gliederung der Sätze
und Phrasierungen, in Erweiterungen und Aufteilungen des Satzbaues,
in Akzentverstärkungen und -verteilungen. Sie erscheinen in der Findung und Verwendung des fülligen Ausdrucks, in der Vernietung aller
nüchternen oder plattklingenden Sätze und Worte, die früher gleichsam durch ein Loch in der ideellen Hülle des Werkes zu Boden fielen,
auf der gleichmäßig hohen Ebene des ganzen Stückes, die durch Würde
und Schicksal der Menschheit gebildet wird. Nie aber hebt sich anderseits ein Ausdruck gewaltsam, künstlich angespannt, über diese Ebene
hinaus: in solchem Verhalten ist tiefe Wesensverschiedenheit von der
Sprache der französischen Tragödie. Ausgeformt und verdeutlicht ward
nun die Allgemeingültigkeit des sprachlichen Ausdruckes, nicht nur in
den sententiösen Stellen. Herausgearbeitet wurde das in Weiten Weisende, Beflügelte und Schwingende in Wortwahl, Wortzusammenset-
zungen und Wortverbindungen – alles das, worin die Fernsucht des
deutschen Menschen, die Verhülltheit der Abgründe, die um ihn und
in ihm sind, sich birgt und das Hinausstreben über die Grenzen sprach-
licher Ausdrucksmöglichkeit spürbar ist. Überall wird nun die Zuord-
nung des Versrhythmus zu dieser Sprache evident. Diese Sprache war

nur zu haben um den Preis, daß sie ohne individuelle und charakteristische Abstufungen blieb. Nur so konnte die Idee des «Reinen» in ihr verwirklicht werden, im Sinne des Bekenntnisses, das Goethe am 7. August des Wende- und Krisenjahres 1779, vor der zweiten Schweizerreise, in sein Tagebuch eintrug: «Möge die Idee des Reinen, die sich bis auf den Bissen erstreckt, den ich in den Mund nehme, immer lichter in mir werden.»

Die «Iphigenie» hatte es schwer, in Deutschland *verstanden* zu werden. Sie fiel nicht nur im Allgemeinen unter das Mißverstehen oder die zum mindesten kühle Aufnahme, die dem nachitalienischen Goethe beim deutschen Publikum zunächst zuteil wurden, bei jenem Publikum, auf welches, wie Aug. Wilh. Schlegel sagte, «das Wiederauftreten Goethes... in der Gestalt des reifen, selbständigen, besonnenen Künstlers unmittelbar keine sichtbare, bedeutende Wirkung hervorbrachte»: sie hatte noch besondere Schwierigkeiten zu überwinden, um begriffen zu werden. Die Gründe dafür hat Viktor Hehn in beißenden Sätzen zusammengefaßt: «Das Drama war kalt, denn es war nicht sentimental, sondern bloß seelenvoll und innig und fromm; es war ganz ethisch, aber es predigte nicht Moral; das Pathos rauschte nur wie eine mächtige unterirdische Quelle; das Kolorit war zu zart, um der groben Auffassung der literarischen Menge fühlbar zu werden.» Auch hier hat die Frühromantik mit ihrer aufklärenden und geschmacklich erziehenden Arbeit eingesetzt, ohne daß im 19. Jahrhundert bis in die Gegenwart die Meinungen und Werturteile sich hätten einigen können. Erst die so dringend notwendige Geschichte des Goethemythus, wie ihn die Folgezeit hervorbrachte, kann hier, indem sie die Bedingtheiten des Urteils der Nachwelt aufzeigt, das eigentliche Wesen dieser Dichtung noch klarer herausstellen und ihren rechten Gebrauch lehren. Die vordringlichste Frage wird immer die nach dem sentimentalischen Gehalt (in der Ausdrucksweise Schillers, gegenüber einer antiken Naivität) sein. Das Naive fand Hippolyte Taine in dem Werk; vielleicht ist sein Urteil, obwohl Taine für ihn nicht in besonderem Maße repräsentativ sein mag, doch bezeichnend für die Haltung, die der französische Geist zur «Iphigenie» einnehmen mußte. Ganz Griechenland lebt für ihn in der Dichtung. Iphigenie ist aufgewachsen wie eine schöne Pflanze in einem guten Boden. Die Dichtung ist so, wie Dichtung heute überhaupt sein würde, «wäre die antike Kultur, statt sich zu lösen, an ihr Ziel gelangt». In dem Werke ist für ihn nichts von der Gebrochenheit des modernen Menschen, von der «Übertreibung seiner Erregbarkeit», von «dem Mißverhältnis seiner Wünsche und seiner Macht», von «dem tiefen Zwiespalt seiner Fähigkeiten», nichts von der Gegenüberstellung des Übernatürlichen zur Natur, des menschlichen Gewissens zur Entwicklung des menschlichen Leibes. Der Deutsche Schiller dagegen hat das Sentimentalische verspürt und geltend gemacht. In dem Gespräche Goethes mit Eckermann vom 21. März 1830 über den Begriff von «klassischer» und «romantischer» Poesie sagte Goethe, Schiller habe ihm bewiesen, «daß ich selber wider Willen romantisch sei und meine Iphigenie durch das Vorwalten der Empfindung keineswegs so klassisch im antiken Sinne sei, als man vielleicht glauben möchte».

In weit stärkerem und folgenreicherem Maße aber ist romantisch-sentimentalisch – nach Schillers Begriffsbildung – der «*Tasso*». Schiller selber hat in der Abhandlung über «Naive und sentimentalische Dichtung», indem schon er vom «Tasso» auf den «Werther» zurückdringt, in dem Charakter Tassos ein «gefährliches Extrem des sentimentalischen Charakters» gesehen, obwohl in dem Dichter Goethe «die Natur getreuer und reiner als in irgend einem anderen wirkte». Er schilderte diesen Charakter der Linie Werther-Tasso als einen, der mit glühender Empfindung ein Ideal umfaßt und «die Wirklichkeit fliehet, um nach einem wesenlosen Unendlichen zu ringen, der, was er in sich selbst unaufhörlich zerstört, unaufhörlich außer sich suchet, dem nur seine Träume das Reelle, seine Erfahrungen ewig nur Schranken sind». Das ist noch mehr Tasso als Werther. In der Tat ist der «Tasso», indem Goethe diesen Charaktertyp formte, für die – auch in der geistesgeschichtlichen Verwendung des Wortes – als romantisch bezeichnete Literatur Deutschlands in starkem Maße eine vorfühlende Erscheinung geworden. Nur «Wilhelm Meisters Lehrjahre» treten ihm in dieser Wirkung zur Seite. Da das, was das Werk mit der «Iphigenie» verbindet, zumal auch die Verwandtschaft des individuell-entstehungsgeschichtlichen, auf dem Erlebnis ruhenden Vorganges schon berührt wurde, steht nunmehr der neue Ansatz, die andere Art der Lösung, die es der «Iphigenie» gegenüber bietet, die Steigerung der mit ihm gebotenen Kunst spezifischer Art zur Erörterung.

Nur Vermutungen sind erlaubt über jene in «poetischer Prosa» verfaßten beiden Akte eines «Urtasso», den Goethe auf die Reise nach Italien mitnahm. Man weiß, daß der 30. März 1780 nach Goethes Tagebuch der «erfindende Tag» für dieses Werk gewesen ist, das in diesem und im folgenden Jahre zu der vorläufigen Form gedieh. Man weiß, wie es in Italien nach einem neuen Plane zurechtgerückt, gefördert, aber erst nach der Rückkehr als ein rechter innerer Abschluß, den er sich nunmehr mit einer gewissen Gewaltsamkeit auferlegen mußte, fertiggestellt wurde. War es doch seelischen Zuständen des noch nicht innerlich gereinigten Dichters entsprungen. Aber daß diese Zustände der frühesten Konzeption nun keine unmittelbare Mächtigkeit mehr für ihn besaßen, ist der Kunst- und Stilform des «Tasso» zugute gekommen. Sie konnte nur so werden, weil sie in einer gewissen Entfernung von dem Gegenstande geübt, von leidenschaftlich-subjektiver, erster Anteilnahme am Stoffe nicht mehr verwirrt wurde. Gegenüber der aus dem Inneren kommenden «Wiedergeburt» des Stoffes in der «Iphigenie» kennzeichnet sich der «Tasso» durch die Ausbeutung von «Quellen» ähnlich wie der «Götz», der «Clavigo», der «Egmont»: der Schriften von Manso und seinen Nachfolgern, Heinses, Muratoris, später in Italien des Neues und Sachliches bringenden Werkes von Serassi. Die «Dokumentation» ist aus dem «Tasso» nicht wegzudenken. Sie findet sich am weimarischen Hofe, der sich vor den Renaissancehof von Ferrara schiebt, in Tassos Heimatland mit seiner Natur, Kunst und Geschichte. Freilich bedeutet solche Dokumentation nicht realistische Schilderung. Sie ist ganz eingeschmolzen in jenes idealisierende Fernbild, das zwar nicht wie das Griechentum Iphigeniens nur mit der Seele gesucht wird, aber doch ein stilvoll durchwaltetes Dasein der Renaissance über der historischen und gegenwärtigen Wirklichkeit aufbaut und die Atmosphäre für diese Menschen schafft. Auch der «Tasso» ist «Kammermusik», ist intime Zwiesprache, Aussprache, Austrag zwischen wenigen Personen einer Gemeinschaft. Hergebrachte Begriffe von Gattung, Technik und Stil versagen so ziemlich an ihm: er stellt wie jedes große Werk Goethes eine unwiederholbare Einmaligkeit dar, an der sich jede folgende Entwicklung nur mit weitem Abstand orientieren kann. Die Deutung des «Tasso» läßt einen Wald von Fragen erstehen. Zu einem Teil konnten sie nur aufgeworfen werden, weil man das Wesentliche vom Nebenwerk und von der Ornamentik des Stückes nicht trennte; zu einem andern Teile, weil der Vergleich des «Tasso» mit dem «Werther» durchgeführt wurde, ohne daß die Verschiedenheit in der Reichweite beider Werke sich durchsetzte. Anderen Mißverständnissen oder Ratlosigkeiten wurde dadurch Vorschub geleistet, daß, wie es auch sonst der Goetheauslegung geschehen ist, was in Goethes menschliches Leben und Erleben gehört, mit dem Kunstwerk auf der gleichen Ebene behandelt wurde. Man beachtete hier und anderwärts – man denke etwa an das weimarische Mondlied – zu wenig, daß sich der schöpferische Akt in dem Dichter jetzt infolge der italienischen Wegscheide in zwei Etappen vollzogen hat: die eine ist die, in der nach Herders Ausdruck ein «Erstlingsabdruck» seiner Seele entsteht, die zweite die im Abstand von dem Erleben sich vollziehende Formung und Ausgestaltung in dem Bereiche der reinen Kunstschöpfung. Alle Deutung des «Tasso» aber hat von diesem objektiv gültigen Kunstwerk auszugehen, wie es der bildende Dichter im Besitze seiner fertigen Ansichten von Natur und Kunst formte. Damit gewann es seine eigene Existenz, Lebenskraft und Wirkungsfähigkeit, und die Frage nach dem Akte seiner Entstehung aus der biographischen Einheit Goethe tritt zurück.

Die Auseinanderlegung der Goetheschen Persönlichkeit in die zwei Männer: Tasso und Antonio, «die darum Feinde sind, weil die Natur nicht einen Mann aus ihnen beiden formte», zeugt von jener Fähigkeit des Doppelerlebnisses, die immer wieder an Goethe beobachtet werden kann. Es ist die Haltung des «Sowohl-als-auch», die ihm im Bereiche der sittlich-charakterlichen Entscheidungen eigen war. Sie entsprach nun einmal seiner Natur und war der Preis für seine dichterische und menschliche Fülle und Ganzheit. Es ist dieselbe Haltung, der ein strenger sittlicher Forderer wie Kierkegaard das «Entweder-oder» entgegensetzte. In diesem «Sowohl-als-auch» war Goethes weltanschaulich-biologische Überzeugung von der Polarität enthalten. In der fertigen Dichtung hat dies Prinzip und seine Ausformung den Vorrang vor der persönlichen Erlebnisfähigkeit des Menschen und Dichters. Ebenso steht es mit den Gesetzen der Anziehung und Abstoßung; beide Gesetze wirkten in ihm, der dichterisch begnadeten Persönlichkeit, wenn es sich um den weimarischen Hof handelte. Beide Prinzipien umfassen aber für ihn ebenso allgemeingültige und bestimmende Vorgänge der Natur und des menschlichen Daseins, wie die Polarität, deren Folge sie sind, ein solches Grundgesetz ist. Im Leben wie im Dichten stellte sich für ihn die Notwendigkeit des Ausgleichs, der Vermittlung her. Auch der Vermittlungsgedanke kommt aus dem Ganzen seiner Anschauung der Lebensvorgänge, nach der sich das Leben innerhalb von Gegensätzen in dauernder Bewegung vollzieht. Abgesehen von Tasso selber können alle übrigen Personen des Stückes als morphologische Entfaltungen und Abstufungen des Vermittlertyps angesehen werden, wenn auch bisweilen nur für einen bestimmten Augenblick und eine bestimmte Situation, immer in Beziehung auf Tasso selbst. So stehen Erlebnis oder Verhalten im Leben und weltanschauliche Grundgesetzlichkeit auch in diesem Werk bei ihm untereinander in inneren Beziehungen und Übereinstimmungen. Und es braucht nun für den «Tasso» als fertiges Kunstwerk der einzelnen menschlichen Erlebnisse kaum noch, um ihn in seinen strukturellen Grundverhältnissen zu begreifen. Aus der Zeit der schweren, vollendenden Arbeit an dem Werk schreibt Caroline Herder unter dem 9. Februar 1789, Goethe habe gesagt, «daß wir den Tasso, der so viel Deutendes über seine eigene Person hätte, nicht deuten dürfen, sonst wäre das ganze Stück verschoben. Kurz, ich war völlig befriedigt, da ich ihn mir so ganz als Dichter denke. Er nimmt und verarbeitet in sich aus dem All der Natur (wie es Moritz nennt), in das ich auch gehöre, und alle andere Verhältnisse sind dem Dichter untergeordnet.» Dies Wort muß oberster Leitsatz für jede Tassoerklärung sein.

Freilich wäre gegen diese Forderung auch gefehlt, wenn das Werk nur nach der Auswirkung und Entfaltung weltanschaulicher, natur- und lebensmäßiger *Grundgedanken* gewertet würde. Da sein Denken stets ein anschauliches war, vermochte er auch hier – und hier fast mehr als sonst irgendwo in seiner Dichtung – einen blühenden Garten zu schaffen, in dem der Leser und Hörer mit offenen Augen und Ohren lustwandelt. Wollte er doch auch für den «Tasso» nicht nach einer «Idee» suchen lassen. Aber einen streng durchgeführten «Sinn» hatte das Werk für ihn und hat es für uns. «Es ist», berichtet wieder Caroline Herder am 16./20. März 1789, «die Disproportion des Talents mit dem Leben». Alle Spannungen im Lebensrhythmus müssen um so stärker werden, je mehr es sich bei dem Menschen, an dem sie sich auswirken, um eine besondere Empfindlichkeit handelt. Mit der Dämonie und Magie des Genies, mit all seinem Andersgeartetsein gegenüber seiner Umgebung zeichnete sich seit der Zeit von Goethes Jugend auch die Struktur einer «Künstlerseele» deutlicher ab, wie sie nun fortan im Leben und in der literarischen Darstellung ihr Daseinsrecht behielt. Ihre erste dichterische Formung liegt im «Werther», eine ausgeprägtere im «Tasso» vor. Ihr Wesen ist stärkste Reizempfindlichkeit, verbunden mit bewußtem Verzicht auf jede Folgerichtigkeit und jedes Sollen. Da sie letzten Endes in Unbegreiflichkeit besteht, so gibt es für eine Dichtung, in der sie, wie im «Tasso», den Gegenstand bildet, letzten Endes kaum eine strikte Festlegung: immer neue, in weiterer Entfernung aufgestellte Blickpunkte ergeben sich; ein Rest widersteht, im Unendlichen zerfließend, jeder verstandesmäßigen Auflösung. Aber wie begreiflich ist anderseits der Wunsch, in einer Dichtung soweit wie möglich klar zu sehen, deren Verfasser sich bewußt war, daß er selber stets klar von Geist zu Geist spräche. Doch der «Tasso» will weitherzigen, schmiegsamen, einfühlsamen und beweglichen Geistes ausgelegt werden. Zwei Punkte stehen fest und sind schon durch das stoffliche Gefäß, das die Geschichte Tassos bot, in etwa vorgebildet: Tassos durch Leidenschaft und Ungebärdigkeit heraufbeschworenes Ausscheiden aus der Gemeinschaft des ihn tragenden und fördernden estensischen Hofes und – die Voraussetzung für das erste – seine in Wahnideen und Verfolgungsvorstellungen durchbrechende, krankhaft-reizbare Gemütsveranlagung, die den Weg zu seinem möglichen Ende erahnen läßt. In dem einen wie dem andern Punkte bietet der «Tasso» die der «Iphigenie» polar entgegengesetzte Lösung und steht zu ihr wie das Minus zum Plus: der festen Knüpfung von Gemeinschaftsbanden dort steht hier die Lösung aus der Gemeinschaft gegenüber, der Heilung Orests vom Wahnsinn die Steigerung von Tassos Wahn und Wähnen.

Nur durch ein Zu-Ende-Denken der Fragen, die das mögliche Verhalten des unaussprechlichen Individuums zur Gemeinschaft aufgibt, konnte der Dichter auch in diesem Werk ein ihn selbst reinigendes, befreiendes und festigendes Bekenntnis ablegen, ebenso, wie er im «Werther» den Ausgang des Selbstmordes finden mußte, um sich ins Leben zurückzurufen. Nur dadurch, daß er Tasso nicht zum Typus des Dichters machte, sondern die dem Dichter- und Künstlertum zugehörigen Charakterzüge über ihr wirkliches Vorhandensein im einzelnen Falle und über eine typische Gestaltung hinaus aufs äußerste steigerte und an einem Punkte sammelte, fand er sein eigenes Gleichgewicht zwischen Dichtertum und Welt. So stehen sich denn hier aus einer Vielheit möglicher Fälle des Verhaltens zwischen Individuum und Gemeinschaft die beiden Grundkräfte des «Lebens» und des «Talentes» gegenüber. Ihr Gegeneinander, ihr Ringen miteinander bis zu einem gewissen Punkte macht die «Handlung» des Werkes aus. Alle Personen sind verschieden gestaltete Stellvertretungen der Lebenssphäre gegenüber dem «Talente» Tasso. So gesehen verliert Tassos Verhältnis zu Antonio, ja selbst sein Verhältnis zur Prinzessin an Bedeutung für die eigentliche «Handlung». Vielleicht ist der Ausdruck «Handlung» kaum anwendbar und wird besser durch die Einsicht ersetzt, daß man es mit einem «bewegten Bilde» zu tun hat. Auf dem Gegensatz, den Antonio in die Formel zusammenfaßt (Vers 3078): «Der Mensch gewinnt, was der Poet verliert», und der Umkehrung dieses Satzes, die – dem Sinne nach – der Schluß enthält, beruht das Werk. Demgemäß ist es ein zwischen den beiden Hemisphären Mensch und Dichter herüber und hinüber fließendes Gewoge. Die geschmückte, bis ins letzte gemeißelte und geprägte Form, in der dieser Austrag – besser diese Verhandlung – sich vollzieht, könnte dazu führen, von einem «Spiel» zu sprechen, in welchem vermittelst des hin- und hergehenden Gespräches der Ball von einer Seite zur andern geworfen wird.

Und *Tassos Tragik?* Und der Schluß des Werkes? Noch ist der Streit um den «guten» oder «schlechten» Ausgang des «Tasso» nicht entschieden, ein Streit, der die Gegner so oft hat aneinander vorbeireden lassen, weil die Frage offenblieb, was unter «gutem» oder «tragischem» Ende zu verstehen sei. Die Tatsache, daß Goethe das Werk ein

«Schauspiel» nennt, darf nicht leichterhand beiseitegeschoben werden. Daß er fortschreitenden geistigen Verfall dargestellt oder die Tragödie eines Psychopathen geschrieben habe, kann nicht aufrechterhalten werden. Der Schluß entspricht der inneren Logik in der ganzen Anlage des Werkes. Der Dichter Tasso bleibt und wird bleiben, der er war, und das Leben, was es ist. Alle Deutungen einzelner, zum Teil sich widersprechender Sätze Tassos, namentlich seiner Worte gegen den Schluß, müssen damit rechnen, daß das Element der Tassoseele der Widerspruch, das Schwankende und Fließende, die Selbsttäuschung und Selbstsuggestion ist. Das Wesen dieser Seele und ihr Mißverhältnis zum Dasein des Tages sind an einem exemplarischen und durch den Reiz der Umgebung besonders eindrücklichen Falle dargestellt worden. Damit kann das Stück aufhören. Ob es ein «Drama» ist, ob es die Probe auf einen Gattungsbegriff besteht, darf füglich außer Betracht bleiben. Zu der aus dem Sinne des Werkes fließenden Folgerichtigkeit gesellt sich anderes, um die Mehrwertigkeit dieses Schlusses zu rechtfertigen. Man weiß, daß Goethe ein Freund «milder Schlüsse» war. Der Grund dafür liegt wiederum in jener durch den Polarismus seiner Natur und seiner Naturphilosophie geforderten Versöhnung und Vermittlung. Der Schluß des «Tasso» ist, wenn zwar nicht gerade lyrisch, so doch fast melodramatisch. Davon unabhängig ist eine andere Erwägung: ist, wie schon früher bemerkt wurde, der Gegenstand des Tasso der «Künstler», so ist das Werk als Ganzes in seiner nachitalienischen, fertigen Form das Ergebnis eines Wissens um die Kunst, deren Gesetzen Dichtung und Bildnerei gleicherweise unterstehen. Im «Tasso» ist bereits (vgl. oben S. 38) die Anschauung von der organischen Eigengesetzlichkeit des Kunstwerkes, von der Kunst als Herrscherin in einer nur ihr gehörigen geistigen Provinz, von dem Gegensatz zwischen Naturwahrheit und Kunstwahrheit zur Anwendung gekommen – Anschauungen, in denen die klassische Ästhetik Goethes und Schillers mit der Kants und Schellings Hand in Hand ging. Die Ambivalenz des Schlusses nun zeugt für die neuerworbene Kunstweisheit Goethes. Was nach dem Stück mit Tasso geschieht, wie sich sein Leben gestalten, ob es ein bloßes Vegetieren sein werde, ob neuer Aufschwung zu erhoffen sein mag – derlei Fragen werden von der Dichtung nicht beantwortet, ja sollen und dürfen überhaupt nicht erhoben werden. Denn sie greifen, über den Rahmen des Stückes hinauslangend, aus der Dimension des Kunstwerkes in die Dimension der realen Welt und werfen Kunst und Leben durcheinander. Mit dem letzten Worte verläßt man das Reich des Dichtwerks: den Vorgängen, die es versinnlichte, eine Fortsetzung geben wollen nach Analogie von Erfahrungen des gewöhnlichen Lebens, ihnen einen Teil des an Möglichkeiten reichen Alltagsdaseins anstücken – das wäre so, als wenn man der Skulptur eines Meisters Figuren aus einem Panoptikum zur Vervollständigung beigäbe. Nur in der Luft der Dichtung, nur unter ihren Bedingungen «leben» ihre Gestalten... Eine andere Frage ist die, wie die Bühne zu dem wie eine unendliche Melodie verklingenden Tassoschlusse steht. Darf, soll der Schauspieler bei den Schlußreden Tassos durch Ton, Haltung, Miene, Gebärde hindeuten auf die Zukunft nach dem Fallen des Vorhanges? Die Bühne verlangt solches, weil die Gestalten auf ihr vor den Augen des Zuschauers ein körperliches, greifbares Dasein führen, wie die Menschen um uns herum, und weil wir, auch wenn der Vorhang gefallen ist, die sinnfällige Vorstellung haben, daß ihr Dasein weitergehe. Die Dichtung als solche aber lebt in einem unkörperlichen Reich, das mit der Körperwelt, die das Theater uns vor Augen stellt, im Grunde nichts gemein hat. Der Schluß des «Tasso» – Goethe hatte bei dem Werke die Bühne zunächst nicht im Auge – ist ein Gegenstand der problemreichen Auseinandersetzung zwischen den feindlichen Nachbarn «Bühne» und «Dichtung», eine Auseinandersetzung, die bald den einen, bald den andern Teil notleiden läßt.

Die gegenüber der «Iphigenie» verstärkte künstlerische Intensität zeigt sich in der *sprachlichen Kunstform* des «Tasso». Offenbart der Stil im ganzen dasselbe Kunstwollen wie der der vollendeten «Iphigenie», so bezeugen doch seine Erscheinungen noch eine Steigerung und Verfeinerung. Die Polarität, die das ganze Werk durchwaltet, läßt das Dialektische, Gegensätzliche oder Korrespondierende in Sprache und Vers vorherrschen; die Auseinandersetzung mit Hilfe des *Wortes* bedingt eine noch schärfere Zuspitzung des Sentenzenhaften, das durch die Gültigkeit der Werte, die mit ihm zum Ausdruck kommen sollen, als Waffe dient, oft als epigrammatischer Pfeil. Von hier geht der stilistische Weg weiter zu der «Natürlichen Tochter». Aber in ihr wird, was in «Iphigenie» und «Tasso» noch ganz im Dienste der Sinngebung dieser beiden Werke stand, fast zum Selbstzweck und zu einer gewollten Abgelöstheit des sprachlich-stilistischen Gebildes von der eigentlichen Substanz des Werkes. Die Klassik ging hier, soweit sie sich in das Sprachliche umsetzte, schon über sich selbst hinaus.

Der «Tasso» als Kunst und Stil hat nicht die weimarischen Vorformungen, die die «Iphigenie» an der «Proserpina» und am «Elpenor» besitzt. Aber das Singspiel «Lila» (1776) und den «Triumph der Empfindsamkeit» (1777) kann man insofern in die Reihe Werther-Tasso einlassen, als auch in ihnen die Gestalt des überempfindlichen, bis zu Wahnvorstellungen in sich verfangenen, Heilung suchenden Mannes zum Motiv der Handlung wird. In den «romantischen Charakter» des Eduard der «Wahlverwandtschaften» haben sich schließlich gewisse Züge aus dieser Reihe verflüchtigt. Von der *Nachwirkung* des «Tasso» erzählt die Geschichte des Künstlerdramas der Romantik und des 19. und 20. Jahrhunderts. Die theoretische Auseinandersetzung mit dem Werke hat Dichter gereizt, die mit der Ausübung der Kunst das Bemühen verbanden, ihrem Wesen, dem Phänomen des künstlerischen Schöpfers, seiner Stellung in der Gesellschaft auf den Grund zu kommen: Richard Wagner in den Briefen an Mathilde Wesendonk, H. von Hofmannsthal mit seiner «Unterhaltung über den Tasso» sind Beispiele. Der erste erkannte den «Tasso» als ein ganz einziges Kunstwerk, dem er nichts an die Seite zu stellen wüßte, der andere läßt sagen: «Es bleibt ein unergründliches Werk, man kann darum herum gehen wie um einen allerbesten griechischen Torso... und man kommt aus dem Staunen nicht heraus.»

Im deutschen Bewußtsein leben «Iphigenie» und «Tasso» als Gebilde einheitlichen, reinen und zarten Umrisses, gesättigter Seelenmalerei, gedämpften Tones und als Auseinandersetzungen, denen die Einheitsgröße Mensch oder Persönlichkeit eine Angelegenheit ersten Ranges, ja überhaupt *die* Angelegenheit ist. Nach Gehalt und Form entsprechen sie der Vorstellung des Tramontanen. Ja, sie sind in ihrer schließlichen Gestalt rechte Ausstrahlungen des Mittelmeerischen. Auch der «*Egmont*» wurde im Süden, 1787, während des zweiten römischen

Aufenthaltes vollendet. Aber er rückt dennoch nicht in eine Linie mit
den beiden anderen Werken. Er gehört, so möchte es zunächst scheinen, einer sehr verschiedenen geistig-künstlerischen Welt an. Er wirkt
als Ganzes nordisch. Er kann seinen Ursprung aus dem Erdreich der
Goetheschen Jugend – noch am Ende der Frankfurter Zeit 1774/75
entworfen – nicht verleugnen. In ihm wirken zunächst alle Säfte und
Kräfte, die der in sich abgeschlossenen Gestalt des «Jungen Goethe»
zugehören. Seit 1778 in Weimar wieder aufgenommen, in zum Teil
mühsamer Arbeit bis 1782 zu einem vorläufigen Abschluß gebracht,
nach Italien mitgeführt, ist er dort aber nicht nur fertiggestellt worden, weil Goethe für die Gesamtausgabe seiner Werke die Poesie kom-
mandierte. Auch die Äußerung: «Wenn ich's noch zu schreiben hätte,
schrieb ich es anders, und vielleicht gar nicht», seine Absicht, «nur das
Allzuaufgeknöpfte, Studentenhafte der Manier zu tilgen..., das der
Würde des Gegenstandes widerspricht», begründet nicht das Recht,
den «Egmont» gleichsam als ein mit einem Notdach versehenes Überbleibsel der Goetheschen Jugend anzusprechen. Das Werk verbindet
nicht nur in Goethes persönlicher Entwicklung Geniezeit und Klassik:
es wird auch an ihm deutlich, wie beiden Epochen Grundpositionen
gemeinsam sind, die der Scheidungen nicht achten und im einheitlichen Zuge der deutschen Bewegung stehen. Zweierlei freilich konnte
dem Werke von seiner Grundkonzeption her nicht mehr genommen
werden, ohne es ganz aufzuheben: die realistische Prosa, die nur in
den erst in Weimar entstandenen Szenen einer jambisch-rhythmischen
Prosarede in der Art der ersten «Iphigenie» und des «Urtasso» Platz
machte, damit den geheimen Trieb nach einer Wandlung hin verriet
und dem Stück ein Doppelgesicht gab; sodann die mit dieser Jugend-
prosa mitgeborene technische Anlage, die trotz einem sichtlichen Streben nach Parallelität und Kontrasten die der shakespearisierenden Geniedramatik ist. Daß beides belassen wurde, bedeutet rückschauenden
Abschluß und vorwärtsweisende Zielsetzung. Im übrigen dürfte, da
eine frühere handschriftliche Form des «Egmont» nicht erhalten ist,
der Ansatz zur Erkenntnis dessen, was in ihm Resultat einer neuen
Stufe der Entwicklung ist, zu finden sein im vierten Akt, in der Auseinandersetzung zwischen Egmont und Alba, und in dem Schlusse des

ganzen Werkes – beides so, wie es dasteht, erst in Rom gelungen. Auf die Goethesche Zweiseelentheorie oder Zweiseelenempfindung war auch der «Egmont» von allem Anfang an gestellt. In dieser Richtung brauchte nicht erst in Rom sein Polarismus Goethen zu einer vertieften Auffassung zu verhelfen. Immer schon stand das Paar Egmont-Oranien in der Doppelreihe der Götz und Weislingen, Werther und Albert, Clavigo und Carlos, Tasso und Antonio, Prometheus und Epimetheus; immer schon war der Gegensatz Egmonts und Albas eine der Zündstellen des Erlebnisses an dem geschichtlichen Stoff des niederländischen Freiheitskampfes. Was die Auseinandersetzung zwischen Egmont und Alba zu dem Zeugnis einer weiterweisenden Haltung hat werden lassen, ist nicht dies Gegeneinanderstehen als solches, sondern der Inhalt und die Formung dieses ideelichen Aufeinanderstoßens. Worum geht es in dieser Gegenüberstellung, die die Achse des Stückes bildet? Es geht um die von innen kommende, stetige Entwicklung des niederländischen Volkes und um den Glauben an sie, um das natürliche Wesen des Volkstums, um die verhängnisvolle Wirkung einer von außen in dies Volkstum und seine Entwicklung eingreifenden, fremden Gewalt. Es geht um Tradition und Evolution gegen Veränderung durch äußeren Machtanspruch: «Die Kraft seines Volks, ihr Gemüt, den Begriff, den sie von sich selbst haben, will er schwächen, niederdrücken, zerstören, um sie bequem regieren zu können. Er will den innern Kern ihrer Eigenheit verderben; gewiß in der Absicht, sie glücklicher zu machen. Er will sie vernichten, damit sie etwas werden, ein anderes Etwas.» So sagt Egmont von König Philipp. Man hat betont, wie wenig die Darstellung des Volkes im Stücke selbst, die Charakteristik seiner einzelnen Vertreter mit ihrer karikaturistischen spießbürgerlichen Enge, Beschränktheit, Ängstlichkeit, Beeinflußbarkeit dem Bilde entspreche, das Egmont von diesem Volke entwirft; eher würde das alles Albas Haltung rechtfertigen: «Weit besser ist's, sie einzuengen, daß man sie wie Kinder halten, wie Kinder zu ihrem Besten leiten kann. Glaube nur, ein Volk wird nicht alt, nicht klug; ein Volk bleibt immer kindisch.» Jawohl ist auch in der Auffassung Albas manches, was zu andern Zeiten der Meinung des Dichters nicht widersprach, jawohl ist auch hier etwas von dem Goetheschen «Sowohl-als-auch». Für die eine wie die andere Sicht auf das Volk mag die Beobachtung der italienischen Volksseele von Vorteil gewesen sein. Man weiß nicht, wie die Volksszenen ausgesehen haben, bevor der «Egmont» seine endgültige Form erhielt. So, wie sie jetzt sind, stehen sie nach allen Seiten abgegrenzt in der Goetheschen und klassischen Dichtung da. Zwar zeigen auch Götz, Werther, Urfaust jenes liebevolle Umfangen der Menschen aus dem Volke, aus jener «Klasse von Menschen, die», wie es in einem Briefe an Frau von Stein heißt, «man die niedre nennt, die aber gewiß für Gott die höchste ist». Klärchen ist wie Gretchen eines jener bei allen Mischungen ihrer Seele, allen Schwankungen ihres Temperamentes und ihrer Stimmung so runden Geschöpfe aus dem Volk, denen sich der Dichter selber gerne neigte. Klärchen lebt wie Gretchen im Volkstümlich-Lyrischen, im Balladenhaften. Es wurde noch nie beachtet, wie Klärchens Zug zum Männlich-Kriegerischen («O hätt' ich ein Wämslein und Hosen un Hut... Welch Glück sondergleichen, ein Mannsbild zu sein»), wie ihr heroischer Aufschwung, ihr verzweifelter Ausbruch, die Männer zur Befreiung Egmonts führen zu wollen — wie sehr das alles der Ballade vom «Herrn von Falkenstein» entspricht, die Goethe im Elsaß für Herder aufzeichnete («Ey' dürfft ich scharfe Messer tragen, wie unsers Herrn sein Knechten, so thät ich mi'm Herrn von Falkenstein um meinen Herzliebsten fechten»). Aber die frühere Dichtung Goethes weist immer nur einzelne volkentstiegene Wesen auf, freilich in ihnen alles, was das «Volk» wert und würdig macht. Nun erscheint im «Egmont» das Volk als bewegte Menge und Summe und als ein Ganzes. Man deutet auf Shakespeare. Aber seine saftigen Zeichnungen des niederen Volkes sind böse und kommen mehr vom Standort des großen Herrn. Auf der anderen Seite grenzt sich dies Volk des «Egmont» auch ab gegen die typisch-ständische Volksdarstellung in der späteren Klassik. Denn es ist im «Egmont» nicht so, daß das Gesamt dieses Volkes durch einzelne Stimmen und Rollen repräsentativ spräche, auch nicht so, daß es, unbeschadet solcher Rollenverteilung, auf *eine* Idee, etwa die der Freiheit, gestellt wäre. Im «Egmont» ist etwas anderes, was in der Klassik keine Nachfolge mehr gefunden hat: es ist in ihm die «*Volkheit*». Diese Volkheit wird von Egmont gegen Alba vertreten. Sie verhält sich nach einem Goetheschen Ausspruche zu Volk ebenso wie

«Kindheit» zu Kind. Diese Volkheit im Geiste Justus Mösers findet hier vor der Französischen Revolution ihre Verteidigung. Es ist aufschlußreich, die Auseinandersetzung Egmonts und Albas neben die Aussprache Posas mit König Philipp im «Don Carlos» zu halten. Die eine wie die andere Szene macht den gedanklichen Höhepunkt des Stückes aus. Es geht auch im «Carlos» gegen den tyrannischen Eingriff des Mechanischen in die «Freiheit» des Volkes. «Freiheit» aber ist bei Goethe die organisch und morphologisch gegebene Naturgebundenheit, «Freiheit» ist bei Schiller eine Forderung des vernünftigen Denkens und der intellektuellen Höherentwicklung der Menschheit. Auch an dieser Stelle des Goetheschen Werkes wird der Unterschied gegen die Grundhaltung Schillers deutlich. Für den Dichter des «Don Carlos», den Geschichtsschreiber des «Abfalls der vereinigten Niederlande» mußte gerade der «Egmont» wegen seines Stoffs, seiner Motive, seiner dramatischen Verwertbarkeit ein selbstquälerisches Problem werden: in seiner Kritik des Goetheschen Stückes von 1788, in seiner Theaterbearbeitung von 1796. Die Gegensätze der beiden großen Naturen scheinen an dieser Linie innerlich unüberbrückbar zu sein. Aber sie trieben zur gegenseitigen Ergänzung.

In seiner weimarisch-italienischen *Form* aber ruht der «Egmont» unterhalb aller dichterischen Versinnlichungen, aller Charakterschilderung, alles Zuständlichen und Handlungsmäßigen auf *zwei* ideellen Pfeilern: der eine ist die Anschauung der Volkheit; ihr gegenüber hat der Dichter die politische Aktion, die ihm der geschichtliche Stoff bot, auf ein geringes Maß beschränkt und nur in Brennpunkte geleitet. Der andere ist die das Stück beherrschende Vorstellung des «Dämonischen»; auch ihr zuliebe mußte sich die geschichtliche Gestalt Egmonts die bekannten Abwandlungen gefallen lassen. Beide Tragpfeiler stehen nicht isoliert nebeneinander: sie sind verbunden durch den Gedanken des übervernünftigen (oder untervernünftigen) Lebens, eines in der lebendigen Natur gegründeten Verhaltens, das nicht nach den Begriffen «gut» oder «böse» gemessen werden kann. Im 20. Buche von «Dichtung und Wahrheit» hat Goethe den Bericht über die Jugendkonzeption seines «Egmont» zu seinen Vorstellungen vom «Dämonischen» in Beziehung gesetzt. Das *«Dämonische»* – es war für ihn «ein Wesen, das zwischen alle übrigen hineinzutreten, sie zu sondern, sie zu verbinden schien». Das Dämonische, das mit dem Menschen in wunderbarstem Zusammenhang stehe und eine der moralischen Weltordnung wo nicht entgegengesetzte, doch sie durchkreuzende Macht bilde, sei in dem Stücke «von beiden Seiten im Spiel» (also auch auf seiten Albas). Goethe hat bereits völlig erkannt, daß das «Dämonische» dem «Egmont» die allgemeine Gunst verschafft hat. Es ist jenes Element, gleichviel wie man es nennen will, das dem «Egmont» mehr als den beiden Versdramen auch die Unmittelbarkeit gibt, die Daseinsnähe, verbunden mit der Kraft, die Frage nach den Lebensmächten, die den einzelnen wie ein Volk beherrschen, nach Schicksal und Leitung aufzuwerfen. Politik, staatsmännische Überlegungen und Notwendigkeiten, was zählen sie gegenüber der Ahnung von der Unbegreiflichkeit des Lebenszusammenhanges, gegenüber dem Nichtwissen um das Woher und Wohin, das uns nur gerade die Spanne des Irdischen zur bewußten Ausfüllung gibt? Das dunkle Geheimnis des Daseins, wozu die Goethesche «Diesseitigkeit» nur die Komplementärfarbe abgibt – dies ist es, was den «Egmont» mit den tiefsten Vorstellungen der Epoche von der Geniezeit bis zur Romantik verbindet. Dies Rauschen und Strömen eines immer weiter gehenden Lebens, das im Erdenlauf des einzelnen eine Zeitlang an die Oberfläche durchbricht – dessen ist das Gefühl Egmonts. Ist er ein «Held»? Wie Goethe ihn wollte, ist er vor allem der Träger jener aus dem Dämonischen kommenden Anziehungskräfte, die ihm die Sieghaftigkeit, den Glauben, die Zuversicht geben. Aber er ist auch – und das ist Goethesch – bis in jeden Zug und jedes Wort das Geschöpf einer Kraft des dichterischen Schauens, das, dem eigenen Inneren und der Umwelt zugewandt, schwer zu ersättigen war. Vielleicht ging dies im dichterischen Prozeß mit der sinnhaltigen Unterlegung sogleich Hand in Hand, vielleicht ist es für die Wirkung von Egmonts Gestalt überflüssig, überhaupt an eine sinnhaltige Unterlegung zu denken. Jeden Tag ausfüllen, dies Leben erschöpfen, immer mit dem Wissen, daß es viel Erfreuendes biete, aber im Grunde doch zweifelhaften Wertes sei – liegt dies nicht schon auf dem Grunde der Goetheschen Jugend? Aber auch hier führte der Weg gegen die Klassik hin über die Stufe des Sichbewußtwerdens. Auf ihr bildete sich der Schluß des «Egmont». Auch dieser verdämmernde

Schluß enthält ein Melodramatisches, ein Opern- und Oratorienhaftes wie der Schluß des «Faust» und, soweit die erzählende Haltung es zuläßt, der «Wahlverwandtschaften». Weit entfernt, äußerlich aufgesetzt und eine bloße Flucht in das von der Musik durchwaltete Reich des Übervernünftigen und Visionär-Zukünftigen zu sein, entspricht auch dieser Schluß, wie der des «Tasso», der inneren Logik. In ihm fordert, wie Egmont selbst sagt, «die Natur ihren letzten Zoll». Er ist Lösung und Auflösung vor dem gewaltsamen äußeren Ende, Rückkehr in den Urgrund alles Daseins. Das Dämonische und sein Geheimnis konnten sich kaum anders bekunden, als daß wir, wie Egmont sagt, «eingehüllt in gefälligen Wahnsinn ... versinken und aufhören, zu sein».

Die Lösungen, die der weimarische und italienische Goethe von seiner Vorstellung des Dämonischen her für die Haltung des Menschen zur Welt zu geben sucht, stellen sich in dem farbigen Reiche seiner Dichtung in verschiedenen Lichtern dar; die Auswirkungen dieser Anschauung zeigen sich in wechselnden Ausgangspunkten, Ergebnissen und Formen. Das Spiel der Dichtung, selbsttätig in ihm wirkend und ihn vor sich selbst bewahrend, die Anwendung mannigfacher dichterisch-technischer Möglichkeiten, die Abwandlungen des dämonischen «Urphänomens», alles darf über die typische Grundform dieser Gegebenheit nicht hinwegtäuschen, die er dämonisch nannte. Bis nach Italien und darüber hinaus besteht die Mitte seiner Existenz in der Auseinandersetzung mit dem vom Dämonischen bedrohten eigenen Ich, drehte es sich um die Frage, was aus diesem Ich werde und wie es werde, getragen und getrieben von einem dumpf empfundenen, unsichtbaren Schicksal, über das ihm keine Macht gegeben ist, es sei denn, «vom Steine hier, vom Sturze da, die Räder abzulenken». Auch «*Wilhelm Meisters Theatralische Sendung*», der 1910 wiedergefundene «Urmeister», muß in dieses Mittelpunktserlebnis hineingeleitet werden. Von dem, was in diesem Werke, oder besser Ansatz zu einem Werke, gattungs- und zeitbedingte Technik der Erzählung, was Ausfüllung und Ausformung, Entfaltung der Lebenseindrücke aus Jugendzeit und Gegenwart, was Verarbeitung eines bunten und der Ornamentik dienenden Beobachtungsmaterials zum Schleier der Dichtung ist, muß auch hier zurückgedrungen werden auf die weltanschauliche und lebensphilosophische Grundhaltung und absolut gesehene Station der Kunstentwicklung, an der es hält. Die «Ur-Iphigenie», der «Ur-Tasso», der «Ur-Egmont» fanden in oder bald nach Italien ihren Umguß und ihren Abschluß. Die Werke, denen sie zur Vorstufe dienten, mußten von der fertigen Form her gewürdigt werden. Auch wenn uns für «Tasso» und «Egmont» die früheren Fassungen erhalten wären, würden sie, wie die «Iphigenie», eine weitergehende Entfaltung aus der einmal gegebenen Konzeption und Struktur, keine wesentliche Umbiegung des Problems zeigen. Die Gesetzlichkeit und Folgerichtigkeit des bei Goethe herrschenden Entwicklungsvorganges gebietet, auch den «Wilhelm Meister» in seinem Werden vom «Urmeister» zu den «Lehrjahren» aus diesem morphologischen Entfaltungsprozeß nicht auszuschließen und ihn von dem fertigen Romanwerke aus zu sehen, wie es, seit 1791, namentlich aber seit 1793 wiederaufgenommen, in acht Büchern 1795/96 ans Licht trat. Die «Lehrjahre» sind ebensosehr bereits eine Urkunde der geistigen und freundschaftlichen Berührung mit Schiller, wie sie für die Frühromantik eine feste Mitte schufen, um die sich ihre dichterische Theorie und ihr lebenskundliches Denken legten. Der Darstellung der Hochklassik und Frühromantik würde ein Kernstück fehlen, wenn «Wilhelm Meisters Lehrjahre» nicht dort ihren Platz fänden, von wo aus sie als «Bildungsroman» die Weltschau, das Lebensideal, das Kunstdenken der Dreiheit Goethe – Schiller – Frühromantik begründen halfen und für alle kommenden Geschlechter den Ausgang jeder Auseinandersetzung oder Verständigung über die Stellung des einzelnen zur Kulturgemeinschaft schufen. Wie der «Faust» vom «Urfaust» bis zum zweiten Teil, so weitet sich auch der «Wilhelm Meister» von der «Theatralischen Sendung» bis zu den «Wanderjahren» in seiner ideellen Raum- und Höhendimension und wird – der eine alle Reiche der dichterischen Phantasie durchmessend, der andere als Erzählwerk im Bezirk des «Betastlichen» bleibend – zur großen Weltbetrachtung. Ähnlich wie der «Faust» zählte auch der «Wilhelm Meister» dem Dichter zu den «inkalkulabelsten Produktionen, wozu mir fast selbst der Schlüssel fehlt». «Aber im Grunde», so heißt es in dem Gespräche mit Eckermann vom 18. Januar 1825, «scheint doch das Ganze nichts anderes sagen zu wollen, als daß der Mensch trotz aller Dummheiten und Verwirrungen, von einer höheren Hand geleitet, doch zum glücklichen Ziele gelange». Diese in der Richtung eines Ausweges liegende Konzeption, auf dem das Dämonische durch allmählich immer bewußter werdende Selbstgestaltung wie durch fremde Führung und Leitung paralysiert wird, muß von allem Anfang an, also auch für die «Theatralische Sendung» angesetzt werden. Auch dadurch rückt der «Wilhelm Meister» mit dem «Faust» eng zusammen – unter der doch wohl unbestreitbaren Voraussetzung, daß auch für Faust ein «guter Ausgang» stets ins Auge gefaßt war. Wie sein jugendlicher Faust schwebte ihm wohl auch dies Werk «von vornherein klar, die ganze Reihenfolge hin weniger ausführlich» vor, als er 1777 daran zu schreiben begann und es bis 1785 auf die sechs Bücher des «Urmeisters» brachte; dann ist er in einem siebenten Buche steckengeblieben, dessen Teilausführung ebensowenig erhalten ist wie der «Plan auf alle sechs folgenden Bücher Wilhelms» vom Ende des Jahres 1785.

Der Fund der «Theatralischen Sendung» hat seit 1910 in Wissenschaft und literarischer Kritik ein Stimmengewirr aufkommen lassen, von dem die geistes- und dichtungsgeschichtlichen Linien freizuhalten, Kritik und Entsagung fordert. Die (erst in späterem Zusammenhange vorzunehmende) Abwägung und Abgrenzung der «Theatralischen Sendung» gegen die «Lehrjahre», auch das geschmackliche Für und Wider sind bisher weder dem einen noch dem andern Werk recht förderlich gewesen. Der Vorgang, in welchem es bei Goethe in Weimar vor Italien zu einem erzählenden Werke dieser Art überhaupt kommen konnte, ist keineswegs unverwunderlich, keineswegs ohne Rätselhaftigkeit. Es handelt sich jetzt zum erstenmal bei ihm um eine erzählende Dichtung großer Form: der «Werther» steht – bei aller Speisung durch Richardson und Rousseau – so sehr abseits von der Vorstellung, die das 18. Jahrhundert mit einem Roman verband, daß er typologisch als Vorläufer des «Wilhelm Meister» nicht gelten kann. Ch. Friedrich Blankenburgs «Versuch über den Roman» (1774), an Wielands «Agathon» orientiert, enthält die Romantheorie des 18. Jahrhunderts in ihrer Essenz. Der Roman stellt nach ihm den «Menschen an sich» dar, doch nicht den Menschen als ein Abstraktum, sondern den Men-

schen mit seinen individuellen, durch «Bildung» gehobenen Eigenschaften und Charakterzügen, und zugleich in seiner Stellung zur Gesellschaft. Schon damit war das Thema des deutschen Erziehungs- und
Bildungsromans formuliert, schon in Wielands «Agathon» sein Grundriß vorgezeichnet. Der aufklärerische Roman als literarische Erscheinung stellt den Menschen in eine schon fertige Welt, wie Hegel es in
seiner «Ästhetik» von dem Romane überhaupt verlangte im Gegensatze zum Epos, das eine werdende Welt wiedergäbe. Der aufklärerische
Roman des 18. Jahrhunderts rechnet mit allen Alltäglichkeiten des bürgerlichen, unheroischen, unhistorischen menschlichen Daseins: er will
ja den Menschen «in seiner nackten Menschheit» die Probe auf dies
reale Dasein machen lassen. Man hat die «unscheinbare Art», die «un-
auffällige Prosa» mit Recht als ein Wesensmerkmal des aufklärerischen
Romans erkannt. Es ist der Roman der «Lebensläufe» von mehr oder
minder hervorstechenden Alltagsmenschen. Nun wird deutlich, wie
sehr Goethe von der aufklärerischen Form des Romans ausging, als er
sich über sich selbst und seinen ihm wundersam vorkommenden Le-
benslauf Rechenschaft ablegen wollte und sinnend und fabulierend
aus den Schächten seiner Erinnerung und des Lebens um ihn herum
alles ans Licht steigen ließ und sich daran erfreute, es aufs Papier zu
bringen. Daher auch die unscheinbare Art von Sprache, Stil, Komposition im «Urmeister», jene Einteilung in kurze, nüchterne Kapitel,
der manchmal eckige, hausbackene und kurzatmige Erzählstil, der an
einen guten, ehrlichen, deutschen oder deutschschweizerischen Volks-
erzähler gemahnt, die patronisierende, biedermännische Art, in welcher der Dichter mit dem Helden, «seinem Freunde», verkehrt, die
familiäre Form, sich mit dem Leser zu stellen. Es genügt, das Typologische des «Urmeisters» im deutschen Bereich und auf dem Boden
von Wielands «Don Silvio von Rosalva» und «Agathon» zu suchen,
ohne den humoristischen Roman der Engländer, der Fielding und
Smollet, direkt zu bemühen. Aber das Goethesche? Es zeigt sich im
«Urmeister» zunächst in den nachdenklichen Einsprengseln, die die
allgemeingültige und lebenswichtige Summe aus einer Situation oder
einem Ereignis ziehen oder, wie im fünften Kapitel des zweiten Buches, tagebuchartig eingefügt sind und nach Inhalt und Form den

Goetheschen Tagebüchern der späteren Weimarer Zeit vor Italien zur Seite treten. Dann sind da die lyrischen Einlagen. So alt die Technik der Verseinlage im Roman ist: gerade die lyrischen Einlagen im «Wilhelm Meister» dienen nach des Dichters Absicht der Andeutung und halben Enthüllung des Geheimnisses, des Dämonischen, das um Wilhelm ist. Sie schaffen im «Urmeister», verteilt auf Mignon und den Harfner, obwohl immer psychologisch, ja realistisch motiviert, die Atmosphäre für die Gestalten, die, nach Schicksal und Wesen verschleiert, Versinnlichungen der geheimen Kräfte sind, von denen Wilhelm umwoben wird. Ferner ist da das «deutsche Genre», das die Erinnerungen und Schilderungen aus Wilhelm-Goethes Jugendzeit umgibt, jenes Häuslich-Realistische, Intime und Eingefriedete. Goethe hatte schon 1776 sein kleines Drama «Die Geschwister» in diese deutsch-genrehafte Atmosphäre gestellt, jenes Stück, das sich weniger durch die Namen Wilhelm und Marianne als ein gewisser Seitenschößling aus Wurzeln des «Urmeisters» erweist denn durch den Gedanken des dem Menschen sein Los bestimmenden, vergeltenden und in Selbsteinkehr von ihm aufgenommenen Schicksals; seine Schatten liegen über dem reizvoll-verhangenen Werkchen, dessen aus tieferem Verständnis kommende Verteidigung neuerdings so notwendig war. Vor allem aber sind für Wilhelm-Goethe aufschlußreich die Berichte und Einlagen, die ihn als werdenden und wollenden Dichter und schon früh in den Banden der unwiderstehlichen Anziehung zeigen, die von der Bühne und dem Theater, zuerst dem Puppenspiel, dann der lebendigen Szene ausgeht. Wieviel Selbstbiographisches in diesen Partien enthalten ist, wie sie stellenweise den Berichten in «Dichtung und Wahrheit» entsprechen, um gerade in ihren Abweichungen die Konzeption des Romanwerks zu beleuchten – gerade dies hat nach dem Funde des «Urmeisters» ein besonderes und begreifliches Interesse gefunden. Wilhelm tritt in enge Beziehungen zu Schauspielern, Theater und Schauspielkunst, und die Angelegenheit des deutschen Nationaltheaters und deutschen Dramas scheint sich mit seinem Schicksal und seiner Bestimmung decken zu sollen. Ein Stück deutscher Theatergeschichte des 18. Jahrhunderts von der Neuberin bis zu dem großen Friedrich Ludwig Schröder in Hamburg wird von dem Dichter unter verdeckten Namen eingebaut und hat der Erklärung und Erläuterung keine große Mühe gemacht. Nun aber wartet die Frage, an der die Geister sich scheiden: Sollte dieser Wilhelm im «Urmeister» wirklich als Dichter, Dramaturg, Theaterdirektor seine «Sendung» für das deutsche Theater und die dramatische Literatur als für eine Bildungsangelegenheit der Nation erfüllen und hiermit zu dem vom Dichter ihm bestimmten Ziele und Wirken gelangen? Oder aber sollte schon im «Urmeister» die Verbindung mit Bühne und Drama und mit den Menschen, die dem Theater verschrieben sind, für ihn nur ein Durchgangsstadium zu einer allgemeineren Ausbildung und Festigung der Persönlichkeit sein, einer «Bildung» durch Welt und Menschheit, Vaterland und Gemeinschaft, durch vorausschauende Führung, durch ein buntes, bedeutendes und oft geheimnisvoll erscheinendes Leben — alles auf dem Wege einer fortschreitenden inneren Selbstgestaltung, gekrönt durch die Frauenliebe? Das Theater war für Goethe von früh bis spät allerdings eine Angelegenheit erster Ordnung. Nach allem, was die Theaterstadt Frankfurt ihm von früh an geboten und er selbst als dramatischer Dichter in seiner Jugend für das deutsche Theater geleistet hatte, hielt in Weimar Miedings Reich sein Theaterinteresse lebendig und forderte ihm in der parodistisch-satirischen Manier — dem «Triumph der Empfindsamkeit», den «Vögeln» –, wie in der direkten, wenn auch leichten Gattung des Singspiels mit «Lila», «Jery und Bätely», der «Fischerin», «Scherz, List und Rache», den «Ungleichen Hausgenossen» eine Reihe von Gaben für den besonderen Zweck des Bühnenspiels ab. Wenn es aber nach einer späteren, ungnädigen Äußerung über den Zustand der deutschen Schauspielkunst und das mangelnde Interesse des Publikums (27. März 1825) so scheinen könnte, als seien auch «Iphigenie» und «Tasso» von ihm geschrieben worden, um Grundsteine für den Neuaufbau eines deutschen Theaters zu legen, so findet dies weder in der Entstehungsgeschichte noch in der Erscheinung dieser Werke seine Rechtfertigung; schwerlich deutet etwas darauf hin, daß für ihn in der Zeit vor Italien, ja vor der Schillerzeit ein solches Programm wirklich bestanden hat. Wie dem allen aber auch sei: schon der «Urmeister» greift seiner Anlage nach, auch wenn man für den geplanten Fortgang im einzel-

nen keine dokumentarischen Anhaltspunkte hat, über das Reich des
Theaters und der dramatischen Dichtung weit hinaus oder sollte darüber hinausgreifen. Nicht nur die Übereinstimmungen, die zwischen
ihm und Wielands Roman «Don Silvio von Rosalva» bestehen, können
zur Annahme führen, daß seine Fortsetzung im wesentlichen so ge-
plant war, wie die «Lehrjahre» sie bringen. Versuche, der «Theatralischen Sendung» das Gesicht nach einer entschieden anderen Seite zu
kehren, als nach welcher die «Lehrjahre» schauen, erscheinen auch
nach den Fäden, die in den erhaltenen Partien des «Urmeisters» angeknüpft sind, aussichtslos, noch mehr, wenn man sich nochmals den
gesamten, geistig-seelischen Raum vergegenwärtigt, aus dem auch
dies Werk kommt. Er wird angedeutet durch die zwei Gestalten, die
ahnen lassen, daß höheres Geheimnis in ihnen lebe: Mignon und der
Harfner. Daß sie kaum als Figuren zu fassen sind, die um ihrer selbst
willen, ornamental, da sind, begegnet keinem Zweifel. Sie haben schon
im «Urmeister» einen symbolhaften Existenzgrund. Sie stehen in Beziehung zu dem Daimonion Wilhelms. Sie sind – in polarer Entgegensetzung – die Sichtbarwerdungen von Wilhelms «Genius» und machen
in den «Lehrjahren» auch an sich erkennbar, daß von Wilhelm die
dämonische Naturgebundenheit überwunden wird. Mignons zwitter-
haftes Gebaren deutet an, daß sie im Sinne des Goetheschen Polaritäts-
gesetzes zu den Wesen gehören soll, in denen das «Geeinte» sich noch
nicht auseinandergelegt hat. In Mignon erscheint jene Identität von
Natur und Geist-Seele, auf die die Goethesche Weltschau gestellt ist.
Ihre krankhaft erscheinenden Züge dienen der kosmischen Annäherung, der Transzendenz und Transparenz dieser Gestalt. Sie findet ihre
Fortsetzung in der Linie Ottilie-Makarie.

Schon der «Urmeister» kann kein bloßer «*Theaterroman*» sein: nicht
in dem Sinne, daß in ihm die Schilderung des Theaterlebens Selbstzweck wäre, wie in Scarrons «Roman comique» (1651), aber auch
nicht so, daß im Raume des Theaters die Sendung Wilhelms erfüllt
würde. Mag man in ihm mehr die Anlage zu einem «Entwicklungsroman» als zu dem «Bildungsroman» der «Lehrjahre» erkennen
wollen, so würde auch eine solche Scheidung, wenn sie anwendbar
wäre, nur besagen, daß das Theater für Wilhelm, den der Dichter sein

«geliebtes dramatisches Ebenbild» – aber sein «Ebenbild» – nennt, nicht gerade eine «Irrung» sein sollte, hingegen die erste Station auf dem Wege aus dem engbürgerlichen Dasein in eine weiter sich öffnende Welt. Das Theater sollte schon hier nur *eine,* allerdings allem andern zunächst voranstehende Möglichkeit sein, das Dämonische in Wilhelm aufzufangen und seinem inneren Getriebensein auf ein noch dunkles Ziel hin vorübergehend Stütze und Hoffnung zu geben. Auch sein Dichtertum, wie hoch oder wie niedrig man es einschätzen mag, entspricht diesem Drange und dient ihm zugleich. In solchem Rahmen kann auch die Auffassung Platz finden, daß schon im «Urmeister» Dichtung und Theater die morphologischen Abwandlungen des Typus «Kultur» sein sollten. Was im übrigen aus der «Theatralischen Sendung» im einzelnen noch geworden wäre und wie es geworden wäre? Man bedenke nur den einen Umstand, daß Goethe über das uns Erhaltene hinaus noch mindestens sechs weitere Bücher für Wilhelms Geschichte plante.

Die Gegensätze innerhalb der Auffassung des «Urmeisters» hängen zu einem guten Teil davon ab, welche Deutung man im Sinne des Dichters dem *Titel* «Wilhelm Meisters Theatralische Sendung» gibt. Ist er «ironisch» oder ist er «ernst» gemeint? Soll damit – gut aufklärerisch – Wilhelms Sichverschreiben an die Schauspielkunst, das Theater, das Drama als eine Selbsttäuschung belächelt werden oder deutet der Titel geflissentlich auf die Aufgabe und das Ziel des «Helden» hin? Auch hier greift die Alternative, die in der Fragestellung liegt, fehl. Nicht gerade als Ironie ist der Titel zu nehmen: das hieße ihn zu grob anfassen. Auch erscheint eine solche Ironie goethefremd. Sondern als Feststellung des Weges, den Wilhelm geht, als Bezeichnung der Ausgangs- und Durchgangsstation und des jeder weiteren Entwicklung zur Voraussetzung dienenden Vorstellungs- und Wirkungsbereiches. Faßt man den Titel «Theatralische Sendung» ironisch, so müßte wohl ebenso der Name «Meister» ironisch ausgelegt werden: bemerkt doch schon Schiller noch von dem Wilhelm der «Lehrjahre», er sei eigentlich ein ewiger «Schüler». Und schon im «Urmeister» läßt ja der Dichter mit vordeutendem Versteckspiel Wilhelm von sich sagen: «Es kommt mir immer wunderbar vor . . ., wenn ich meinen

Namen angeben und mich Meister nennen soll. Ich täte wahrlich besser, mich Geselle zu heißen, denn ich fürchte immer, ich werde in dem Gesellenstande stecken bleiben. Ich werde es auch zum Scherze tun.» Und er gebietet Serlo, ihn so zu nennen. «Meister» und «Theatralische Sendung» gehören zusammen und ergänzen sich: über die Vorbereitungsstufe hinaus, die das Theater bietet, soll Wilhelmen die Bewältigung seiner selbst und des Lebens gelingen.

Der «Urmeister» konnte weder in Italien noch unmittelbar nach Italien für die Gesamtausgabe vollendet werden. Zu sehr war er nach Milieu, Technik, Stil verbunden mit den realistischen deutschen, engen und häuslichen Zuständen. Ihm fehlte die ideale Ferne der «Iphigenie», des «Tasso», des «Egmont», die diese Werke in der italienischen Luft oder unter ihren Nachwirkungen gedeihen ließ. Die Fülle der neuen Gesichte gestattete wohl, den konzentrierten Gebilden der drei Dramen die letzte Kunstform zu geben, versagte aber dem großen erzählenden Werke den langen Atem, den es brauchte. Und erst nach dem Anbruch der Zeitenwende zu Anfang der neunziger Jahre, als sich der geistige, bildungsmäßige und nationale Raum Deutschlands weitete, in welchem «Wilhelm Meister» angesiedelt war, gelang es, diesem Werke wirklich den Horizont zu geben, der früher nur in verschwimmenden Umrissen vorgeschwebt haben mag, ja auf den noch weiteren Horizont einer Fortführung hinzudeuten. Und jetzt kam auch dem Prosawerke an Fähigkeit stilistisch-sprachlichen und kompositorischen Feilens, Durchsiebens, Ausschmelzens, Ebnens und Verteilens der Gewichte, an heiterer Gemessenheit der Rede, an bedachtsamem Kunstverstand in der Charakteristik der Personen, an Vermögen, die Erzählung jeweils aus der Mitte der Handlung oder der geistig-seelischen Perspektive der Personen zusammenzuraffen, an Takt im unmerklichen Weiterspinnen und Aufhalten der Entwicklung alles zugute, was nun auch auf dem epischen Gebiete das weltanschaulich und kunstanschaulich bedingte Verfahren der Klassik kennzeichnet. Episch-großformig wird nun das ehemals nordisch-erzählende, beinahe sagahafte Werk, nachdem der Dichter sich in Italien jene «epische Kultur» erworben hatte, die für Deutschland überhaupt in Goethe gipfelt. «Der Blütemoment unserer *epischen* Kultur», so sagt Nietzsche in seinen nachgelassenen Gedanken aus dem Umkreise der «Geburt der Tragödie», «ist Goethe in Italien. Unsere epische Kultur kommt in Goethe zum vollen Ausdruck. Schiller weist auf die tragische Kultur hin.»

So stellte ihm Italien für den «Wilhelm Meister» wohl eine Reihe von einzelnen, später verwerteten Beobachtungen, wohl die Augeneindrücke von Mignons Vaterland, der er Vicenza als Heimat zu geben gedachte. Wohl hört man auch von einer wachsenden Abneigung gegen das Theater; doch in solchen unmutigen Äußerungen ist die italienische Bühne gemeint. Wie weit der Verfasser des «Anton Reiser», Karl Philipp Moritz, in Rom persönlich und durch seinen Roman für das innere Wachstum der Gestalt Wilhelm Meisters von Bedeutung geworden ist, wäre eine Frage für sich. Daß die italienische Wiedergeburt im übrigen die Voraussetzung für jede weitere Entwicklung des Werkes war, kann erst bei der Würdigung der «Lehrjahre» recht zum Vorschein kommen. Wohl hat er im Januar 1787 die Hoffnung, «Egmont», «Tasso» und «Faust» zu beendigen, aber zum «Wilhelm Meister» werden in diesem Zusammenhange nur «neue Gedanken genug» vermerkt. Im Bewußtsein der großen und schweren Aufgabe, die hier zu lösen war, und in der Erkenntnis, daß nur sein eigenes Wachstum in der Zeit und ein beruhigtes neues Dasein die Vollendung bringen könne, stellte er ihn als Ganzes einstweilen zurück.

Aber auch die andere für ihn jetzt «inkalkulable Produktion» kam entgegen seiner Hoffnung in Italien nicht zum Abschluß: *Faust* erscheint 1790 nur als «Fragment». Über die sachliche Feststellung hinaus, was äußerlich im Faustfragment weniger oder mehr enthalten ist als in der Faustdichtung seiner Jugend, kann innerhalb der geistes- und stilgeschichtlichen Entwicklung auch hier nur die Frage auf Gehör rechnen, an welchem Ort das nunmehr der Öffentlichkeit vorgelegte Bruchstück des «Faust» steht. Es ist ein bemerkenswertes Schauspiel, diese Dichtung, die nach Inhalt und Form die eigentlichste Ausgeburt der Geniezeit war, gleichsam zagend in die Dimension der klassischen Gesinnung und des klassischen Stils aufsteigen zu sehen. Auch «Faust» tritt als Ganzes nunmehr unter das Gesetz des Verses als des Formträgers im Drama, als der Voraussetzung für den das Kunstwerk

beherrschen sollenden Idealbegriff Winckelmannscher Herkunft. Prosa
zwischen den Verspartien, wie sie nach Shakespeares Muster der «Urfaust» enthielt, war nun mit der Einheitlichkeit der formbildenden
Prinzipien, die den notwendigen Grund für das Allgemeingültige, Harmonische und Wesentliche eines Kunstwerks bildete, nicht mehr vereinbar. Darum fiel Gretchens Katastrophe, für deren Umguß in Verse
sich Kraft und Mut noch nicht gefunden zu haben scheinen, einfach
fort. In den neu hinzugekommenen oder stilistisch umgeformten Teilen herrscht der fünfhebige oder kürzere jambische Rhythmus; das
Empfinden für ihn behauptete er ja, sich in Rom durch die Verslehre
von K. Ph. Moritz haben bestätigen zu lassen. Aber auch der Knittel-
vers wurde geregelt, geglättet, gezügelt nach Ausdruck und Rhythmus; es wurde auch für ihn das Verfahren angewendet, das überhaupt
den Weg seiner Dichtungen in die erste Gesamtausgabe hinein bezeichnet. Es bestand nach seinem eigenen zusammenfassenden und
bildhaft in die Mitte treffenden Ausdruck in dem Bestreben, «die alte
Spreu seiner Existenz hinauszuschwingen». Die «Hexenküche» und
die Szene «Wald und Höhle» sind vor allem in Italien neu hinzu-
gekommen. Daß sie, wie immer ihre Notwendigkeit im Gefüge der
Fausthandlung beurteilt werden mag, nur auf der neuen Daseinsstufe
Goethes entstehen konnten, liegt offen zutage. Der Monolog «Erhabener Geist» ist so sehr auf «Stille», «bleibende Verhältnisse», be-
ruhigte, unerschütterliche Erkenntnis der Identität von Natur und
Geist und der Gesetzlichkeit alles Lebens gestellt, zeigt Faust so sehr
in selbsterkennender Betrachtung des Zusammenhanges seiner ganzen
Existenz wie des Zusammenhanges der natürlich-moralischen Weltordnung, daß sein unmittelbarer Ursprung aus der inneren Situation
in Italien fest gegründet ist. Die «Hexenküche» aber ist der andere
Pol: das Untergründige, Grelle und Verwirrende, das Betäubend-Spuk-
hafte und Fratzenhafte – um nicht auch hier mit einem Worte zu sagen: das Dämonische – steht dem Lichte gegenüber, das von dem Besonnenen und Bewußten in dem Monolog ausgeht. Wenn die «Hexenküche» ein symbolischer Akt für das Wirken der Natur ist, für das
Steigen neuen Saftes, mit dem Ergebnis einer morphologischen Wandlung, so ist der Monolog ein Resultat der vernünftigen und sittlichen

Kräfte des Geistes. Die «Deutlichkeit» des Südens aber ist in beiden
Szenen, in der «Hexenküche» mit negativen, im Monolog mit positiven Akzenten. Die Schwierigkeiten, die aus der Verjüngung Fausts
in der «Hexenküche» für die Wahrscheinlichkeit der Handlung und
des Helden entstehen, zeugen ebenso für eine gewisse isolierte Entstehung der Szene, wie der Monolog in «Wald und Höhle» fast eine
für sich bestehende Goethesche Selbstoffenbarung ist. Trotz dieser
Spuren eines neuen Wirkens der Goetheschen Weltanschauung und
stilbildenden Kraft unterlag die Vollendung des «Faust» nach der
Heimkehr aus ähnlichen Ursachen den Hemmungen, die auch den
«Wilhelm Meister» zunächst nicht weiterkommen ließen. Nur daß
mit der Veröffentlichung des «Fragments» doch offensichtlich hinter
dies Werk ein Punkt gesetzt und die Weiterführung aufgegeben zu sein
schien. An einen neuen, festumrissenen «römischen» Faustplan darf
schwerlich gedacht werden.

Die Reihe der *dichterischen Bruchstücke* besagt nicht, daß auch
Goethes Dichtung auf verfehlte Experimente verfallen konnte; sie bekundet nicht, daß das Fragmentarische bei ihm aus einer zeitweiligen
Verneinung des Vollendeten und Gerundeten kommt oder das Unfer-
tige gar einem Grundsatz entspräche, wofür die Geschichte des deutschen Geistes und der deutschen Dichtung in der Romantik und im
19. Jahrhundert einige Beispiele bietet: die Bruchstücke erhärten nur,
daß die dichterische Zeugungskraft wie ein Naturgesetz, wie ein bio-
logischer Vorgang niemals bei ihm aussetzte und bald an diesem, bald
an jenem Punkte zur Oberfläche drang. Die Nichtvollendung oder das
Abbrechen solcher Ansätze braucht nicht immer in besserer künstleri-
scher Einsicht und Selbsteinschätzung, in veränderter Stimmung oder
veränderten Lebensvoraussetzungen begründet zu sein. Der dichterische Kraftstrom konnte unterbrochen werden, weil die Anziehung
durch das lebensgesetzlich erfaßte Objekt aufhörte und zu einer anderen Stelle übersprang. So erwies sich das Attraktive des an Boccaccios
Novelle angelehnten «Falken»-Dramas 1776 als bald erschöpft, so
gelangte der Gedanke an eine Fortsetzung der «Iphigenie» durch eine
«Iphigenie in Delphi» nicht über die ersten Umrisse hinaus. Was
Goethe über diesen Plan im Oktober 1786 berichtet: daß er ihn «zwi-

schen Schlafen und Wachen» in seinen reinen Linien gefunden habe und daß er «selbst darüber geweint habe wie ein Kind», zeugt von einer beständigen schöpferischen Tätigkeit in ihm auch unterhalb der Schwelle des Bewußten, einer Tätigkeit, deren Symptome er wie eine Begnadung empfand. Sollte man an der Ausführung der «Iphigenie in Delphi» das «Tramontane» erkennen, so wirkte sich dies greifbarer in der «*Nausikaa*» aus, die – nach dem ersten Auftauchen des Planes bald nach Betreten des italienischen Bodens – ihn auf der Fahrt nach Sizilien und auf Sizilien selbst im Frühjahr 1787 stärker beschäftigte. Hier ergoß sich die beglückte Empfindung, unter der Sonne Homers zu leben, in die mit «Iphigenie» und «Tasso» gefundene Form eines tragisch endenden Seelendramas. «Die einfache Fabel», berichtet hinterher die «Italienische Reise», «sollte durch den Reichtum der subordinierten Motive und besonders durch das Meer- und Inselhafte der eigentlichen Ausführung und des besonderen Tones erfreulich werden.» Möglich, daß hier die Verschmelzung eines nordisch-deutschen Lyrismus mit dem Homerischen Erbe, das heißt mit seiner in Italien neu gewonnenen «epischen Kultur» hätte gelingen können. Oder war eine Unvereinbarkeit zwischen dem Lyrisch-Seelischen und seiner «Episierung» das Hemmnis, an dem sich letztlich der dichterische Strom hier brach, so daß das Trauerspiel von der Tochter des Alkinous, die den Ankömmling Odysseus liebend ergreift und schließlich ziehen lassen muß, nicht zur Vollendung gelangte? War es die Unmöglichkeit, diesen Stoff aus dem Homerischen Erdboden herauszuheben und ins Modern-Tragische zu wenden? War es das Aufhören des geopsychischen Eindruckes, das die für diesen Stoff notwendige, gestaltende Triebkraft versiegen ließ? Ein weicher Schimmer des Mittelmeerischen, verbunden mit dem «Phäakenhaften», dazu die Ahnung des Tragischen, die über der holden Mädchenfigur, einer dichterischen Schwester der Statue des «Mädchens von Antium», liegt, hat diese Bruchstücke und Skizzen so, wie sie sind, der deutschen Seele besonders nahegebracht.

Nochmals muß von *Italien* aus mit Goethe rückwärts und vorwärts geschaut werden. Um schon in anderem Zusammenhang Angerührtes hier wieder aufzunehmen: die Goethesche Selbstgestaltung ist vor, in und nach Italien gebunden an die Selbstüberwindung. Sie zieht sich wie ein Faden durch die weimarische Dichtung. Wenn eine typische Grundform gesucht wird, aus der die wechselnden Versinnlichungen seiner weimarisch-italienischen Poesie abgeleitet werden können, so dürfte das nur der Begriff der Selbstbändigung mit dem zu ihr gehörenden Ausdruck der Entsagung sein. Um diese Selbstbändigung als beherrschendes, natürlich-sittliches Grundgesetz zur Anschauung zu bringen, bedurfte es aber auch der steten Gewißheit einer blinden, ihr entgegenstehenden Kraft. So konnte der Lebensroman «Wilhelm Meisters» von seiner Urform bis zu den «Wanderjahren» nichts anderes sein als das Hohelied der Entsagung. Man weiß, wie Goethe sich zu einem der Menschen zu machen suchte, die, wie er sagte, «um allen partiellen Resignationen auszuweichen, sich ein für allemal im Ganzen resignieren. Diese überzeugen sich von dem Ewigen, Notwendigen, Gesetzlichen und suchen sich solche Begriffe zu bilden, welche unverwüstlich sind, ja durch die Betrachtung des Vergänglichen nicht aufgehoben, sondern bestätigt werden.» In dieser Richtung ist auch der *Einfluß Spinozas* zu suchen. Fest steht heute, daß ihn zu Spinoza nicht so sehr die spinozistische Metaphysik zog, sondern das Funktionelle, das sich aus der ethischen Haltung Spinozas ergab. Man erkennt, daß nicht die Gleichartigkeit der Weltanschauungen ihn mit Spinoza verband, sondern der Gegensatz im Verhalten zum Leben. Sein Zutrauen zu Spinoza beruhte, wie er gestand, «auf der friedlichen Wirkung, die er in mir hervorbrachte». «Die alles ausgleichende Ruhe Spinozas», so berichtet das vierzehnte Buch von «Dichtung und Wahrheit», «kontrastierte mit meinem alles aufregenden Streben». Oder, wie es eine neuere, kritisch-grundlegende Untersuchung über Goethes Verhältnis zu Leibniz scharf formuliert: «Es war durchaus eine «Wahlverwandtschaft» entgegengesetzter Naturen, die der größte deutsche Dichter für den größten jüdischen Philosophen empfand, eine Anziehung gleich der von positiver und negativer Elektrizität.» Wie immer seine unmittelbare Kenntnis Spinozas vor 1784 eingeschätzt werden mag: ihn trennte von Spinoza vor allem die Tatsache, daß das tätige, wirkende Individuum in dem spinozistischen System notwendigerweise zurücktreten mußte, da in ihm jedes Einzelwesen seine Selbständigkeit gegenüber dem «Ein und All» einbüßte und sich kontemplativ in das Weltwesen verlor. Und die ihm mit Spinoza gemeinsamen Überzeugungen von der Einheit, von der Göttlichkeit und der Notwendigkeit des Weltalls und alles Seienden brauchte er nicht gerade von daher zu schöpfen. Schließlich konnte die generelle Haltung der Entsagung, auf der die gesamte Klassik ruht, wohl mit Hilfe Spinozas eine Bestätigung finden; aber die Vorstellung bleibender Grundformen und stetiger Gesetzlichkeit, wozu «Entsagung» die sittliche Ergänzung ist, war an die Reihe Shaftesbury-Winckelmann-Herder ebenso gebunden, wie sie mit individuellen Erkenntnissen und seelischen Erfahrungen zusammenhing.

Entsagende Beschränkung wird in seiner *Lyrik* seit Weimar gepriesen und verkündigt. Hierin liegt die Abgrenzung des Menschen gegen das Göttliche, das nicht mehr prometheisch herausgefordert und nicht mehr mit ganymedischer Andringlichkeit in die eigene Existenz einbezogen wird; hierin die Befreiung des sich überwindenden Menschen von den dämonischen Gewalten; hierin das, was den Menschen überhaupt als Menschen kennzeichnet, weil diese Entsagung die Voraussetzung für die an dem Mitmenschen zu erfüllenden Aufgaben ist. Unter dem Entsagungsgedanken steht auch das 1784 in Stanzen groß angelegte Gedicht der «*Geheimnisse*». Wenn es eine mittelalterlich-mönchische Einkleidung wählt und auf einen ideellen Monserrat oder Monsalvasch führt (denn es mag sein, daß Goethe Wolframs «Parzival» schon kannte), so weist diese Bindung an die mittelalterliche Ordo in die gleiche Richtung eines Verzichtens. Das Menschliche, in «Humanus» als dem Typus festgehalten, sollte durch die zwölf Rittermönche verschiedener Herkunft in seiner Annäherung an diese Mitte, aber auch in der Abwandlung aus der Grundform gezeigt werden. Der mittelalterlich-fromme Apparat (der auch die Wahl der Stanze als einer illusionistischen, «romantischen» Form bedingte) deutet auch von seiten der Form darauf hin, daß es ihm galt, den religiösen Universalismus im Geiste Herders nach seinem menschlichen Kern darzustellen. Für diese Verschlingung der christlichen Wahrheiten und Symbole mit der natürlich wirkenden Gewalt des Lebens ergab sich das Zeichen des Rosenkreuzes.

Der Vielformige und Spannungsreiche setzt fort, steigert und weitet in seiner Lyrik nun alle Formen und Gattungen, die meistens schon früher angelegt waren: von der großen, verkündenden, freirhythmischen Hymne, dem Gefäß für die Aufnahme seiner Schau des Göttlichen und Menschlichen, über das seine Umgebung frei und farbig erfassende Gedicht deutend-schildernden Schrittes, über das altertümelnde Bildgedicht, über volkstümliche Balladenhaftigkeit und andere Anlehnungen an das Volkslied, über burschikose Rollenlyrik und spruchhafte Weisheit, über die Ausläufer der Anakreontik und die Nachdichtungen der griechischen Anthologie, über das hingeworfene Stimmungsbild – über alles dies steigt diese Lyrik auf zum verinnerlichten Naturgedicht. Die Goethesche Lyrik spezifischer Art siedelt an dem Zusammenfluß zweier Ströme: der eine kommt aus den Tiefen dessen, was durch Verstand und Sprache nicht erschöpft werden kann; der andere bringt die Sichtbarmachung, Ordnung und Regelung hinzu, die dem Bereiche des gestalthaften Daseins angehören und dem Gedicht in der sinnlichen Wirklichkeit seine Stelle geben. Die Mischung dieser Ströme macht die Vertonung Goethescher Gedichte zu einer Aufgabe, die trotz mancher gelungener Leistungen immer schwer lösbar bleiben wird. Denn Klang und Rhythmus der Goetheschen Lyrik, die scheinbar der Musik vorarbeiten, sind bei ihm Zuordnungen zu der wortkünstlerischen Gestalt des Gedichtes und stehen einer Verbindung mit der im eigentlichen Sinne musikalischen Dimension (die dem andern Strome seiner Lyrik gerecht ist) eher im Wege; sie gehören nicht zu jener Jenseitigkeit und besonderen Formensprache, die Sache der Musik sind.

Die Entwicklung der Goetheschen Lyrik kann abgelesen werden aus dem Vergleich der früheren Veröffentlichungen und handschriftlichen Fassungen mit der Form, die die Gedichte zeigen, als Goethe sie im achten Bande seiner Schriften 1789 zum ersten Male dem deutschen Publikum als geschlossene Sammlung vorlegte. Das «Herausschwingen der Spreu seiner alten Existenz» hat auch hier den individuellen und einmaligen Vorgang in eine geistes- und stilgeschichtliche Entwicklung und Gesetzlichkeit gestellt: alles Zufällige, Harte, Besondere, Vorläufige, Halbklare und Dumpfe, alles rein Bekenntnis-

mäßige oder Auftrumpfende in Stil und Gehalt wich der Allgemeingültigkeit und Notwendigkeit, dem durchgesiebten Ausdruck des bleibend und fest Gegründeten, dem «Reinen» und «Wesentlichen»,
ohne die Zeichen elementarer Herkunft in den Gedichten auszulöschen.
Im Gegenteil, sie gewinnt jetzt erst ihre volle Durchsichtigkeit; bei
keinem Gedichte wohl so deutlich als bei dem weimarischen Liede «An
den Mond».Wie seine Entstehung aus einem besonderen Erlebnis auch
angesetzt und die Motive für seine Umgestaltung gefaßt werden mögen:
die Gestalt, die es in Goethes Werken trägt, offenbart das «Urphänomen» der Goetheschen Lyrik und will als solches genommen werden.

In die Lyrik spielt vor allem die Wandlung seiner *Landschafts- und
Naturanschauung* hinein. Das von ihm geübte zeichnerische Erfassen
von Natur und Landschaft war – nicht immer ihm als solches bewußt –
Mittel zum Zweck des Gestaltens der von der Sinnenwelt empfangenen
Eindrücke überhaupt, also nur eine besondere Anwendung seines allgemeinen bildnerischen Vermögens. Aber er setzte sich damit auch auf-
nehmend in Beziehungen zu dem Wesen gestaltender Kunst, lernend
und erkennend, da ja jedes Aufnehmen bei ihm durch schöpferische
Tätigkeit geht. Es war für ihn endlich ein erfreuendes, belehrendes,
seine Sinne und Empfindungen wandernlassendes Spiel, in das sich
«eine gewisse Zärtlichkeit gegen die landschaftliche Umgebung» ergoß, wie er sie an sich erkannte. In allzu strenger Beurteilung seines
Wollens und seiner Leistungen erklärte er später (20. April 1825), daß
seine «praktische Tendenz zur bildenden Kunst eigentlich falsch gewesen sei; denn ich hatte keine Naturanlage dazu». Auch er selber
stellt fest, daß seine zeichnerische Betätigung im wesentlichen mit
Italien ihr Ende nahm. Jetzt erschien ihm das Wesen bildender Kunst
so großgesetzlich, daß die eigenen Versuche als ungenügend zurücktreten mußten. Sie gelten ihm jetzt nicht mehr als ein möglicher Weg,
«bildend» in die Dinge zu dringen. Schon hatte ja auch seine dichterische Gestaltung der Landschaft in der Lyrik – der «Urmeister»
läßt bezeichnenderweise das Landschaftliche fast ganz zurücktreten –
zum Ausdruck der Begriffe von «Gegenständlichkeit» und «Klarheit»
geführt, denen beiden sich der Begriff der «Wahrheit» als des Aus-
flusses unverrückbarer Wesenheit gesellt.

Wo von Goethes Gesamtauffassung der Natur die Rede ist, wo seine naturphilosophische und religiöse Weltanschauung zur Sprache kommt, wo insbesondere seine Anschauung vom Naturell als dem beseligenden und erschütternden Einklang alles Belebten und Unbelebten erscheint, wird jenes Fragment über «*Die Natur*» herangezogen, das Ende 1782 oder 1783 im 32. Stücke des «Journals von Tiefurt» anonym erschien, in jenem handschriftlich für Anna Amalia und ihre Freunde hergestellten, periodischen Blättchen zur Erbauung und Unterhaltung. Aber man wird sich endlich entschließen müssen, das berühmte Bruchstück «Die Natur» aus der Reihe der Goetheschen Werke zu streichen, nicht zuletzt, soweit die Form der hier niedergelegten Gedanken in Betracht kommt. Und die Form ist hier alles. Diese Form, diese Redeweise ist es, was diesem Bruchstück immer wieder entzückte und ergriffene Neophyten zuführt. Was von den Gedanken des Hymnus als Goethesch angesprochen wird, kann bei näherem Zusehen weder als ihm allein gehörig noch als insonderheit für ihn bezeichnend erkannt werden. Es ist ein ihm mit Shaftesbury und Herder gemeinsamer Besitz. Dagegen fehlen bestimmende Züge seiner Welt- und Naturanschauung. Und dann eben die Gestalt dieses «Hymnus». Sie ist in ihrer lyrischen, beinahe lallenden Verzücktheit, aber auch Verschwommenheit und Umrißlosigkeit, in ihrem wiederholenden und dialektischen, beinahe predigthaften Hin- und Herwenden der Gedanken, in ihrem emphatischen Wiederaufnehmen, auch in ihrem Bestand an Bildern dem Goethe des Jahres 1782 fremd, wäre auch mit seiner Frühzeit so nicht vereinbar. Er hat das selbst ausgesprochen, als er in dem Schreiben an Knebel vom 17. März 1783 die Urheberschaft von sich abwies und, auf den eigentlichen Verfasser hindeutend, schrieb, daß dieses Fragment eine gewisse Leichtigkeit und Weichheit besitze, «die ich ihm vielleicht nicht hätte geben können». Dieser Verfasser ist der damals fünfundzwanzigjährige Schweizer Georg Christoph Tobler, der Herdern und Goethen persönlich nahestand und ihnen geistig verbunden war. Aber auch mit Lavater war er befreundet und verdankte ihm viel. Goethe hatte ihn 1779 auf der zweiten Schweizer Reise kennengelernt. Im Sommer 1781 war Tobler in Weimar und wohnte bei Knebel, mit dem gemeinsam er – ein Freund der Griechen – unter Herders Anregungen

aus der «Anthologie» übersetzte, auch hierin also mit einem Goetheschen Interesse wetteifernd. Es steht fest, daß Goethe mit Tobler geistig erhöhte Unterhaltungen gepflogen hat. Frau Herder berichtet über
den jungen Mann: «Er wurde in diesem Kreise (Goethes und der fürstlichen Personen) sehr geehrt, geliebt und als der philosophischste, ge-
lehrteste, geliebteste Mensch erhoben; kurz, sie sprachen von ihm als
von einem Menschen höherer Art.» Wichtiger noch ist die knappe Be-
merkung J. G. Müllers: «Er ist bald Christ, bald Grieche.» Der Hymnus an die Natur ist nach seinem Gedankengehalt eine Mischung aus
Vorsokratischem und Christlichem, seiner Form nach eine Vereinigung
von hohem und dunklem Orphikerstil (Tobler hat die Orphischen
Hymnen übersetzt) und psalmodierendem Predigerpathos. Dazu kommen gewisse Reflexe der werdenden Goetheschen Naturanschauung
sowie Gedanken Shaftesburys und Herders. Es ist begreiflich, daß
Goethe in seiner späten, vorsichtigen Äußerung vom Jahre 1828, die
eigentlich gar keine Erläuterung des Bruchstückes ist und bald in
eigene Wege einlenkt, zu erkennen glaubte, daß in dem Fragmente
Gedanken von ihm enthalten seien, die die Stufe einer erst vorläufigen
Einsicht bekundeten. Aber auch noch greifbarere Beweise führen auf
Tobler als den Verfasser. Es mag manchem schmerzlich sein, gerade
den Hymnus an die Natur Goethen nehmen zu sollen. Besseres Verständnis muß erkennen, daß Goethe dadurch von einem philosophisch-
literarischen Versuch befreit wird, der im Hinblick auf den Großen
nicht nur äußerlich, sondern innerlich «unecht» ist.

Wie anders stellt sich nach Gedanklichkeit und Form das Bruchstück des Aufsatzes «*Über den Granit*» (1784) dar! In einer Sprache,
deren Gemessenheit und Klarheit der Feierlichkeit, Gehobenheit und
Würde nicht entbehren, wird diese urtümlichste Schicht und Gesteins-
art unserer Erde als der «älteste, festeste, tiefste, unerschütterlichste
Sohn der Natur» gepriesen. Er steht ebenso zu der «Abwechselung
der menschlichen Gesinnungen» im Gegensatz, spendet ebenso dem
heißen und beweglichen Herzen Beruhigung wie etwa die Haltung
Spinozas für Goethe ein Sedativum war. Zugleich aber setzen hier seine
geologischen und mineralogischen Beobachtungen an, die er von nun
ab mit besonderer Liebe und ausgedehntem Sammeleifer betrieb, mei-

nend, ein jeder müsse an ihnen das Interesse nehmen, das er ihnen
zuwandte – auch sie, wie seine gesamte Naturforschung darauf gerichtet, das Bleibende im Veränderlichen zu finden. Seine anatomisch-
zoologischen und botanischen Studien und Einsichten, die man zur
Goetheschen Biologie zusammenfassen kann, haben mit der italienischen Zeit zur Ausbildung jener methodologischen Grundbegriffe von
«Typus» und «Metamorphose» und damit zu den seine «Morphologie» beherrschenden Prinzipien geführt, auf denen er sein Leben
lang verblieb. Ihre Auswirkung im Geistigen mußte in dieser Darstellung verschiedentlich berührt werden. Denn seine Meinung war ja die,
daß «die Materie nie ohne Geist, der Geist nie ohne Materie existiert
und wirksam sein kann». Seine naturwissenschaftlichen Grundgedanken finden vor der Öffentlichkeit ihre erste systematische Anwendung
in der 1790 erschienenen «*Metamorphose der Pflanzen*». Ihre Erkenntnisse wurden der wissenschaftlich-beweisenden Form entkleidet,
eingänglich und sinnig gestaltet in der gleichbenannten späteren Elegie, die den Dank an Christiane abstattet. Am Schluß dieses Gedichtes
wird die Einheit des poetischen und des wissenschaftlichen Goetheschen Weltbildes verkündet, die Wirkung der von ihm angenommenen
naturwissenschaftlichen Gesetzlichkeit auch in den Erscheinungen der
intellektuell-moralischen Welt klar und rein in Verse gefaßt:

> *Jede Pflanze verkündet dir nun die ew'gen Gesetze,*
> *Jede Blume, sie spricht lauter und lauter mit dir,*
> *Aber entzifferst du hier der Göttin heilige Lettern,*
> *Überall siehst du sie dann, auch in verändertem Zug.*
> . . . .
> *Denke, wie mannigfach bald die, bald jene Gestalten,*
> *Still entfaltend, Natur unsern Gefühlen geliehn!*

Der Gedanke an die aus einer Grundgestalt sich entwickelnden Formen der Natur und die damit gewonnene einheitliche Erklärung aller
Verschiedenheit im Reiche des Sichtbaren hatten für ihn und haben
für die Folgenden etwas unendlich Beglückendes und Befreiendes –
gleichviel wie die moderne Naturforschung über seine Arbeiten denkt
und ob sie in ihm einen Vorläufer der Entwicklungslehre sieht oder

nicht. Dieser Gedanke gab auch dem geistigen Gebäude der Klassik den tief gegründeten Halt, den eben die Überzeugung einer Dauer im Wechsel zu gewähren vermag. Dieser Wechsel aber steht unter den Gesetzen der «Ausdehnung» und «Zusammenziehung». «Es mag», so sagt die «Metamorphose der Pflanzen», «nun die Pflanze sprossen, blühen oder Früchte bringen, so sind es doch nur immer dieselbigen Organe, welche in vielfältigen Bestimmungen und unter oft veränderten Gestalten die Vorschrift der Natur erfüllen. Dasselbe Organ, welches am Stengel als Blatt ausgedehnt und eine höchst mannigfaltige Gestalt angenommen hat, zieht sich nun im Kelche zusammen, dehnt sich im Blumenblatte wieder aus, zieht sich in den Geschlechtswerkzeugen zusammen, um sich als Frucht zum letztenmal auszudehnen.» Auf dieser Brücke tritt die Goethesche Naturforschung in Beziehung zum Bildungsbegriff der Klassik. Er wird damit aus Starrheit und Verfestigung gelöst und einer ständigen «Entwicklung» fähig. Hier ist der Punkt, an welchem es gilt, über die bekannten Grundlinien der Goetheschen Naturanschauung hinauszudringen. Bekannt ist, daß er in der Natur nirgends einen Sprung zulassen wollte; daß er in der Gesamtreihe der Organismen wie innerhalb der einzelnen Organismen Grundformen, «Typen» suchte und fand, aus deren Umwandlung sich die Mannigfaltigkeit aller Erscheinungen der Natur erklären ließ. Diese Vorstellungen der Stetigkeit und fortschreitenden Entwicklung ließen ihn in der Natur, in den menschlich-gesellschaftlichen Verhältnissen, in der Kunst nicht mehr die auffällige Ausnahme, sondern die Regel sehen. In Italien fanden diese Erkenntnisse ihre Vereinigung und Krönung in dem Studium der menschlichen Gestalt, dem «Non plus ultra alles menschlichen Wesens und Tuns». Und dieser Ausspruch, durch den die menschliche Gestalt als der Gipfel und zugleich als die Erklärung einer durch die Natur hindurchgehenden Gestaltenkette anerkannt wird – Herderisch wie nur etwas – schließt den Aufbau seiner naturwissenschaftlichen Ideen nach oben ab und setzt sie in Beziehung zur Kunst und Dichtung. Aber damit allein wäre nur erst ein Statisch-Organisches seiner Welt- und Kunstanschauung festgelegt, die Wirkung des dynamisch-vitalistischen Prinzips noch nicht aufgezeigt. Der rechte Standort läßt sich erst gewinnen aus dem «*Vorwort zur Morpho-*

logie» (1817 veröffentlicht). Alle neuere Gestalttheorie hat in Goetheschen Überzeugungen ihren Ausgangspunkt, wie er selber (etwa in
Gundolfs Buch) der würdigste Gegenstand für die Anwendung des Ge-
staltbegriffes geworden ist. Eben in dem «Vorwort zur Morphologie»
erkennt er der deutschen Sprache zu, daß sie für den Komplex des Daseins eines wirklichen Wesens das Wort «Gestalt» habe und bei diesem
Ausdruck von dem Beweglichen abstrahiere. «Betrachten wir aber»,
so sagt er, «alle Gestalten, besonders die organischen, so finden wir,
daß nirgends ein Bestehendes, nirgends ein Ruhendes, ein Abgeschlossenes vorkommt, sondern daß vielmehr alles in einer steten Bewegung
schwanke. Daher unsere Sprache das Wort Bildung sowohl von dem
Hervorgebrachten als von dem Hervorgebrachtwerdenden gehörig genug zu brauchen pflegt ... Das Gebildete wird sogleich wieder umge-
bildet, und wir haben uns, wenn wir einigermaßen zum lebendigen
Anschauen der Natur gelangen wollen, selbst so beweglich und bild-
sam zu erhalten, nach dem Beispiele, mit dem sie uns vorgeht.» So
erst kommt in den Bildungsbegriff der Klassik, in welchem man so oft
das ein für allemal Überlieferbare und Musterhafte sieht, der eigentliche Sinn, wie er ihm nach der Absicht seines Urhebers und obersten
Repräsentanten und aus der Einheit seiner Weltanschauung zusteht.

Der Künstlerkreis in Rom, dem Goethe angehörte, war der Sammel-
punkt einer deutschen geistigen «Elite», die, durch Winckelmann in
die Richtung gewiesen, im Süden die Erfüllung von Leben und Kunst
fand und das, was Rom und Italien boten, als das erreichbare Optimum
menschlicher Möglichkeiten überhaupt ansah. Wohl war Rom auch
später noch in ähnlicher Weise eine Stätte gehobener Vergesellschaftung für die Deutschen. Aber es kann ein besonderes Wollen und Walten des Geistes darin gefunden werden, daß gerade am Vorabend der
beginnenden politischen, kulturellen, gesellschaftlichen und wirtschaftlichen Umgestaltung Europas hier die Hingabe an rein menschliche, geistige und künstlerische Anliegen mit Goethe als dem Mittelpunkt sich beispielhaft ausprägte. Unter den Künstlern, Kunstkennern
und Kunstfreunden, die ihn in Rom umgaben, hat KARL PHILIPP MO-
RITZ nicht nur um seiner selbst willen ihn interessiert und gefesselt,

sondern auch deswegen, weil er sich durch den Verfasser des «Anton Reiser» vielfach in seiner eigenen Entwicklung bestätigt fand. Von wem wohl hätte er sonst noch schreiben können: «Er ist wie ein jüngerer Bruder von mir, von derselben Art, nur da vom Schicksal verwahrlost und beschädigt, wo ich begünstigt und vorgezogen bin. Das machte mir einen besonderen Rückblick in mich selbst» (14. Dez. 1786)? Der im Jahre 1793 allzu früh vollendete Verfasser des 1785 bis 1790 in vier Teilen erschienenen autobiographischen Romans «Anton Reiser,» des «Andreas Hartknoch» (1786–1790), der Schrift «Über die bildende Nachahmung des Schönen» (1788), der «Götterlehre der Alten» (1791), des «Versuchs einer deutschen Prosodie», der «Vorlesungen über den Styl», der Reiseschilderungen aus England und Italien, der Herausgeber des «Magazins zur Erfahrungsseelenkunde» (mit welchen Schriften sein geistiger Reichtum und die Vielfältigkeit seiner Interessen nicht erschöpft sind) steht immer noch zu sehr im Dunkeln, und es ist höchste Zeit, daß ein zusammenfassendes, würdiges literarhistorisches Denkmal seine Bedeutung innerhalb der Geschichte des deutschen Geistes zwischen Sturm und Drang und Romantik festhält. Seine Schriften aus den achtziger und beginnenden neunziger Jahren vereinigen in sich alle Strömungen und Perspektiven, die in dieser durchwühlten Vorbereitungszeit zur Klassik einerseits, zur Romantik anderseits hinüberleiten. Für die selbstbekennende Erzählung seiner Jugendgeschichte im «Anton Reiser» ward ihm die Zunge durch den «Werther» und die übrige Sturm-und-Drang-Dichtung gelöst; aber die Schilderung der Magie des Theaters, dem er mit der Jugend seiner Zeit verfallen war, verbindet ihn mit der Geschichte Wilhelm Meisters. Die mystische Empfindsamkeit und das religiöse Sektierertum sind Reisers Ausgangspunkt. Damit ist der «Anton Reiser» zeitgebunden. Aber er wie der «Andreas Hartknoch» geben auch einem neuen Existenzgefühl Raum, das seine Gültigkeit über die Zusammenhänge hinaus besitzt, die mit der Romantik bestehen. Das Dasein verschwimmt in Traum und Todeswollust, und ein Wiedererstehen, eine Palingenesie wird visionär vorweggenommen. Jean Paul und Novalis kennen die gleichen Zustände der Entrücktheit und magischen Idealität. Der Parapsychologe Moritz fühlt wie die spätere Romantik alle Spaltungen des Ichs, um die die moderne Psychologie und Psychopathologie weiß. Aber derselbe Moritz, psychologisch und spekulativ gleich begabt, bildete die weitestgehende Theorie des klassisch-romantischen Künstlertums aus, und man sieht bisher noch nicht recht, an welchem Punkte sich die Spannungen seines einer glühendbewegten Masse gleichenden Geistes in seiner eigenen Persönlichkeit zusammenschlossen. Goethe hat Teile der Schrift «Über die bildende Nachahmung des Schönen» in die Italienische Reise aufgenommen und sie sich damit zu eigen gemacht. Moritz seinerseits findet nun in dem italienischen Goethe das verkörperte Beispiel für seine Kunsttheorie und Kunstansichten, wie ihn der Dichter des «Werther» einst an den geheimsten Wurzeln seiner Seele berührt hatte. Der Ästhetiker Moritz ist an die Reihe Shaftesbury-Winckelmann-Herder angeschlossen. Auch bei ihm erscheint der Idealbegriff, der sich durch die an das Kunstwerk gestellte Forderung eines «Mittelpunktes» in allen Einzelheiten und nach allen Seiten auswirkt. Aber Moritz' Herkunft aus der Geniezeit und dem Pietismus bekundet sich darin, daß seine Kunstlehre daneben den Nachdruck auf die Empfindung legt, die der Künstler in das Werk hineintrage, darin ferner, daß für ihn der Künstler eine im Werke sichtbare «Tatkraft» bedeutet, darin endlich, daß auch ihm das Schöne nicht für den Verstand, sondern nur für das Gefühl zugänglich ist. Und nur die höchste künstlerische Kultur vermag nach ihm – rezeptiv und produktiv – Empfindung und Bildungskraft, Genie und Geschmack in Übereinstimmung zu bringen. Es ist eine nach allen Seiten ausstrahlende Formel für das, was Geniezeit *und* Klassik *und* Romantik wollten, wenn bei ihm unter der Zustimmung Goethes der Satz steht, der Künstlerkraft und Naturkraft in dem ihm eigenen, nachtastenden und halbdunklen Stile zur Einheit zusammenbindet: «Der Horizont der tätigen Kraft... muß bei dem bildenden Genie so weit wie die Natur selber sein, das heißt, die Organisation muß so fein gewebt sein und so unendlich viele Berührungspunkte der allumströmenden Natur darbieten, daß gleichsam die äußersten Enden von allen Verhältnissen der Natur im großen, hier im kleinen sich nebeneinander stellend, Raum genug haben, um sich einander nicht verdrängen zu dürfen». Die gleiche, Spannungen aufhebende Verbindung des Gesetzlichen mit dem Elementarischen, des «Gebildeten» mit der strömenden Wirkenskraft, des Ganzen mit der Einzelgestalt, der Wirklichkeit «Mensch» mit dem Allwesen erkannte die «Götterlehre» von Moritz in den Schöpfungen der alten Mythologie. Noch ist in ihr nichts von dem Zuge der Religionsdeutung eines Creuzer und Görres zu vermerken. Noch verspürt man in ihr nicht das Strömen des aus mütterlich-erdhafter Tiefe kommenden Blutes, das die jüngere Romantik in den Symbolen und Gestalten alter Weisheit vom Göttlichen erkannte, noch wird der antiken Götterlehre nachgerühmt, «daß sie das Dunkle und Furchtbare in reizende Bilder» eingekleidet habe, noch liegt über dieser Schrift ein Abglanz der Heiterkeit und «Selbstgenugsamkeit», die Winckelmann den antiken Göttern zuerkannte. Aber man hat schon das Gefühl, daß die Tiefen des Chthonischen jeden Augenblick aufbrechen und die mühsam erreichte Bändigung beseitigen könnten. War doch der Verfasser dieser Schrift aller Abgründe in der Seele des Menschen sich wohl bewußt. – Treffen sich so in K. Ph. Moritz als in einem Schnittpunkt die Linien, die in Lebensphilosophie und Lebensgefühl, in Kunstanschauung und Naturauffassung, in psychologischer Erkenntnis und religiöser Beeindruckbarkeit das Gesamt des geistig-seelischen Horizontes um 1790 ausmachen, so besaß doch seine seit der Jugend halb gebrochene Persönlichkeit nicht die Macht der Stellvertretung, die notwendig ist zur Herstellung eines Inbegriffes der Zeit. So führten die Straßen von ihm aus nach verschiedenen Seiten auseinander.

Moritz gegenüber ist die andere Persönlichkeit, deren Freundschaft Goethe aus Rom als ein Bleibendes mitnahm, der wackere und feste Schweizer Künstler und Kunstkenner HEINRICH MEYER, die Verkörperung eines Insichruhens, das durch keine seelische Problematik und Gespaltenheit und keine elementarische Unruhe bedroht war. Dieser spätere Sachwalter der Bestrebungen, in denen sich die «Weimarischen Kunstfreunde» zusammenfanden, der anspruchslos-dienende, ernsthingebungsvolle und nie versagende Kenner der Kunst, der ein wenig handwerklich gerichtete und mit der wohltuenden schweizerischen Diesseitigkeit und Sachlichkeit ausgestattete Hausgenosse Goethes und Kustos seines Kunstbesitzes – er ist gleichsam Goethes fleischgewordenes Gewissen für alles in Italien Erreichte und Erkannte. Heinrich

Meyer ist so etwas wie ein erstarrter Winckelmann, und seine Kunstauffassung zeigt jenes Zusammenfließen von «Klassik» und «Klassizismus», das für den Ausgang des Jahrhunderts bezeichnend ist. Aber
das von ihm und Goethe geplante große Werk über Italien, seine
Kunst, Kultur und Geschichte, das, wie der Herausgeber von Goethes
Briefwechsel mit Meyer sagt, «während immer deutlicher am Horizont das unabwendbare Schicksal heraufwächst, . . . das alte Ziel deutscher Künstlerfahrten in allen Höhen und Tiefen der deutschen Seele
anzueignen» gedachte, wäre eine Erfüllung der Herderschen «Ideen»
in dem damaligen Kernbereiche der geistigen Interessen Europas geworden. Die Vorarbeiten zu diesem Unternehmen sollten gleichzeitig
eine zweite, nicht zur Ausführung gekommene Reise Goethes nach
Rom um die Mitte der neunziger Jahre einleiten. Aber man hätte auch
von ihr nicht zu befürchten gehabt, daß die Bestimmung und das
Schicksal des Dichters in ihm je der bloßen Verwaltung eines Kunst-
und Kulturerbes gewichen wären.

Mit dem Beginn der neunziger Jahre des 18. Jahrhunderts fand sich
die deutsche Literatur einer *neuen Situation* gegenüber. Die in ihr
nunmehr beschlossenen Gehalte und Formprinzipien entwickelten sich
zwar eigengesetzlich weiter, aber die im Grunde stets bestehenden
Wechselbeziehungen zwischen Literatur und politisch-staatlicher Atmosphäre wurden nun auch für Deutschland sichtbar. Der geistige Raum
Deutschlands weitete sich infolge des Aufbruchs der revolutionären
und nationalstaatlich orientierten Bewegung. Wie klein und eingeengt
konnte nun auch für Goethe seine voritalienische weimarische Existenz
erscheinen! Die der folgenden Darstellung vorbehaltenen Rückwirkungen der Französischen Revolution auf den deutschen Geist gingen
gerade dort am tiefsten, wo sie dem Auge des politischen Historikers
am wenigsten sichtbar sind: in der Welt der in der Stille schaffenden
Ideen und der gesellschaftlichen Formen. Die deutsche Literatur seit
Anfang der neunziger Jahre weiß auch unausgesprochenerweise immer,
daß sie jetzt auf dem Hintergrund der weltgeschichtlich-politischen
Gegenwart steht und eine Zeitenwende sich einleitet. Dabei befand
sich die Klassik zunächst in einer Verteidigungsstellung. Ihr drohte

nicht nur Gefahr von dem Unterbrechen der «Stetigkeit», von dem Sinken des Geschmacks und Urteils, von dem, wie es schien, sinn- und planlosen Durcheinander auf dem literarischen Markt: sie hatte den gefährlichsten Gegner in jener weit verbreiteten, unterschichtlichen Unterhaltungs- und Sensationsliteratur am Ausgange des Jahrhunderts, die zu der modernen «Schundliteratur» hinüberführt. Die Klassik mußte durch Kritik und positive Leistung sich beweisen, wenn sie sich nicht aufgeben wollte, mußte durch Vernichtung des Minderwertigen oder Gefährlichen und durch überlegte Führung das Urteil des Publikums reif machen, um selber verstanden zu werden. Dazu bedurfte es nicht nur der Eigenwerte, die in Kunst und Dichtung beschlossen waren, nicht nur der uninteressierten Schwerkraft, die dem Organischen und Natürlichen zukommt und in Goethe wirkte. Es konnte sich nun nicht mehr um ein über dem Gewimmel erhabenes, alles verstehendes Geltenlassen handeln: ein kämpferischer Sinn mußte hinzukommen, wie er sich in *Schiller* darstellt, der kraft der Anlage seiner Natur den Gegner brauchte, um sein inneres Gesetz zu erfüllen. Seine von der Vernunft und dem Willen beherrschte, die Entscheidung des Geistes in einem Entweder-Oder suchende, durch eine harte Schule des Lebens gegangene energetische Persönlichkeit wurde die Kraftquelle für die geschlossene Vertretung nach außen, gegen Publikum und literarische Unterschicht. Die Vereinigung dramatischer Dichtung mit einem philosophischen Durchdenken der Kunst, von unbedingter Hingabe an die reinste und abgezogenste Geistigkeit als die einzige Angelegenheit der Menschheit mit dem Sinn für Organisation und Strategie im literarischen Felde, die Scharflinigkeit und das Abgesetzte der Farben in allem, was er schrieb, – dies gab ihm jetzt, da er seinen rechten Boden gefunden hatte, die Stoßkraft nach allen Seiten. Durch ihn gewann die Klassik ihre weithin sichtbaren Konturen in der Zeit. Ihre Haltung konnte nur in einer Weiterbildung, in dem Ausbau und der Sicherung bereits vorgebildeter Gedanken und Formen bestehen und in dem Bestreben, aus ihnen ein Werkzeug der Kultur und des nationalen Bewußtseins zu machen. Mitten in der politischen Gegenwart stehend, suchte die Frühromantik neben ihr ebenfalls die Auseinandersetzung mit dem gärenden Geiste des Zeitalters, den sie als solchen erkannte. Waren die Ausgangspunkte und auch die Zielsetzungen vielfach gleich, so waren doch die Wege und Methoden anders, da eben in ihnen allemal ein neues Generationserlebnis zum Ausdruck kommt. Dies andere Vorgehen konnte zu Ergebnissen und Gebilden führen, die zu der klassischen Haltung in völligem Widerspruch zu stehen schienen. Aber auch die Frühromantik weist allenthalben zurück auf die Grundlagen, die Mittelpunktswerte und Wegweisungen, die hier dargestellt wurden.

ANMERKUNGEN

Einführung

S.   3. *Bewegung:* H. Nohl, Die deutsche Bewegung und die idealistischen Systeme, Logos II (1912), S. 350 ff.; ders., Die deutsche Bewegung in der Schule, Die Erziehung I (1926), S. 136 ff.; H. A. Korff, Geist der Goethezeit, 2 Bände, Leipzig 1923/30; ders., Die erste Generation der Goethezeit, Zeitschrift für Deutschkunde Bd. 42 (1928), S. 625 ff.; H. Kindermann, Die Anfänge der deutschen Bewegung, Zeitschrift für deutsche Bildung III (1927), S. 645 ff. – *Sich vertiefende Einsicht:* E. Spranger, Der Anteil des Neuhumanismus an der Entstehung des deutschen Nationalbewußtseins, Programm der Reichsgründungsfeier der Universität Berlin 1923; Lothar Helbing, Der dritte Humanismus, Berlin 1932; P. Binswanger, Die deutsche Klassik und der Staatsgedanke, Berlin 1933, S. 237.

S.   3. *Überwölbung von Klassik und Romantik:* Schon bei W. Scherer, Vorträge und Aufsätze, Berlin 1874, S. 341, wird gefordert, daß die Literaturgeschichte vor allem die gemeinschaftlichen Züge der Epoche von 1770 bis 1815 erforschen möge.

S.   6. *Neuerer Geisteshistoriker:* Die Zitate stammen aus I. Huizinga, Wege der Kulturgeschichte, München 1930, S. 49 ff., 75 ff.

I. Die neue Weltansicht und ihre Abwandlungen

S.   9. *Herders «Gott»:* Dietrich Mahnke, Leibniz und Goethe, Erfurt 1924, S. 17 ff.; E. Hoffart, Herders «Gott», Halle 1918; V. Siegel, Herder als Philosoph, Stuttgart und Berlin 1907.

S. 10. *Organisch-dynamisches Weltbild:* E. A. Boucke, Goethes Weltanschauung auf historischer Grundlage, Stuttgart 1907; F. Koch, Goethe und Plotin, Leipzig 1925; F. Zinkernagel, Lessing als Stürmer und Dränger, Vortrag, gehalten auf der 56. Versammlung deutscher Philologen und Schulmänner zu Göttingen 1927 = Verhandlungen der 56. Versammlung usw., Berlin 1928, S. 74 f.; P. Krannhals, Das organische Weltbild, München 1928, I, 347. – Das Mittelalter endet in Deutschland erst mit dem Aufkommen der organischen Weltanschauung und dem Ausklang des polyphonen Stils in der Musik.

S. 14. *Quellenkunde der Weltanschauung:* Vgl. Franz Koch, Anzeiger für deutsches Altertum LV, 4 (Januar 1937), S. 187 ff. (in einer Besprechung von H. Sudheimer, Der Geniebegriff des jungen Goethe, Berlin 1935): «Hier . . . überschlägt sich die geisteswissenschaftliche, ideen- und begriffsgeschichtliche Methode, um genau auf dem Punkte wieder aufzustehen, wo sie sich einst verärgert abgewendet hat»; sie wird wieder zu «einer frischfröhlichen Parallelenjägerei».

S. 15. *Andere Auffassung der deutschen Aufklärung:* E. Cassirer, Die Philosophie der Aufklärung, Tübingen 1932, S. 114, 262 f., 477 ff. – *Blickrichtung auf den Menschen:* H. Nohl, Charakter und Schicksal. Eine pädagogische Menschenkunde 4, Frankfurt a. M. 1949, S. 17 ff.; Wilh. E. Mühlmann, Geschichte der Anthropologie, Bonn 1948, S. 50, 52 ff.

S. 16. *Tragisch-heroischer Zug des Barock:* W. Rehm, Römisch-französischer Barockheroismus und seine Umgestaltung in Deutschland, Germanisch-romanische Monatsschrift XXII (1934), S. 82 ff.

S. 18. *Anmutsbegriff:* Pomezny, Grazie und Grazien in der deutschen Literatur des 18. Jahrhunderts, Hamburg und Leipzig 1900, S. 45 ff. – Die reiche Literatur über Shaftesbury und das 18. Jahrhundert kann hier nicht zitiert werden. – *Empfindsamkeit:* M. Wieser, Der sentimentale Mensch, Gotha 1924; Hans R. Günther, Psychologie des deutschen Pietismus, Deutsche Vierteljahrsschrift für Literaturwissenschaft und Geistesgeschichte IV (1926), S. 144, 167.

S. 19. *Freude:* F. Schultz, Die Göttin Freude. Zur Geistes- und Stilgeschichte des 18. Jahrhunderts, Jahrbuch des Freien Deutschen Hochstifts 1926, S. 3 ff.; Stefanie Behm-Cierpka, Die optimistische Weltanschauung in der deutschen Gedankenlyrik der Aufklärungszeit, Heidelberger Dissertation, 1933, S. 97 f.; Helmut Paustian, Die Lyrik der Aufklärung, Berlin 1933.

S. 21. *Liebesbegriff:* Dilthey, Von deutscher Dichtung und Musik, Leipzig und Berlin 1933, S. 298. – *Young und Hamann:* R. Unger, Hamann und die Aufklärung, Jena 1911, I, S. 289. – *Young und Herder:* R. Haym, Herder, Berlin 1888, I, 149 f.

S. 22. *Lavater und Young:* Janentzky, Lavaters Sturm und Drang im Zusammenhang seines religiösen Bewußtseins, Halle 1916, S. 147 f. Die Zitate aus Young nach Eduard Young, Gedanken über die Originalwerke, übersetzt von Teubern, hrsg. von K. Jahn, Bonn 1910, S. 10, 15. – *Rousseau:* Hamann, vgl. Unger I, 341; Herder, vgl. Haym I, 341; Lavater, vgl. Janentzky, S. 14; Schiller, vgl. W. Liepe, Der junge Schiller und Rousseau. Eine Nachprüfung der Rousseaulegende, Zeitschrift für deutsche Philologie Bd. 51 (1926), S. 298 ff., 327; ders., Kulturproblem und Totalitätsideal von Rousseau zu Schiller, Zeitschrift für Deutschkunde Bd. 41 (1927).

S. 24. *Einheimisches Geistesleben:* Vgl. z. B. Spranger, Zeitschrift für deutsche Bildung 1929, S. 623; Korff, Geist der Goethezeit I, 32 ff. – *Organische Formung:* M. Kirschstein, Klopstocks deutsche Gelehrtenrepublik, Berlin und Leipzig 1928, S. 171 ff.; Walzel, Gehalt und Gestalt im Kunstwerk des Dichters, Wildpark-Potsdam 1924, S. 157 ff.; ders., Goethes Werke, Jubiläumsausgabe, Bd. 36, S. XXIII ff.; A. Baeumler, Kants Kritik der Urteilskraft, ihre Geschichte und Systematik, I. Band: Das Irrationalitätsproblem in der Ästhetik und Logik des 18. Jahrhunderts, Halle 1923; Franz Koch, Deutsche Vierteljahrsschrift für Literaturwissenschaft und Geistesgeschichte VI (1928), S. 119 ff. – *Klopstock:* Arthur Pfeiffer, Klopstocks Weltgericht, Saarbrücken 1949, wo auch auf Friedrich Georg Jüngers Essay über Klopstocks Oden aufmerksam gemacht wird.

S. 27. *Heinse:* Sämtliche Werke, hrsg. von Schüddekopf VII, Leipzig 1909, S. 12–15; H. R. Sprengel, Naturanschauung und malerisches Empfinden bei W. Heinse, Frankfurt a. M. 1930, S. 9; K. D. Jessen, Heinses Stellung zur bildenden Kunst und ihrer Ästhetik, Berlin 1901, S. 17, 48 ff.

S. 28. *Überwindung der Geniezeit:* A. Köster, Die allgemeinen Tendenzen der Geniebewegung: Die Literatur der Aufklärungszeit, 1925, S. 243 f.

S. 30. *Erkenntnisse der Jugendpsychologie:* Ed. Spranger, Psychologie des Jugend-
alters, 14. Aufl., Leipzig 1931, S. 352 ff.; Charlotte Blüher, Das Seelenleben
der Jugendlichen, 5. Aufl., Jena 1929, S. 72 ff.; E. Krieck, Philosophie der
Erziehung, Jena 1930, S. 160.

S. 32. *Körpergefühl:* K. Simon, Körperlichkeit und Stil im Wandel vom Rokoko zum
Klassizismus, Jahrbuch des Freien Deutschen Hochstifts 1931, S. 126 ff.,
135 f.; M. Morris, Körpergefühl als Lebenssymbol in Goethes Jugendlyrik,
Goethejahrbuch XXVI (1905), S. 159 ff.

S. 33. *Sprachliches:* Beissner, Zur Sprache des Sturm und Drang, Germanisch-
romanische Monatsschrift 1934. – *Generation:* J. Petersen, Die literarischen
Generationen, Philosophie der Literaturwissenschaft, hrsg. von E. Erma-
tinger, Berlin 1930, S. 130 ff.; E. Wechßler, Jugendreihen des deutschen
Menschen 1733–1933, Leipzig 1934, und dessen frühere Arbeiten über den
Gegenstand (vgl. Petersen, S. 154 ff.); Richard Alewyn, «Generation» im
Sachwörterbuch der Deutschkunde, Berlin 1930; Helmut Klocke, Der Be-
griff der Generation, Bl. f. d. Philosophie Bd. 7, Berlin 1933/34.

S. 35. *Das historische Bewußtsein:* Dilthey, Das achtzehnte Jahrhundert und die ge-
schichtliche Welt, Gesammelte Schriften III, 209 ff.; R. Stadelmann, Der
historische Sinn bei Herder, Halle 1926, S. 13; K. Jaspers, Psychologie der
Weltanschauungen, 2. Aufl., Berlin 1922, S. 170 ff., 182; E. Troelsch, Der
Historismus und seine Probleme, Gesammelte Schriften III, Tübingen 1922,
S. 280 ff.

S. 36. *Unabhängig von der «deutschen Bewegung»:* H. Nohl, Logos II (1912),
S. 350 ff., 354. – *Gegensatz Herders zu Kant:* Litt, Kant und Herder, Leipzig
1930, S. 3.

S. 37. *Nicolai:* M. Sommerfeld, Friedrich Nicolai und der Sturm und Drang, Halle
1921, S. 41 f.

S. 39. *Leipziger Professorenwelt:* F. J. Schneider, Jean Pauls Jugend und erstes Auftreten in der Literatur, Berlin 1905, S. 220.

S. 43. *Mittelpunktsstellung:* Nohl a. a. O. S. 357. – *Das Dämonische:* «Dichtung und
Wahrheit», 20. Buch, Jubiläumsausgabe XXV, 123 ff.; vollständigste Zusammenstellung der Goetheschen Äußerungen bei K. Jaspers, Psychologie der
Weltanschauungen, 2. Aufl., Berlin 1922, S. 193 ff.; K. Holl, Über Begriff
und Bedeutung der «dämonischen Persönlichkeit», Deutsche Vierteljahrsschrift für Literaturwissenschaft und Geistesgeschichte IV (1926), S. 1 ff.;
August Raabe, Das Erlebnis des Dämonischen in Goethes Denken und Schaffen, Berlin 1942 (Neue deutsche Forschungen Bd. 37); Benno von Wiese,
Das Dämonische in Goethes Weltbild und Dichtung, Münster 1949, und vieles
andere.

S. 44. *Urworte Orphisch:* R. Petsch, Germanisch-romanische Monatsschrift XXI
(1933), S. 32 ff.

S. 45. *Hieroglyphe:* Ed. Spranger, Wilhelm von Humboldt und die Humanitätsidee,
Berlin 1909, S. 153 ff.; Eva Fiesel, Die Sprachphilosophie der deutschen Romantik, Tübingen 1927, S. 79, 81, 110, 175 ff., 178 f.; die Zitate aus Hamann,
Schriften, hrsg. von F. Roth, I, 148; II, 262; aus Lenz, Erich Schmidt, Lenz
und Klinger, Berlin 1878, S. 59; A. Stoeber, Der Dichter Lenz und Friederike von Sesenheim, Basel 1842, S. 11 f.; O. Walzel, Die Sprache der
Kunst, Jahrbuch der Goethe-Gesellschaft I (1914), S. 12 ff.; O. Walzel, Kant-

Studien XIV (1909), S. 501; F. Schultz, Deutsche Literaturzeitung 19. Dezember 1908, Sp. 3203.

S. 48. *Marionette:* Eleonore Rapp, Die Marionette in der deutschen Dichtung vom Sturm und Drang bis zur Romantik, Leipzig 1924; R. Majut, Lebensbühne und Marionette. Ein Beitrag zur seelengeschichtlichen Entwicklung von der Geniezeit bis zum Biedermeier, Berlin 1931; R. Unger, Zur seelengeschichtlichen Genesis der Romantik, I: K. Ph. Moritz als Vorläufer von Jean Paul und Novalis, Göttingen 1930, S. 322 (Nachrichten von der Gesellschaft der Wissenschaften zu Göttingen, Fachgruppe IV, Nr. 4); Die «Dämonie des Mechanischen» auch bei Brentano im Gockelmärchen («Keine Puppe, sondern nur eine schöne Kunstfigur . . .»); bei der Biondetta der «Romanzen vom Rosenkranz».

S. 49. *Bei Kleist:* Vor allem natürlich in dem Aufsatz über das Marionettentheater.

S. 51. *Bohrende Selbstanalyse:* A. M. Wagner, Gerstenberg und der Sturm und Drang, Heidelberg 1920, I, 32. – *Lenz:* P. Heinrichsdorff, J. M. R. Lenzens religiöse Haltung, Berlin 1932, S. 122.

S. 52. *Gerstenberg:* A. M. Wagner, a. a. O. I, 161. – *Klinger:* H. Wood, Fauststudien, Berlin 1912, S. 232; U. Garbe, Beiträge zur Ethik der Sturm-und-Drang-Dichtung, Dissertation, Leipzig 1916, S. 56, 60; E. Volhard, F. M. Klingers Philosophische Romane. Der Einzelne und die Gemeinschaft, Halle 1930, S. 3 f., 5, 28 f., 32 f., 151 f.; K. May, Klingers Sturm und Drang, Deutsche Vierteljahrsschrift für Literaturwissenschaft und Geistesgeschichte XI (1933), S. 398 ff.

S. 55. *F. L. Stolberg:* Joh. Janssen, F. L. Stolberg, Freiburg i. Br. 1877, I, 118, 197; Briefe aus dem Stolberg- und Novalis-Kreis, hrsg. von H. Jansen, Münster i. W. 1932. – *Wandlung und Umbildung:* Nohl, Logos II, 354 ff. – *Existentialphilosophie:* O. F. Bollnow, Die Lebensphilosophie F. H. Jacobis, Stuttgart 1933.

S. 56. *Stählende Wirkung der Kantischen Sittenlehre:* David Baumgardt, Der Kampf um den Lebenssinn unter den Vorläufern der modernen Ethik, Leipzig 1933. – *«Abgrund-Tiefen»:* siehe jetzt auch Walther Rehm, Über Tiefe und Abgrund in Hölderlins Dichtung, Hölderlin-Gedenkschrift 1943, S. 70. – *Hemsterhuis:* F. Bulle, Hemsterhuis und der deutsche Irrationalismus des 18. Jahrhunderts, Jenaer Dissertation, Leipzig 1911; Erwin Kircher, Philosophie der Romantik, Jena 1906, S. 11 ff.; J. Petersen, Das goldene Zeitalter bei den deutschen Romantikern, Die Ernte. Abhandlungen zur Literaturwissenschaft, Halle 1926, S. 119 ff.; P. Kluckhohn, Die Auffassung der Liebe in der Literatur des 18. Jahrhunderts und in der deutschen Romantik, Halle 1922, S. 229 ff., 496.

S. 57. *Fichtes Entwicklung:* E. Gelpcke, Fichte und die Gedankenwelt des Sturms und Drangs, Leipzig 1928, S. 56 ff.; Hans Schulz, Fichtes Briefwechsel I, 502.

S. 58. *Verhältnis des Idealismus zum Christentum:* Beste Übersicht über die weitschichtige Literatur bei G. Fricke, Der Kampf um den deutschen Idealismus und sein Ende, Neue Jahrbücher für Wissenschaft und Jugendbildung VIII (1932), S. 70 ff., 180 ff.

S. 61. *Bildungskämpfe dieser Generation:* Vgl. auch H. H. Borcherdt, Schiller, Leipzig 1929, S. 8 f. – *Franz v. Baader:* David Baumgardt, F. v. Baader und die philosophische Romantik, Halle 1927, S. 19 ff.; Tagebücher hrsg. von David Baumgardt, Berlin 1928.

S. 63. *Michael Sailer:* Philipp Funk, Von der Aufklärung zur Romantik, München 1925, S. 62 ff.; ders., Aufklärung und christlicher Humanismus, Hochland,

Juli 1932. – *Geheime Gesellschaften:* F. J. Schneider, Die Freimaurerei und ihr Einfluß auf die geistige Kultur in Deutschland am Ende des 18. Jahrhunderts. Prolegomena zu einer Geschichte der deutschen Romantik, Prag 1909, S. 19, 196 ff.

S. 64. *Schicksalsidee:* Kurt Hanke, Die Auffassung des Schicksals im deutschen Irrationalismus des 18. Jahrhunderts, Berlin 1935; Elisabeth Kleemann, Die Entwicklung des Schicksalsbegriffes in der deutschen Klassik und Romantik, Dissertation, Würzburg 1936; K. J. Obenauer, Goethes Schicksalsidee, Zeitschrift für deutsche Bildung XIII (1937), S. 217 ff. – Goethes und Herders persönlich ablehnende Haltung gegenüber den geheimen Gesellschaften berührt nicht die geistesgeschichtliche Linie, um die es hier geht. – *Bildungsidee:* Ilse Schaarschmidt, Der Bedeutungswandel der Worte «bilden» und «Bildung» in der Literatur-Epoche von Gottsched bis Herder, Dissertation, Königsberg 1931; Hans Weil, Die Entstehung des deutschen Bildungsprinzips, Bonn 1930; Ludwig Kiehn, Goethes Begriff der Bildung, Hamburg 1932; H. Thode, Goethe der Bildner, Goethejahrbuch XXVII (1906), S. 1*–26*; P. Vogel, Das Bildungsideal der deutschen Frühromantik, Berlin 1915.

II. Winckelmann und seine Wirkung. «Klassik» und «Klassizismus».
Die Griechen

S. 68. *Winckelmann:* Ausgezeichnete vollständige Bibliographie von Hans Ruppert in der Jahresgabe 1942 der Winckelmann-Gesellschaft Stendal. – Carl Justi, Winckelmann. Sein Leben, seine Werke, seine Zeitgenossen, 3. Aufl., Leipzig 1923, 3 Bde; vgl. K. Gerstenberg, Deutsche Vierteljahrsschrift für Literaturwissenschaft usw. II (1924), S. 646 f. Der Text der 3. Auflage von Justis Werk ist ein unveränderter Abdruck der 2. «durchgesehenen Auflage»; ich zitiere nach der 1. Auflage von 1866–72. Am auffälligsten ist heute die liberalistische Beurteilung, die Justi Winckelmanns Übertritt zum Katholizismus und überhaupt seiner Religiosität zuteil werden läßt. Anregende Kritik Justis und der neueren Winckelmann-Literatur bis 1933 in der unten angeführten Schrift von Baumecker. H. Cysarz, Erfahrung und Idee. Probleme und Lebensformen in der deutschen Literatur von Hamann bis Hegel, Wien und Leipzig 1921, S. 46 ff.; F. Schultz, Der Mythus des deutschen Klassizismus, Zeitschrift für deutsche Bildung IV (1928), S. 1 ff.; F. Blättner, Das Griechenbild Winckelmanns, Hamburg 1946; ders., Winckelmanns deutsche Sendung, Deutsche Vierteljahrsschrift für Literaturwissenschaft und Geistesgeschichte XXI (1943), S. 23 ff.; W. Rehm, Griechentum und Goethezeit, Leipzig 1936; F. Beissner, Drei Vorträge über Winckelmann, Die Antike 1942, S. 234 ff.

S. 70. *Historie und Theorie in Winckelmanns Kunstgeschichte:* Justi II, 1, S. 109. –

S. 71. *Entwicklung der bildenden Kunst:* Hermann Schmitz, Kunst und Kultur des 18. Jahrhunderts in Deutschland, München 1922, S. 366 f.

S. 72. *«Drei widerstreitende Erziehungen»:* Das Zitat nach Justi I, 220. – *«Gleichartigkeit des Ungleichzeitigen»:* Umkehrende Anwendung des bei W. Pinder, Das Problem der Generation in der Kunstgeschichte Europas, Berlin 1926, S. 22 ff. Gesagten.

S. 73. *Ihre Lehre:* Justi I, 223.

S. 74. *W. Schadewaldt*, Winckelmann und Homer, 1941; Konrad Kraus, Winckelmann und Homer, 1935.

S. 76. *Montaigne und Shaftesbury:* Justi I, 226 ff. – *Shaftesbury:* O. Walzel, Goethes Werke, Jubiläumsausgabe Bd. 36, S. XXIX ff.

S. 78. *«Gedanken über die Nachahmung»:* G. Baumecker, Winckelmann in seinen Dresdner Schriften, Berlin 1933, S. 140 ff., 147 (mit anregender Kritik der neueren Winckelmann-Literatur).

S. 81. *Nietzsche und Bachofen:* A. Baeumler, Der Mythus von Orient und Occident, München 1926, S. XXVI, XCIII f., CLXX ff. – *Begriff des Idealischen:* E. Spranger, W. von Humboldt und die Humanitätsidee, Berlin 1909, S. 160 ff.; H. v. Stein, Die Entstehung der neueren Ästhetik, Stuttgart 1886, S. 386 f., 388.

S. 84. *Sprache Winckelmanns:* Maria Müller, Untersuchungen zur Sprache Winckelmanns, Dissertation (Maschinenschrift), Leipzig 1926; Hans Gerhard Evers, Studien zu Winckelmanns Stil, Dissertation, Göttingen 1924 (Maschinenschrift); Hildegard Jersch, Untersuchungen zum Stile W.s mit besonderer Berücksichtigung der Geschichte der Kunst des Altertums, Dissertation, Königsberg 1939, Calw 1939.

S. 87. *August Wilhelm Schlegel:* Sämtliche Werke hrsg. von Böcking XII, 325.

S. 92. *Rousseau:* Über die schon von Diderot erkannte Übereinstimmung zwischen Winckelmann und Rousseau K. J. Obenauer, Die Problematik des ästhetischen Menschen in der deutschen Literatur, München 1933, S. 159.

S. 93. *Lebenden Philosophen:* K. Riezler, Gestalt und Gesetz, München 1924, S. 89.– *Begriff der «Nachahmung»:* H. v. Stein, Die Entstehung der neueren Ästhetik, Stuttgart 1886, S. 370 ff., 375, 378; Hermann Gmelin, Das Prinzip der Imitatio in den romanischen Literaturen der Renaissance (I. Teil), Sonderabdruck aus den Roman. Forschungen XLVI, Erlangen 1932; Villemain, L'imitation de l'antiquité originale et créatrice in seinen Discours et mélanges littéraires, Paris 1893 (vgl. W. Eppelsheimer, Deutsche Literaturzeitung 1936, Sp. 456 ff.); W. Flemming, Die Grundlegung der modernen Ästhetik und Kunstwissenschaft durch Leone Battista Alberti, 1916; Hugo Biber, Der Kampf um die Tradition, Stuttgart 1928, S. 27 ff.; Erich Auerbach, Mimesis, Bern 1946.

S. 95. *«Ich unternehme . . .»:* Das Zitat ist zusammengesetzt aus Winckelmanns Werken hrsg. von Eiselein, Bd. 6, 221 [10, 147], 12, LXIV ff.

S. 97. *In Mittel- und Norddeutschland:* M. G. Zimmermann, Winckelmann, der Klassizismus und die märkische Kunst, Leipzig 1918. – *Klassische Ideologie:* W. Weisbach, Die klassische Ideologie, Deutsche Vierteljahrsschrift für Literaturwissenschaft und Geistesgeschichte XI (1933), S. 559 ff.; Baumecker, S. 44 ff., 57 ff.; E. Panofsky, Idea 1924; K. Gerstenberg, J. J. Winckelmann und A. R. Mengs, 27. Hallisches WinckelmannProgramm, 1929; J. Schlosser, Die Kunstliteratur, Wien 1924, S. 603; Justi I, 341 ff., 406 ff.; K. Eberlein, Winckelmann und Frankreich, Deutsche Vierteljahrsschrift XI (1933), S. 592 ff., 596 f.

S. 98. *Das heute bereits abgenutzte Winckelmannsche Wort:* Dagegen W. Rehm, Griechentum und Goethezeit, S. 414.

S. 100. *Problem des «Klassischen»:* Das Problem des Klassischen und die Antike. Acht Vorträge . . . hrsg. von W. Jaeger, Leipzig 1931, S. 78, 80, 97; R. Hamann, Winckelmann und die kanonische Auffassung der antiken Kunst, Internationale Wochenschrift 1913, Sp. 1185 ff.; Hans Rose, Klassik und künstlerische Denkform des Abendlandes, München 1937.

S. 101. *Naturnachahmung mit der Gestaltung aus der Idee:* H. v. Stein, a. a. O. S. 395.

S. 102. *«Wer zu den Sinnen ...»:* Jubiläumsausgabe XXXIII, 113. – *Umrißzeichnung:* Nach Franz Koch, Anzeiger für deutsches Altertum LIV (1935), S. 122 hat Franz Ferd. Schmidt in seinem (mir nicht zugänglichen) Buche über deutsche Landschaftsmalerei von 1750–1830, München 1922, gezeigt, daß in der Neigung der Epoche zum Umrißhaften und Linearen eher eine Renaissance der Gotik als der Antike zu erkennen sei. – *«Reinlicher Umriß»:* Jubiläumsausgabe XIII, 266. – *John Flaxman:* A. W. Schlegel, Sämtliche Werke, hrsg. von Böcking IX, 102 ff.

S. 103. *Sinnlichen Erregungen:* A. Baeumler, a. a. O. S. XXV. – *Körpergefühl:* K. Simon, Körperlichkeit und Stil im Wandel vom Rokoko zum Klassizismus, Jahrbuch des Freien Deutschen Hochstifts 1931, S. 126 ff.

S. 104. *«Stille»:* E. Bergmann, Das Leben und die Wunder J. J. Winckelmanns, Festschrift Johannes Volkelt ... dargebracht, München 1918, S. 288 ff.; W. Rehm, Götterstille und Göttertrauer. Ein Beitrag zur Geschichte der klassischromantischen Antikendeutung, Jahrbuch des Freien Deutschen Hochstifts 1931, S. 219; Paul Clemen, Lob der Stille, Düsseldorf 1936.

S. 106. *«Ich konnte mich nicht enthalten ...»:* Goethe aus Neapel, 3. März 1787: «Wenn man jemand Geliebtes so fortfahren sähe, müßte man vor Sehnsucht sterben» (vgl. auch Odyssee 5, 82). – *Homerische Lichter:* W. Schadewaldt hat in seinem Vortrag «Winckelmann und Homer», Leipzig 1941, dargelegt, wie sehr Homer als seelisches Grunderlebnis Winckelmanns Gemütsverfassung bestimmt hat. – *Sänger der Ostsee:* F. L. Stolberg, «An das Meer», Gesammelte Werke der Brüder Christian und Friedrich Leopold Grafen zu Stolberg I, Hamburg 1827, S. 175.

S. 108. *Ebene des Ästhetischen:* A. Baeumler, a. a. O. S. XXVI f.

S. 109. *«Verbindung mit dem Göttlichen»:* W. Rehm, a. a. O. S. 215. – Zu Winckelmanns schlesischer Abstammung s. Adolf Schaube, Die schlesische Abstammung Winckelmanns, in der Zeitschrift des Vereins für Geschichte Schlesiens Bd. 66 (1932), S. 162 ff. und ebenda Bd. 67, S. 120 ff. – *Tersteegen:* F. J. Schneider, Die Freimaurerei und ihr Einfluß auf die geistige Kultur in Deutschland, Prag 1909, S. 22.

S. 110. *Winckelmannsche Religiosität:* E. Bergmann, a. a. O. S. 239 ff.; K. Borinski, Die Antike in Poetik und Kunsttheorie, Bd. II, hrsg. von R. Newald, Leipzig 1924, S. 207 ff., ebendort S. 206 das Wort vom «Dämonischen Schusterssohn aus der Uckermark».

S. 119. *«Versuch einer Allegorie ...»:* H. v. Stein, a. a. O. S. 391; E. Spranger, Wilhelm v. Humboldt usw., S. 391; Borinski, a. a. O. S. 208; Carl Müller, Die geschichtlichen Voraussetzungen des Symbolbegriffes bei W., Dissertation, Berlin 1937.

S. 120. *Nachgeschichte der «Stille»:* W. Rehm, a. a. O. S. 222 ff.; – *das Wort «Stille»:* ebendort S. 289; R. M. Meyer, Archiv für das Studium der neueren Sprachen und Literaturen Bd. 96 (1896), S. 32 ff.; J. Petersen, Aus der Goethezeit, Leipzig 1932, S. 83, 242.

S. 125. *Englische Vorbereitung:* F. Schnabel, Deutsche Geschichte im neunzehnten Jahrhundert, Freiburg i. Br. 1929, I, S. 162, 590 f.; England und die Antike, Vorträge der Bibliothek Warburg 1930/31, hrsg. von F. Saxl, Leipzig 1933. – *«... elementare Kraft ...»:* Das Zitat stammt aus L. Curtius, Die antike Kunst und der moderne Humanismus, Berlin 1927; vgl. auch E. Aron, Die deutsche Erweckung des Griechentums durch Winckelmann und Herder, Heidelberg 1929, S. 9.

S. 126. *«Klassik» und «Klassizismus»:* Vgl. die Artikel «Klassik» und «Klassizismus» von H. Cysarz in Merker-Stammlers Reallexikon der deutschen Literaturgeschichte II, Berlin 1926, S. 92 ff., 101 ff.; R. Alewyn, Vorbarocker Klassizismus und griechische Tragödie, Neue Heidelberger Jahrbücher, Neue Folge, 1929, S.22; F. Blättner, Das Griechenbild Winckelmanns, Hamburg 1946.

S. 127. *Bürger- und Beamtentum:* F. Schnabel, Deutsche Geschichte im neunzehnten Jahrhundert I, 168 ff.

S. 128. *«Elite»:* Hans Weil, Die Entstehung des deutschen Bildungsprinzips, Bonn 1930, S. 149 ff., 236, 249, 257.

S. 129. *«Römischen Kunst»:* Herbert Koch, Römische Kunst, Breslau 1925, S. 7 ff. – *Römertum – Hellenentum Winckelmanns:* Ed. Wechßler, Esprit und Geist, Bielefeld und Leipzig 1927, S. 37 f.; R. A. Schröder, Racine und die deutsche Humanität (Schriften der Corona II), München 1932, S. 221 ff.; Lothar Helbing, Der dritte Humanismus, Berlin 1932, S. 14.

S. 130. *Gestalt Napoleons:* Berthold Vallentin, Napoleon, Berlin 1923, S. 137 ff.; F. Schnabel, a. a. O. S. 172 ff., 592.

S. 131. *Deutsch-sächsische Einflüsse:* K. K. Eberlein, Winckelmann und Frankreich, Deutsche Vierteljahrsschrift für Literaturwissenschaft und Geistesgeschichte XI. (1933), S. 592 ff.

S. 134. *Asozial:* Vgl. auch K. J. Obenauer, Zeitschrift für Deutschkunde 1933, S. 25.

S. 135. *Lehrer- und Führerrolle:* Berthold Vallentin, Winckelmann, Berlin 1931, S. 70.

S. 136. *Heroische Männerfreundschaft:* Vallentin S.132, 153 ff., 162 f., 171 f., 176, 212 u.ö.

S. 138. *Wichtiger Strang:* Vallentin S. 188 ff. – *Leopold Friedrich Franz von Dessau:* Wilhelm Hosäus, Herzog Leopold Friedrich Franz von Anhalt-Dessau und Johann Joachim Winckelmann, Mitteilungen des Vereins für Anhaltische Geschichte und Altertumskunde II, Dessau 1880, S. 19 f.; R. Kießmann, Leopold Friedrich Franz von Dessau und seine Beziehungen zu Goethe, Jahrbuch der Goethe-Gesellschaft V (1918), S. 40 ff.

S. 139. *Ideal des «hohen Menschen» bei Jean Paul:* Annelies Meyer, Die höfische Lebensform in der Welt Jean Pauls, Berlin 1932 (= Neue Forschung Bd. 18).

S. 140. *Italienreise und Italiensehnsucht:* Statt der weitverzweigten früheren Literatur W. Waetzoldt, Das klassische Land. Wandlungen der Italiensehnsucht, Leipzig 1927; ders., Die Kulturgeschichte der Italienreise, Preußische Jahrbücher Bd. 230 (1932), S. 13 ff.; L. S. Schudt, Romreisen in drei Jahrhunderten, «Italien» 1928, Heft 3. – *Musikalische Bildungsreise:* O. Jahn, Mozart, 4. Aufl., hrsg. von Deiters, Leipzig 1905, S. 121; über Händels musikalische Bildung in Italien siehe die Biographie von Chrysander und Müller-Blattau, G. F. Händel (Große Meister der Musik, hrsg. von Bucken), Potsdam 1933.

S. 143. *Nordsehnsucht:* Vgl. Rich. Wolfram, E. M. Arndt und Schweden. Zur Geschichte der deutschen Nordsehnsucht (Forschungen zur neueren Literaturgeschichte 65), Weimar 1933; Uhland von Skandinavien: «Kennt ihr das Land, wo sich mit trübem Licht die Sonne über Nebelberge grüßt?» (Ausgabe von Hartmann und Erich Schmidt II, 335); E. Bertrams Aufsatz «Norden und deutsche Romantik» in seinen «deutschen Gastreden»; Carl Petersen, Deutschland und der Norden, 2. Aufl. 1937. – *Hamann:* Unger, a. a. O. S. 384 ff. – *Fehlende spezifisch-religiöse Anlage:* Unger, a. a. O. S. 193.

S. 144. *Herder und Winckelmann:* A. E. Berger, Der junge Herder und Winckelmann, Studien zur deutschen Philologie, Halle 1903, S. 85–168; E. Aron,

Die deutsche Erweckung des Griechentums durch Winckelmann und Herder, Heidelberg 1929. – *«Denkmal Johann Winckelmanns»:* Herders Sämtliche Werke, hrsg. von B. Suphan, VIII, 437 ff. – Winckelmanns Wirkung auf Justus Möser: Vgl. die Vorrede zur Osnabrückischen Geschichte 1768, Laging, Mitteilungen des Vereins für Geschichte und Landeskunde von Osnabrück Bd. 39 (1916), S. 12.

S. 147. *Exemplarische Fälle:* Das Zitat aus Herders Humanitätsbriefen Suphan XVII, 151.

S. 148. *«Der Wanderer»:* F. J. Schneider, *Epochen III, 381. – Winckelmann und Mengs ... systematisch ausgebeutet:* Ed. Castle, Winckelmanns Kunsttheorie in Goethes Fortbildung = In Goethes Geist, Wien und Leipzig 1926, S. 193 ff. – *Entscheidende Wesenszüge:* Abgesehen von der älteren Literatur: W. Schadewaldt, Goethe und das Erlebnis des antiken Geistes, Freiburg i. Br. 1932; L. Curtius, Goethe und die Antike, Neue Jahrbücher für Wissenschaft und Jugendbildung VIII (1932), Heft 4; R. Pfeiffer, Goethe und der griechische Geist, Deutsche Vierteljahrsschrift für Literaturwissenschaft und Geistesgeschichte XII (1934), S. 283 ff.; K. Gerstenberg, J. J. Winckelmann und Raphael Mengs, Halle 1929.

S. 150. *Oper:* H. Kretzschmer, Geschichte der Oper, Leipzig 1919, S. 195 ff.; L. Schiedermair, Die deutsche Oper, Leipzig 1930, S. 95 ff.

S. 151. *Nur wenige große Könner:* Hier wäre vor allem Carstens zu nennen gewesen, von dem schon Hettner in seiner Literaturgeschichte sagte, daß «in ihm die große Tat Winckelmanns wahrhaft lebendig» geworden sei, und den neuerdings Nadler gewürdigt hat.

S. 152. *Heinse:* K. D. Jessen, Heinses Stellung zur bildenden Kunst, Berlin 1901, S. 74 ff.; A. Zippel, W. Heinse und Italien, Jena 1930.

S. 154. *Allmählich sich durchsetzende Erkenntnis:* B. v. Wiese, Zur Kritik des geistesgeschichtlichen Epochenbegriffes, Deutsche Vierteljahrsschrift für Literaturwissenschaft und Geistesgeschichte XI (1933), S. 144. – *Vergegenständlichungen des Geistes:* S. Elkuss, Zur Beurteilung der Romantik und zur Kritik ihrer Erforschung, München und Berlin 1918, S. 20 ff.; jetzt auch W. Linden, Umwertung der deutschen Romantik, Zeitschrift für Deutschkunde Bd. 47 (1933), S. 65 ff. Scheinbar paradox, aber sinnvoll: «Jacob Grimm – der echteste Nachfolger Winckelmanns.»

S. 155. *Wehen aus Winckelmanns Bereich:* vgl. auch H. Kummer, Der Romantiker O. H. Graf von Loeben und die Antike, Halle 1929.

S. 156. *Der ästhetische Typ:* Vgl. K. J. Obenauer, Winckelmann, Zeitschrift für Deutschkunde 1933, S. 23 ff.; genauer in desselben Buch über «Die Problematik des ästhetischen Menschen in der deutschen Literatur», München 1933, S. 157, wo gesagt wird, daß bei W. in das ästhetische Stilprinzip das ethische Ideal eingeschlossen war, «wie der ganze Platonismus das Ethische in das Ästhetische einschließt und wie Winckelmann selbst in die Geschichte des Platonismus gehört».

S. 157. *Scheinlösung:* Korff, Geist der Goethezeit II, 398 f.

III. Die Herdersche Humanität. Herder der Seelenbildner.
Völker und Geschichte

S. 159. *«Der Mensch . . . der höchste . . . Gegenstand . . .»:* Goethe, Jubiläumsausgabe XXVI, 199.

S. 160. *Humanität:* R. Lehmann, Herders Humanitätsbegriff, Kantstudien 24, Berlin 1920, S. 242 ff. (unzureichend); A. Farinelli, L'umanità di Herder e il concetto della «razza» nella storia dello spirito = Cultura contemporanea VI, Milano 1925, S. 165 ff.; Friedrich Berger, Menschenbild und Menschenbildung. Die philosophisch-pädagogische Anthropologie J. G. Herders, Stuttgart 1933; Korff, Geist der Goethezeit II, 134 ff., 143 ff. verfolgt andere Gedankengänge, als sie hier im Text vorgetragen werden; ebenso B. v. Wiese, Das Humanitätsideal in der deutschen Klassik, Germanisch-romanische Monatsschrift XX (1932), S. 321 ff.

S. 162. *«Menschlichkeit» bei Herder:* siehe auch Wackernagel-Martins Literaturgeschichte II, 307.

S. 165. *Das eigentümlichste Ergebnis der Bemühungen seiner Weimarer Zeit:* F. A. Bran, Herder und die deutsche Kulturanschauung, Berlin 1932, S. 53.

S. 166. *Ansätze zum Organismus- und Entwicklungsgedanken bei Lessing:* H. Leisegang, Lessings Weltanschauung, Leipzig 1931, S. 114.

S. 168. *Von Kant unterschieden:* Th. Litt, Kant und Herder als Deuter der geistigen Welt, Leipzig 1930, S. 124 ff.

S. 169. *Theodor Litt:* Die Befreiung des geschichtlichen Bewußtseins durch Herder, Leipzig 1942.

S. 171. *Herzogin Luise:* Haym, Herder II, 24. – *An Frau von Stein:* 28. Dezember 1781.

S. 175. *Herders Vollendungsglaube:* Man erinnere sich der schönen Stelle im zweiten Bande von Tolstois «Krieg und Frieden», der auf Herder verweist.

S. 177. *Weltanschauung des Maßes:* E. Howald, Humanismus und Europäertum, Neue Schweizer Rundschau, 1. März 1930, S. 171 ff. – *Nietzsche;* Menschliches Allzumenschliches Nr. 114.

S. 178. *Scheidelinie zwischen Humanitätsidee und Christentum:* wie bei Korff, Humanismus und Romantik, Leipzig 1924, S. 30. – *Grundlinie der Individualitätsphilosophie:* G. Wilhelm, Herder, Feuchtersleben und Stifter, Euphorion 1923, 16. Ergänzungsheft, S. 120 ff.; H. Blumenthal, Adalbert Stifters Verhältnis zur Geschichte, Euphorion XXXIV (1933), S. 72 ff., 92.

S. 179. *Schrankenloser Optimismus:* R. Stadelmann, Der historische Sinn bei Herder, Halle 1928, S. 55 ff.; Litt, Kant und Herder, S. 236 ff. – *Unterordnung des einzelnen unter den Staat:* R. Stadelmann, a. a. O. S. 48 f., 112 f.; Meinecke, Weltbürgertum und Nationalstaat, München und Berlin 1908, S. 28 f.; E. Kühnemann, Herders Persönlichkeit in seiner Weltanschauung, Berlin 1893, S. 128 ff.; Bran, Herder und die deutsche Kulturanschauung, S. 76 ff.

S. 181. *Fortbildung einer Nation:* Suphan V, 539. – *«Zeiten des Schlafs . . .»:* Suphan XXIV, 151; – *Humanität, Volk, Nation bei Herder:* W. Kohlschmidt, Herderstudien. Untersuchungen zu Herders kritischem Stil und zu seinen literarkritischen Grundansichten, N. F. 4, Berlin 1929; W. Goeken, Herder als Deutscher, Stuttgart 1926; Greta Eichler, Der nationale Gedanke bei Herder, Dissertation, Köln 1934; M. Radeker, Humanität, Volkstum, Christentum in der Erziehung. Ihr Wesen und gegenseitiges Verhältnis an der Gedankenwelt des jungen Herder für die Gegenwart dargestellt, Berlin 1934.

S. 182. *Bildung . . . wie Humanität . . . vegetabil gesehen:* Suphan XVIII, 223. – *an Johann Georg Müller:* Haym II, 728; Bran S. 102.

S. 185. *Große europäische Kulturgemeinschaft:* man vgl. auch E. R. Curtius, Deutscher Geist in Gefahr, Stuttgart-Berlin 1932, S. 110, 121; Friedrich Meinecke, Die Entstehung des Historismus, München 1936.

S. 186. *Humanitas zu Beginn der Neuzeit:* R. Pfeiffer, Humanitas Erasmiana 1931, S. 2; – *Slaven:* K. Bittner, Herders Geschichtsphilosophie und die Slaven, Reichenberg 1929; ders., Herders Ideen . . . und ihre Auswirkungen bei den slavischen Hauptstämmen, Germanslavica, Vierteljahrsschrift für die Erfassung der germanisch-slavischen Kulturbeziehungen I (1932/33). – *«Geschichtsphilosophie»:* M. Doerne, Die Religion in Herders Geschichtsphilosophie, Leipzig 1927.

S. 187. *Entwicklung des Christentums:* Suphan X, 216. – *der . . . Anschauung zugänglich:* Bran S. 85, 88 ff.

S. 189. *Besonderen Stelle:* Litt, a. a. O. S. 228.

S. 192. *Jean Paul:* F. Schultz, Jean Paul, Frankfurt a. M. 1926 (Privatdruck), S. 13 f., 20 f.; J. Petersen, Jean Paul und die Weimarer Klassiker = Aus der Goethezeit, Leipzig 1932, S. 201, 208 ff.; M. Kommerell, Der Dichter als Führer in der deutschen Klassik, Berlin 1928, S. 307 ff., siehe auch Band II, S. 329.

S. 194. *Genielehre:* H. Wolf, Die Genielehre des jungen Herder, Deutsche Vierteljahrsschrift für Literaturwissenschaft und Geistesgeschichte III (1925), S. 401 ff.; O. Walzel, Das Prometheussymbol von Shaftesbury zu Goethe, Leipzig 1910; ders., Jubiläumsausgabe von Goethes Werken XXVI, 35 f. und Germanisch-romanische Monatsschrift I (1909), S. 416 ff.; R. Hildebrands Artikel «Gefühl», «Geist», «Genie» im Deutschen Wörterbuch der Brüder Grimm; K. Burdach, Faust und Moses, Sitzungsberichte der Preußischen Akademie der Wissenschaften, Phil.-histor. Klasse 1912.

S. 196. *Herdersche Moseskonzeption:* Burdach, a. a. O. S. 645 ff.

S. 204. *Sprache und Stil der schriftstellerischen Bekundungen Herders:* R. Unger, Hamann I, 483, 573; F. Piquet, Revue germanique V (1909), S. 3 ff.; Joh. Haußmann, Untersuchungen über Sprache und Stil des jungen Herder, Leipzig 1907; Suphan, Zeitschrift für deutsche Philologie III (1871), S. 369 ff.; Ernst Naumann, Untersuchungen über Herders Stil, Jahresbericht des Kgl. Friedrich-Wilhelm-Gymnasiums zu Berlin, Berlin 1884; Suphans Vorreden zu Herders Werken, Bd. V, VI, VIII und Schlußbericht Bd. XII, 351 ff.; Haym, Herder II, 299, 341, 359; I, 481, 595 ff., 625 f.; K. Burdach, Die Wissenschaft von deutscher Sprache, Berlin und Leipzig 1934, S. 32 ff.; Hanna Weber, Herders Sprachphilosophie, Berlin 1939; G. Konrad, Herders Sprachproblem im Zusammenhang der Geistesgeschichte, Berlin 1937; über Herders «Sprachdeutung» F. Kainz in «Von deutscher Art in Sprache und Dichtung», I, 107 ff.

S. 208. *Stil der beiden Schriften gegen Kant:* Suphan XXI, 340 ff.; XXII, 345 ff.; Haym, Herder II, 669 f.

S. 209. *Wilhelm von Humboldt:* «Über Schiller und den Gang seiner Geistesentwicklung» = Briefwechsel zwischen Schiller und Wilhelm v. Humboldt, hrsg. von A. Leitzmann, Stuttgart 1900, S. 7 f.

S. 210. *Das Musikalische:* Müller-Blattau, Hamann und Herder in ihrem Verhältnis zur Musik, 1931; Karl Grunsky, Lessing und Herder als Wegbereiter Richard Wagners, 1933.

S. 211. *Unterschied der Erscheinung Herders gegen die Erscheinung Goethes:* Suphan, Goethe und Herder von 1789–1795, Preußische Jahrbücher Bd. 43 (1879), S. 431 ff.

S. 214. *Typenlehre:* H. Nohl, Stil und Weltanschauung, Jena 1920, S. 87 ff. – *Struktur-psychologie:* E. Spranger, Lebensformen, Halle 1924, S. 21 ff.

S. 217. *Legendendichtung:* P. Merker, Studien zur neuhochdeutschen Legendendich-tung, Leipzig 1906, S. 29 ff.

S. 218. *Drama . . . aus dem Geiste der Musik:* K. Burdach, Schillers Chordrama und die Geburt des tragischen Stils aus der Musik = Vorspiel II, Halle 1926, S. 196 ff.; Gotth. Weber, Herder und das Drama, Forschungen zur neueren Literaturgeschichte LVI, Weimar 1922.

S. 219. *Volksgeist:* Suphan XIV, 38; R. Stadelmann a.a.O. S. 97 f.

S. 222. *Wo immer Herders Geist beschworen wird:* Man vergleiche z. B. den Aufsatz von R. Unger, Zur neueren Herderforschung, Germanisch-romanische Mo-natsschrift I (1909), S. 145 ff. (Übersicht über die Jubiläumsliteratur der Jahre 1894 und 1903).

S. 227. *Übersetzungen aus der Griechischen Anthologie:* E. Beutler, Vom griechischen Epigramm im 18. Jahrhundert (Probefahrten Bd. 15), Leipzig 1909, S. 48 ff.

S. 230. *Paramythien:* vgl. R. Unger, Herder, Novalis und Kleist, Frankfurt am Main, 1922, S. 66 ff.

S. 231. *Brief an Körner:* Haym II, 326.

S. 233. *«Geistige Architektur»:* Wolfgang Menzel, Die deutsche Literatur, 2. Auflage, Stuttgart 1836, I, 157; – *Anordnung:* W. Scherer, Über die Anordnung Goethescher Schriften, Goethejahrbuch III (1882), S. 159 ff.; IV (1883), S. 51 ff.; H. Tressel, Die Anordnung von L. Uhlands Gedichten, Disser-tation, Straßburg 1915 (vgl. dazu auch H. Schneider, Uhland, Berlin 1920, S. 500); W. Brecht, C. F. Meyer und das Kunstwerk seiner Gedichtsamm-lung, Wien und Leipzig 1918; Marianne Thalmann, Gestaltungsfragen der Lyrik, 1925; F. Schultz, Joseph Görres . . . im Zusammenhange mit der jüngeren Romantik, Berlin 1902 (Leipzig 1922), S. 117 f.; Haym II, 335; Elisabeth Reitmeyer, Studien zum Problem der Gedichtsammlung mit einer eingehenden Untersuchung der Gedichtsammlungen Goethes und Tiecks (Sprache und Dichtung Heft 57), Bern-Leipzig 1935.

S. 234. *Französischen Revolution:* Suphan XVIII, 305 ff., 518 ff.

S. 235. *Wendung:* H. Baumgarten, Preußische Jahrbücher Bd. 29, S. 127–161; B. Suphan, Preußische Jahrbücher Bd. 43, S. 85 ff., 411 ff., 430 ff.

S. 236. *Sonderung des Ostpreußischen und des Schlesischen:* W. Meyer, Herders Vor-fahren, Altpreußische Monatsschrift Bd. 59, Heft 3 und 4; J. Nadler, Litera-turgeschichte der deutschen Stämme und Landschaften II², 606.

S. 239. *«Süße Stunde der Mitternacht»:* Suphan XXVII, S. 5. – Wie stark Herder zur Nacht, zum Dunklen, Geheimnisvollen, Irrationalen hinneigte, siehe auch Werner Schultz, Wilhelm von Humboldts Erleben der Natur, Deutsche Vier-teljahrsschrift für Literaturwissenschaft und Geistesgeschichte XII (1934), S. 590 mit Berufung auf R. Unger, Herder, Novalis und Kleist, 1922. – *Nietz-sche:* Menschliches Allzumenschliches Nr. 118.

S. 240. *Herder und Goethe:* B. Suphan, Goethe und Herder, Deutsche Rundschau Bd. 52 (1887), S. 63 ff., bes. S. 67 ff.

S. 242. *«Kollektive Persönlichkeit»:* H. Cysarz, Erfahrung und Idee, Wien und Leip-zig 1921, S. 56. – *Goethe oder Herder:* J. Nadler, Goethe oder Herder? Hoch-land XII (1924), Heft 1, Ges. Aufsätze 1937; G. Roethe, Jahrbuch der Goethe-Gesellschaft XII (1926), S. 363 ff.; Ein Engländer über deutsches Geistesleben im ersten Drittel dieses Jahrhunderts. Aufzeichnungen Crabb Robinsons, Weimar 1871, S. 196 f., 231; Goethe, Säkularausgabe XXX, 397 f.; Julius Goebel, Herder und Goethe, Goethejahrbuch XXV (1904), S. 156–170.

S. 243. *Verhalten gegenüber Italien:* Wie aber erklärt sich Goethes Äußerung an Frau von Stein vom 24. August 1788: «Herders Briefe sind gar interessant. Wieviel menschlicher ist er, wieviel menschlicher reist er als ich»?

IV. Goethes Weg zur Klassik. Natur, Kunst, Menschentum.
Dämonie und Beherrschung

S. 246. *Tagebuch für Frau von Stein:* Tagebücher und Briefe Goethes aus Italien an Frau von Stein und Herder, hrsg. von Erich Schmidt, Schriften der Goethe-Gesellschaft II, Weimar 1886; Goethes Tagebuch der italienischen Reise = Kröners Taschenausgabe Bd. 45, Leipzig 1925 (bis Rom, ungenau); Goethes Briefe an Charlotte von Stein, hrsg. von J. Petersen, Leipzig 1923, S. 270 ff., 685 ff.; G. A. Wauer, Die Redaktion von Goethes Italienischer Reise, Dissertation, Leipzig 1904. – E. Spranger, Goethe und die Metamorphose des Menschen, Jahrbuch der Goethe-Gesellschaft X (1924), S. 219 ff., hat die tieferen Zusammenhänge dargetan, nach denen die italienische Reise für Goethe keine Revolution, sondern eine Evolution wurde; auch in ihr kann die Anwendung der Gesetze der Morphologie (Annahme einer identischen organischen Grundform, verbunden mit dem Gesetze eines kontinuierlichen Formenwandels) gesehen werden.

S. 247. *Des italienischen Winckelmann:* oben S. 142 f.

S. 248. *Goethe und die italienische Landschaft:* K. Gerstenberg, Deutsche Vierteljahrsschrift I (1923), S. 636 ff.

S. 250. *«Naturformen des Menschenlebens»:* V. Hehn, Gedanken über Goethe, 7. bis 9. Aufl., Berlin 1909, S. 210 ff., 254 ff.

S. 266. *Wielands letzte Übereinstimmung mit dem Geiste Weimars:* B. Seuffert, Der Dichter des Oberon, Prag 1900, S. 5.

S. 269. *Gebundensein an einen einzelnen Stand:* F. Schultz, Goethe und der geistig-kulturelle Raum Frankfurts = Die Stadt Goethes, hrsg. . . . durch H. Voelcker, Frankfurt a. M. 1932, S. 455 ff.; G. Keferstein, Bürgertum und Bürgerlichkeit bei Goethe, Weimar 1933, S. 4 ff. (mit anderen Ausgangspunkten und Zielsetzungen). – *«Gesellschaft» und «Geselligkeit»:* H. A. Korff, Goethe in Weimar, Jahrbuch der Goethe-Gesellschaft XII (1926), S. 11 ff., 15 ff.; ders., Geist der Goethezeit II, 178 ff. – *weimarische Humanität:* vgl. oben S. 160 f., 170 f.; verfließend Gundolf, Goethe S. 295 ff.; Korff, Geist der Goethezeit II, 121 ff.

S. 270. *Karl August:* R. Wustmann, Weimar und Deutschland. Schriften der Goethe-Gesellschaft XXX (1915), S. 4 ff.; treffliche knappe Charakteristik bei W. Andreas, Preußen und Reich in Carl Augusts Geschichte, Heidelberger Rektoratsrede, Heidelberg 1932, S. 6 ff.; Briefwechsel des Großherzogs Carl August mit Goethe, hrsg. von Hans Wahl I–III, Berlin 1915–1918; im übrigen jetzt A. Bergmann, Carl-August-Bibliographie (Jenaer Germanistische Forschungen 20), Jena 1931; ders., Carl Augusts Begegnungen mit Zeitgenossen, Weimar 1933, und die weiteren Forschungen von W. Andreas.

S. 272. *Bild der Trockenheit:* Goethes Gespräche, neu herausgegeben von Flodoard von Biedermann, I, Leipzig 1909, S. 85, 90, 97, 110, 119, 133.

S. 279. *Leisewitz:* Gespräche I, 106 f.

S. 282. *Rührten und ergriffen:* Zur Gestalt der Mignon: Tagebücher der Adele Schopen-
hauer, Leipzig 1909, II, 120. – *«Iphigenie» ein «Festspiel»:* A. Köster, Jubiläumsausgabe XII, S. V ff.; R. Petsch, Festausgabe von Goethes Werken
(Bibliographisches Institut) VII, 1926, S. 8 ff. (mit nahezu vollständiger,
knapper Würdigung der Probleme und ihrer Literatur).

S. 283. *Wieland:* Vgl. Schriften der Goethe-Gesellschaft II, 335; E. Marx, Wieland
und das Drama, Straßburg 1914, S. 19, 26, 80 ff.

S. 286. *Wendung des Weges:* W. Scherer, Geschichte der deutschen Literatur,
S. 538 f. – *Melodrama:* K. Burdach, Schillers Chordrama und die Geburt
des tragischen Stils aus der Musik, Vorspiel II, Halle 1926, S. 116 ff.; Her-
mann Bünemann, Johann Elias Schlegel und Wieland als Bearbeiter antiker
Tragödien, Breslauer Dissertation, Leipzig 1928, S. 111 ff.; Olga Franke,
Euripides bei den deutschen Dramatikern des 18. Jahrhunderts, Leipzig 1929;
K. Borinski, Die Antike in Poetik und Kunsttheorie II, Leipzig, 1924 S. 269 f.;
Müller-Blattau, Gluck und die deutsche Dichtung, Jahrbuch Peters 1939.

S. 288. *«Proserpina»:* Erich Schmidt, Charakteristiken II, Berlin 1901, S. 148 ff.;
A. Köster, Jubiläumsausgabe VII, 371 ff.

S. 289. *Kaleidoskops:* Das Zitat stammt aus Gundolf, Goethe, S. 322. – *Goethe und
Euripides:* Über Goethes Verhältnis zum Wesen der griechischen Tragödie
siehe jetzt auch die Einleitung zu K. Reinhardts Sophokles.

S. 290. *Christlich-religiöse Vorstellungselemente:* Camilla Lucerna, Der morphologi-
sche Grundriß und die religiöse Entwicklung des Goetheschen Dramas
«Iphigenie auf Tauris», Goethe-Jahrbuch XXXIII (1912), S. 97 ff.; Erich
Franz, Goethe als religiöser Denker, Tübingen 1932, S. 199; I. G. Spren-
gel, Iphigenie auf Tauris als Erlebnis und Sinnbild, Zeitschrift für deutsche
Bildung VIII (1932), S. 126 ff.

S. 291. *Bei den Frauen Halt und Frieden:* K. Viëtor, Der junge Goethe, Leipzig 1930,
S. 73 f.

S. 292. *Beziehungen zur französischen Tragödie:* Abgesehen von älterer oder bereits
zitierter Literatur: C. Steinweg, Goethes Seelendramen und ihre französischen Vorlagen, Halle 1912; Ernst Lüdtke, Vom Wesen deutscher und französischer Klassik. Versuch einer Stildeutung an Goethes «Iphigenie» und
Racines «Mithridate», Stettin 1933; R. A. Schröder, Racine und die deutsche Humanität, München 1933, S. 19 ff. (klug und fein abwägend); merkwürdigerweise wird von Scherer, Geschichte der deutschen Literatur S. 539
von dem Dichter der «Iphigenie» gesagt: «Er erhob gewissermaßen die
Dramatik des Racine auf eine höhere Stufe.» – K. Vossler, Goethe und das
romanische Formgefühl, Jahrbuch der Goethe-Gesellschaft XIV (1928);
Ernst Merian = Genast, Goethe und Racine, Archiv für das Studium der
neueren Sprachen Bd. 168 (1935), S. 197 ff.

S. 294. *Idee des Reinen:* Adolf Beck, Der «Geist der Reinheit» und die «Idee des
Reinen» in der Viermonatsschrift «Goethe», Bd. 7 und 8 (1942 und 1943),
S. 169. – *Viktor Hehn:* Gedanken über Goethe, 7.–9. Aufl., Berlin 1909, S. 97 f. –
Taine: Die schönsten Essays von Taine, hrsg. von J. Hofmiller, München
o. J. = Bücher der Bildung, Bd. 10, S. 178 ff.

S. 295. *Tasso:* Die Literatur bis zum Jahre 1926 wieder bei Petsch, Festausgabe VII,
109 ff., 526 ff.

S. 298. *Vermittlung:* Eva Reitz, Die Gestalt des Mittlers in Goethes Dichtung,
Frankfurt a. M. 1932, S. 65 ff.; der Gedanke der Polarität ist geltend ge-

macht von W. Linden, Die Lebensprobleme in Goethes Tasso, Zeitschrift für Deutschkunde 1927, S. 337 ff., 343. – *Caroline Herder:* Goethes Gespräche I, 164 f.

S. 299. *«Idee»:* Goethes Gespräche III, 393 f.

S. 301. *Freund «milder Schlüsse»:* G. Roethe, Der Ausgang des Tasso, Funde und Forschungen, Leipzig 1921, S. 92 ff., Jahrbuch der Goethe - Gesellschaft IX (1922), S. 119 ff., Goethe, Gesammelte Vorträge und Aufsätze, Berlin 1932, S. 119 ff. Roethes Annahme einer «unerbittlichen Tragödie» ist, wie der Text zeigt, für das Werk zu eng. Pepi Engel, Der dramatische Vortrieb in Goethes Tasso (Bausteine 33), Halle 1933, überschätzt ebenfalls die «Handlung» des Werkes.

S. 303. *«Natürliche Tochter»:* A. Sauer, Die natürliche Tochter und die Helenadichtung, Funde und Forschungen, Leipzig 1921, S. 110 ff. – *Reihe «Werther», «Lila», «Triumph der Empfindsamkeit», «Tasso»:* E. Castle, Tasso-Probleme, In Goethes Geist, Weimar und Leipzig 1926, S. 161 ff. – *Nachwirkung des «Tasso»:* Judith Geisel, Tasso und sein Gefolge, Dissertation, Berlin 1911; die Arbeiten über das Künstlerdrama von H. Goldschmidt, München 1925, und E. Levy, Berlin 1929; W. Gaede, Goethes Torquato Tasso im Urteil von Mit- und Nachwelt, Dissertation, München 1931. – *«Egmont»:* Festausgabe VI, 628 ff.

S. 304. *Überbleibsel der Goetheschen Jugend:* Die «klassische» Krone des Werkes scharf beleuchtet von W. Linden, Goethes Egmont und seine römische Vollendung, Zeitschrift für Deutschkunde Bd. 40 (1926), S. 182 ff.

S. 305. *Nicht erst in Rom:* Im Gegensatz zu Petsch, Festausgabe VI, 422.

S. 306. *«Volkheit»:* Dieser Begriff ist zum erstenmal bei Goethe im Januar 1796 in den Maximen der Wanderjahre gebraucht worden, die 1829 veröffentlicht wurden. Wie Günther Müller in den Anmerkungen seiner Ausgabe der Maximen und Reflexionen nachweist, ist er in Campes Wörterbuch der deutschen Sprache (1807–1811) als Neubildung aufgeführt und folgendermaßen erklärt: «Ein Wort wie Christenheit usw., das Volk als ein Ganzes, als eine Person mit ihren menschlichen Eigenschaften und Eigenheiten gedacht.» Bei Goethe hat aber dieser Begriff eine viel weitergehende Bedeutung und ist grundlegend für das Verhältnis des Menschen zu Volk und Staat. Die Maxime 192 (Ausgabe von Günther Müller, Sammlung Kröner, 1943) lautet: «Wir brauchen in unserer Sprache ein Wort, das, wie Kindheit sich zu Kind verhält, so das Verhältnis Volkheit zum Volke ausdrückt. Der Erzieher muß die Kindheit hören, nicht das Kind; der Gesetzgeber und Regent die Volkheit, nicht das Volk. Jene spricht immer dasselbe aus, ist vernünftig, beständig, rein und wahr; dieses weiß niemals für lauter Wollen, was es will. Und in diesem Sinne soll und kann das Gesetz der allgemein ausgesprochene Wille der Volkheit sein, ein Wille, den die Menge niemals ausspricht, den aber der Verständige vernimmt, und den der Vernünftige zu befriedigen weiß und der Gute gern befriedigt.» Vgl. auch jetzt Ernst Rudolf Huber, Goethe und der Staat, Vortrag gehalten an der Universität Straßburg am 23. Januar 1944, als Manuskript gedruckt; G. Keferstein, Die Tragödie des Unpolitischen. Zum politischen Sinn des Egmont, Deutsche Vierteljahrsschrift XV (1937), S. 331 ff.

S. 307. *Das Dämonische:* siehe oben S. 43 f.

S. 311. *Abwägung und Abgrenzung der «Theatralischen Sendung» gegen die «Lehrjahre»:* Beste, auf die wesentlichen Fragen gebrachte Zusammenfassung des

Meinungsstreits bei F. Zinkernagel, Goethes Ur-Meister und der Typusgedanke, Zürich 1922, S. 10 ff.; im übrigen O. Walzel, Festausgabe, Bd. X. – *Romantheorie des 18. Jahrhunderts:* M. Sommerfeld, Romantheorie und Romantypus der deutschen Aufklärung, Deutsche Vierteljahrsschrift für Literaturwissenschaft und Geistesgeschichte IV (1926), S. 477 ff., 485 ff.; M. Gerhard, Der deutsche Entwicklungsroman bis zu Goethes Wilhelm Meister, Halle 1926, S. 97 ff.; Jenisch, Vom Abenteurer- zum Entwicklungsroman, Germanisch-romanische Monatsschrift (1926).

S. 312. *Humoristischer Roman der Engländer:* K. Jahn, Germanisch-romanische Monatsschrift V (1913), S. 225 ff.

S. 313. *Lyrische Einlagen:* P. Neuburger, Die Verseinlage in der Prosadichtung der Romantik, Berlin 1924, S. 98. – *«Die Geschwister»:* R. Hering, Goethes «Geschwister», Jahrbuch des Freien Deutschen Hochstifts 1926, S. 174 ff.

S. 315. *Don Silvio von Rosalva:* Seuffert, Jahrbuch der Goethe-Gesellschaft I (1914), S. 80 ff. – *Mignon:* Dorothea Flashar, Bedeutung, Entwicklung und literarische Nachwirkung von Goethes Mignongestalt, Berlin 1929, S. 41 ff.; J. Schiff, Mignon, Ottilie, Makarie, Jahrbuch der Goethe-Gesellschaft IX (1922), S. 133 ff.; W. Wagner, Goethes Mignon, Germanisch-romanische Monatsschrift XXI, 401 ff.

S. 316. *Typus:* Zinkernagel a. a. O. S. 14 f. – *Name «Meister»:* M. Wundt, Goethes Wilhelm Meister und die Entwicklung des modernen Lebensideals, Berlin und Leipzig 1913, S. 162 f.

S. 318. *Karl Philipp Moritz:* H. Berendt, Goethes «Wilhelm Meister», Dortmund 1911, S. 136 ff.

S. 320. Gegenüber der Rekonstruktion eines *«römischen Faustplanes»*, wie sie scharfsinnig G. W. Hertz, Natur und Geist in Goethes Faust, Frankfurt a. M. 1931, S. 41 ff. versucht, empfiehlt sich Zurückhaltung. Vor allem hat die scherzhafte Äußerung Goethes in dem Briefe an Carl August vom 23. Mai 1788, auf der die Vermutung ruht, Goethe habe damals beabsichtigt, am Schlusse des Werkes Gretchen als Madonna zu verklären, nichts mit dem Faust oder überhaupt mit einer Dichtung zu tun («daß nur Bode nichts davon erfährt, sonst kommen wir übler an als Starke, besonders wenn er wissen sollte, daß ich meine größte Spekulation darauf richte: ein Madonnen Bild zu mahlen, das noch bey meinen Lebzeiten in Rom Wunder tun soll … Verzeihen Sie meinem italienischen Schreibzeug *und meinen Possen,* ich werde schon wieder dafür büsen müssen»). An anderer Stelle gedenke ich die hier eingreifenden Fragen ausführlicher zu erörtern.

S. 321. *«Episierung»:* R. Pfeiffer, Goethe und der griechische Geist, Deutsche Vierteljahrsschrift XII (1934), S. 303; über die Gründe, warum die «Nausikaa» unvollendet blieb, vgl. man auch E. Castle, In Goethes Geist, Wien und Leipzig 1929, S. 211 ff.

S. 322. *Neuere kritisch-grundlegende Untersuchung:* Dietrich Mahnke, Leibniz und Goethe, Erfurt 1924, S. 7; dazu F. Koch, Euphorion XXIII (1926), S. 128 ff.

S. 324. *Entwicklung der Goetheschen Lyrik:* Th. v. Scheffer, Die Umarbeitung der Goetheschen Gedichte für die erste Gesamtausgabe von Goethes Werken, Dissertation, Freiburg 1901; H. Keipert, Die Wandlung Goethescher Gedichte zum klassischen Stil, Jena 1933. Für das «Mondlied» anstatt der zahlreichen andern Arbeiten J. Petersen, Aus der Goethezeit, Leipzig 1933, S. 49 ff., 242; eigentlich sind aber die Probleme, die das Mondlied aufgibt, noch nicht alle restlos gelöst.

S. 325. *Gestaltung der Landschaft:* R. Beitl, Goethes Bild der Landschaft, Berlin und Leipzig 1929, S. 13 ff.

S. 326. *Fragment über «Die Natur»:* Aus der Forschung nur: R. Steiner, Schriften der Goethe-Gesellschaft VII (1892), S. 393 ff.; Dilthey, Aus der Zeit der Spinozastudien Goethes, Gesammelte Schriften II (1914), S. 391 ff.; E. Beutler, Vom griechischen Epigramm im 18. Jahrhundert, Leipzig 1909, S. 121 ff.; H. Schneider, Archiv für das Studium der neueren Sprachen und Literaturen, 67. Jahrgang (1908), S. 257 ff.; R. Hering, Jahrbuch der Goethe-Gesellschaft XIII (127), S. 138 ff.; mein Aufsatz in den internationalen Forschungen zur Literaturwissenschaft, Festgabe für Julius Petersen 1938.

S. 328. *«Metamorphose der Pflanzen»:* Für die Stellung der modernen Naturwissenschaft zu Goethe ist auf einem abgegrenzten Gebiet immer noch am lehrreichsten A. Hansen, Goethes Metamorphose der Pflanzen. Geschichte einer botanischen Hypothese, Gießen 1907, und ders., Goethes Morphologie. Ein Beitrag zum sachlichen und philosophischen Verständnis und zur Kritik der morphologischen Begriffsbildung, Gießen 1919. Vgl. auch Günther Müller, Über die Metamorphose der Pflanzen, Deutsche Vierteljahrsschrift für Literaturwissenschaft und Geistesgeschichte XXI (1943), S. 67 ff.

S. 330. *Karl Philipp Moritz:* F. J. Schneider, *Die deutsche Dichtung zwischen Barock und Klassizismus, Epochen der deutschen Literatur III/2,* S. 313 ff.; F. Brüggemann, Die Ironie als entwicklungsgeschichtliches Moment, Jena 1909, S. 130 ff.; M. Dessoir, K. Ph. Moritz als Ästhetiker, Berliner Dissertation, Naumburg 1889; R. Unger, Zur seelengeschichtlichen Genesis der Romantik, Nachrichten von der Gesellschaft der Wissenschaften zu Göttingen, Philol.-histor. Klasse, 1930, S. 311 ff.; O. Walzel, Die Sprache der Kunst, Jahrbuch der Goethe-Gesellschaft I (1914), S. 3 ff.; R. Fahrner, K. Ph. Moritz' Götterlehre, Marburg 1932; W. Rehm, Götterstille und Göttertrauer, Jahrbuch des Freien Deutschen Hochstifts 1931, S. 225 f.; F. Müffelmann, K. Ph. Moritz und die deutsche Sprache, Greifswalder Dissertation, 1930; Ed. Naef, K. Ph. Moritz, Seine Ästhetik und ihre menschlichen und weltanschaulichen Grundlagen, Züricher Dissertation, 1930; R. Minder, Die religiöse Entwicklung von K. Ph. Moritz, Berlin 1936.

S. 333. *Heinrich Meyer:* Goethes Briefwechsel mit Heinrich Meyer, hrsg. von Max Hecker, Schriften der Goethe-Gesellschaft XXXII, XXXIII, 1917/1919; vgl. Bd. XXXII, S. VI; dort auch die ältere Literatur; A. Federmann, Joh. Heinrich Meyer, Goethes Schweizer Freund 1760–1832 (Die Schweiz im deutschen Geistesleben Bd. 82), Frauenfeld, Leipzig 1936.

NAMENVERZEICHNIS